Arnold Zweig   Berliner Ausgabe

Essays / 2

Arnold Zweig

Berliner Ausgabe

Herausgegeben von der
Humboldt-Universität zu Berlin
und der
Akademie der Künste, Berlin

Wissenschaftliche Leitung:
Frank Hörnigk in Zusammenarbeit
mit Julia Bernhard

Arnold Zweig

Caliban
oder
Politik und Leidenschaft

*Versuch über die menschlichen
Gruppenleidenschaften
dargetan am Antisemitismus*

Aufbau-Verlag

Bandbearbeitung: David R. Midgley

Zweig, Berliner Ausgabe
ISBN 3-351-03400-8
Zweig, Caliban
ISBN 3-351-03421-0

1. Auflage 2000
© Aufbau-Verlag GmbH, Berlin 2000
Lektorat Almut Giesecke
Typographie und Einbandgestaltung Heinz Hellmis
Satz LVD GmbH, Berlin
Druck und Binden Kösel, Kempten
Printed in Germany

Sigmund Freud
Respektvoll

Die Wut des neunzehnten Jahrhunderts ist die Wut Calibans,
der sein Antlitz im Spiegel erblickt.

Oscar Wilde

Die Russen nennen sie Preußen, die Preußen aber ihrerseits
Russen.

Über die Küchenschaben

Juden und Heiden hinaus! so dudelt der christliche Schwärmer.
Christ und Heide verflucht! murmelt ein jüdischer Bart.
Mit den Christen an Spieß und mit den Juden ins Feuer!
Singet ein türkisches Kind Christen und Juden zum Spott.
Welcher ist der klügste? Entscheide! Aber sind diese
Narren in deinem Pallast, Gottheit, so geh ich vorbey.

Goethe, Epigramme (secreta)

Vorrede

I.

»Gestanden sei zu gutem Beginne: es ist mir nicht natürlich, sehr breit über ein Thema wie dieses zu schreiben. Der Antisemitismus ist für die Juden heute eine Frage dritten Ranges. Wie gestaltet sich Palästinas Gegenwart und die Zukunft eines neuen jüdischen Menschen? Wie wendet sich das Geschick der ostjüdischen Massen? Wie gewinnt Judentum seinen religiösen Grundwert zurück, für das Leben der allgemeinen Judenheit wie für das religiöse Drängen innerhalb der heutigen Menschheit? Das sind vollgültige Probleme; was aber deutscher Antisemitismus und der Antisemitismus überhaupt bedeute und sei – diese Frage mag Menschen von schwankendem Selbstgefühl oder gereizten Staatsbürgern sehr empfindlich sein: an sich ist sie nicht zentral. Für Deutsche aber ist die Judenfrage eine Frage siebenten Ranges, oder sie sollte es sein. Festigung der Republik, Demokratisierung der deutschen Menschen, Grundlegung einer wirklich erzeugenden Wirtschaft – das heißen mir Probleme; Erkenntnis und Überbrückung der nahezu unerhörten Fremdheit zwischen deutschem Arbeiter und deutschem Bürgerssohn, Erfassung der wirklichen empirischen und der wirklichen metaphysischen deutschen Seele, redliche Prüfung des Bildes, in welchem der Kriegs- und Nachkriegsdeutsche sich der Menschheit jenseits seiner Landesgrenze aufgeprägt hat, und seiner Folgen für die psychologische Situation des Deutschen, der mit den anderen Europäern zusammentrifft, zusammen arbeiten soll – das sind Probleme; die Frage des Besitzes und der Menschenseele, die Frage der Gewalt und der Menschenseele, die Frage der Menschenverbundenheit und der Menschenseele, diese drei in deutscher Sprache gestellt: das scheinen mir deutsche Probleme. Die Rolle der Juden innerhalb der deutschen Situation und ihrer Entwicklung – nicht einmal an dieser Stelle hätte die Frage danach ihren wahren Rang, wenn sie nicht zu gleicher Zeit die Frage nach Gerechtigkeit und Einsicht eines weißen Kulturvolkes wäre; es könnten noch immer weit wichtigere, dringlichere, heilsamere gestellt werden. Aber die Deutschen haben sich mit vehementer Wut in die Frage nach dem Juden verbissen: der Antisemitismus wird in kulturellen, gesellschaftlichen, wirtschaftlichen und politischen Zusammenhängen so als Mittelpunkt behandelt, denkt, empfindet, entscheidet überall, offen oder versteckt, so stark mit, daß man versuchen muß, ihn ein für allemal ebenso ernst zu nehmen wie es seine Träger tun. Und indem man sich dazu entschließt, wird man sich schließlich dem Puls des augenblicklichen deutschen und kontinentalen Lebens irgendwie nähern, ja wird das Leben der Zeit empfinden und erkennen: unter dieser Perspektive aber Geduld und Hingabe selbst an diese Sache mit der Hingabe und Aufgeschlossenheit verbinden, die das Leben und der Geist von jedem Lebenden fordern.«

2.

Mit diesen Worten eröffnete ich Juli 1920 die Niederschrift der folgenden Untersuchung – nachts, in Bayern, auf einem Balkon dicht am Walde, Nachtfalter drangen lautlos aus der Schwärze jenseits der Lampe in den hellen stetigen Kreis. Ich vermeinte, den ganzen Stoff in großer Gruppierung stichworthaft niedergeschrieben, in vier mäßigen Aufsätzen jeweils vom Umfang etwa des ersten Kapitels mit einer Sache zu Rande zu kommen, die ich keinesfalls aus eigenem Antriebe, und so, begonnen hätte. Münchner Freunde regten die Arbeit an, Martin Buber stimmte ihr, damals Herausgeber des »Juden«, freundlich bei; und so ging ich darauf ein – ganz unwissend, wohin das methodische, ganz voraussetzungslose Denken mich führen werde. Mir selbst überlassen hätte ich dies Problem, das des Juden und seiner Gegenwelt, bei anderen in dem tiefen Brunnen hängen lassen, in den so viele meiner Aufgaben fallen müssen, ehe sie ans Licht sollen, und hätte geduldig gewartet, bis sich Erkenntnis, unerhellt durch den analysierenden Geist, vielleicht in Gestalt umgesetzt hätte. Aber ich hatte keine Wahl. Und heute, vor der Entscheidung, das damals Geleistete noch weiterhin wirkungslos im Jahrgang 1920/21 einer Zeitschrift zu belassen, von dem aus es einen nur allzu blassen Schein in die Meinungen zu diesem Thema sechs Jahre lang zu werfen Zeit hatte – oder noch eine letzte abrundende Anstrengung daran zu setzen, das damals vor dem Ende hingelegte Sinngeflecht wieder aufzunehmen und die Gedanken von vor sechs Jahren, geprüft, immer wieder angewendet, immer neu bestätigt und noch immer gebilligt, abzurunden: entschloß ich mich, aus dem Fragment ein Ganzes, aus dem Ganzen aber eine öffentliche Stimme zu machen: ein Buch. Und siehe, es trat noch ebensoviel Neugeschriebenes zum alten, und wieder hatte die Aufgabe den Leistenden überlistet.

3.

Mit der Wiederaufnahme kam das Buch auch zu einem Namen. Daß Will Shakespeare Pate dazu stehn sollte, war mir tief sympathisch. Ja, sein Caliban war die Verkörperung des Triebwesens und zwar meines »Differenzaffekts« selbst. Caliban lebt unterhalb von Gut und Böse – ein Bursche, bemitleidenswert noch in seiner bellenden Bosheit. Lust, Zorn, Haß, Rache, Angst, abergläubisches Niederfallen vor dem Fetisch, und eine Menge roher Kraft regieren ihn. Er war der Differenzaffekt, kein Zweifel, den ich in der Gruppenseele festgestellt, aus dem Unbekannten heraufgeholt und wie ein Botaniker der Seelenflora beschrieben zu haben mir bestätigte. Dieser Shakespeare, dieser stets ins Leben treffende Seher. Als er das Triebwesen gestaltete, die auf zwei Beine gestellte Affekthaftigkeit selbst, hatte er auch meinen Neuling mitgegeben. Nur billig, daß das Ding von ihm den Namen bekam – von dem Genie, das sogar noch dem Affektding Tanz, Religion und selbst Gesang zugeordnet hatte. Aber wo blieb sein Partner? Da, wie gezeigt wird, Differenzaffekt polar und unablöslich gebunden ist an den Zentralitätsaffekt, den Trieb, der jede Gruppe Menschen überreden will, um sie kreise der Planet – wo blieb dieser betrunken machende Verführer-Trieb, ohne den keine Schlägerei und kein Krieg, keine Massenanstrengung und Massenleistung zustande käme? Und ich entdeckte ihn, Trinkulo, unter Calibans

Mantel. Stephano gleich fand ich das doppelköpfige Ungeheuer, das Mondkalb von Affekt, die beiden aneinandergekuppelten Triebe der Abstoßung von Gruppe-Mensch zu Gruppe-Mensch und des Mittelpunktwahns jeder einzelnen Gruppe im All – und der Name stimmte, Caliban und Trinkulo – das ging nicht. Caliban sagte genug. So hieß das Buch.

4.

Ich habe an ihm kaum ein paar Stunden aus Vergnügen geschrieben, aus Spieltrieb, Überschuß, Lust an der Arbeit. Ich schrieb es als Dienst, der von mir zu leisten war. Daher fehlt ihm die sprechende Freiheit und helle Bosheit des Wortes. Es könnte leichtere Füße haben. Aber es ging um eine Sache, die Sachlichkeit wert war – und sachlich ist es.

Hat es also mit Kunsthaftem nichts zu tun, so – fast verwundert stelle ich es fest – vielleicht doch etwas mit philosophischer Wissenschaft: und wenn sich, was ich wünschte, Wissenschaft der hier niedergelegten Ideengänge bemächtigte, um sie nachzuprüfen und zu belegen oder zu zertrennen, so wird eine gewisse Freude sich in mir rühren. Es ist gar keine Frage, daß in den Geisteswissenschaften heute wieder das lebendige Leben zu spüren ist, das von den Impulsen mächtiger Entdeckungen – der Psychoanalyse, der Phänomenologie, der Soziologie und Biologie – angetrieben, die Vergeistigung des Lebens unternimmt, des Lebens und des Lernens. Ich verdanke meinen Universitätsjahren soviel erhabene Lust des Denkens, solchen Rausch der Schau in das Geistige, soviel stille Weckungen und Erschütterungen, daß es undankbar wäre, nicht ihrer gedenkend zurückzugeben, was ich vermag.

5.

Man sollte das Buch methodisch nehmen, nämlich vom Anfang bis zum Ende als einen Gedankenzug. Trotz aller Abschweifungen geht es seinem Thema, seiner bescheidenen Entdeckung, mit der zähen Treue des beharrlichen Liebhabers nach.

Diese seine Entdeckung: das Vorhandensein und das Spielen von Gruppenleidenschaften der Menschen, davon der Differenzaffekt die triebhafte Erregung und Abstoßung bezeichnet, mit welcher Menschengruppen auf das Verschiedensein anderer Menschengruppen entwertend reagieren, indes der Zentralitätsaffekt die daran gebundene Überbetonung der Wichtigkeit und Vollkommenheit der eigenen Gruppe für das Weltall vorstellt – die Feststellung dieser polar aneinandergebundenen beiden Affekte hatte für mich eine überraschende Wirkung – und somit sind sie (für mich) bewiesen –: von da ab war die Dissonanz aufgelöst, mit der fertig zu werden unserer Zeit wohl zustand: den Menschen als solchen nämlich zu gleicher Zeit als ein geistiges und fortschreitend zivilisiertes Wesen, und als eine störrische, urdumme Bestie vor sich zu sehen. Der Widerspruch zwischen geistiger Reife und politischer Kinderei, zwischen wachem Individuum und träg sich rührenden Gesamtheiten, zwischen dem freien Geiste und der kümmerlichen Pfuscherei der Erdeinrichtung wird – nicht etwa gelöst, denn seine Lösung hat allein praktisch zu sein: sondern aufgezeigt und begründet, beschrieben und aufgehellt. Das ist vielleicht nicht viel – aber so unscheinbar es sei, es kann brauchbare Folgen haben, für uns und die Folgenden.

6.

Dies Buch ist also, bei aller persönlicher Subjektivität, kein »politisches« Buch, kein Kampfbuch »gegen«, sondern ein Sach- und Kampfbuch »über«. Man beschreibt Affekte gleich dem antisemitischen, wie ein Mediziner den Sarkomerreger – schließlich fast mit Wohlwollen. Aber es wünscht sich auch Folgen, dieses Buch, geistige und sachliche, politische Folgen. Es braucht dem Antisemitismus nicht den Garaus zu machen – o nein, aber es könnte ihn denkenswert, diskussionsreif, menschenmäßig machen, indem ihm und seinen Trägern ein Schuß Nachdenken ins Blut geimpft wird. Den Juden aber kann es ruhigen Mut zu ihrem Sein geben – besonders denen, die der Antisemitismus bei ihrer schwachen Stelle trifft, bei ihrer Anbetung des Machtstaates, seiner tragenden Kaste und der von ihm geforderten reaktionären Gesinnung. Ihnen, besonders den Hunderttausenden von Einzeljuden, versprengt überall in der Welt, allen, die halb irrsinnig aus ihrer Haut möchten und die am liebsten ihre Eingeweide ausbrächen, weil sie vom Juden in den Kategorien des Antisemiten denken – allen denen möchte es dienen. Und ferner besonders all den Nichtjuden, Deutschen und anderen, die mit Leiden tiefer Herkunft die Zerfressenheit unserer vor dem Krieg doch achtbar hohen europäischen Gesittung mitleiden und im Herzen wägen. Denn sie werden aus den folgenden Seiten allerlei erfahren.

7.

Ich kann es nicht in den Händen von Lesern denken, dieses Buch »Caliban«, ohne alsbald erschüttert inne zu halten, wissend, daß jene Leser, denen es zugedacht ist, längst vermodert und verfault unter der Erde liegen. Es ward geschrieben eigentlich für Leser meiner Vergangenheit und Generation: geduldig zum Geiste, denkfroh, denkgeübt, aus antipolitischen Geistesstätten hervorgegangen, produktive Leser, die mit dem Bleistift Anmerkungen an den Rand schreiben, um den Autor zu stützen und zu kontrollieren. Diese Generation ist hin. Wie sie im öffentlichen Leben fehlt, die Million toter Deutscher und Juden, wie sie als Publikum dem Roman und dem Drama fehlt, so fehlt sie auch dem Denken der Epoche: ihre kritische Reinlichkeit, ihr anerzogener Zweifel, ihr herzhaftes Ja, ihr intellektuelles Gewissen. Das, was heute Jugend ist, hat von dieser unserer Jugend kaum einen Schimmer: in Sport, in Politik, in Bünden und Horden gewinnt man allerlei, aber nicht die Redlichkeit des Geistes und die Selbstlosigkeit namenlosen Dienstes. Darum richte ich es eigentlich, dieses Buch »Caliban«, an die Repräsentanten einer verschollenen Generation, die nicht mehr da sind.

Ob sie im Kriege fielen, im Restaurationskrieg ermordet wurden, Hand an sich selber legten: gedenket ihrer, denn sie sind es, die heute fehlen, und nicht unedel erwies sich, da sie untergingen, der Stoff ihres Wesens.

8.

Und nun, ehe die Sache selbst spreche und der Autor hinter ihr zurücktritt: es ist keine Großtuerei, wenn ein Jude hier behauptete, der Antisemitismus sei ihm nicht zentral, vielmehr eine Frage dritten Ranges. Als er dies schrieb, wußte er es nicht besser. Er glaubte, Antisemitismus in Deutschland erst getroffen zu haben, als er wach und weise genug war, über ihn zu lachen oder ihn heftig zu parieren – als Mensch zwischen fünfundzwanzig und fünfunddreißig, als Student und deutscher Weltkriegssoldat, der ab 1915 Gelegenheit hatte, dem Antisemiten in allen Spielarten nackt, nämlich als Vorgesetztem zu begegnen. (Der schlimmste hieß Baginsky und war einst Jude.) Aber es gibt kleine Irrtümer in der Welt ... Feinst verteilt als Atmosphäre waren antisemitische Elemente eingedrungen in all seine Wertbegriffe, in seine Anschauungen von Kunstproblemen (über das Gedichtete oder das Epische), von Kulturlagerungen und Einzelleistungen, von Staatskunst und Politik, von Heroentum und Demokratie, von Sozialismus und von Juden. Über Bismarck und Friedrich den Zweiten, über das Aristokratische und das Wissenschaftliche, über Nationalismus und tausend andere Dinge dachte ich unterhalb meiner eignen Kontrolle nicht wie ein unbeeinflußter Jude, sondern wie ein Mensch, als Kind aufgewachsen in einer ihm abträglichen Atmosphäre, in der er ein Fluidum von antisemitischen Gesinnungen einatmet. Da hatten Lehrer den Bartels gelesen und trugen nun Deutsch vor, da kamen Kameraden aus antisemitischen Familien, da herrschte eine naive Anbetung des Militärischen, da war Held gleich Soldat, Preuße gleich Retter Deutschlands und Deutschlands Gerüst, Opposition gleich Ressentiment der Schlechtweggekommenen, preußische Staatseinrichtung gleich göttlicher Ordnung, Herrenschicht gleich adliger Mensch (man stelle sich vor, der preußische Durchschnittsjunker als Typ des adligen Menschen – dieser brave machtgewohnte Bauernbursche, der dem Geist seine Reverenz von unten beweist) – und kurz, der erste Mensch, der über die Macht des antisemitischen Fluidums durch dieses Buch aufgeklärt ward, war sein Verfasser.

9.

Europa wächst zusammen, dank des Grauenhaften, das wir erlebten – zusammen, so sehr die Nutznießer der Grenzen und ihre sonderbaren Heiligen von Ideologen sich dagegen sperren. Mit an diesem Wachstum helfen wird auch »Caliban«. Armer Kerl, ewig verflucht auf einer Insel zu toben, weil du die Brücken zum fremden Ich, zur anderen Gruppe, zur großen Gemeinsamkeit in der Verblendung deiner Hitzwut nicht siehst, du Zornebock und getriebener Treiber: auch du sollst zum Guten dienen! Ob du willst oder nicht – du mußt mit all deiner Wildheit doch noch an deiner eigenen Erlösung wirken! Denn das Böse in dir ist kein Böses nach Ur-art, sondern das Toben gegen die Fesseln des eigenen, entstellten, unausgesprochenen, unentzauberten Seins. Wir sprechen dich aus: und vielleicht, vielleicht, daß es dir aus deiner häßlichen Haut verhelfe?

Aber wie auch immer du dich gibst: du hast uns weitergeholfen im Wissen und im Leben, und das, Caliban, Affekt der Verschiedenheit, ist ein Verdienst, für das wir dir, so sehr du auch Fratzen schneidest und dir die Nase zuhältst, kameradschaftlich danken.

Sommer 1926   Arnold Zweig

1. Buch

Antisemitismus als Symptom

»Das habe ich getan«, sagt mein Gedächtnis. »Das kann ich nicht getan haben« – sagt mein Stolz und bleibt unerbittlich. Endlich – gibt das Gedächtnis nach.

Nietzsche, Jenseits.

I.

Wenn der Kampf gegen Bethmann-Hollweg, Erzberger, Liebknecht, den Verständigungsfrieden, gegen Rathenau und Severing, gegen Vernunft im Ruhr-Einbruch, Genua und Cannes,
und jetzt gegen Locarno und Thoiry, in summa: gegen die Demokratisierung der deutschen Öffentlichkeit als Kampf gegen
den jüdischen Geist begonnen und geführt worden ist, so darf
die Weisheit der Benennung nicht Anlaß werden, die Symptome
überhaupt zu ignorieren. Was bedeutet die Tatsache des so geführten Kampfes für die Erkenntnis von Kämpfenden und Kampf,
wird man zu fragen haben: was bedeutet es, wenn für die Entstehung des Krieges – dessen Ausbruch die Alldeutschen betrieben,
bejubelten und nicht nur sie –, für seine Dauer – die vom größten Teil des Bürgertums unterstützt wurde und nicht nur von
ihm –, für Bemühungen, rechtzeitig zum Frieden zu kommen
und für die Revolution, Frucht verhinderten Friedens, für die
zerfressenden Zustände der Etappen wie für Ausbeutung des
Krieges als Konjunktur der Heimat, für Kapitalismus als Weltanschauung und Sozialismus jeder Prägung, deutschen Liberalismus
wie französischen und russischen Radikalismus, für Rußlands und
Deutschlands Niederlage wie für Englands, Amerikas und Italiens
Sieg – was bedeutet es, noch einmal gefragt, wenn für all das der
Jude und sein Wesen, sein Geist und seine Existenz als Grund
und Schuld angegeben werden? Mehr noch: daß der Jude als
Sieger aus diesem Kriege hervorgegangen sei, den, zu diesem
Zwecke allein, er angezettelt habe? (»Weltsieger Alljudaan« oder
die Kreuzspinne mit dem Davidstern.) Erinnern wir uns, daß zwar,
als die Legende vom deutschen Endsieg nicht mehr recht geglaubt wurde, im Jahre 1917 schon, Antisemiten von altem Schrot
und Korn, die Fritsch, Bartels, Reventlow in Berlin eine Konferenz abhielten, um dem Ruck nach links, den man damals prophe-

zeite, mit ihren Mitteln vorzubeugen; aber der Keim von einst
ist inzwischen zu einem Mycel herangewuchert: und wir fragen zunächst nach Kraft und Nahrung, die ihm das Wachstum er-
möglichten; fragen endlich, warum die Juden beschuldigt wurden, gerade Deutschland durch revolutionäre Krisen am Boden
zu halten, am Aufbau zu verhindern, mit Schiebung und Wucher zu entkräften, mit Mammonismus zu durchseuchen, nach
links zu drängen und den Arbeiter zu verhetzen – warum gerade
Deutschland, welches unschuldig am Ausbruch des Krieges ist,
zugleich an seiner Dauer, welches zwar den Krieg bis zum guten
Ende wollte, aber nur um eines würdigen Friedens willen – und
keines Strebens nach Weltherrschaft verdächtig sein sollte ... Was
bedeutet das breite und grimmige Einströmen des Bürgertums
in diese als Gedanken maskierten Empfindungen? Wofür sind
Heftigkeitsgrad und wilde Blindheit dieses Affekts Anzeichen
– wofür, wenn nicht für etwas sehr Zentrales und Brennendes – auf
der Seele Brennendes?

2.

Erst seit 1914 geht das deutsche Volk in seiner Allgemeinheit politisch gesprochen zur Schule. Bis zum Tage des Kriegsausbruches
hatte es sich wohl oder übel regieren lassen. Und nun strömte
dem bürgerlich Gebildeten eine solche Fülle von bisher undeut-
lichen Tatsachen zu, daß er sich nur durch die Zeitung vor ihr zu
retten verstand. Der Balkan als Problem des europäischen Gleich-
gewichts (plötzlich fiel neues Licht auf Tripolis, Marokko, Albanien), die Bagdadbahn als Determinante der deutschen Ausdehnung; Ungarn als Barre vor Serbien; Österreich als Problem,
Rußland als Problem; der Zusammenhang von Geographie und
Geschichte; die öffentliche Meinung der Erde als reale Macht;
die Sünden Österreichs in Venetien und der Lombardei (fast ver-
gessene Schuldaten rührten sich vag); die Industrie als Waffe, die
Ernährung als kriegsentscheidendes Mittel; Steuerpolitik und
Kriegsbegeisterung, Ausfuhrprämien und Verärgerung der Markt-
länder, die Interessensolidarität aller Waffenfabriken der Erde –
alle diese Zusammenhänge sollten verarbeitet werden? Verarbei-

tet von einem Volke, dem sein Parlament nie ganz ernstnehmbar schien – und, dank Bismarcks Verfassung, mit Recht –, das von der Wirkung der inneren Politik auf die äußere keine rechte Vorstellung, von fremden Ländern überhaupt keine Anschauung sondern nur Schlagworte im Geiste trug; das sich angegriffen glaubte und den »Barbaren!«-Schrei Europas, das empörte Ablehnen »hoher Kultur«-Beteuerungen der Kriegserklärer, als Folge der organisierten Ententelüge leichthin abtat? Verarbeitet von einem Volke, dem sich ohne Unterlaß neue Begriffe aufdrängten: Frachtraum und Kriegführung, Rohstoffe, Bewirtschaftung – und dann Wirtschaftsfragen ohne Ende: Erzbedarf, Kohlenförderung, Anbauflächen, Arbeitskräfte, Golddecke, Valuta, Inflation, Transportkrisen …? Genug! und von allen Nationalitätsfragen, Orientfragen, Völkerbundsfragen ganz zu schweigen. Welches Volk der Erde wäre imstande gewesen, sich in sechs Jahren eine Anschauung von dem ungeheuerlichen Denkstoff zu erwerben, der sich auf das deutsche stürzte, mit der schmerzlichsten Schwere zu böserletzt, selbst wenn es die wahrheitsliebendste und sachlichste Presse der Erde gehabt hätte und nicht eine, die sich, zum mindesten in der militärischen Sphäre, als williges und unschuldiges Werkzeug der Entstellung, der Verhetzung und der falschen Berichterstattung bewiesen hatte und weiter bewies, wie der Verlauf aller öffentlichen Angelegenheiten innerhalb von je vierzehn Tagen lehren konnte? Diese Verwirrung, dieses Erdrücktwerden von Tatsachen, Erkenntnissen, Meinungen und Möglichkeiten, diese Hilflosigkeit in der Bewältigung selbst einfacher politischer Zusammenhänge, diese tief erschütternde Richtungslosigkeit erwachsener Menschen, deren Leben im Horizont eines Fachdaseins verflossen war: diese geistige Lage mußte wenigstens erwähnt werden.

3.

Solchergestalt überanstrengt, dringt auf das deutsche Bürgertum die Anklage der Erde ein, daß innerhalb seiner selbst, in Regierung, Heeresleitung, Industrie und (Adel mit zum Bürgertum gezählt wie billig) Großgrundbesitz, im Reiche und in Österreich die

Veranlasser der Erdkatastrophe sich befänden; daß in denjenigen, die es als seine Besten und Stellvertreter anerkennt, denen es vier Jahre lang zugejubelt und tief geglaubt hat, die Männer zu sehen seien, welche man für den Ausbruch des deutschen Untergangs verantwortlich macht, weil sie ihn hätten verhindern können. Diese Anklage wird nicht allein von der als »Ausland« empfundenen und damit für die seelische Wirkung unschädlich gemachten außerdeutschen Erdbevölkerung, sondern von der gesamten bis 1918 regierten und befehligten Arbeiterschaft innerhalb Deutschlands erhoben; ja bis ins Bürgertum tief einschneidend machen sich Klassengenossen diese Überzeugung zu eigen – Demokraten, die das ancien régime in Deutschland schon vor und, mit aller Vorsicht, bei währendem Kriege bekämpft haben. Von Sozialisten und Liberalen jeder Schattierung bis tief in die klerikale Demokratie hinein mußten diejenigen deutschen Schichten, die sich besonders als Repräsentanten der Nation empfanden, und ihre sichtbarsten Exponenten, die im Staate stets sehr einflußreichen Alldeutschen, hören, daß man sie und ihr Wirken verantwortlich für Krieg und Niederlage mache, für alles was daraus entstand – für die ganze entsetzliche geistige und wirtschaftliche Not des eigenen Volkes, der Verbündeten, Europas – für den Sieg der revolutionären Bewegungen in Rußland, Österreich, Deutschland. Man legt ihnen Aktenstücke vor, Protokolle, Zeugenaussagen, Siegfriedenskundgebungen, ihre eigenen Denkschriften, in denen maßlose Kriegsziele verzeichnet stehen, Reden ihrer Führer, Zeitungsartikel ihrer Presse; hält ihnen Brest-Litowsk entgegen und Bukarest, zeigt ihnen die Schuld der Kastenwirtschaft im Heere und in der Heimat an der überwältigend wachsenden Zermürbung der Mannschaft und ihrer Familien, beweist ihnen das Versagen hoher Führer als Grund der Niederlagen an Marne, Yser, vor Verdun und wieder an der Marne, die Täuschungen über die Fochsche Reservearmee, die Überschätzung der U-Bootwaffe, die groteske Unterschätzung Amerikas, vor der viermal Sachkenner vergeblich warnten; weist auf die von Sieg-Erkämpfern verhinderten Friedensmöglichkeiten 1915 und 1917 hin und beweist aus den Archiven der Auswärtigen Ämter von Wien und Berlin, daß im Gegensatz zu den Regierungen der Entente, besonders Englands, die von der alldeutschen Kriegsbereitschaft unterjochten Regierungen der Mittelmächte mit tragischer Leichtfertigkeit in den Krieg hineingeschlittert seien. Leichtfertigkeit, Unfähigkeit, Irrtum und Verharrenwollen im Irrtum hätten, so wird überzeugend dargetan, Deutschland in diese unerträgliche Notlage geworfen, und Deutsche der repräsentativen Schichten seien die Veranlasser gewesen – Männer, von denen keiner für die vier Jahre lang verfochtene Sache zu sterben verstand, nachdem sie Millionen dafür hatten sterben lassen.

4.

Deutsche Nationalisten also seien die Urheber der Katastrophe? Mit unerträglicher Gewalt dringt diese Anklage auf das nationalistische Bürgertum ein. Vor ihr verstummen zu müssen wäre das Letzte und Ärgste, um so ärger, als man sich sehr wohl daran erinnert, daß man im Augenblick der Katastrophe und nach ihr auf der ganzen Linie der nationalen Öffentlichkeit die Stichhaltigkeit dieser Anklagen hatte zugeben müssen, von innen her genötigt durch das Wissen um all das Vorgebrachte. Aber seither erst ist am Tag, wofür man damit die Verantwortung übernommen hatte; wie ein besiegtes Deutschland wirklich aussieht, wie dieses seelisch, geistig, finanziell, wirtschaftlich verwüstete Land aus dem Kriege hervorging. Jetzt beim Geständnis verharren heißt eine Last auf sich nehmen, wie sie hierzuland noch nie getragen wurde. Hier ist im Deutschen das deutsche Wesen am Scheidewege. Hier gibt es nur das Entweder-Oder von Verneinung des bisherigen Seins – von Einkehr – oder von Abwehr, und zwar von einer Abwehr, die jede Mitschuld vor sich selbst leugnet, die jeden Skrupel verhindert dadurch, daß sie ihn nicht ins Bewußtsein läßt. Und wie im Individuum das Unerträgliche durch jenen seelischen Akt beseitigt wird, den der analytische Psychologe Verdrängung nennt, wird auch hier der ganze Komplex von einem Teil des Bürgertums verdrängt, um vor sich selbst weiter bestehen zu können. Dies ist die Vorbedingung einer Situation, in der eine ganze breite Schicht von Deutschen ihre Notlage den

»jüdischen Schiebern und Wucherern« zuschreiben und vergessen konnte, daß ihre Nationalschuld, ohne die Forderungen der
Versailler Abmachungen, fast einhundertachtzig Milliarden Mark
betrug, bis man sich ihrer durch die konsequenteste Inflation der
Wirtschaftsgeschichte auf Kosten aller Uneingeweihten glänzend
entledigte ...

5.

Hier war die Probe auf die Versittlichung des nationalen Geistes
möglich – nicht allein auf die Christianisierung, denn auch dem
heidnischen Helden nordisch-griechischer Prägung war ein Geständnis begangener Verschuldung gemäß und der daraus wachsende Mut, alle Kraft an die Wiedergutmachung des Geschehenen zu setzen. Aber dies Geständnis hätte zur Folge gehabt zum
mindesten den demütigen Dienst am Wohle der Nation, den freiwilligen Verzicht auf Vorrecht und Macht, die willige Übergabe
der nationalen Führung an diejenigen, deren Einsicht sich als die
bessere bewährt hatte: an die deutsche bürgerliche und vor allem
soziale Demokratie radikaler Prägung. Darum mußte selbst diese
Einsicht, daß jene so wildbekämpften Schichten die besseren
Führer gewesen wären, verdrängt werden – und sie wurde es. Verdrängend wirkten Stolz und Machtwille: ein Stolz, der auf echtem Wertbewußtsein fußte – man hatte gewisse Unterführerqualitäten de facto in sich – welches aber durch die ungeheure
Fälschung der Kriegslage vier Jahre lang pervertiert worden war
und in den Abgrund geführt hatte. Mit einem jähen Lichte ward
erhellt, daß entweder dieser Stolz auf sich selbst gerechtfertigt,
oder der ganze Weg des nationalen Wollens ein Irrweg war; daß
die ganze Züchtung auf militärische Macht und kriegerische
Ausbreitung, auf welche man das deutsche Wesen festgelegt hatte,
diesem Wesen gar nicht entsprach, daß es ihm nicht frei entquoll,
sondern abgenötigt war, daß man sich über den Deutschen und
seinen Weg zur Ausbreitung auf der Erde furchtbar geirrt hatte.
Und die Flucht der Führer nach dem Zusammenbruch, die Tatsache, daß nicht ein Heldentod, nicht ein Selbsttod der Verantwortlichen diese Treue gegen die eigene Idee erhärtet hatte, be

wies das nicht, daß selbst in den eigenen Reihen das prätendierte Sein sich mit dem gehabten nicht deckte? Auch vor dieser Selbstverneinung, vor diesem Abschneiden jeder zukünftigen Wiedereroberung der Macht rettete: die Verdrängung.

Unwirksam wäre vor den Tatsachen einfache Leugnung gewesen; unwirksam vor den Anklagen der Volksgenossen auch der Verweis auf die Mitschuld ganz Europas. Auf einen Mitschuldigen an allem Unheil: auf die Presse und ihre gläubigen Leser hinzudeuten ging nicht an, da man sich ja nicht erst im Kriege dieser Giftgaswaffe selbst unaufhörlich bedient hatte. Man mußte sich selber mit einem Positivum kommen, mußte ein allgemein Sichtbares, sofort Kenntliches als den Kriegsschuldigen hinstellen, mußte jemanden personifizierbar und weithin erkenntlich als einen Nutznießer, Interessenten, Anstifter des europäischen Débacles entdecken können. Wen aber?

Einen möglichst Machtlosen zunächst, jemanden, der, bisher ohne Anwalt, von Mächtigen nicht geschützt werden konnte, einen Wehrlosen, den man, falls sich außerhalb des Landes eine Macht seiner annahm, um so heftiger anzuklagen vermochte; einen Landesgenossen sodann, um sein verderbliches Wirken innerhalb der eigenen Grenzen konstatieren zu können, und so international verteilt dennoch, daß auch die anderen Besiegten von ihm, und ihm allein, besiegt sein durften; einen fremdartig Unheimlichen ferner, dem man geheime Bündelung und verborgene Feindschaft nachsagen konnte, den Geheimnis faustdick umwob: und jemanden schließlich, dem man mit einem Schein von Recht trotz faktischer Ohnmacht Weltmacht andichten durfte, um mit besserem Gewissen und der Geste des Verzweifelten zu seiner Bekämpfung alle Mittel, auch die der physischen Gewalt wenn's beliebte, aufrufen zu dürfen. Die Märchendichtkraft des Kleinbürgertums, das ja als Geistigkeit bis hoch hinauf ins besitzende Bürgertum, den Adel, die Offizierskaste wirksam blieb, und die längst zur Schauerromantik des Kolportageromans und des Films verkitscht ward, mußte für die von all den neuen Problemen verwirrte Fassungskraft mobilisiert werden; gab es Faßlicheres als eine Verschwörung, eingeführt in die Weltpolitik als erklärendes Prinzip der Weltrevolution? Die aus sehr tiefen, sehr menschenhaf-

ten Bedürfnissen getränkte Mythisierung der Ereignisse mußte, wie
erst auf Sir Edward Grey, jetzt auf ein böses Prinzip hingelenkt
werden – am besten auf eine ohnehin bekannte und verdächtige
Gestalt ... Auf wen also? Man hatte Auswahl. Den internationalen Kapitalisten? Aber abgesehen von dem schwerindustriellen
Kapital in den eigenen Reihen war es vor allem nicht anschaulich,
und man hatte selbst dafür gesorgt, daß seine »Hauptvertreter«,
England und Amerika, unkriegerischer, pazifistischer Gesinnung
verdächtig hießen. Den Freimaurer? Aber dieser Bund war allzu
gut bekannt, und seine Ankläger teils schnell lächerlich und teils
den Deutschen unverständlich, denn der Bürger war selbst Lo-
genbruder. Den Jesuiten Sue'scher Prägung? Aber hinter ihm
standen die Katholiken in Deutschland und die mächtige Welt-
kirche. Aber hatte man denn überhaupt die Wahl? Hier stand ja
einer: Kapitalist und Freimaurer in einer Person, geheimnisvoll
und geistig überlegen wie der Jesuit, »dämonisch« wie der Jesuit,
machtlos und der Macht verdächtig, im Lande und international,
eine fremde, verfemte, sichtbare Gestalt, dem »Volk« verdächtig
und unheimlich von je, vorgeformt von hundert Märchen und
Schauerromanen, vorgeformt vor allem durch Jahrhunderte kirchlicher und sozialer Absonderung: der Ewige Jude. Das Judentum
erstrebt die Weltherrschaft, zu diesem Ende entfesselte es den
Krieg – das war die ingeniöse Erfindung, mit der man sich selbst
überraschte, die das niedere Volk, das kleine und mittlere Bürgertum fing, mit der man alle Selbstschuld verdrängen und ableiten
konnte, so daß man nicht abzudanken brauchte, sondern rein und
verraten dastand – »Weltsieger Alljudaan«, dessen Marionette die
Entente ist, ohne es zu merken oder sich wehren zu können,
Marionette wie die Sozialdemokraten, diese dummen Teufel, Marionette wie der Kapitalismus, den manche für ein so verwickel-
tes Geschichtsprodukt halten, – »Weltsieger Alljudaan« oder »die
Geheimnisse der Weisen von Zion«: ein Sir John Redcliffe, ein
deutschnationaler Gödsche, ein Kitschromancier als Weltpoliti-
ker – das ist das Endprodukt der Hysterie, wie sie im Buch beschrieben steht. Der Instinkt des Hysterikers hatte mit der Treff-
sicherheit des Traumes gefunden, geschaffen, wessen er bedurfte:
und so sicher Einzelne bewußt an diesem Produkt gearbeitet ha-

ben, so sicher bleibt dieser ganze Prozeß, die ganze Schicht der Antisemiten betrachtet, unbewußt, versteckt, zielsicher, fanatisch, antilogisch-hysterisch.

Und diese Dinge werden geglaubt – man täusche sich darüber nicht. Der Geist, welcher den vaterländischen Unterricht ge-schaffen hatte, der antimenschenkundige Geist hat gesprochen, er, der aus seiner eigenen druckgläubigen Psyche den Satz gebar: »Mannschaft glaubt alles was gedruckt wird« – ein Satz, den man noch heute in reaktionären Dokumenten findet, nur daß statt »Mannschaft« »Arbeiter« zu lesen ist – ist der Geburtshelfer und Adoptivvater dieser Groteske, ihre Mutter, die Verdrängung, kennen wir, und ihr Vater ist der Zusammenbruch. Das Ergebnis dieser Verdrängung ist der politische Antisemitismus, wie er den Deutschen heute befallen hat – eine psychische Erkrankung, ein Phänomen nationaler Hysterie mit allen seinen Symptomen der Wut, der Blindheit, empörter Reizbarkeit, jähen Ausbruchs, geistiger Unzugänglichkeit, affektgetragener Morde in Serienart an Gegnern, dann an »Verrätern« in den eigenen Reihen – weil die Disposition zum Töten beim Verschwinden geeigneter Ob-jekte noch nicht abgetragen war, noch sprungbereit dastand – und allgemein, der Übertragung aller krankheitserregenden Anlässe auf den Andern, das Nicht-ich, den Juden: ein Abwehrphäno-men, gerichtet gegen Selbstbezichtigung, Geständnis, Einkehr, Umkehr. Und das Wesen des Juden – ?

Bis hierher konnte die Untersuchung vordringen, ohne vom Juden mehr vorauszusetzen als seine Existenz. Wie er wirklich ist, oder wie er erscheint, beides erweist sich als irrelevant für das Zu-standekommen des hysterischen Antisemitismus; für seine allge-meine Ausbreitung wie für sein Vorhandensein innerhalb der deutschvölkischen Geistigkeit, welche das Unglück hat, nur von untergeordneten Köpfen öffentlich vertreten zu werden – ein Unglück selbst für die Juden, um wieviel mehr für die Deutschen. Das Wesen des Juden ist für das Zustandekommen von Antisemi-tismus ganz außer acht zu lassen: schon diese Feststellung zeigt sich sehenswert …

6.

Hier sei nur als Zwischenbemerkung gesagt: Die Legitimation des Deutschvölkischen zur Vertretung deutschen Wesens und Geistes ist sehr bestritten. Wo immer man dem deutschen Wesen in seinen höchsten und stärksten Ausprägungen begegnet, im deutschen Mittelalter der großen Dichter, der Rechtsinstitutionen (Sachsen- und Schwabenspiegel), in den Artikeln der revolutionierten Bauern- und Stadtgemeinden, bei Meister Eckehart, in den Schriften der deutschen Philosophen und Dichter von Leibniz bis Nietzsche, von Klopstock bis Stehr, in der Musik des deutschen Menschen von Schütz und Bach bis Bruckner und Brahms, in den Impulsen der deutschen Jugend, sofern sie gefestigt genug ist, um ihrem eigenen Wesen zuhören zu können – davon später mehr – und der Pädagogen von Pestalozzi bis Wyneken und F. W. Förster, wo immer man deutschem Wesen begegnet, spricht es eine andere, eine menschlich größere und weisere Sprache. Und der Geist, welcher heute als deutscher Nationalgeist aufzutreten die Kühnheit hat, ist seiner Geburt und seinem Wesen nach der Geist der deutschen Kolonisatoren im Osten, der durch Feuer und Schwert Provinzen erst entvölkerte und dann besiedelte – jener amusische und gewalttätige, »Christentum« bringende Geist, der die jüngeren Söhne deutscher Adelsfamilien wirtschaftlich versorgte, indem er Volksstämme mit jeder Gewalt auszurotten und zu »bekehren« – zu unterwerfen versuchte. Wie aber jede Gewalt sich am Gewalttätigen rächt, weil sie den Geist des Unterworfenen nicht erobern, wohl aber den Geist des Unterwerfers verderben kann, sieht man heute zwiefach: im Verlust des eroberten Gebiets und in der Verzerrung deutschen Wesens zum deutschnationalen Wesen. Eroberung durch Gewalt ist niemals Überwindung durch höheren Geist, durch reinere Gesittung, durch gewinnende Kultur; und wenn der kolonisierende Römer in Gallien politisch unterlag, aber kulturell siegte – deutlich siegte –, so siegte im Osten der Deutsche schon darum nicht, weil das, was er kulturell brachte, das Christentum, gar nicht seine Kultur war, sondern europäische, römische Angelegenheit, die den kolonisierten Oststämmen im

Augenblick der »Bekehrung« das legitime Recht zu jedem Widerstande gab. Festigkeit verlieh der deutschen Kultur im Osten nur das arbeitende deutsche Bürger- und Bauerntum, und das genau so lange, als der kolonisierte Slawe, Lette, Este zögerte oder daran verhindert wurde, selbst Bürger- und Bauerntum zu entwickeln und sich mit dem Deutschen zu vermischen. Diese Vermischung erzeugte im Osten und Norden eine bestimmte harte Kolonialkultur, dazu tendierend, immer dem numerisch stärkeren Teil zuzufallen und so, je weiter östlich um so stärker, an Deutschtum abzunehmen, oder ostentativ »deutsch« zu sein. Diese unnatürliche und undeutsche Verhärtung, Verengung, Erstarrung und Selbstvergötterung ist, wenn sie jetzt, wie es scheint, das deutsche Bürgertum von innen her erobert, nachdem sie und ihre Wirkung das deutsche Wesen auf der ganzen Erde angeprangert hat, die wahre Rache der ausgerotteten und unterdrückten Ostvölker am deutschen Geist.

7.

Aber nicht umsonst verklagen die Nationalisten das deutsche Volk, es fehle ihm das, was sie selbst den »nationalen Sinn« nennen, nicht umsonst behaupten sie, in ihrem Sinne seien die Deutschen noch kein Volk. Sollte dies »noch« wahrhaftig Ehrentitel und Rettung des Deutschen werden können? Wenn trotz aller Kriegserfolge das deutsche Vo l k in seiner Mehrheit immer tiefer nach Frieden bangte – warum anders, als weil die Ideale alldeutscher Gesinnung nicht sein Ideal waren? Warum anders, als weil Weltherrschaft, Unterdrückung und Ausbeutung fremder Völker diesem Volke noch nicht ins innerste Mark gewachsen ist? Der alldeutsche Nationalismus wollte dem Deutschen etwas abringen, das nicht aus ihm quillt, er zwang ihm eine Haltung auf, die diesem Volke noch ziemlich fremd war: die des militärischen Eroberers. Und das ist, aus einem sehr tiefen Grunde, die Ursache der Niederlage, die nur darum kein endgültiger Zusammenbruch ist, weil Soldatentum dem Deutschen keinerlei Schicksalsform bedeutete.

Nehmen wir nämlich einmal an, das deutsche Volk sei unter den großen Völkern relativ jung, und sehen wir davon ab, daß de facto alle Völker gleich alt sind, sondern geben wir dieser Redensart den Sinn, daß unter den um Ausbreitung auf der Erde zum Wettstreit antretenden Völkern das deutsche in der Tat später auftrat als die anderen: welches Kampfmittel entspricht dann dem Wesen des Jüngeren? Das älteste, veraltete, das, von dem sich die anderen bereits abzuwenden beginnen? oder das neuere, die jüngere und menschlichere Methode? Wenn man nicht, die Metapher allzu wörtlich nehmend, den Jüngling als Raufbold sieht, zweifellos die modernere; ist doch die Erprobung des Neuen der Jugend immer gemäß gewesen. Unter den Ausbreitungsmitteln aber ist die physische Gewalt, die militärische Waffe, das allerälteste und im Gewissen der Menschheit bereits verworfene; das neuere aber, wenn auch nicht das letzte, ist die Ausbreitung durch Arbeit, durch Werte schaffende Produktion. Diese Waffe nun hatte das deutsche Volk längst gewählt, und mit ihr hatte es nach außen auch schon gesiegt und alle Märkte der Erde mit seinem Anteil gespeist. Wenn es, die Qualität der Ware und die Versittlichung der Arbeitsmethode (nicht im Taylor-Sinne!) steigernd, auf diesem Wege weiterging, war ihm die Zukunft sicher; kein törichter Neid sperrte ihm irgendeinen Absatzplatz; die englischen Kolonien z. B. standen der deutschen Ware weit offen, obwohl man im Auslande sehr wohl die Unsittlichkeit der Ausfuhrprämie empfand, die dem deutschen Fabrikanten gestattete, aus Eroberungsgründen Fabrikat in die Fremde viel billiger als dem heimischen Käufer zu liefern. Aber die atavistische »Geistigkeit« einer Oberschicht, unzufrieden mit dieser Eroberung, welche ihr keine schien, da keine »Ehre« damit verbunden, kein Blut darum vergossen war – außer dem blutigen Schweiß einer unterbezahlten Arbeiterschaft –, vermeinte im gegebenen Augenblick die eroberte Weltgeltung noch einmal und erst recht erobern zu sollen, und ihre Exponenten ließen sich in unkontrollierter Machtfülle von ihnen und ihrem Geiste hinreißen, das uralte, verworfene, dreimal erprobte und überflüssige Eroberungsmittel der Gewalt anwenden zu sollen – mit dem Erfolg, daß alles wieder verloren ging. Kapitalistische Wirtschaft ersetzt Krieg: dieser Grundsatz hätte nur eben so laut gepredigt werden sollen wie die Lehre vom geschliffenen Schwert, um den Deutschen die instinktive Wahl i h r e s Ausbreitungsmittels zu unterstreichen! Sie hatten recht gewählt, und weil sie recht hatten und haben, ist dieser Sturz kein Untergang. Er wird es nur, wenn die Schwertprediger immer weiter vergessen, daß die Menschheit und die Völker überhaupt keinen »Willen zur Macht« haben, sondern wie alles Leben einen »Willen zur Ausbreitung« – Ausbreitung, welche friedlich erst recht möglich ist, Ausbreitung, für welche, in primitiven Zeiten, Macht das Symbol, in klügeren das Mittel, in weisen aber weder Symbol noch Mittel mehr sein sollte. Macht ist die Niederlage des Siegers. Und wer überall Machtstreben, Weltmachtstreben sieht, wie der Antisemit beim Juden, beweist nur, was man weiß: daß er selber von Machtgier pervertiert und besessen ist.

Hier sind wir wieder bei unserem Thema. Der Antisemit sieht seine Machtgier in den Juden hinein – sollte das nicht aufzeigen, für wen der Antisemitismus die tiefere Gefahr ist? Nämlich nicht für den Juden, als welcher dabei höchstens ein individuelles Leben zu verlieren hat, sondern für den Deutschen, dem es hier an die Zukunft geht? Der Antisemitismus kann notwendig nur auf die Gegenwart des Juden wirken und seinen Willen zur Zukunft stählen; darüber später noch; dem Deutschen aber, der ihm erliegt, schneidet er den Weg zur Zukunft ab.

Jedes große Volk hat einen metaphysischen Charakter und einen empirischen. Jener bricht in seinen Märchen und Kunstgebilden, in seinen Rechtsbräuchen und Sitten ans Licht, in der Liebe seiner Liebenden und in der Frömmigkeit seiner Gottsucher, dort wo es von Grund auf anbetet und dort, wohin es sich von Herzen sehnt. Dieser metaphysische Deutsche: wo macht er einen anderen, Schwachen verantwortlich für das, was ganz allein er selbst auf sich geladen und über sich gebracht hat? Fremd bis zum Ekel steht der Nationalcharakter des heutigen Deutschen, wie der nationalistische Bürger ihn erträumt, unter den großen Gebilden, unter denen Deutsche ihr Wesen zu erkennen suchten, von Nibelungensage und Parsival bis Faust, Meister, Kohlhaas, Homburg, Woyzeck, Zarathustra. Wenn jemals »deutscher

Zusammenbruch« die Erschütterung, der Anlaß, das Thema eines Gedichtes großer deutscher Dichtkraft geworden wäre: wer wagte den Einfall, daß einer der deutschen Genien mit der Erfindung des verschuldenden Juden alles abreagiert hätte, was an läuternder Kraft, an verwesentlichender Magie in solchem Schicksal schwang und schwelte? Das, was sich 1806 und 1807 zutrug, ließ die deutsche Dichtkraft fast unberührt – es ging Preußen an und nur Preußen, und Kleist antwortete preußisch; das deutsche Wesen ward von diesem Ereignis, weil einem Fürsten- und Kastenereignis und keinem Lebens- und Volksereignis, überhaupt nicht aufgewühlt – weder Zeitgenossen noch Nachfahren kümmerte es zutiefst. Das aber, was sich um uns und mit uns ereignet, ist eine Faust, die ans Innerste des Deutschen greift: sein Schicksal, seine Schuld und seine Sühne wird mit ihm tragiert; und wehe ihm, wenn er nur mit dem Finger auf den Juden hin antworten wollte! Er wäre erledigt. Aufgezehrt hätte den metaphysischen Deutschen, den das Gefühl, zu etwas aufgehoben zu sein, nicht verläßt, der als Tölpelhans und Einer der auszieht um das Fürchten zu lernen, im Geleite waltender Schicksalsmächte liebenswert, arglos und dem Augenblick hingegeben, aber darum auch behütet und betreut, seines Weges ins Leben zieht – aufgezehrt hätte diesen metaphysischen Deutschen der empirische, das aufgepeitschte Augenblicksprodukt, von sich selbst besessen, hart gegen Schwächere bis zum Mord, geknickt vor Mächtigeren bis zur Selbstaufgabe, sofern nur Anteil an der Macht ihn belohnt: der von Uniform und Handgranate beseligte »Preuße«.

Einkehr heißt die Brücke, die vom Empirischen ins Metaphysische führt. Was diese Brücke gern leugnen, einreißen, negieren möchte, was den Deutschen um jeden Preis verhindern möchte sie zu betreten, das ist der Antisemitismus, ist sein Urgrund heute und seine gefährlichste Funktion. Wissend, daß der Deutsche in der größten Verwirrung, die ihn je traf, sich finden möchte, wissend, daß er in sich hineinhorchen möchte, sowie die wirren Geräusche der Außenwelt ihn einen Augenblick sich selbst überlassen, daß er in sich den Grund des Unheils aufspüren möchte, das ihn traf, wenigstens forschen, ob ein solcher Grund für den göttlichen Blick offen liegt – wirft sich das Geschrei des Antise-

miten auf ihn, zerrt an ihm, verzerrt und heulend: Der Jude!
Nicht du – allein der Jude ist Grund und Ursache, nur der Andere,
nur das Nichtdeutsche ist Grund – der Schmach! Und indem er
»Schmach« statt »Unheil« sagt, spekuliert er auf die harte Geste
des menschlichen Abwehrwillens, der Würde und Freiheit – und
hat das Ohr des Deutschen – fast.

Er hat es noch nicht ganz, nicht einmal ganz das Ohr des Bürgertums, welches, betäubt vom Unheil und vom Geschrei der
Parteien, seine Richtung noch nicht hat nehmen können. Und
es wäre not, daß Freunde zu ihm träten und ihm sagten: Horche
wirklich in dich hinein. Was Andere an dir getan haben mögen,
sei's wenig oder viel, das frage jetzt nicht. Sieh dich selbst an und
laß dich vom Auge Herders, Hölderlins und Goethes, vom großen Blicke Klopstocks und Bachs, von Beethovens und Schillers,
Kants, Schopenhauers, Nietzsches, Kleists, Büchners, Jean Pauls
und Fichtes anglühen; wie bestehst du vor deinen Lehrern und
Bildnern, vor deinem vom Göttlichen gewollten Ich – das frage;
vor dem heroischen und reinen Leben deiner Genien – das
frage! Um die Antwort wird dir wohl bange sein.

8.

Hier ist die Stelle, wo die Gefahr des Antisemitismus für das
deutsche Wesen und die deutsche Zukunft mit der Sonde getroffen wird. Ob der Deutsche sich verhärten und auf dem Wege
fortgehen will, den der Antisemitismus ihm weist, in Selbstvergötterung, in Machtwillen, zu den Idealen von 1914, einen Weg
nach rückwärts, der vor eine Wand oder in den letzten Abgrund
führt; zu seiner Heuchelei über seinen jetzigen moralischen Zustand der Verwahrlosung durch Krieg, Sieg und Erfolg, durch
allgemeinste Geldgier und Verhöhnung, ja schlimmer Verheuche-
lung aller geistigen Güter und Werte – oder ob er schaudernd
sein empirisches Bild erkennen, es an seinem metaphysischen messen und daraus Verzweiflung, Kraft und Mut zum neuen Anfang
finden möchte; hier, an dieser vermutlich unscheinbaren Frage
und Gabelung muß er sich entscheiden. Sein ist die Wahl und der

Ausgang; mehr als ihm zeigen, was dieser Augenblick bedeutet, ist uns hier verwehrt. Nun müssen in Schächten seines Wesens die Quellen rauschen, die seine Großen tränkten; die Stille der Entscheidung muß in ihm sein und der Mut zur letzten Wahrheit, und in sein Auge fallen muß die Höhe der höchsten Berge, die deutschem Wesen je ersteiglich und wünschbar waren. Wo ein Mensch, wo ein Volk seinen Weg wählt, da fliegen die Adler des Schicksals, die Luft hält ihren Atem an und der Boden bebt unter seinen Sohlen.

2. Buch

Antisemitismus als Gegenstand

Prospero (zu Caliban): Verworfner Sklav
In welchem keine Spur von Güte haftet
Du, alles Bösen fähig! Mich barmte dein
Nahm Müh, dich sprechen machen; jede Stunde
Lehrt ich dich Dinge kennen – Wilder du,
Nicht wissend deine Dränge, schnatternd nur
Gleich ganz vertiertem Ding; ich gab dir Worte
Dich kund zu machen. Doch dein niedres Sein
Obgleich du lerntest, hatt' was gute Art
Nicht dulden konnt' um sich; darum wardst du
Verdienterweis' auf diesen Fels beschränkt,
Der du mehr noch verdientest als Gefängnis.
Caliban: Ihr lehrt' mich Sprache, ja, und mein Gewinn
Ist, daß ich weiß zu fluchen. Rote Pest euch
Für's Lehren eurer Sprache!

Der Sturm I.

Différence engendre haine.

Pascal.

I.

Verglichen mit Problemen der Tat und Lebensordnung der Juden ist der Antisemitismus wirklich dritten Ranges; als Erkenntnisproblem aber, als Anstoß zum Denken, zur Richtung und Öffnung des Geistes, als Zwang zur Besinnung unüberschätzbar. Wie? ein Volk geht seit zweitausend Jahren über die Erde, im Schatten glücklicherer und mächtigerer Völker lebend, und überallhin begleitet es ein Phänomen der Ablehnung, des Zurückweichens vor ihm, der Verwerfung; dies Volk aber, an dem alle anderen sich als wertvoller selbstzufrieden rekognoszieren, denkt in zweitausend Jahren nicht an Rache für blutrünstiges Leid, nicht an Angriff gegen die kläglichste Lüge, sondern sein Leben mit unerschütterlicher Sicherheit in die Zukunft tragend verteidigt es sich nur durch Mimikry, Schweigen, Verachtung und durch das inbrünstige Klammern ans eigne Wesen, Wert- und Weltgefühl, an seinen Gott? Empfindet es solch Abstoßungsphänomen etwa gar als normal, als in Ordnung irgendwie? Meint es vielleicht zu spüren, daß zur Rache und zum Gegenangriff kein Anlaß sei? – Wie dem auch sei: jedermann hat Grund, hier Ohr und Auge hinzuwenden und dies seelisch-soziale Produkt »Antisemitismus« zu prüfen: was es sei und was sich vielleicht darin verberge.

Aber diesen Komplex prüfen – heißt selbstverständlich nicht, über jüdisches Wesen nachdenken; wer sich so wenden wollte, wäre der Suggestion von vornherein erlegen, die sein Gegenstand über ihn stülpen möchte. Nicht was der Jude ist, gedenken wir in dieser Untersuchung zu erfahren, sondern was der Antisemitismus ist, woher er kommt, wohin er will und was er anzeigt – in einer Analyse, welche nicht vom unterdrückten Tone der Entrüstung erzittert. Und wenn ein Jude sich der Erforschung des Antisemitismus con amore widmet, weil nur ein Jude das Phänomen ganz sieht, erlebt hat, hinter sich hat, wundere das nur Jene, die nicht wissen, daß das Daseinsgefühl eines Menschen, die jeden Morgen frisch anklingende Freude zu leben, über seinen Wert und seine Wohlgeratenheit wie über Art und Wesen des Volkes, dem abzustammen er das Glück und Schicksal hat, Tieferes und Geltenderes aussagt als jeder Chorus von Entwertung, der ihm entgegenschallt – woher, wie lange und wie laut auch immer er schalle.

2.

Indem wir ohne historische oder soziologische Voraussetzungen lediglich den gegenwärtigen Antisemitismus deutscher Prägung mit langem offenem einsaugendem Blick umfassen, ein vorläufig noch dunkles Gebild seelischen Verhaltens, welches im Antisemiten angesichts des Jüdischen auftaucht, gewahren wir sofort den radikal verwerfenden Charakter dieses Phänomens. Ein negatives Vorzeichen ist dem Antisemiten überall mit Jüdischem gegeben, und umgekehrt antwortet er auf ihm Verwerfliches mit der unmittelbaren Empfindung: jüdisch – ob Körperform oder Kriegsausgang, Kunstwerk oder Wirtschaftsgestalt. Dem Antisemiten ist Stefan George ein Jude, weil er ihn mißfällig erregt, und Heine ist ihm ein Unwert, weil er Jude ist. Mit dieser Blickart sieht er auf Weltgeschichte und Gegenwart, sie vermittelt ihm das Relief der Dinge und Geschehnisse. Und nicht gelassen oder prüfend erlebt er dieses Relief, sondern mit scharfer ätzender Ungeduld verweist er dies Jüdische ins Verdammenswerte; leidenschaftliche Ablehnung des Verworfenen erfüllt ihn. So ist der Antisemitismus eine aggressive Weltansicht; ein Aufruf zum Kampf gegen das Jüdische begleitet ihn. Ein Trieb, seine Umwelt von diesem Unwert zu befreien, zeigt den Glauben an das Mögliche des Erfolges an; er will das Jüdische aus Blickfeld und Lebenssphäre hinter die Grenze des Bemerkbaren verschieben, damit es ins Fremde versinke, woher kein Aufruf der Verantwortlichkeit für das eigene Sein und Leben mehr zu ihm spricht. Verantwortlich fühlt er sich nur für Sein und Zukunft seines Volkes; dies die genaue Form dessen, was er Rassengefühl nennt, da er in seinem Volke den höchsten und verletzlichsten Typ seiner

Rasse sieht und geneigt ist, nur dort Rassengemeinschaft klar
ausgesprochen gelten zu lassen, wo er eine Gesinnungsgemein-
schaft mitwahrnehmen kann: wo gleichfalls Antisemitismus das
Volksgefühl, Selbstgefühl tingiert; daher er bei anderen gleichartigen Völkern, die nicht Antisemiten haben gleich ihm, entweder eine niedere Form des Selbstbewußtseins annimmt falls er
hofft, sie noch zur höheren antisemitischen Form des Selbstge-
fühls steigern zu können – oder Verjudung setzt. Sind die Angelsachsen z. B. »verjudet«, so haben die Skandinavier und Holländer »ihren Feind noch nicht erkannt«; und wenn J. C. Smuts,
jener kapländische Premier und General, der vor und in San
Remo ausgesprochen projüdisch in die Entente-Entscheidun-
gen eingriff, als Vertreter der Buren gelten darf, sind diese Buren
»Verräter an der germanischen Rasse«. Innerhalb seines Volkes
scheidet er nach ähnlichen Skalen, so daß er als höchsten Grad
deutschen Seins sein eigenes Sein und Wesen nicht behauptet
sondern empfindet, und nach dem Grad der Geneigtheit zum
Antisemitismus die Stufen völkischer Bewußtheit und Verantwortlichkeit abteilt. Dabei empfindet der Antisemit international: seine Verbundenheit mit dem Antisemiten jenseits der
Grenzen, z. B. in Polen oder Ungarn, ist weit inniger als die mit
unbezweifelbar gleichblütigen Volksgenossen, die ihm als Gegner gegenüberstehen: jenen »reicht er die Bruderhand«, diesen
weist er »die gepanzerte Faust«. So ist der Antisemitismus als sehr
zentrale Angelegenheit seines Trägers sichtbar: teilt er doch die
ihm wahrnehmbare Welt in eine helle und eine dunkle Hälfte;
für die Ausbreitung der hellen fühlt er sich verantwortlich, zu ihr
sich berufen und fähig.

Sein Ausbreitungswille kommt ihm als Abwehrpflicht zum
Bewußtsein. Er sieht in diese dunkle Welthälfte die Tendenz hinein, sich auszuweiten, er meint sie von unversöhnlicher Feindschaft gegen die helle beseelt und empfängt von dieser Wahrnehmung her die Berufung – zum Angriff, und die Legitimierung
seiner eigenen Feindschaft gegen sie. Da sie, das unbedingt Min-
derwertige, auf der Erde, soweit sie ihn angeht und wie er sie
sieht, einen breiten Einfluß hat, er aber, der Zahl nach klein und
vom Ewig-Schlechten befeindet (nicht Böses sondern Schlechtes

geht gegen ihn an, das verkündigt seine Höchstsetzung der vitalen Werte) sich selbst als Krieger des Guten, d. h. des Edlen, Wohlgeratenen, Zarten und Echten empfindet, ist er mit Stolz Aristokrat, der die Herrschaft der Besten als Gesetz der Welt statuiert; und was dem Sein Qualität verleiht, ist das reine und edle Blut, die Abstammung von echten Germanen, denen allein die mystische Kraft des reinen primären Schöpfertums innewohnt. Daher sieht er Germanen, wo immer er bejahen muß, und die Helden der Bibel (auch Jesus, den er kriegerisch umdichtet nach Art des Heliand), die großen Italiener, die französischen Schöpfer der Gotik und die englischen des Dramas sind ihm Folgen germanischen Blutanteils in diesen Völkern. All das sind ihm bewiesene Dinge; und wenn Gelehrte dieser Völker sich gegen solche Hypothese wehren oder gar für das jüdische, lateinische, keltische oder sonst ein anderes Element das Schöpferische in Anspruch nehmen, erhebt sich seine Seele zur Verachtung solcher Anmaßungen. Vor anderen Schöpfungen, den indischen etwa, rettet er sich ins Ariertum; nur das Semitische, nur das Jüdische findet vor ihm als Metaphysiker keine Gnade. Er billigt ihm zu, daß es mächtig sei wie alles Gemeine, ja er hat ein starkes Bedürfnis, diese Macht zu übertreiben, aufzublasen, sie letzten Endes grell und drohend aller Welt in die Ohren zu schreien. »Das Judentum erstrebt die Weltherrschaft«, ist ihm ein Axiom, welches nicht bewiesen zu werden braucht. Da er alles, was ihm gegensätzlich ist, als »jüdisch« wahrnimmt, sieht er in der europäischen Demokratie und im Weltsozialismus zunächst die jüdischen Personen, die daran Teil haben; daß er den Weltkapitalismus ebenso sieht, versteht sich beiläufig; daher, und weil ihm »Volk« der höchste irdische Wert und die einzig legitime Daseinsform des Menschen, alles Nichtvölkische, alles Übernationale demnach aber von vornherein verwerflich, »jüdisch« ist, wird ihm die Ausbreitung dieser Bewegungen zum Sieg des Judentums. Er fürchtet es zwar als gefährlich; seinen Imperativ jedoch, es zu bekämpfen, kann diese Gefährlichkeit nur steigern. Denn er ist Held und Drachentöter, sieht sich gern umwittert von der Tragik des Edlen und seines Untergangs – und ist paradoxerweise außerdem seines Sieges gewiß. Denn unterhalb dieser jüdischen Gefährlichkeit sieht er die jüdische Schwäche, als welche darin besteht, daß das Judentum allein gar nichts ausrichten kann und stark wird erst durch die Völker, die sich von ihm mißbrauchen lassen, z. B. durch den Teil des eignen Volkes, der nicht Antisemit, sondern Judengenosse ist. Und da er sich sogleich als sieghaften Typ empfindet und durchdrungen ist davon, daß Walvater die Welt den Edlen gab, den Blonden, (Blondheit ist unerläßlich, auch die Griechen sind schlankweg blond, ebenso wie Jesus, Jonathan, Saul, David und Salomo – welchen die Blondheit Goethes, Bachs, Beethovens, Michelangelos, Kants, Schopenhauers, Mozarts zukommen dürfte, die innerliche, bei schwarzem Haupthaar –) den Germanen, ihm also: nimmt er draufgehend den guten Ausgang vorweg und feiert sich als Salz der Erde und Erlöser der Welt vom Juden.

Er ist eine pathetische Empfindung, der heutige Antisemitismus, der Humor geht ihm ab, als wäre er von Wagner instrumentiert, als welcher, wie Nietzsche festnagelte, über den humoristischen Höhepunkt der Posse, die allgemeine Keilerei, nicht hinauskam. Dies Humorlose macht seine Überlegenheit, seinen »edlen Typ«, sehr verdächtig. Der Bauer des Mittelalters, da er gläubig im wahren Sinne lebte, hatte diese Überlegenheit und diesen Humor, den die Rolle des Juden im Grimmschen Hausmärchen beweist. Der Jude ist der Geprellte stets, der Dumme: wie auch nicht? war er nicht so metaphysisch dumm, als Gott in Christi Leib bei ihm geboren ward, diese Gottheit nicht zu erkennen – diese strahlende Gottheit, die ihm, dem Bauern, ebenso unmittelbar einleuchtet wie seiner törichtesten Magd? Diese dümmste Magd ist, weiß der Bauer, metaphysisch klüger als der klügste Jude; und wie ihm der Teufel von seiner christlichen Gesichertheit aus zur humoristischen Figur wird, bekommt auch der Jude solche Humorfarbe: ein gemütliches Verhältnis oberhalb metaphysischen Bedauerns kann sich einstellen.

Ganz anders der heutige Antisemit. Eine stete Gereiztheit schärft seine Empfindung von der Welt und leert sie, sobald das Jüdische darin auftaucht, von aller Gemütlichkeit selbst beim Junker, der sonst bäuerlich daran festzuhalten pflegt; die Verachtung, mit der er den Juden bemerkt, läßt ihm nicht das ruhige Gesicht, sondern verzerrt es nervös und heftig. Das kommt, weil er so sehr vieles verachten muß: nicht den Juden allein, sondern all das »Jüdische«, das, wie gesehen, die Erde erfüllt; ihm ist bei seiner Verachtung nicht wohl, er ist seiner selbst nur sehr übertrieben gewiß und wird nur sehr übertrieben ihrer gewahr. Das Übertriebene aber macht unsicher. Sollte es sich in dem Gefühl des Antisemiten zum Juden hinab vielleicht nicht um echte Verachtung handeln – gerade weil der Antisemit sich so sehr viel besser, wertvoller, wohlgeratener fühlt als den »üblen Perser«? Verachtung sieht das, worauf sie zielt, zwar ebenfalls unter sich, aber in kühler Freiheit; der Verachtende erlebt nicht seine eigene Erhobenheit, er ist sich selbst überhaupt nicht hoch, sondern nur auf dem rechten Niveau; das Verachtete ist darum verächtlich, weil es so tief unter diesem Normalen liegt – kein Grund, Schärfe, Erregung, Heftigkeit in diese Empfindung der eigenen Normalität zu mengen, die sich ohne Vergleich, ohne stetes Fixieren der Distanz einstellt. Reden wir also nicht von echter Verachtung; vielleicht von gespielter? von sich selbst vorgespielter? Das lassen wir als Frage stehen. Ein Verachtender, der ein Verehrender ist, w e i l er ein Verehrender ist und hoch über sich noch verehrungswürdige Werte weiß: der Antisemit ist fern von diesem Sein. Er ist sich selbst vor allem als wertvoll gegeben, als hoch; ja, besser sein als er ist undenkbar, er ist der vital vollkommene Mensch, zum mindesten der Anlage und Möglichkeit nach – und erst am Vitalen regelt sich ihm, wie wir schon trafen, die Sittlichkeit, ordnen sich ihm die Werte. Darum sieht er sich selbst auch »schön«; darum verspottet er den Juden zunächst um seiner Häßlichkeit willen. Daß der Jude häßlich sei, ist ihm ein Axiom; er sieht nur den häßlichen Juden als Juden an, und erkennt wohlgewachsene Juden mit Durchschnittsgesichtern nicht als Juden. Obwohl Ethnologen die geringe Prozentzahl sogenannter »Judennasen« (jener hängend gebogenen und verdickten Nasen) unter Juden statistisch feststellten und ein Mensch in den östlichen Zentren der jüdischen Massen diese Erfahrung jederzeit mit eigenen Augen machen konnte, zeichnet der Antisemit dem »typischen Juden« eine Wulstnase, Wulstlippen, krumme Beine, gewaltige Hände und Füße, Schlitzaugen hinter Kneifern und einen

Bauch – wohingegen der »typische Deutsche«, er selbst, als ein hochstirnig schlankes Ideal antritt, schön wie ein Reklamebild für Nährmittel von Franz Stassen und mit den großen Leuchtaugen einer Optikeranzeige – dies sein Ideal, und man weiß ja, wie strikt die deutsche Wirklichkeit sich danach richtet … Ob sie es aber tue oder nicht: von der Häßlichkeit des Juden (die er mit dem Japaner z. B. teilt) ist nur ein Schritt zum Hassenswerten: falls den Antisemitismus nicht echte Verachtung konstituiert, so doch echter Haß? Antisemitismus ist Judenhaß, der sich des verurteilenswerten Haßcharakters schämt und ein fremdes Deckwort gewählt hat für diese eindeutige Seelenlage?

3.

In der Tat haben Juden, besonders früher, sich dieser Übersetzung bedient, um den Antisemitismus zu diskreditieren. Sie haben dabei zu allem Anfang den Irrtum begangen, das Verwerfliche des Hasses, das ihnen selbstverständlich ist, auch dem Urteil des Antisemiten zu unterstellen – sonst hätte er ja, sagen sie, sich frei zu diesem Titel bekannt. Aber sie irren schon hier. Denn dem Antisemiten wie jedem vital wertenden Menschen ist Haß durchaus nichts Verwerfliches, ist Haß gegen das Schlechte eine gebotene, vorwurfsfreie, edle Empfindung – und Schlecht und Jüdisch sind ihm ja identisch. Diese »Enthüllung« des Antisemitismus als Haß gegen eine bestimmte Menschenart hat also nichts Zerschmetterndes – sondern ist nur falsch; sie eskamotiert das Massen-Problem unter den Tisch und stellt den krankhaften Grenzfall an seine Stelle. Haß? Haß ist, roh umrissen, die zentralste Verneinung eines Seins, dessen wahrer Charakter sich nur dem Hassenden im Hasse auftut, enthüllt. Hassen und Vernichtenwollen des Gehaßten ist unlösbar verkettet, das Hassenswerte hat nicht zu sein, und so drängt der Haß, je echter um so stürmischer, zur Austilgung des Gehaßten aus der Welt – aus der Welt in ihrem ganzen denkbaren Kreise. Denn die Existenz des Gehaßten vergällt dem Hassenden die Welt, ein düstrer Flor liegt über allem Sein; solange die gehaßte Person lebt, wird der Hasser seines Lebens nicht froh: der wilde Krampf, der ihn durchreißt, sowie er des Gehaßten inne wird – außen im Dasein oder innen im Erinnertwerden –, drängt früher oder später zur Entladung: einer Entladung die sich zerstörend auf alles stürzen kann, was mit dem Gehaßten in persönlicher zärtlicher Verbindung steht: auf seine Dinge, seine Lieben, sein Andenken, ja seinen Gott; einer Entladung, die den Haß endlich zum Erlöschen bringen kann – wenn er nicht so groß ist, daß er auf jede Auslösung verzichtend in unversöhnlicher Verneinung überzeitlich sich durchs All ergießt, das Gehaßte ewig suchend … Dies ist eine andere Haltung als der ohnmächtige Haß, das Verharren in gehässigem Vernichtungswillen ohne den Versuch zur Tat oder mit bloßer Vorstellungsbefriedigung; sie allein schon kennzeichnet diesen Typus Mensch als tief feige und kläglich vor Schwäche. Ist dies der Antisemit, haben wir ihn hier beschrieben? Wen auch immer – nicht ihn. Während der Hasser das Gehaßte bis an der Welt Ende verfolgt – mindestens der Intention nach –, erlischt der Antisemitismus als Massenphänomen, sobald er den Juden hier aus seinem Blickfeld gedrängt hat, das an der Gruppengrenze – Landesgrenze – endet, sofern nicht aus anderen angrenzenden Gruppen Juden in die eigene Zone einfließen können und so ins Blickfeld des Antisemiten eintreten, schon ehe sie diese Grenze überschreiten. Ob in Kanada, Transvaal, Palästina Juden sind oder nicht, ist trotz prinzipieller Verwerfung des Jüdischen einerlei – nur hier sollen sie nicht sein, oder schärfer noch: hier sollen sie nicht bemerkbar sein; und erst im Zusammenhang mit den hier bemerkten Juden fällt auch auf die entlegenen ein gewisser Schatten von Groll. Die Großartigkeit, die Haß annehmen kann (bei Shakespeare finden sich solche Hasser in den Königsdramen – Margareta, Clifford, Richard in Heinrich VI. –, Coriolan, Shylock, Timon) geht dem Antisemitismus stets ab, so leidenschaftlich er sich auch gebärden oder sein kann, so wild, blutig, grauenhaft seine Entladungen gelegentlich auftreten. Einzelne Menschen, die aus besonderer Anlage und Erfahrung ganze Gruppen von Mitmenschen blind und toll hassen, hat es stets gegeben: Polizisten und Künstler, Mönche und Nonnen, Aristokraten und Juden, Arbeiter und Neger wissen davon zu sagen. Aber

Einzel- und Grenzfälle dürfen dem Typus nicht untergeschoben werden.

Daß uns die Wildheit und Gehässigkeit solcher Entladungen, von denen unsere Geschichte Erinnerung um Erinnerung, empörendste Fakta neben empörendsten – und erhebendsten bewahrt, daß uns die fürchterlichen Taten echtester Mordwut auf deutschem Boden zur Zeit der Kreuzzüge, auf polnischem, ukrainischem und ungarischem heute, daß uns die antisemitischen Morde Weißer Garden in Berlin und München werden entgegengehalten werden, um den Haßcharakter des Antisemitismus zu erhärten, erwarten wir – ohne daß dieser Einwurf uns widerlegen könnte. Der Antisemitismus kann in Wut umschlagen, nämlich dann, wenn vor die Existenz des Juden als Juden eine andere, erregende, aufreizende und wutblendende Existenz tritt; wenn er als Träger einer allgemeinen geistigen Bewegung oder Haltung, zu Recht oder Unrecht, hingestellt wird, die der antisemitisch gestimmten Gruppe entgegengesetzt, feindlich, zornerregend, seinsbedrohend ist oder scheint: zur Zeit der Kreuzzüge die Gleichsetzung des Juden mit dem Sarazenen, die Eindeutung einer Christenfeindschaft, Christusfeindschaft in den Juden, erwachsend aus der Juden und Moslim gemeinsamen Nichtchristlichkeit; heute die Idee des radikalen terroristischen Sozialismus, wie sie durch die bezahlte, zweckvoll lügende Tätigkeit militaristischer »antibolschewistischer« Ligen und Zeitungen den antisemitisch gestimmten Gruppen beigebracht wird. Fußend auf der faktischen Beteiligung breiter jüdischer Schichten am marxistischen Sozialismus, vor allem aber um der Beseitigung einer Anzahl führender Einzelner willen, die den Wiederherstellern der alten Klassengefüge im Wege waren, wurde der neuen, kommunistischen Glaubensrichtung im Sozialismus die Farbe purer Zerstörungslust angemalt und pure Zerstörungslust in seinen Bekämpfern entfesselt. Dann in der Tat richtete sich Mord, Schändung und hunnische Scheußlichkeit polnisch-ukrainisch-magyarischer Militaristen sofort gegen Juden, leichter, hemmungsloser, freudiger gegen sie als gegen die nichtjüdischen Gesinnungsgenossen: der Antisemitismus erleichtert den Durchbruch rasender Instinkte, er tendiert dazu, unter diesen Bedingungen blind zu werden, und echter Haß greift dann durch den Bolschewiken hindurch nach dem Juden, der sich unterfängt, in den Ablauf des Daseins der Gruppe – des Volkes – einzugreifen. Die Befriedigung, die sich nach solchen Bestialitäten einzustellen pflegt, die tiefe Erleichterung dessen, der »es dem Juden gegeben hat«, enthält dann ebensoviel entladenen Juden- wie Bolschewistenhaß.

So also ist es falsch, Antisemitismus und Judenhaß zu identifizieren. Er hat als Leidenschaft, Affekt der er ist, seine ganz eigene Struktur, ist weder Verachtung noch Haß, ist überhaupt nicht mit einem Worte benennbar – eine endemische Aufwallung, ein Massenphänomen, in welches der einzelne Empfindungsträger, erst anschlußweise von irgendeinem persönlichen Anlaß aus mündend, dann von der Menge der »Gesinnungsgenossen« in seiner persönlichen Haltung verstärkt, vergröbert, nur dann eine Nuance hineinträgt, wenn er als sehr ausgeprägter Charakter ansonsten besteht. Der Antisemitismus einer Menge ist nicht nur lauter, offener, ergossener als der eines Einzelnen, nicht nur aktiver und seiner selbst sicherer, er ist auch echter, in der Seele vorhandener. Nicht allein, daß einer den andern ansteckt und ihm Mut macht, daß die Scham wegfällt: es scheint vielmehr, daß erst eine Menge der wahre Träger dieser Empfindung ist (sehr zum Unterschied von Haß und Verachtung), und daß der einzelne Antisemit sich immer als Glied einer gesinnungsverbundenen Menge wissen oder dumpf spüren muß, um in seiner Gesinnung ganz aktuell zu sein. Auch wenn wir ihn als »den Antisemiten« zur Betrachtung isolierten, haben wir sehr wohl dies verfließende Feld wahrgenommen, das seine Einzelheit umgibt und ihn zum Teil der Gruppe macht.

4.

Indem wir »Gruppe« sagen, schreiten wir zur Abtastung von Phänomenen, von denen wir nicht wissen, ob wir sie als allgemein beweisbar betrachten dürfen, und die dennoch für den, der sie aufhellt, etwas vollkommen Schlüssiges haben. Was z. B. für Farben oder Sachverhalte gilt, daß sie nämlich Jedem, der sie nicht zu sehen vermag, unzugänglich sind, gilt auch für unsere Aussagen über die Rolle der Gruppe als Träger von Affekten. Dennoch stellen wir fest: es gibt Gruppenaffekte, leidenschaftliche Wallungen, die aus der Tiefe der menschlichen Seele vorstoßen, aus der Seele des Einzelnen jedoch nur, insofern er ein Teil einer irgendwie erlebnishaft verbundenen Mehrzahl von Menschen ist – ähnlich, aber durchaus nicht etwa genau so, wie der Muttertrieb aus einem Individuum schlägt nur wenn dieses Individuum, dieser einzelne Mensch, Kern einer kleinen Gruppe, Mutter-Kind oder Mutter-Kinder ist, oder wie der Herrschtrieb des Vaters gebunden ist und zum Ausdruck kommt eben als Empfindung eines Einzelnen, der den Kern einer Gruppe »Familie« bildet. Was etwa ein einsamer Deutscher gegen einen einsamen Franzosen an Haß empfindet, kann reine Angelegenheit einzelner Personen bleiben, gegründet in persönlichen Erlebnissen; es enthält aber auch auf dem Umweg über Gruppenerziehung und Gruppentradition, die sich in der Seele des Einzelnen ankristallisiert haben, die Tendenz, sehr leicht in Nationalhaß umzuschlagen. Das erste war eine Individualempfindung, das zweite ist ein Gruppenaffekt.

Das Verbindende dieser Gruppen stuft sich nach der Tiefe ab, in der es die Menschen zusammenfaßt. Jedes Erlebnis, nicht etwa nur Abstammung, jede hergestellte Gleichartigkeit, die aus einer amorphen Masse Menschen eine kleine oder größere Anzahl kristallinisch herausschneidet, macht sie zur Gruppe in unserem Sinne und zum Träger dieser besonderen Leidenschaften. Daß sie nur in der Seele der Einzelnen Bewußtsein und Ausdruck erlangen können, versteht sich von selbst. Hier verweisen wir erst einmal darauf, daß sie zur Entbindung und Entzündung kommen können nur, wenn dieser Einzelne von seiner Selbstherrlichkeit einen Teil aufgegeben hat, um sich mit Gleichartigen zusammenzutun.

Solche Gleichartigkeit kann sein wie immer. Es stehen auf bestimmte, leidenschaftliche Art gegen Ansprüche der Allgemeinheit oder anderer Gruppen zusammen die Bewohner eines Hauses (Fruchtstraße 60 gegen Fruchtstraße 61) oder eines Stockwerkes (Parterre gegen erster Stock), die Ausübenden des gleichen Gewerbes (Sattler gegen Gerber), die Angehörigen einer

Schülerklasse (Obertertia gegen Untersecunda), einer Waffengat-
tung (Infanteristen gegen Artilleristen), einer Korporalschaft (dritte
gegen vierte), die Besucher eines Stammtisches (gegen den Rest
der Leute im Raume), die Mitglieder einer Sekte (Adventisten
gegen …isten), einer Clique (Georgiasten gegen Naturalisten),
einer Konfession (gegen jede andere), die Bewohner eines Ortes
(Steglitzer gegen Dahlemer), die Mitarbeiter an einem bestimmten Werk, die Arbeiter eines bestimmten Unternehmens, die Mitglieder von Organisationen und Parteien, die Angehörigen einer
Verwandtschaft, einer Landschaft, eines Stammes, eines Volkes,
einer (»Rasse«) Völkergruppe, eines Kontinents, einer Hautfarbe;
die Teilnehmer eines Festes oder die Zöglinge eines Sports oder
Sportvereins; Bohème gegen Bourgeois, Künstler gegen Phili-
ster, Lehrkörper gegen Schülerschaft und Eltern, Verbindungs-
studenten gegen Finkenschaft, Berliner gegen Provinzler und umgekehrt; Stadt gegen Land, Land gegen Hauptstadt, Jugendbünde
gegen Erwachsene, Kinder gegen Eltern – all diese Gegensatz-
paare haben hier ihren seelischen Ort. Jäh offenbart sich: die
Menschheit besteht aus Gruppen; und: diese Gruppen werden
zuinnerst nicht von »dunklen Gesetzen«, von Ideen, Überzeugungen oder von Interessen vereinigt, sondern mittels ihrer, unter
dem Vorwand sachlicher Zielsetzungen, von Leidenschaften regiert. Sie haben sich, diese Triebe, bisher weder zur Beschreibung noch gar zur Bearbeitung erfassen lassen. Gelingt es aber,
sie zu bändigen, so tritt in die Handhabung der Menschenvölker
– Politik – ein neues Element, das früher ganz und gerne ins Im-
ponderable zu entwischen verstand – Imponderabilien, von da
an ein Wort für unbeachtete Gruppenaffekte …

Die Affekte, jene leidenschaftlich triebhaften seelischen Auf-
wallungen und Dauerhaltungen, die solche Antithesen weit jenseits etwa vernunftmäßiger Überzeugungen und Gründe spannen und verewigen, mögen verschiedener Art sein. Hier und
heute fesseln uns ihrer zwei, oder besser, ein polar gebundenes
Paar von Affekten, die beiden benennbaren und darstellbaren Be-
wußtseinsformen eines einzigen, uns sprachlich ungreifbaren seelischen Seins. Es ist zwar kaum zu hoffen, verstanden zu werden,
bevor die fraglichen Dinge durch Beschreibung konkret geworden

sind, wie es hoffnungslos wäre, den Affekt »Furcht« oder »Neid« verständlich machen zu wollen, wenn man sich nicht auf die Erfahrung des Lesers verlassen könnte, und bevor man, was man meint, genau auseinandergelegt hat. Man lasse sich also nun das folgende gefallen. Die Angehörigen jeder Gruppe werden von einem Erlebnis durchwaltet, das ihnen auf doppelte Art zum Bewußtsein kommt: als Mitglieder dieser Gruppe stehen sie, übertrieben geredet, im Mittelpunkt des Alls. Nicht gedanklich etwa ist ihnen solche Wichtigkeit gegeben – nur bei besonders naiven Gruppen und Teilnehmern erlangt diese Haltung Bewußtheit, Programm – sondern empfindungshaft, als »Haltung«; aber im Zustande der Gereiztheit handeln sie ganz besessen von dieser triebhaften Überzeugung. Ihre Gruppe ist die wichtigste Angelegenheit, um die sich die gesamte Welt der Werte und Tatsachen zonenmäßig gruppiert; diese Gruppe, ihre Gruppe, ist die Spitze der Schöpfungspyramide, andere Gruppen auf der Erde, vor allem die gleichartigen, und weiterhin alle Nichtmitglieder von Gruppen sind im Vergleich mit ihnen minderwertig.

Und schon enthüllt sich die Grenze, die um das soziologische Gebilde der Gruppe läuft, auch empfunden als Linie, an der jener positive Affekt in einen ebenso intensiven Verneinungtrieb der Anderen, des Andersseins, des Nicht-mit-dazu-gehörens und der Nicht-mit-dazu-gehörenden umschlägt. Da das Werthafte in der Gruppe versammelt ist, ist die Nichtgruppe etwas weniger Wertiges, etwas Entwertetes, zu Entwertendes: Anders-sein gleich Minderwertig-sein, oder, wie es Pascal empfand, »Différence engendre haine«. Vor der Vernunft ist völlig klar, daß die Schuster ebenso wichtig sind wie die Schneider, die Infanterie ebenso überflüssig wie die Artillerie, und die Leute der elften Kompanie ebenso abgerichtet wie die der zwölften. Aber ganz ohne Rest wird man dies einem von jenen kaum klarmachen können. Er wird schließlich lachend zustimmen; aber ein Rest, das Stück Gruppen-Ich in ihm, wird immer ungläubig bleiben, so wie ein magdeburgischer Kriminalmann gegen die Aktion eines berlinischen.

Da andere Worte nicht allgemein verständlich wären, vor allem nicht als Abkürzungen brauchbar, nennen wir jene erste Bewußtseinsform, jenes empfundene Mittelpunktsein der Gruppe, den

Z e n t r a l i t ä t s a f f e k t ; den polar daran gebundenen, Abstand erzwingenden Affekt nennen wir den D i f f e r e n z a f f e k t. Beide stellen, noch einmal, ein unlösbar aneinandergekoppeltes Paar menschlicher Grundtriebe dar, die bei der ersten Betrachtung und beim Verständnis des Menschen als Gruppenwesen, als Herden- und Hordentier, als Träger des Politischen, eine kaum zu überschätzende Wirksamkeit haben.

5.

Sollten wir jetzt nicht, ohne die Furcht, zu wiederholen, noch einmal aus der Fülle von Gegebenheiten, die erst durch unsere Aufstellung voll verständlich werden, einige herzählen? Ihre monumentalste Ausprägung, zugleich diejenige, an der der Verfasser zuerst auf das Spiel der Affekte und ihr Vorhandensein aufmerksam wurde, verlieh ihnen der Große Krieg, in dessen enthemmender Atmosphäre ja alle menschlichen Triebe und Grundleidenschaften zur üppigsten Beachtbarkeit entbunden wurden. Plötzlich gab es nur noch auserwählte Völker auf der Erde. Jedes einzelne Volk auf diesem Planeten offenbarte, daß es sich immer für das wichtigste und führende Menschengebilde gehalten hatte; jedes andere war negativwertig im Verhältnis zum eigenen Sein. Am deutschen Wesen sollte die Welt genesen. Die Franzosen marschierten an der Spitze der Zivilisation. Die Briten hatten von Gott den Auftrag erhalten, die Erde nach vernünftigen und friedlichen Grundsätzen zu verwalten. Die Russen waren das wertvollste Volk, weil sie das einzig christlich empfindende waren: die Polen vollends der Christus unter den Völkern, das unschuldig gekreuzigte. Die Juden blieben das auserwählte Volk von jeher. Die Italiener, als Erben der beiden Rom, des augustäischen und des päpstlichen, hatten die lateinische Mission am Erdkreis zu erfüllen. Die Spanier waren die Hüter der kastilischen Ehre, das ehrliebendste Volk unter den Menschen. Die Chinesen hießen sich ohnehin das Volk der Mitte; die Japaner die Vormacht der gelben Rasse, welche der weißen ihre Gleichwertigkeit in Siegen aller Art dargetan hatte. Die Amerikaner gar waren die Schiedsrichter der übrigen Menschheit, die Anwärter und Darsteller menschlicher Zukunft, wohingegen sich die Skandinavier als einzig reinblütige Söhne des einzig kulturschöpferischen Volksstammes, der Germanen, erhalten hatten, worauf jedoch nun wieder die Franzosen als die Vertreter des keltischen Genies sich zu Worte meldeten, und Türken und Ungarn, Serben und Bulgaren, Griechen und Iren mit ihren jeweiligen Ansprüchen und den Dokumenten dieses ihres Mittelpunktgefühls ebensowenig kargten.

Von allen diesen Völkern zu allen anderen zogen sich zu gleicher Zeit, mehr oder weniger verhüllt, Ströme der Entwertung – man braucht sich nur das Vergnügen zu machen, die intimeren Dokumente der Politik und des öffentlichen Lebens daraufhin zu untersuchen. Unter den Bundesgenossen, der Entente wie der Mittelmächte, war das jeweils betrachtete das tapferste, am meisten leistende, am bescheidensten Entgelt fordernde, waren alle anderen im Grunde genommen nur dazu da, von Fall zu Fall gerettet oder aus der Patsche gehauen zu werden, um dann mit Undank zu lohnen. Und was unter Bundesgenossen der Fall war, erlebnishaft zugänglich jedem Einzelnen, der mit dabei war, das hatte erst recht statt, bezogen auf die Feinde. Jedes Volk – jedes Volk gab während des Krieges und nach ihm zu erkennen, daß es das tüchtigste, das edelste und preiswürdigste auf Erden war, und daß im Vergleich mit ihm alle anderen Völker sich auf natürliche Weise in einen zweiten Rang verweisen zu lassen hatten.

Innerhalb jedes Volkes – wir nehmen jetzt das deutsche ausdrücklich nur als Beispiel, dessen Kriegserlebnisse wir kontrollieren können – innerhalb jedes Volkes war jeder seiner Stämme derjenige, der am meisten leistete, am meisten litt und am kränkendsten zurückgesetzt wurde. Überall versagten alle anderen, überall war es jeder, der die Situation rettete. Alle anderen waren jeweils Prahlhänse, Großmäuler, Großtuer, die die Situation verfahren hatten, bis der betreffende deutsche Stamm sie wiederum rettete. Die Preußen behaupten das von den Preußen, die Bayern von den Bayern, die Schwaben von den Schwaben; man kann diese Liste beliebig verlängern, wenn man innerhalb Preußens die vielgestaltigen Provinzen, die ja ebensoviel Volksstämme darstellen, betrachtet: Rheinländer und Hessen, Schlesier und Pommern, Altmärker und Uckermärker, Berliner und Potsdamer, Schleswiger und Anhaltiner – wie sich das preußische, das deutsche Volk noch weiterhin gliedere. Der allgemeine Wettstreit an Tüchtigkeit, Pflichttreue, männlicher Dienst- und Leistungsfreude ging eben immer wieder, und darauf kommt es an, bewußtseinsmäßig und erlebnishaft in die Form der Affekte ein, die wir beschreiben, oder kam, besser gesagt, nur in ihnen zum Ausdruck. Nirgendwo ein Geltenlassen aller durch alle, nirgendwo die Erkenntnis, daß jeder wohl seine große und kleine Stunde habe, überall der naive Wichtigkeitswahn der eignen Gruppe und die Entwertung aller anderen.

Aber man glaube ja nicht, daß diese Erscheinung an Stämme oder Völker gebunden bleibt, oder daß sie nur im Kriege, aus Gründen seiner besonderen Soziologie, ihren Ort hätten. Von allen Waffengattungen zu allen, im Krieg und im Frieden, das gleiche Erlebnis. Immer waren es die Armierer, die Infanteristen, die Pioniere, die Artilleristen, die Kavalleristen, die Minenwerfer, die Fernsprechtruppen, die Flieger, die die größte Leistung, die meiste Gefahr, die schlechteste Verpflegung und Behandlung und den größten Undank zu erdulden hatten. Die Rivalität der einzelnen Waffengattungen in den Garnisonen äußerte sich mitunter in blutigen, weit regelmäßiger in unblutigen Schlägereien, immer aber in Stichelreden, Spottversen, Scherz- und Schimpfworten, die zwischen ihnen hin und her flogen und die Atmosphäre der Kameradschaft ausmachten. Innerhalb eines Regiments war jede Kompanie die beste, machten alle anderen die Fehler, die Redeschwall und Strafmaßnahmen der Führerschaft veranlaßten, innerhalb jeder Kompanie fanden alle Korporalschaften sich selbst die sauberste und tüchtigste und alle anderen schlapp. Von dem leidenschaftlichen Differenzaffekt zwischen Marine und Landheer braucht nicht noch gesprochen zu werden, ebensowenig von dem zwischen Garde und Linie, Friedensheer und Reserve und zwischen Offizierkorps und Unteroffizierkorps aller Truppengattungen untereinander und gegeneinander. Daß gerade am Heerwesen diese menschliche Gruppenleidenschaft am deutlichsten beobachtet werden kann, liegt erstens an der soziologisch günstigen Gleichartigkeit, in der alle diese Männergruppen lebten, zweitens an der Infantilität, in die der Militarismus die Erwachsenen zurückwarf, zwanghaft, nicht nur um sie besser zu dressieren, und schließlich an der Naivität, mit der sich diese Gruppen und Riesengruppen, dank der Auserwähltheit des Soldatenstandes, vor dem Kriege und in ihm gehen ließen.

Auf dem Gebiete der Schulen, der Schulen aller Art und beider Geschlechter ermöglicht sich die gleiche Beobachtung. Jede Klasse, jede Studentenverbindung, jede wissenschaftliche Disziplin die höchstwertige, alle anderen im Verhältnis dazu minderwertig. Das Farbentragen von Schülerklassen und Studentenverbindungen zieht aus dieser Empfindung seine werbende Kraft; es erklärt sich, warum man diese Sonderkleidung, an sich doch lächerliche, ungestalte, viel zu bunte Kopfbedeckungen, inmitten der auf Uniformität und gentleman-Unauffälligkeit hinzielenden Mode, aufrechterhalten und schön finden konnte. Der Abzeichenfimmel, dem die heutige Menschheit nicht nur in Deutschland fröhnt, dieser Nadel- und Sternchenunfug, gehört in diesen Zusammenhang. Unter den menschlichen Gewerken, unter den Gehilfen, Lehrlingen und Meistern der menschlichen Handwerke, spielt der Differenz- und Zentralitätsaffekt, von der großen Zeit der Zünfte an bis in den heutigen Tag, seine gestaltende Rolle. Zwischen den Schustern und den Gerbern, den Tuchmachern und den Schneidern, den Schlächtern und den Maurern, Steinmetzen und Bauarbeitern geht es nicht anders zu, wenn man ihr intimeres Leben belauscht hat, wie zwischen Schülerklassen und Waffengattungen. Die Fülle der aufzuzählenden Erscheinungen würde jeden Leser mit Recht ermüden. Wenn man erst einmal das Auge für diese menschliche Gruppierung und ihre Triebgrundlage geöffnet hat, sieht man bald, wie ungeheuerlich das Gruppenerlebnis die Einzelnen entindividualisiert und bestimmt. Straßenzüge derselben Stadt gegen Straßenzüge, Beamtengruppe gegen Publikum, Dienstboten gegen Herrschaften, Etagen gegen Etagen in den Großstadthäusern leben ununterbrochen im Spiel dieser beiden menschlichen Erlebnisse. Die Kämpfe literarischer Cliquen oder Dichterschulen gegeneinander stehen ebenso unterm Gesetz unserer beiden Affekte wie die Rivalitäten unter jungen politischen Parteien oder auch Jugendbünden, die zu immer neuen Spaltungserscheinungen führen, weil der Zentralitätsaffekt und der Differenzaffekt, der Ich-einzig-Wahn, wie Spitteler ihn beim Einzelnen gelegentlich nannte, und der daran gebundene Du-garnichts-Wahn es so wollen.

Es ist selbstverständlich, daß eine so breite Lebenstatsache durchaus nicht etwa hier zum ersten Male gesehen wird; alle jene oben erwähnten Erlebnisse und Zustände hat man mit dem Worte Korpsgeist zu fassen versucht, aber, wie mir scheint, in durchaus nichtssagender, für die Erkenntnis unergiebiger Weise. Ebenso wie man die jetzt zu erwähnenden Differenzaffekte zwischen den kultischen Gruppen der Menschen als religiösen Fanatismus bemerkte – womit doch gar nichts beschrieben ist. Die Geschichte der Menschenreligionen, die Kämpfe der K i r c h e n gegeneinander, der einzelnen Unterbekenntnisse, Sekten und Ketzerschaften machen den Eindruck des Tobens unheilbar Irrsinniger und ließe an der Menschheit und ihrer Vernunft verzweifeln, wenn man nicht aus unserer Blickrichtung klar ersähe, daß auch hier, in der Form von Lehrmeinungen und im Kampfe der Dogmen, nichts als das wildeste und offensichtlichste Spiel von Zentralitäts- und Differenzaffekt die Menschheit zum Narren gehalten hat: dadurch, daß sie um die Frage des »homo ousios« und »homoi ousios«, des Abendmahls in dieser oder jener Gestalt, der Gefolgschaft dieses oder jenes Lehrers und Propheten wahre Seen von Blut vergoß und ganze Völker ausrottete, wie heute die Wahabi um bestimmter Vorschriften Mohammeds willen, oder besser der Art, wie Abdul Wahab sie auslegte, den hundertjährigen Kampf zwischen gleichrassigen Araberstämmen wieder aufflammen ließen; und wie sich in den Waldenser-Kriegen die Franzosen, in Reformationskriegen bis zum Dreißigjährigen eine Anzahl anderer Völker auf besessene Art ausmordeten, raffinierter Unterscheidungen wegen, deren Relevanz einem Außenstehenden niemals auch nur wahrscheinlich zu machen wäre. Das, was diese dogmatischen, also hochgeistigen Scheidungen zum Schlachtruf nahm und vor sich her trug, um ihnen seine ganze Stoßkraft zu leihen, war das Affektpaar, das die Gruppen zusammen- und gegeneinanderstellte.

6.

Damit gewinnen wir nun ein weiteres Kennzeichen dieser Triebe und der menschlichen Natur. Der Mensch schämt sich ihrer. Er braucht Masken für sie, Deckschilder erhabener Art, die ehrlich machen, was so aus dem Acheron aufdrängt; er muß Entscheidungen der Vernunft und Einsicht als Vorwände haben um sich (und sie) loslassen zu können, Erkenntnisse, Weisheiten, das späteste, was er seiner Natur abringen konnte, das letzte Siegel seiner Verantwortlichkeit. Was ist der Erkenntnis an geistigen Akten zugeordnet? Der Zweifel, die systematische Frage, die Erwägung, die Hypothese, die Erörterung, der Beweis oder die intuitive, schlagartig öffnende geistige Schau, die mitteilbar, nämlich bis zur letzten Grenze des Aktes selbst vorbereitbar und heraufführbar ist. Für die gewonnene Überzeugung steht dann das einsame Opfer des eigenen Seins als letzte Probe dem denkenden Menschen wohl an. Aber was haben mit dieser Sphäre die heutigen Massenaufstände zu tun, die die beiden Affekte in ihrem Namen ins Werk setzten? Was hat die heilige Heimat zu tun mit den Generälen und Hugenbergdienern, die andere in Hekatomben für sie ins Grab hetzten? Was die Götter, Heiligen, Propheten und religiösen Akte mit den frommen Blut- und Feuerwüsten, die, mit ihnen als Fahne, von kreuzzugtrunknen Menschenherden je und je hinterlassen wurden? Und jeder Blick in die Religionskämpfe außereuropäischer Völker und Rassen zeigt die Allgemeingültigkeit, mit der auf Erden das Spiel der Affekte Menschengruppen tanzen ließ – jenen Tanz, der Swift und Rabelais, Voltaire, Anatole France und Bernard Shaw mitleidig, verzweifelt oder unbarmherzig belustigt über den Menschen lachen ließ. Die Gesetze, nach denen Bekenntnisse sich in Sekten und Sekten wiederum in Gemeinden und Konventikel spalten, können überhaupt nur unter dem Vorzeichen des Zentralitätsaffekts in allgemeinere Einheiten eingeordnet werden.

Nach diesen Gesetzen ordnet sich der Kampf, der das Stigma des menschlichen Lebens ist. Überall stehen Gruppen gegen Gruppen, besten Gewissens, durchdrungen von der Überzeugung eigenen Rechtes und des fremden Unrechtes: ob es die Parteien eines

Parlaments gegeneinander sind, Ehefrauen gegen uneheliche Mütter, weibliche Angestellte gegen männliche, die Klassen der Gesellschaft gegeneinander, die Arbeiterschaften von Werken gegen die genau gleichen Arbeiterschaften ganz ähnlicher Werke, die Vegetarier gegen Fleischesser, Alkoholisten gegen Antialkoholiker, Radfahrer gegen Autofahrer und Fußgänger gegen beide, ob es der Kampf der Droschkenkutscher mit den Chauffeuren oder der Schutzpolizei gegen die Reichswehr ist, der Weißen gegen die Gelben, der Gelben gegen die Braunen und Schwarzen, der Afrikaner gegen die Europäer – überall bekommen die wirtschaftlichen, sozialen oder politischen Unterscheidungen ihre ätzende Schärfe, ihre unbedingt kriegsschwangere Stoßkraft erst dadurch, daß die Angehörigen jeder Gruppe vom Walten jener beiden Triebe Unbekümmertheit, gutes Gewissen, Verbundenheit miteinander und gegen die anderen, Verachtung aller anderen und Siegesgewißheit erhalten. Der Gedanke eines schiedsrichterlichen Verfahrens, vernünftiger Unterwerfung unter ein vernünftig gefaßtes Urteil hat keinen größeren Gegner auf Erden als unser Affektepaar, wovor die Philosophen fassungslos stehen, weil sie in das Vernünftige allzu verliebt – und so nur erblickend, was sie sich so sehr wünschen, den homo sapiens – die Gegenkraft ignorieren, welche die menschliche Vernunft so leicht matt zu setzen vermag. Denn erst wenn es gelingt, kleinere Gruppen zu einer größeren zusammenzufassen, z. B. zu Gewerkschaften, Spitzenverbänden oder großen Religionen, vermag sich zwischen den Angehörigen dieser neuen Gruppe, je nach der Schnelle mit der die alten aufschmolzen, der Gebrauch der Vernunft durchzusetzen.

Nun sieht man, was die Geschichte der Menschheit, unter der Frage der Vernunft betrachtet, so ungewöhnlich langsam macht; was immer wieder neue, überraschend durchbrechende Gegentriebe und Rückwürfe beinahe bedingt. Die Vernunft ist auf den Einzelnen angewiesen. Damit hat sie, im öffentlichen Leben sich durchzusetzen, den schwächsten Bundesgenossen, das langsamste Tempo, aber den sichersten Weg. Die menschlichen Leidenschaften dagegen, die sich addieren oder besser potenzieren, und die erst in den Gruppenausbrüchen und Gruppenerlebnissen ihre volle Macht entfalten, haben eben daher die Fähigkeit, immer wieder aufs Unerwartetste die Kruste der Vernunft, an der alle emsig arbeiten, zu durchbrechen, und je und je den wirklichen Seelenzustand der Menschheit zu verraten, der ja nicht von den Einzelnen bestimmt wird, sondern, da sie selber ein Gruppenwesen ist, von den Gruppen. Denn vergessen wir ja nicht: Wie die Affekte des einzelnen Menschen, seine Leidenschaften und Triebe, Gegebenheiten seiner fleischlichen Natur und seiner ihr eingeborenen Seele, aus der Menschenexistenz zurückverweisen zu den tierischen Ahnen, deren Gestaltenreihe er im Mutterleibe abwandelt, bevor er als Mensch geboren wird, so haben auch die Gruppenleidenschaften des Menschen ihre tierische und daher ungeheuer zähe Vergangenheit; nur daß sie bei den Tieren an das artbildende Prinzip der Tierform selber gebunden sind und geradezu die Lebensbedingungen und Erhaltungsvoraussetzungen der Tierart darstellen. Denn das, was die Rehe zu Rehen macht oder die Wölfe zu Wölfen, wirkt sich ja auch in ihrer Lebensweise und Nahrungsart aus. Für jede Tierart gibt es nur ein selbstverständliches Sein, das eigne oder das ihm ganz ähnliche. Auf jedes Anderssein, das in ihrer Nähe auftaucht, muß sie mit Argwohn, Flucht oder Verteidigung antworten, weil diese anders riechende, anders gebildete, anders bewegte Gestalt vielleicht zwar nur der Nebenbuhler um die Nahrung, vielleicht aber auch der Erbfeind ist, dem sie selbst als Nahrung von dem furchtbaren, dämonisch aus eignem Leibe sich ätzenden Prinzip des Lebens zugewiesen ward, und der durstig ist nach dem Salz in ihrem Blute.

Was für Wesenheit drückt sich in diesem Paar von Trieben aus? Sie brechen stoßartig aus der Seele der Gruppe, aus der verschmelzenden Atmosphäre, die durch das Verbundensein vieler Einzelner sich amalgamiert. Sie färben ihr Weltgefühl und bestimmen ihre Neigung zur Neben-Menschheit. Sie geben ihr Haltung und nehmen sie ihr, machen sie vornehm in der Ruhe, pöbelhaft im Anfall. Sie wirken im Wettbewerb der Kraftanstrengung und im Kampf um die Weidezone, sie enthüllen einen Geist der Furcht in Flucht und Angriff und einen Geist des Heroismus im Standhalten bis zur Vernichtung. Sie ballen die Horde zusammen, sie organisieren sie um den Führer zum Männerbund, zum Stamm, zur gestuften Gemeinschaft. Durch sie entbrennen Taten des Heldenmutes und der packgleichen Gemeinheit, sie quellen auf zu Lebensangst und ballen sich zu adligster Verantwortungsfreude. Sie sind Spielarten und Geschöpfe des Lebensgeistes selber, beschlossen in der vitalen Sphäre, und weder starr, unbildbar, noch von vorn herein ethisch widerwärtig – aber unrein, ungemodelt, unerzogen und unsublimiert stehen sie in der Skala menschlicher Erlebnisse etwa dort, wo im individuellen Ich die Affekte der Wut und der Eifersucht, der Habgier und des Eigensinns, der Furcht und des Zorns, der Roheit und des Neides sich einreihen. Sie, Zentralitätsaffekt und Differenzaffekt, gehören zu den Grundkräften menschlichen Zusammenlebens. Nationale Ehre, Volkswut, Massenausbruch, Fanatismus, Korpsgeist sind ihre Erzeugnisse oder Spielarten. Wo sie ins Spiel geführt werden, geben sie überraschenden Ausschlag, wer sie entfesseln kann, hat Augenblickserfolge wie jeder, der einen Menschen zu Taten des Zornes und der Leidenschaft verführen kann. Sie sind politische Affekte – Seelenausbrüche oder -triebkräfte des Menschen als zoon politikon, als Hordentier, als Gruppenwesen, als uneinsamstes der Erdgeschöpfe. Als Kipling die bandar-log schilderte, die unterm Aspekt einsamerer Tiere (höchst ungerecht aber herrlich) gesehene Affenhorde, da beschrieb er sie als Wesen, die ganz unterm Diktat dieser beiden Triebe leben: »Wund, müde und hungrig, wie er war, mußte Mogli doch lachen, als die bandar-log begann, zwanzig auf einmal, ihm zu erzählen, wie groß und weise, stark und edel sie waren, und wie töricht es von ihm war, sie verlassen zu wollen. ›Wir sind groß. Wir sind frei. Wir sind das wundervollste Volk im ganzen Dschungel. Wir alle sagen das, und so muß es wahr sein‹, riefen sie.« (Da hört man nun die vaterländischen Verbände der ganzen Erde, denkt an die Meerkatzen-Szene im »Faust« und ahmt den Kandidaten Jobs nach.) Die Wahrnehmung der Gruppe »Jude« entbindet in der Gruppe »Nichtjude« den Differenzaffekt (und seinen polaren Partner, den ich nicht immer mitnenne aber stets mitmeine). In diesem spezifischen Falle hat er spezifische Form und Farbe; man kennt sie, und nennt sie heute – nannte sie früher anders – Antisemitismus.

Nun stehen wir wieder im vollen Anblick unseres Gegenstands. Indem wir uns gleichsam um eine Serpentine höher erhoben, gewannen wir auf ihn freieren Blick. Fassen wir ihn jetzt genauer ins Sichtfeld und befragen wir ihn; er wird uns antworten – nun aber nicht mehr nur für sich allein. Er ist aus seiner starren, nur sich selbst bedeutenden Isolierung in eine würdigere Sphäre erhoben worden. Er steht jetzt für sich, zugleich aber auch für alle andern Phänomene seiner Gattung. Er ward zum »symbolischen Gegenstand«, und was wir an ihm erkennen, gilt von jetzt ab, mutatis mutandis, für alle Spielarten des Gruppenaffekts.

7.

Affekt, Empfindung, Gesinnung: an allen diesen Verhaltungsarten hat der Antisemitismus Anteil; je höher er in intellektuelle Zonen der Person aufsteigt, um so intensiver scheint er sie zu durchdringen, um so weniger gebunden erscheint er an Anlaß und Anfall, um so gleichmäßiger durchtränkt er sie mit seiner Farbe und um so leichter sichtbar wird seine überindividuelle Schichtung. Was ist aber nun »der Jude«, auf den der Antisemitismus zielt?

Nehmen wir nicht den Fall, der heute der häufigste ist: durch bestimmte politische Suggestionen wird einem Deutschen eingeredet, daß an gewissen Beeinträchtigungen, an denen er leidet, die Juden schuld seien. Setzen wir vielmehr: durch Erfahrung an der Handlungsweise eines oder einiger Juden wird ein Mensch, der bis dahin die Juden wenig bemerkt hat, zum Antisemiten. Seine Verwerfung, Verneinung, Befehdung geht dann auf »das Jüdische«, auf eine bestimmte Art des Seins, auf eine gewisse Grundhaltung zu allen Dingen (die später noch beschrieben wird). Diese nun weist er »dem Juden« zu – der sich zum konkreten Einzeljuden und zur Summe aller Juden verhält, wie »der Wolf« im Märchen zum individuellen Wolf und zu »allen Wölfen«. »Der Jude« des Antisemiten ist eine stellvertretende Person, zunächst ein Zeichen für das, was er am Juden zu sehen imstande ist, und dann für die Judenheit, deren Charakter er in ihm zu erfassen meint. Nicht auf das Judentum als geistige Substanz zielt er, die ihm vielmehr verborgen bleibt, sondern auf denjenigen Teil der Judenheit, von dem er sich betroffen weiß; ihn würde er, wenn er als Gesetzgeber seinem Impuls folgen sollte, mit Maßregeln bekämpfen. Damit setzt er in jedem Teil der Judenheit dasjenige angeborene Sein voraus, das ihn erregt, und indem er die Verantwortlichkeit des allgemeinen Juden für die besonderen voraussetzt, nimmt er den Juden als Vertreter einer biologischen Gruppe wahr: als Volk, dem er als Vertreter eines Volkes gegenübertritt. Dieser Erkenntnis ist er so sicher, daß in dem Augenblick, wo irgendein konkreter Teil der Judenheit – »des jüdischen Volkes« – diese Verantwortlichkeit und Gemeinschaft ablehnt, sich ihm der Protest als niedrige Feigheit und Selbstverleugnung darstellt; er nimmt ihn nicht an und verachtet die Protestler als Selbstverräter: die Verachtungskomponente tritt zu seinem Antisemitismus hinzu und verschlimmert ihn, entfärbt noch tiefer das Bild des Juden.

Von Volk zu Volk: hier zum ersten Male stellt sich mit Evidenz dar, welcher Charakter dem überindividuellen Träger des Antisemitismus zukommt: der nationale. Er ist weder ein soziales Differenzempfinden von Klasse zu Klasse, noch ein geistiges von Religion zu Religion, sondern ein biologisches von Volk zu Volk – kompliziert und gebrochen durch besondere, später darzustellende Faktoren. Da er in heutiger Gestalt von Pseudobiologen zuerst »wissenschaftlich« vertreten worden ist, haben sie ihm, seiner (und ihrer) radikalisierenden und mythisierenden Tendenz folgend, die Formel »von Rasse zu Rasse« gegeben; aber das ist nur das unbehilfliche Symbol für das dunkle Wissen um seinen typischen Charakter, nämlich um den Sachverhalt seiner Unabhängigkeit von individueller Volkheit: hinter ihm sahen sie, daß von jedem Volk zu jedem eine rational unbegründete Spannung besteht, für die alle bewußtseinsfähigen Spannungsgründe gewissermaßen nur Vorwände sind; so verwiesen sie ihre Wurzel ins Irrationale, ins Blut, in eine schlechthin bewußtseinsunfähige, instinktbeherrschte Sphäre, die sie, um sich ihrer nicht zu schämen, vergotteten.

Wenn so der Antisemitismus auf das Allgemeine des Juden zielt, auf das jüdische Wesen, muß auch bei ihm die nur auf den ersten Blick paradoxe Erscheinung der »Ausnahmen« vorhanden sein, die bei allen Differenzempfindungen von Volk zu Volk (und auch bei der engeren biologischen Seinsform, von Familie zu Familie) typisch vorkommen, ohne zunächst die generelle Verwerfung zu verändern (die Capulets und Romeo: »Er sei wie er wolle, er ist ein Montague.«) In irgendwelchen Umständen der Begeisterung oder Bedrängung möge ein Antisemit, ohne sich als solcher angezeigt zu haben, einen Juden als Person erleben, seine Wesenswerte wahrnehmen: dann rechnet er sie ihm als individuelle Werte an (auch wenn sie tatsächlich typische sind, z. B. Hilfsbereitschaft, Einblick in fremdes Ich) und nimmt gleichsam dieses Individuum, indem er seine menschliche Art durch das davorgelagerte Jüdischsein hindurch zu erfassen glaubt, aus dem Volk der Juden heraus, um es anzuerkennen und zu schätzen, ja zu lieben (antisemitisch gestimmte Männer vermögen gelegentlich Jüdinnen zu lieben und zu heiraten). Daher die Redensart, daß es »anständige Juden gäbe«, die von der Verantwortlichkeit für das jüdische Wesen befreit werden müßten, womit sich prinzipielle Antisemiten von der Verpflichtung befreien, dieses jüdische Wesen genauer und unbefangen zu ergründen. Daß diese Verpflichtung nicht gespürt wird, auch den als »guten Fall« empfundenen Einzelnen auf sein Typisches hin zu erleben, ist ein weiterer Hinweis auf den Charakter dieses Differenzaffekts nationaler Art; denn sehr naiv wird der eigene Volkscharakter stets am »besten Fall« orientiert. Aber den Blick geschärft durch dies Bemerken des »anständigen Juden«, sieht der Antisemit nun auch am typischen Juden gewisse Tugenden, die auch er als Tugenden wertet: volkhafte Verbundenheit der einzelnen Juden in der Fremde, Familiengefühl, Sinn für Reinhaltung des Blutes, erotische Disziplin, Mäßigkeit vor Alkohol, heute auch geschäftliche Tüchtigkeit – ohne daß der Antisemitismus in ihm dadurch geschwächt wird, ja so, daß er dadurch die Gefährlichkeit der Juden für sein Volk verstärkt empfindet. Umgekehrt tritt gelegentlich folgender Fall auf: ein Antisemit A lernt einen Menschen M kennen, er findet Gefallen an ihm, er lernt ihn schätzen, eine gewisse Wärme der Beziehung stellt sich ein; gelegentlich erfährt er, daß M Jude ist (eine Jüdin geheiratet hat, mit Juden eng befreundet ist und, vor die Wahl gestellt, diese Freundschaft keinesfalls zu lösen gedenkt): und von diesem Moment an verdunkeln sich die an M gewahrten Werte, sie erlöschen, Kälte, Abneigung, gesteigerter Antisemitismus ist die Folge. Zu einem Kampfe zwischen persönlicher Erfahrung und antisemitischer Grundstimmung kommt es erst, wenn zwischen A und M vor der Enthüllung nicht Schätzung und Zuneigung, sondern Freundschaft und Liebe entstanden waren: echte Freundschaft und echte Liebe, Akte, in denen eine Person die andere in der ganzen Fülle ihrer Werte erfaßt, überwinden den Antisemitismus des Liebenden, zunächst für diesen Fall, der als eine jener »Ausnahmen« empfunden werden kann, die sich vor der verwerfenden Grundhaltung um so heller abheben – und dies um so eher, wenn M eine Frau ist, die innerlich zum Volke des Mannes übertritt und sich aus dem Zusammenhang mit ihrem jüdischen Volke scheidet. Nur wenn sie diesen innerlichen Schritt zu ihm hin nicht tut, wenn sie darauf besteht, als Jüdin seine Gefährtin zu werden und als seine Gefährtin Jüdin zu bleiben, stolz auf die Zugehörigkeit zu ihrem gebrechlichen Volke, kann es geschehen, daß Liebe den Antisemiten sehen lehrt und, besonders bei einem bedeutenden Menschen, der es mit allen persönlichsten Angelegenheiten streng, gründlich und reinlich nimmt, plötzlich an dem Volke, das diesen geliebten Menschen hervorbrachte, Werte über Werte aufleuchten, die den verwerfenden Blick belehren und die verneinende Grundstimmung zur Bejahung umkehren – nicht zwar notwendig zur Bejahung seiner augenblicklichen empirischen Seinsart, aber unbedingt zur Bejahung jenes metaphysischen Volkscharakters, der durch die Zeiten und in den genialen Einzelnen leuchtet, und von dem sich um so zerrütteter der empirische Charakter der augenblicklichen Masse abheben kann. Dann wird sich wiederum ein Verwerfen dieses Empirikums leidenschaftlich einstellen können: aber dann ist es der liebevolle und zornige Eifer gegen den Verfallsjuden um des echten wertvollen Judenwesens willen – ein Verwerfen mit positivem Vorzeichen, ein »Antisemitismus«, den wir uns gerne gefallen ließen.

8.

Müssen wir noch einmal erklären, daß wir vom Individuum nur in dem Sinne des Gliedes und Darstellers einer national gebundenen Gruppe reden und immer wissen, daß der wahre Träger des Antisemitismus wie aller Differenzaffekte die Gruppe selbst ist – ein Individuum sie selbst, ja d a s b i o l o g i s c h e I n d i v i d u u m, zu dem sich die Einzelnen verhalten wie Blätter und Blüten zur ganzen Pflanze (Familie) und zur besonderen Gattung dieser Pflanze (z. B. »Tanne«), die im Wald anschaulich zusammentritt? Wir stehn ganz am Anfang der Erkenntnisse dieser biologischen Bildungen – Wilhelm Fließ, Hans Driesch u. a. haben den Versuch unternommen, hier Gesetze aufzustellen – und wissen nicht, wie sich in Zukunft das Verhältnis von Soziologie und Biologie zueinander gestalten wird. Deutlich aber ist uns, daß von Gruppe zu Gruppe niemals Beziehungslosigkeit besteht, daß vielmehr als natürlicher Zustand Ströme von lust- und unlustbetonten »Erfahrungen« hin und her gehn, Differenzempfindungen und Verbundenheitserlebnisse, Abstoßungen und Anziehungen, die das Leben der Völker formen und ausmachen, und die nach eigenen Gesetzen sich aufbauen, erforschbar und erschaubar wie etwa das Reich der sittlichen Tatsachen. Wer das Leben nicht unter der Optik des Lebendigen (des strömenden Zusammen-seins) zu sehen vermag, sondern es etwa mittels Definitionen und durch Begriffe unter der Optik der rationalen Logik zu ergreifen sucht, dem wird es ebenso entfliehn wie dem, der es allein unter der Perspektive des Wettbewerbs (Politik) und des Zusammenwirtschaftens (Nationalökonomie) zu fassen gedenkt. Das Denkvermögen des Menschen, auf Erleichterungen aus und dem Gesetz der Trägheit untertan, wendet solange als möglich eine einmal ausgebaute Denkart auf die heterogensten Gebiete an ... Erkennen wir endlich den Antisemitismus als biologisches Phänomen, als einen von jenen Differenzaffekten, in denen die Völker einander bezweifeln und verneinen; suchen wir seine Wurzel auf, die selbstverständlich unterhalb der eigentlich von »Völkern« erfüllten Sphäre liegen muß, wie die Wurzeln der Pflanzen unterhalb der von Pflanzen erfüllten Sphäre und die

Wurzeln vieler bewußter Erlebnisse unterhalb der Bewußtseinssphäre liegen.

Wie die moderne Psychologie des Künstlers, um das bislang als ganz irrational und abnorm betrachtete Auftreten künstlerischer Begabung der Skala des Normalen anzufügen, auf die Verwandtschaft einzelner allgemeinmenschlicher Phänomene mit dem Schaffensprozeß des Künstlers sich bezieht und, ohne das ganz spezifisch Künstlerische darin aufzulösen, auf Erscheinungen wie Tagtraum, Klatsch, Onanie, gute Einfälle, Spiel, Dilettantismus, Hysterie verweist, so richten wir unsern Blick auf diejenige seelische Sphäre, wo in der Seele des durchschnittlichen normalen bürgerlichen Menschen Abneigungen gegen ganze Kategorien andersartiger Leute wurzeln. Nehmen wir an, daß auf der Straße ein Mann mit roten Haaren oder einem Buckel einem anderen schmerzhaft auf den Fuß trete, so daß sich ein Wortwechsel daran knüpfe: wird der Getretene nicht, falls er sich volkstümlich ausdrückt, »das bucklichte Aas« oder »den dreckigen Rotkopf« zur Vorsicht ermahnen; wird er nicht, falls der Anstoßerreger als Jude kenntlich ist, den »verfluchten Juden« ebenso apostrophieren? Wenn ein Jude hierin Antisemitismus sähe, irrte er. Dieser geärgerte Mensch sucht, um sich für den erlittenen Schmerz zu rächen, den anderen an einem Punkte zu treffen, der empfindlich, weil unleugbar, offensichtlich und unabänderlich ist; in seinen Augen ist »Judesein« ein Malheur wie Buckel oder Rothaar und er spielt es als Trumpf aus. Dies Verhalten ist völlig Alltag, jeder Mensch erfährt es an sich selbst, und hier ist einer der Punkte, wo normales Verhalten mit antisemitischem verwechselt werden kann – Beweis, daß Übergangszonen bestehen, daß es im Seelischen zwar begrenzte Phänomene, aber auch Zustände gibt, aus denen sie sich erst abdifferenzieren. Gegen ganze Kategorien von Menschen besteht eine Stimmung zu Abneigung und Mißtrauen, im Volke wohlgemerkt, das seinen Impulsen zu folgen gewohnt ist: Väter unehelicher Kinder, Väter von Töchtern mit unehelichen Kindern, rothaarige Menschen oder solche mit Feuermalen haben von Anfang an eine Stimmung gegen sich, die sich auf ihre sie absondernden Gebrechen aufbaut. Dabei kommt viel darauf an, daß diese Gebrechen von dem normalen Menschen ohne weiteres nicht nachahmbar sind: nachahmbare Gebrechen wie Stottern oder Hinken treten aus dem Gewöhnlichen nicht so sehr heraus, daß sie Unlust erwecken, sie werden deshalb nur als Spott herausfordernd mit Gelächter beantwortet, welches die mildeste Form der sozialen Kritik in der vitalen Sphäre ist. (Über die soziale Funktion des Lachens vergleiche Bergsons klassische Studie Le Rire.) Bucklige nehmen eine Sonderstellung ein, weil das Volk weiß, daß ihr Gebrechen, an sich nachahmbar und also eher lächerlich, ihnen wie anderen Zwerghaften eine Verzerrung des Charakters ins Hämische und Gefährliche nahelegt; die Reaktion auf Schwerhörigkeit, Taubheit, Einäugigkeit überdenke man selbst, wobei man sich erinnere, wie leicht bei der modernen Arbeit ein Sinn beschädigt wird (was das Volk sehr genau beachtet); Blindheit aber macht, weil die Welt dem Menschen vorzüglich durchs Auge gegeben ist, den Betroffenen schlechthin unglücklich und also ehrfurchtgebietend.

Alles nun, was vom Normalen und Unauffälligen abweichend Anlaß zum Gerede, zur Konzentration der Aufmerksamkeit auf den Träger des Besonderen gibt, ohne zugleich einen positiven Wert zu vermitteln, ist anstößig. Beim Militär sind die Worte »auffallen« und »unangenehm auffallen« identisch; auch wer durch Diensteifer auffällt, erregt Anstoß selbst bei den Vorgesetzten: weil hier der Herdencharakter des Menschen ein ausdrücklich Gefordertes wird, weil ein Teil der militärischen Abrichtung Aberziehung jeder Besonderheit und Herausarbeitung einer möglichst anonymen Menge ist. Noch aber ist jedem Volke der Herdencharakter immanent. So gewiß den Menschen und seine Wesenheit Werte tragen, die seiner Tierheit entgegengesetzt sind, so sicher wirkt in dieses Menschentum fortwährend die Tiernatur hinein, und zwar, da die Lebenseinheiten des Menschen Familie, Sippe, Stamm, Volk sind, gerade in diesen Menschenverbänden besonders aktiv. Daher ist es nur eine Verlängerung des Sicheren ins Mögliche, wenn wir in dieser Scheu vor dem Auffälligen einen ungeheuren Atavismus nachwirken fühlten, aus jener Tier- und Herdenzeit, wo alles Auffällige zu Flucht oder Verteidigung aufforderte, und wo den Feind zu erkennen, zu fliehen oder abzuwehren Hauptinhalt der vormenschlichen Erziehung war. Alles Anderslebende zu befeinden, mindestens mit Argwohn zu betrachten – dieser ungeheuer starke Impuls hat sich bis heute in Verwandlungen aber ingrimmig stark erhalten: »anderslebend« aber ist fast eine Umschreibung für »anderes Volk«. Denn unterhalb moderner Gleichartigkeit lebt noch heute jedes einzelne Volk seinen eigenen Rhythmus, sein eigenes Tempo, unter eigenen Akzenten des Wertfühlens, Vorziehens, Weltanschauens, Liebens und Hassens; und die Grenzen, wo verschiedene dieser Lebewesen einander berühren, werden von den Differenzaffekten bezeichnet, wie wir sie genannt haben. Selbst dasjenige Volk, welches ein anderes in seinem Lebenshabitus nachahmt, lebt anders als das originale Volk, nämlich nachahmend, auf fremde Art, die niemals dieselbe glückliche und freie, unwillkürliche und gewachsene Lebendigkeit erlaubt wie das Darleben originaler Formen und Modi.

9.

Daß jedes Volk aber anders als alle anderen lebt, schon indem es auf nur ihm eigene Weise spricht und glaubt, Sitten entwickelt, Hoffnungen und Ideale vor sich hinstellt, ja selbst eigene Moralen ausbildet, und seien sie nur durch Nuancen verschieden, indem es unter eigen akzentuierten Gesetzen des Vorziehens und Nachsetzens lebt, können wir hier nur feststellen, ohne es auf einsichtige Ursachen zurückzuführen imstande zu sein, und indem wir Sinn dieser Tatsache und darausfließende Aufgabe später auszusprechen haben werden. Da wir erst am Anfange systematischer Erkenntnis in allen Wissenschaften stehen, werden spätere Jahrhunderte wohl weiser sein als wir oder klüger zum mindesten; wenn die Sprachforschung z. B. die Gründe des Lautwandels, der Dialektbildungen und ähnlicher Erscheinungen innerhalb einer Sprache wird mit Sicherheit nachweisen können, werden wir das Gebiet der Mutmaßungen und Hilfshypothesen auch auf unserem Felde verlassen haben. Daß aber umbildende Kräfte des L a n d e s dabei wirksam sind, ist vielleicht schon heute mehr als eine solche. Denn das Land, dies natürlich und gefühlsmäßig isolierte Stück der Erdoberfläche, hat auf das landnehmende, siedelnde Volk gestaltende Kraft. Überall dort, wo das Volk, die geschlossen blutmäßig verbundene Gruppe, das Mysterium der Landnahme vollzieht, ist es daheim, überall anderswo in der Fremde. Die Erde, den Boden empfängt jedes Volk von den Göttern oder von Gott; die seelenformenden, körperaufbauenden Gewalten, die das Land überschweben, werden von jedem Volke ehrfürchtig wahrgenommen, und für jede wahrhaft lebende und erkennende Zeit bleiben die Götter auch Herren des Landes, und sein Nutznießer, Verwalter, Pfleger, nicht mehr, ist der Mensch. Verantwortlich für die Gestalt des Landes bleibt er dem Gott, der's ihm verlieh, damit er die Kräfte und Tugenden entfalte, die darin angelegt sind, seine ihm eigentümliche Form und Schönheit darstelle – Schönheit im platonisch großartigen, die höchste Lebensverklärung meinenden Gebrauch. Darum ist der Verheerer und Zerstörer eines Landes in ihm nicht beheimatet – darum hat der Türke auf dem Balkan ebensowenig Heimat wie in Palästina – und »Heimat« überhaupt muß man sagen, um die Kräfte und Mächte des Landes mitschwingen zu hören. Fremde, dies Gegenwort von Heimat, bezeichnet darum (für den Fremden) den trostlosen Zustand an sich, die Abgeschnittenheit von den gestaltenden Mächten des Landes; und wo ein Volksteil in der Fremde sich verwurzelt (hört die Sprache philosophieren!), verändert sich sein Wesen, weil es dem gestaltenden Dämon des fremden Landes sich hinzugeben begonnen hat. Wenn aber ein Volk sich der Fremde und ihrem Dämon verweigert, wenn es seine Art und Abart hartnäckig und leidenschaftlich festhält, dann bleibt es nicht nur fremd, sondern w i l l fremd bleiben: und dies gibt dem Differenzaffekt eine harte Schärfe: denn das eingeborene Volk fühlt sich in seinen waltenden und umformenden Kräften verneint und mißhandelt, da es seiner Art ein Vorrecht einzuräumen, ein Besser- und Wünschbarsein zuzuschreiben nicht umhin kann – wenigstens in diesem, seinem Lande. Es weiß die Einheit zwischen sich und seinem Lande, und diese Einheit des Seins fühlt es verletzt, um so tiefer, wenn das Fremde nicht vorübergehend auftritt – sondern bleibt; um so unbegreiflicher, wenn dieses Fremde nicht mit den Attributen der Macht, Lebensfülle, Stärke, Eroberung bekleidet auftritt (dann nämlich kann der Differenzaffekt sein Vorzeichen ändern und als Lockung, Anziehung, Verführung auftreten, besonders für den Einheimischen, dem das Eigene zum Alltag geworden ist und dem Leben und Lebensneuheit neue Reize und Gefahren, Erprobungen und Erweiterungen verspricht, dem aber außerdem die Heimat als sicherer Hafen im Rücken bleibt), sondern in all diesen Werten hinter dem Beheimateten zurückzustehen scheint. Dann wirkt das Beharren herausfordernd, das Fremde abstoßend, der Trieb zum Niveau wird Imperativ, der Befehl der Unauffälligkeit wirft sich gegen das Auffallende. Dann beginnt die Volksphantasie zu dichten, dämonische Kräfte um den zähen Fremdling ahnend und gestaltend, in seine Erscheinung hineinbildend und sie verzerrend, das Menschlich-Gemeinsame auslassend, alles Mißdeutbare ins Abstoßende umsehend und, was irgend nicht geheuer an dem anderen ist, ins Ungeheuerliche wendend. Dann gibt es nichts Harmloses mehr, nichts Lächerliches: alles wird angerechnet und feindselig. Wenn nun aber der Fremde, Andersartige durch sein Verhalten oder ausdrücklich positive wertgehaltene Einrichtungen, Güter oder Ideale des Machtvolkes verneint: dann schärft sich der Differenzaffekt zur ätzenden Feindseligkeit. Dies ist der Fall des Juden.

10.

Vorher aber müssen wir fragen, ob denn ein Volk im geschilderten Sinne die Juden noch seien – was von vielen deutschen und westlichen Juden laut geleugnet wird, indem sie sich an das exakt-wissenschaftlich Unfaßbare fester äußerer Merkmale klammern. Allerdings nur von ihnen: allerdings nur dem Worte »Volk« gegenüber. Sie nennen sich lieber Rasse, Schicksalsgemeinschaft, Religionsgemeinschaft, ja lieber noch leugnen sie jede allgemeinere Besonderheit, die in irgendeinem Worte faßbar wäre, und behaupten, all das läge hinter ihnen, nur Menschen seien sie oder Deutsche, Franzosen – Volk vom Staatsvolk in dem sie wurzeln: und wie viele sind vor ihrem Bewußtsein ehrlich, wenn sie das versichern. Auf die Namen aber, die sie ihrer besonderen Ver-

bundenheit geben, kommt gar nichts an. Ein Volk stirbt erst,
wenn die allermeisten seiner Nachkommen gestorben oder ganz
verschwunden sind – nicht eher. Gestorben sind Etrusker und
Goten; Juden aber sind da, vierzehn Millionen, vermindert um
die Opfer des Krieges und seiner Folgen – Juden, die in historischen Zeiten ein Volk mit Sprache, Land, Ethos, Schöpfung und
Gottesbild waren und deren unleugbare Nachfahren heute überall leben, mit besonderem äußeren Durchschnittshabitus, mit
Geschichte ohne Lücke, mit Tradition, mit Willen zu eigenem
Leben; und mit Massen, deren Wille zu eigenem Volkssein niemals die Form der Selbstverständlichkeit verloren, deren Wille
zum eigenen Lande die Form der Sehnsucht religiös oder national anzunehmen gezwungen war. Was aber so lebt, ist ein Volk,
so ungern einige Nachkommen es wahrhaben möchten, und
über ihren Protest weggehend nennen die Völker, die sich auf
die Feinheiten von Vereinen und Einzelnen nicht einlassen können, die Katze eine Katze: sobald sie einer gewissen Gemeinschaft von Juden inne werden. Einzelne nämlich und selbst noch
verstreut wohnende Familien können auf ihr Volkstum hin nicht
wahrgenommen werden, sie können als Fremde empfunden,
aber schnell auch gewohnt und vertraut werden. Erst vor Gruppen von Andersartigen treten die Wirklichkeiten ein, die zur
Wahrnehmung besonderer Herkunft, Veranlagung, Lebensfor-
men, Bejahungen und Verneinungen führen. Daher ist der Differenzaffekt ans Auftreten mehrerer Juden gebunden, und je mehr
ihrer sind, um so schärfer leben sie ihre Besonderheit dar, um so
stärker kann er sich manifestieren. Wo er aber erst einmal entbrannt ist, dort haftet er zäh, und noch nach Abwanderung oder
sonstigem Verschwinden durch Vermischung oder Ausrottung der
Volksgruppe werden jetzt auch Individuen seine Gegenstände,
solange sie die Merkmale jener verschwundenen Gemeinschaft,
auch noch so leise aufweisen.

Der ans Auftreten des jüdischen Volkes gebundene Differenzaffekt also heißt Antisemitismus. Daß er so typisch anders sich
darstellt und erlebt wird als die Berührungen anderer Völker miteinander, muß seinen Grund entweder in einer einzigartigen Erscheinungsform des jüdischen Volkes – das Volk, das seine Heimat

überall in der Fremde, bis zur Emanzipation nur in der Fremde
fand – oder in seinem besonderen Wesen, oder in besonders zen-
traler Verschiedenheit dieses Volkes von allen anderen (antisemitisch erregbaren) haben.

II.

Das Sein und die Werte eines Volkes sind, wie gezeigt, sichtbar
nicht in den individuellen Werten der durchschnittlichen Ein-
zelpersonen, die sie ausmachen – hier sind sie allenfalls, bei gutem Willen, d. h. bei der schon auf positives Ergebnis eingestell-
ten Prüfung, auffindbar. Sichtbar sind sie nur an dem in eigener
Gemeinschaft lebenden Volke selbst, in welcher die ganz zwang-
los natürliche Haltung seiner Art, seines Lebens, seiner von keinen Grenzspannungen beeinträchtigten Selbstverständlichkeit
des Daseins möglich ist; sichtbar sind sie nur, wenn das Volk als
losgelöste Person, von außen gewissermaßen, anschaubar ist.
Dann erst tritt seine Geschichte als perspektivischer Hintergrund
mit in die wertverleihende Sichtbarkeit ein, dann erst kommen
seine großen Geister und Genien den andern Völkern als diesem
Volke entwachsen und es aussagend voll zur Schau. Darum hatte
es einen tiefen Sinn, wenn die Deutschen um 1830–1870 im Auslande (Hebbel) ihre Erniedrigung fühlten: zerrissen in 36 Staaten
kamen sie den fremden Nationen nie als Ganzes zur Gegebenheit; aber sie lebten wenigstens als geschlossenes Kultur- und Wirt-
schaftsgebilde in eigenem von ihnen erfüllten Territorium, und
daher konnte sich die »Erniedrigung« bei den Anderen niemals
zu einem den Wert der Deutschen völlig auslöschenden »Anti-
germanismus« steigern. Ihre Geschichte, mit der der anderen Völker innig verflochten, ward von diesen stets als eine Realität beim
Erfassen der eigenen Geschichte gespürt; ihre Sprache, dem europäischen Kulturkreis angehörig, fand stets bei den anderen
Willige, die sie unschwer lernten, um sich die europäisch über-
tragbaren Werte zu eigen zu machen, die ständig in ihr, der lebend schöpferischen, sich erzeugten; und von einem eindeutigen Zentrum, diesem Deutschland, gingen jene überdeutschen
Werte aus, die, wie Musik und Philosophie, den Deutschen trotz

ihrer politischen Zerrissenheit Weltehrung eintrugen, und die immer wieder gleichsam auf dies Zentrum zurückwiesen. (Man vergleiche nach diesen Gesichtspunkten weiter die Situation von Italienern und des italienischen Volkes im 17. und 18. Jahrhundert, wo ganz Europa und Rußland von italienischen Musikern, Malern, Architekten überschwemmt ward, Italien selbst aber nur als historisches Dokument gleichsam lebte: die geistige Haltung der Völker zu ihnen ist eine charakteristisch andere als die zu den Deutschen um 1840.) Und nun sehe man von hier aus auf die Juden: indem sie innerhalb der Völker wohnen und nur in ihnen, sind sie ihnen als Volk unanschaulich; es fehlt die raum- und blickschaffende Distanz; kein Umriß, sondern nur ein dunkles Fremdes ist unbehaglich naherückend merkbar: der Impuls, dies zurückzuschieben und es schauen zu können, ist eine notwendige Reaktion. Denn es verrät die ganze rationalistische Blindheit greiser Liberalgeister (liberal noch, wenn sie religiösorthodox sind) über Erscheinungsformen eines Volkes, wenn sie meinen, indem die Juden sich unter den Völkern zerstreuten, seien sie imstande, Missionäre des jüdischen Geistes zu sein, und wenn sie Völkern ihre individuellen Nähen brächten und ihnen gleichsam »Judentum vorlebten«, machten sie ihnen jüdische Werte anschaulich und verbreiteten die Erkenntnis Gottes. Genau das Gegenteil ist der Fall: sie verschwinden unter ihnen als werttragende Volks-Person, sie lösen sich in Einzelne auf, deren Gemeinschaftsleben dem der umgebenden Volksgemeinschaft gleichgesetzt wird – und was haben die Juden dann noch zu »missionieren«? Da sie keine Lebensregeln oder Gotteserkenntnisse bringen, die nicht schon als Regeln und Erkenntnisse – nicht als gelebte Tat – Gemeingut der kultivierten Erde sind (auch der Japaner, Chinesen, Hindu, Moslim): was soll an ihnen werterfüllt aufleuchten? Genau das Gegenteil wird sich einstellen müssen und hat sich eingestellt: die fremde Nähe, unfixierbar, wird zu allererst, um untersuchbar zu werden, zurückgeschoben – und dagegen wehren sich die Juden dann nach Kräften, indem sie beteuern, nichts als Deutsche, Briten, Italiener zu sein – was sie, kulturellem Leben und politischem Sein nach unbedingt auch sind, nur daß sie, mindestens der Anlage nach, noch etwas dar-

über sind, was Ansprüche an sie macht ... Und indem sie hier
ohne eigene sichtbare Volksperson leben, bleiben auch mit Notwendigkeit alle anderen Erscheinungsformen ihres wahren Wesens und Wertes als besondere Menschart unsichtbar, unwirksam.
Ihre hebräische Sprache, selbst im Exil gerettet, aber nicht als lebende Sprache eines Gemeinwesens gültig (und dies ist die erste
Gültigkeitsform einer Sprache als »lebender«), schafft weiter Dichtung und Aufruf, aber niemand kann sie bemerken, wie etwa die
serbische oder dänische Sprache, denen viel weniger Menschen
zurechenbar sind; und wer sie historisch gerichtet studiert, tut es
nur als Philolog, selbst wenn er Theologe ist. Denn die entscheidende Wirkung jüdischer Antike geht heute von Übersetzungen
aus, welche die Bibel (für den unmittelbaren Blick, und er allein
entscheidet) zu einem entjudeten Buche gemacht haben: nur
wer sie guten Willens betrachtet, kann uns in ihr finden und sich
als Judenzögling im Besten, was er ist – wer aber hat heute Anrecht auf guten Willen? Unsere führenden Geister in den Wissenschaften und der Philosophie, der Technik und Industrie – da
sie nicht in eigener Sprache, eigener Umwelt, eigener Tradition
lehren und schaffen, gehören sie uns nur noch gleichsam an; den
Völkern werden sie lediglich als Individuen sichtbar, nicht als
Söhne eines Volkes, sondern als Söhne ihrer Epoche, selbst wo sie
deren Schöpfer sind (wie Disraeli, Marx, Einstein, Freud, Bergson, Husserl): nicht einmal ihre Namen verraten das Relief, aus
dem sie als einzelne Figuren heraustreten, und nur sehr bedingt
vermögen sie durch den dauernden Hinweis auf ihre jüdische
Abstammung (wie Cohen) oder auf ihr Verhältnis zur jüdischen
Nation (wie Disraeli und Einstein) eine Ahnung von der geistigen Machtfülle und dem Reichtum eines Volksgeistes, der sie zu
zeugen vermochte, um sich zu verbreiten. Der letzte als jüdisch
geltende Genius unseres Volkes war Spinoza – und warum? Weil
sich an ihm, wenn auch nur in der Form der geistigen Herkunft
und politischen Ausstoßung, noch die lebendige jüdische Gemeinschaft manifestiert hatte, die durch dieses Verbannen ihres
großen Sohnes der Welt dokumentierte, daß es noch ein Volk gab,
von dem man verbannt werden konnte. Ja, selbst um Heine ist
noch etwas von der Gegebenheit seines Volkes als eines allbemerk-

baren lebendigen, schaffenden Wesens: weil er unaufhörlich mit dem augenblicklichen Geiste dieses Wesens sich auseinanderzu- setzen gezwungen war. Um alle anderen unserer bedeutenden Männer liegt die Anonymität des Einzelnen, der mit Selbstver- ständlichkeit dem Volke zugerechnet wird, dessen Sprache er spricht, auf dessen Boden er schafft und dessen Lebensrhythmus seinen anderen völlig aufhebt. Und unsere Dichter, unsere Mu- siker, Maler sind nur uns selbst als »unser« fühlbar: nach außen sind sie jüdische Individuen im Zusammenhang deutscher Künste – deutsche Künstler, selbst wenn sie von der Judenheit beansprucht oder von der Deutschheit zurückgewiesen werden. Jüdische Künstler sind Bialik, Perez – Mahler, Liebermann, Werfel und sogar Landauer und Buber sind zu allermeist im deutschen Geist lokalisierte Juden.

12.

Aber das allerdrastischste Phänomen, das den Verfechtern der »jüdischen Mission« hätte am stärksten zu denken geben sollen: die eigentlichste Form unserer Genialität, unsere spezifischeste Gabe, ist den Völkern, dank des Differenzaffekts, bis zur Unsicht- barkeit verborgen geblieben: die spezifische Kraft unseres auf Ver- göttlichung des Lebens gerichteten Volksgeistes. Einen Künstler wie Aischylos kann man abstrakt noch aus seinen Werken er- kennen, obwohl diese Werke genial erst durch ihre, das leben- dige Dasein und geistige Leben ihres Volkes formende Gewalt und Intention werden. Ein Genie der Lebensheiligung wie Mo- ses, Jesaias oder Amos – von Jesus zu schweigen – ist überhaupt erst erblickbar an dem Volke, das ihm nachlebt, an der Kraft, mit der sein Geist Tag um Tag gegen die Schwächen und Ichsüchte einer Menge an der Lebensgestaltung »im Geiste Gottes« wirkt – wirkt wie der Erdgeist im Faust. Wir, die Juden, von innen her, sehen diesen Geist am Werke, jederzeit, als Zedaka in der Ge- meinde wie als Sozialismus im Volke; wir sehen, wie, einströmend in den Zeitgeist und im fremden Kleide Hegels und des Maschi- nenalters, dieser selbe Geist die Impulse für Marx schafft, und wir sehen ihn in Lassalle und Landauer am Werke wie in Eisner, der

Luxemburg, Buber, Trotzky. Wir auch sehen, daß Jesus kam, um Gott auf jüdische Art zu leben und zu sterben wie, auf heutige Art, Leviné, »russische« Sozialisten, Landauer. Was aber kann der Geist Europas allein sehen? Exemplarische Individuen, Propheten, Heilige wie Petrus oder Paulus, einen Menschensohn als Gott – weil kein lebendiges Zeugnis ihrer wahren menschenformenden gemeinschaftsheiligenden Intention da ist, um ihrer übernational gültigen, auf den Menschen im höchsten Sinne zielenden Genialität das nationale Relief zu geben. So werden sie von ihrem bestimmenden Hintergrund mit Leichtigkeit losgelöst, gehen in die nationaleuropäische Geisteshaltung ein (wie Aischylos auf ästhetische Art oder Platon oder Homer, nur noch entnationalisierbarer, weil unmittelbarer zur Seele des Menschen gewendet), bekommen von ihr die Umprägung gemäß dem Geiste Europas, der jede ihrer Tendenzen abbiegt oder uminterpretiert, ihr Reich wird »nicht von dieser Welt«, nämlich von einer himmlisch-transzendenten, ihre Sphäre ist nicht mehr das irdische Leben, der wirkliche Alltag, sondern eine »geistige« Gemeinschaft, eine Kirche, die Umkehr, die sie verlangen, wird zur »Buße«, die »Heiligung des Lebens« wird zum Glauben an Glaubensinhalte, das Nicht-nachfolgen-können des Menschen wird, indem man ihm Rechnung trägt, zu einer Folge von »Sünden«, die aber »verziehen« oder »gebüßt« werden können – und kurz: ihres jüdischen Wesens, Wertes und Geistes entkleidet, werden die Genien unseres Volkstums zu Göttern oder Stützen einer Religion, die eine abstrahierte Angelegenheit ist, und nicht mehr empfangen sie ihren Sinn von dem, was sie in jedem ihrer Worte ausdrücken. Ja, die Differenz der Seinsarten Jüdisch und Europäisch ist hier so groß, daß in irgendeiner europäischen Sprache das, was der Jude an Propheten und religiösen Genien sieht, und zwar als ihre innigste Meinung erfährt, schließlich unmitteilbar wird. Nur auf das Leben darf man sehen, verlangt der Jude, und aus der Lehre nur die Impulse für das Leben holen. Und genau das sucht der europäische Geist zu tun: und das Ergebnis ist das Mysterium der Fleischwerdung, der Erbsünde, der Passion und die dogmatischen Gebäude der christlichen Kirchen über den drangvoll dahinlebenden Nationen, die sich, gegen ihre heftigsten Impulse, mit diesen Lehren abfinden sollen. Das Jüdische an diesen Lebenslehren wird, mit Notwendigkeit, übersehen, obwohl dem Juden selber evident ist, wie sie alle in der Anlage und Dumpfheit seines ganzen Volkes, des niederen besonders, pochen und drängen, und diese Vorbilder werden dem heutigen jüdischen Volke nicht als Schöpfungen angerechnet, weil man an einen Bruch der Kontinuität glaubt, der keinesfalls da ist. Warum aber man g e r n daran glaubt, davon wird bald zu reden sein, wenn von den Modi des Antisemitismus gesprochen werden muß.

13.

Vorläufig sahen wir nur einen einheitlichen Differenzaffekt als Antwort auf das Auftreten und Wahrgenommenwerden des jüdischen Volkes. Im Ablauf der Zeiten und Völker leuchten zwar immer andere Seiten dieser Geschiedenheit auf, und zwar immer diejenigen, die den von jenen Umwelten gerade besonders zentral geschätzten Werten entgegengesetzt sind. Auch treten Mischungen und Intensitätsunterschiede ein; das Grundphänomen aber bleibt sich gleich, und erst in jenen Modi werden wir es in sich abgewandelt finden. Darum blicken wir jetzt kurz auf seine historisch-nationalen Facetten. Den Römer, der den Juden noch als höchst kriegerisches Volk kennengelernt hatte – von allen Provinzen war Judäa die schwersteroberte – erbitterte an diesem Mittelmeer-Orientalen zweierlei, soweit wir unterrichtet sind: erstens sein Fanatismus im Willen zur Freiheit und Selbständigkeit, und zweitens seine hartnäckige Ablehnung, sich mit andern Kulten zu vertragen oder gar zu vermischen; dieses, Auflehnung gegen die Übergabe des Orbis an die Urbs wegen, und jenes, weil der Römer, wie er die Götter aller Völker in seinem Olymp aufnahm, auch überall heimisch und sich mischend auftrat – und mit Recht, weil er sich überall zum Lande schöpferisch verhielt und seine Kultur (Sprache, Gesittung) überall durchsetzte. Der Gegensatz des »Samens Abrahams« zum christlich erfüllten Menschen des Mittelalters war gegeben durch die zäh festgehaltene Religion des Juden und seine Stellung innerhalb der Passion Christi, wie sie sich die Völker unermüdlich ausmalten und ins Gehässige umdeuteten, so daß sie eine ewige Feindschaft der Juden zu Jesus herauslesen mußten; die Vorstellung, daß sich dort und damals eine innerjüdische Angelegenheit abgespielt hatte, konnte nicht aufkommen, weil die religiöse Sphäre diese Scheidung nicht anerkannte, und nationale Grenzen, besonders in der historischen Vergangenheit, nicht bewußt wurden (Kontinuität der Ideen, z. B. der Imperiumsidee, beweist das). Als das religiöse Bewußtsein schwand, sah man am Juden, in den Jahrhunderten der naturalwirtschaftenden Lehensverbände und der frühkapitalistischen Wirtschaft, den Träger der abstrakt-kapitalistischen Wirtschaftsgesinnung – trug er doch die Großstadtkultur und Modernität mit sich, die die römische Spätzeit erfüllte, vor allem die wirtschaftliche, auf Geld und Gold gegründete. Heute, wo Hochkapitalismus und Massenproduktion längst in den Händen der Machtvölker sich befinden und das Rückgrat ihrer Staaten bilden, ist es der von Juden zum Teil eingeleitete und geleitete Sozialismus, der den Gegensatz ausdrückt; zu allem aber noch fügt sich, besonders im Zeitalter des aggressiven und militaristischen Nationalismus, die Gewaltverneinung des Juden, sein Verwerfen des aktiven Kriegerheros zugunsten des passiven und für den Geist zu sterben wissenden Märtyrerheros, mit besonderer Schärfe.

Es kommt hier keinesfalls darauf an, zu zeigen, wie der Jude in einige dieser Gegensätze hineingezwungen wurde; dies ist sehr bekannt und allzuoft dem Wichtigeren vorgezogen worden: daß sich zwar die Art der Gegensätzlichkeit änderte, nicht aber ihre zentrale, aus jeweiligen Grundkräften fließende Intimität. Wie sich diese Gegensätzlichkeit, die in irgendeiner Form den Juden durch alle Zeiten und Länder begleitet hat, verkörpern wird, wenn Pazifismus und Völkerbündnis den militaristischen Nationalismus abschwächen, und der Sozialismus in einer oder der anderen (oder auch mehreren nationalen) seiner Formen sich durchgesetzt haben wird, läßt sich heute schon klar darstellen: er wird gesellschaftlich und kulturell sein. Die Völker werden daran gehen, ihre Eigenarten, und zwar ihre wirklichen, in kulturellen Formen und Schöpfungen darzustellen und darzuleben – und wieder wird der Jude, als Träger seines eigenen Rhythmus und Wesens, als ein abzusonderndes Element empfunden werden – und dies wäre sogar ohne giftige Feindseligkeit möglich …

Um aber in der Gegenwart zu bleiben, wo der Abwehrkomplex des Machtvolkes, der Mehrheit, gegen die namhafte und bemerkbare Minorität noch die feindseligsten Formen annehmen kann, muß festgestellt werden, daß, je intensiver das Zusammenleben und der Wettbewerb auf allen Gebieten sich gestaltet, desto heftigere Reibungserscheinungen auftreten; je unauflöslicher die Verkettung, um so leidenschaftlicher die Bemühung, sie zu lösen. Wenn es möglich wäre, den durch die Emanzipation der Juden geschaffenen Zustand in einiger Latenz zu erhalten, bis die Bemerkbarkeit, Volkhaftigkeit der Juden an gewissen Orten durch Anpassung und Vermischung schwände, so wäre eine Art von Ablösung des Antisemitismus möglich: er nähme die Form einer unbestimmten, lange nachtragenden, aber langsam abschwellenden Gereiztheit an, während derer sich die Minderheit in größter Unauffälligkeit zu halten hätte. Da aber setzt als neuer Faktor, der die Bemerktheit des Juden in Permanenz setzt, die Tatsache ein, daß diese Minorität unverhältnismäßig viele Begabungen jeder Art hervorbringt und so ihre Existenz immer aufs neue ins Bewußtsein des Machtvolkes ruft. Da dieser Zustand des Wettbewerbs auch auf den geistigen und schöpferischen Gebieten des Lebens im Wesen des modernen Staates selber wurzelt, da das Recht, alle Gaben zu entfalten und der Allgemeinheit zu dienen, im Wesen des Staatsbürgertums liegt, seitdem der Staat sich entschloß, die Rechte des Einzelnen auf freie Entfaltung anzuerkennen – ein Akt, dessen Rückgängigmachung nicht nur das Wesen des modernen Staates aufhöbe, sondern auch das Bewußtsein der europäischen Menschheit und jedes ihrer Einzelmenschen als Rechtsverletzung und Kulturminderung verletzend, ja tödlich träfe, kann dieser positivwertige Zustand mit Mitteln des Lebens selber nicht verändert werden, da es nun einmal nicht in den Willen der Minorität gelegt ist, wieviel Begabungen sie produziert. Je intensiver der Jude sich aber assimiliert, desto schneller und tiefer greift er ins Seelische der Völker ein: Dichtung, Politik und die Künste zeigen dann sein Dasein an. Läßt sich in Zeiten allgemeinen Wohlstandes diese Spannung ertragen, ja wird sie, weil der Jude seine Pflichten gegen den Staat bis zur Hingabe des Lebens erfüllt, aus Anstand öffentlich verschwiegen, so bricht sie in Zeiten der Not, in denen ja gewisse Völker ganz nach Bequemlichkeit und hemmungslos sich gehen lassen und »kein Gebot kennen«, gleich als ob sie nie das Ideal preußischer Zucht, Strammheit, Haltung angebetet hätten – Völker, die im Grunde gar nicht wissen, was »Not« ist, wenn man ihre Not mit der normalen Lebenshaltung der Juden als Masse vergleicht – überall ans Licht, und sei es unter den Vorwänden der allgemein knappen Grundbedürfnisse des Lebens, der Nahrung, Kleidung, Wohnung. Dann braucht diese Spannung mittels haßerregender Hilfsvorstellungen nur gestachelt und in Wut umgesetzt zu werden: und die katastrophale Auslösung ist da.

14.

Mit dem Augenblick, wo die Frage nach der Bewußtseinsform des Antisemitismus gestellt wird, treten wir in den letzten Kreis der Nachbarschaft mit unserem Thema. Seit historischer Zeit hat der Mensch seine Affekte mit rationalen Gründen überbaut; er, voll Scham über alles, was wild und dunkel aus seiner Tierheit quillt, hat zuwege gebracht, daß sie ihm nur in Masken aus der Sphäre des Urteilens, der Gründe und Ursachen rationaler Art bewußt werden, weil noch in solchen Anfällen der Mensch vor der Majestät der Vernunft seine Verbeugung machen muß, will er sich selbst als Mensch erkennen. Freilich spürt der Unbefangene den Maskencharakter dieser »Gründe« auf, sobald er sie mit den Gegenständen und Sachverhalten vergleicht, die ihnen zugrunde liegen sollen. In Zeiten endemischer Leidenschaften besonders stehn von Gruppe zu Gruppe (Religion zu Religion, Volk zu Volk, Klasse zu Klasse) Urteile in allgemeiner Geltung, deren sich, in ruhiger Epoche, niemand mehr schämt als der, der sie einst glaubte oder gar erschuf. Er sieht dann, daß es sachliche, richtige Urteile dieser Art damals gar nicht g a b , er erstaunt über die Grobheit und Dreistigkeit der Täuschung, der er unterlag.

Während des Krieges und am Anfang besonders gab es bei allen Völkern über alle anderen nur falsche öffentliche Meinungen, die sich mit apodiktischer Gewißheit als das letzte Ergebnis historischer und intuitiver Erkenntnis vorstellten: günstig-falsche über Bundesgenossen und Neutrale, verwerfend-falsche über »Unfreundlich-Neutrale« und Feinde; und man kann genau konstatieren, daß von Fall zu Fall, mit jedem Eintreten einer neuen Macht in den Krieg, das öffentliche Urteil von Zeitungen, Buchschreibern und Gelehrten gerade in dieser die Verkörperung der übelsten, entwertetsten und verbrecherischesten Geistesart anprangerten, unbeschadet einer weiteren Rangordnung, die in dem jeweils mächtigsten Gegner das Meiste an Verwerflichkeit erblickte. Jeder Differenzaffekt, auch der antisemitische, begründet sich also, im Bewußtsein seines Trägers, mit Urteilen, und zwar aus derjenigen geistigen Sphäre, die zurzeit in den Menschen am wirksamsten ist: religiöse, nationale, wirtschaftliche »Gründe« lösen einander ab. Heute ist diese Sphäre die der wissenschaftlichen Erkenntnis; seitdem das neunzehnte Jahrhundert dem Menschen in Anwendung naturwissenschaftlicher Hypothesen, Methoden und Resultate eine unglaublich rasche Herrschaft über Kräfte und Distanzen des Erdballs gab und seine Lebensgestaltung bis in die kleinsten Verrichtungen des Haushalts beeinflußte, steht sie als der wahre Herrscher zentral in der Schätzung menschlicher Fähigkeiten, Werte und Güter. Und damit wird jeder aus tiefen Affekten des Menschen aufsteigende Wunsch, jeder Wille zur Veränderung menschlicher Zustände naturwissenschaftlich überbaut. Was im fünfzehnten und sechzehnten Jahrhundert als religiöse und recht-hafte Forderung auftrat, die Umgestaltung der Gesellschaft, gibt sich im achtzehnten Jahrhundert als Forderung der Vernunft und im neunzehnten als die der wissenschaftlichnaturgesetzlichen Notwendigkeit. In gleicher Weise stellt sich die Variation des Antisemitismus dar: und erst dadurch bekommt er seine endgültige Prägung. Erst der zum wissenschaftlichen System erhobene Differenzaffekt, erst der mit wissenschaftlichen Argumenten und »Tatsachengruppierungen« überbaute antijüdische Affekt ist das, was wir Antisemitismus nennen.

Erst durch diesen Überbau findet er das gute Gewissen, die Radikalität und Würde des Auftretens in dieser Zeit; und indem er sich mit der »Voraussetzungslosigkeit« der Forschung bekleidet, gewinnt er Unendliches: vor allem die Gestalt seines Gegenteils, des kühl-erhabenen vernünftigen Urteils; dann den Vorzug des Systems, welches durch seine Widerspruchslosigkeit besticht und durch seine architektonische Qualität imponiert. Nun verleiht er dem Anhänger auch nicht mehr das entwertende Prädikat des Affektmenschen, sondern fast die Unantastbarkeit des Philosophen, und schließlich können erst jetzt von abschätzigen Sätzen älterer Denker über Judentum und Judenvolk jeder an die Stelle gerückt werden, an der er zur besten Geltung kommt. Der Antisemit hat heute die Meinung, im Zusammenhang bewiesener Fakta zu urteilen. Daß jedes dieser Fakta bereits durch weiterwachsende Erkenntnis entweder aufgehoben oder uminterpretiert worden ist, geht ihn nichts an, da dieses Wachstum sich in abgesonderten Fachzeitschriften oder in wissenschaftlichen Publikationen niederschlägt, die ihm nicht nahegebracht werden – dank der Tatsache, daß er seine Erkenntnis aus den Populärpublikationen bereits antisemitisch durchdrungener Geister schöpft und nur aus ihnen. Dem prachtvollen, an Material und Einsicht überwältigenden Buche des Grafen Dr. Heinrich Coudenhove[*] entnehme man die Darstellung, wie vor den Entdeckungen der großen semitischen Kulturen Assyriens und Babylons, Renan 1855 in seiner »Histoire générale et système comparé des langues sémitiques« den Grundstock der antisemitischen Lehre von der Unfruchtbarkeit usw. usw. des semitischen Wesens legte (den er nachher allerdings verwarf) und der noch heute apodiktisch gilt, weil man noch nicht den Mut hat, zuzugeben, daß alle Grundzüge der europäischen Zivilisation und Kultur von semitischen Völkern geschaffen wurden (den Beweis dafür ebenfalls bei Coudenhove). Man mußte in logischer und biologischer Konsequenz das verwerfende Urteil über Juden und Judentum bis an die Wurzeln der Rasse zurückverlegen, weil sonst kein Grund für das Gebäude stabil genug zu finden gewesen wäre, und

---

[*] Dr. Heinrich Graf Coudenhove, Das Wesen des Antisemitismus. Berlin 1901, Neuausgabe Leipzig 1925.

bewahrte streng seine Unwissenheit, z. B. über die machtvoll-
blühenden Kulturen arabischer Reiche, damit es stehen bleibe;
man hätte erfahren müssen, daß selbst Rittertum und Minne-
dienst daher stammten … (vgl. z. B. Coudenhove S. 79 ff.). Um
vor sich selbst und seiner Heuchelei von Kultur zu bestehen, gab
sich der Antisemitismus diese Miene falscher Wissenschaftlich-
keit, falscher Sachlichkeit, falscher Objektivität, die er heute noch,
nach Zusammenbruch aller Theorien von Rasse usw., beibehält,
und dies erst verlieh ihm das Schielende, Gleisnerische, Verlo-
gene, das ihn heute auszeichnet, jene groteske Blindheit für alle
von Juden gezeugten Werte, seine radikale Tendenz zur Entwertung aller nichtgermanisch-arischen Schöpfung, seine rührende
Anmaßung, alle, schlechthin alle schöpferischen Individuen und
Zeiten in Europa auf germanischen Einschlag zurückzuführen,
wie französische Keltomanen sie alle auf keltischen zurückführen: Hypothesen, deren einzig unleugbarer Grund in der be-
trüblichen geistigen Verfassung derer liegt, die sie zur Ausprägung
ihres Lebensgefühls haben müssen – Wahnsinnigen gleich, die
ihre idée fixe in die Welt projizieren, weil sie zur zentralen Idee
ihrer Existenz geworden ist. Wenn man, wie der radikale Antisemit, die ganze Welt als ein wildes Spiel von vitalen Mächten ansieht, das ganze Leben als ein System von Ringkämpfen, in denen der Stärkere das Recht auf seiner Seite hat und der Stärkste
der von Gott gewollte Herr der Erde ist, in denen die physische
Gewalt (die Waffe) das ultimum refugium aller Entscheidung,
und jetzt gefallene Entscheidung, falls sie gegen ihn ausfällt, nur
ein Interim bis zur nächsten Anwendung des gleichen Mittels
ist, und so ad infinitum von Krieg zu Krieg; wenn man wie er
über Maß und Art der Freiheit zu entscheiden sich vorbehält,
die unter seiner Oberherrschaft auf Erden ausgeteilt werden soll
und außer der physischen Gewalt überhaupt keine sittlich bin-
dende Macht, kein Recht, keinen gültigen Vertrag, keine der
Gewalt überlegene Idee, überhaupt keinen geistigen Sinn und
Entscheid des internationalen Lebens anerkennt, weder religiöse
Bindung der politischen Aktion an ein göttliches Gesetz, noch das
Bestehen und Wirken gegenseitiger Hilfe und friedlicher Verbundenheit auch zwischen den Völkern nicht nur Europas, sondern

der ganzen Erde – wenn man unter einem so wahrhaft trostlosen Aspekt nicht nur die Geschichte der menschlichen Rasse, sondern auch ihre Zukunft sieht, wobei doch selbst in der fürchterlichen Vergangenheit aller Kulturen eine Fülle von Tatsachen, Auswirkungen eines gegenteiligen Prinzips, entweder übersehen oder entwertet werden muß; wenn man mit all diesen Voraussetzungen und Einstellungen zu leben verflucht ist: sollte man da nicht wenigstens das Maß von Selbstbewußtsein aufbringen, sich und der Welt diese Art von Geist zuzugeben? Wolle man doch schlechthin erklären: »Herr der Erde ist das Schwert und wir seine Diener. Ist die Wirtschaft eine Waffe, so nur unter der Kontrolle und im Bündnis mit ihm. Der Mensch an sich hat keinerlei Berechtigung zu leben, wenn nicht in seinem und unserm Dienst und unter unserm und seinem bedingungslosen Gebot. Der Gott der Menschen ist der Staat und wir, die wir ihn interpretieren und darstellen. Innerhalb seiner verstatten wir allen Einzelnen, die sich zu seinen Grundlagen bekennen, die rücksichtslose Anwendung wirtschaftlicher Gewalt innerhalb der durch das geltende Recht gezogenen Grenzen, und lehnen es ab, die Ausbeutung der Arbeitskraft und der Bedürfnisse des Verbrauchers unter den Rechtsbegriff wirtschaftlichen Unrechts zu stellen. Nicht um der Menschen willen und um ihnen immer mehr Raum und Zeit zu menschlicher Höherbildung zu gewährleisten sind Staat und Wirtschaft da, sondern beide sind Selbstzweck, Machtmittel des eigenen Wachstums und der Unterwerfung immer größerer Gebiete unter ihre Gewalt. Ein letztes sinngebendes Prinzip über beiden besteht nicht. Und weiter: in jedem dieser Sätze ist die Negation eines Satzes enthalten, der uns Machtvolk auf irgendeine Art im Judentum verkörpert entgegentritt. Darum nennen wir alle Negationen dieser Sätze jüdischen Geist. Soweit der Jude sich unseren Sätzen und Zwecken nicht unterwirft, werden wir ihn bekämpfen, vertreiben und, muß es sein, töten. Darum sind wir Antisemiten.«

Dies ist heute die Konsequenz des Antisemitismus; man findet sie selten gezogen, obwohl sie ihm, ist er nur prinzipiell empfunden, auch dort zugrunde liegt, wo man sie leugnen möchte. Mit diesen Sätzen hat man nämlich, zum mindesten als klardenkender

Mensch, die Grenzen und Sphären verlassen, in denen man sich
noch einen Christen nennen kann – in irgendeinem Sinne. Es
kann keinen Katholiken geben, der diese Einsicht leugnet; aber
auch dem Protestanten dürfte sie nicht schwer werden, obwohl
Luther in der Vergottung des Staates durch die Identität von
oberstem Bischof und Landesherr zur Vernichtung seiner eignen
reformatorischen Tat aus Gründen der Politik das letzte Wort
sprach. Daher auch hat der radikale Flügel des Antisemitismus
das Christentum ausdrücklich verlassen, und unzählige Namens-
christen, deren Sinn für religiöse Tatsachen von Gleichgültigkeit
und Pseudowissenschaft hinreichend verheert ist, um sie den
ehrwürdigen Namen eines freien Geistes zur Bezeichnung ihrer
Ohnmacht mißbrauchen zu lassen, tun es ohne diese programmatische Attitüde. Der Antisemit als »freier Geist« – Nietzsche
hätte zu lachen gehabt … Und doch wäre diese Synthese noch
verständlicher als jene aus Antisemiten und konservativem Christen, die sich in Preußen so natürlich ergab. Man findet aber, freilich nur mißbräuchlich, ihrem Geiste entfremdet und ihrer be-
seelten Lebendigkeit beraubt beim Namen genannt, keine geistige Macht, die heute mit Antisemitismus unverträglich wäre:
Christentum, freie Erkenntnis, Wissenschaft, Staatsverehrung, ja
selbst Demokratie und Sozialismus – diese freilich nur als Aus-
hängeschild für Verwirrte – lassen sich in seiner Gesellschaft, in
engerer oder lockerer Verbindung mit ihm betreffen; er ist eine
legitime Parole geworden: ein Beweis mehr dafür, daß wir recht
haben, ihn als Affekt und Auswirkung von Urtrieben aufzufas-
sen und alle seine sinngebenden Proklamationen als sekundären
Oberbau.

Daher auch kommt es, daß Antisemitismus den Charakter seines
Trägers nur in einem, bald zu schildernden Falle beeinflußt. Während konstitutioneller Haß, Geiz, Rachsucht, Schadenfreude den
Menschen, der sie in sich hat, langsam auffressen, bis er als hohles
Gespenst seiner eigenen Affekte ein schauerliches Dasein lebt,
Gestalt aus dem Tartarus menschlicher Passion, bleibt dem Antisemiten diese Verunstaltung (immer abgesehen von jenem Fall),
wenn man will, erspart oder auch, ist er gegen sie immun. Man
trifft, antisemitisch durchtränkt, vornehme Menschen, redliche

Charaktere, Menschen oft, die das Lebendige heiteren Herzens an sich ziehen und Kameraden voll Tatbereitschaft denen sind, die sie bejahen, ja allen, die sie nicht durchaus verneinen, Forscher von stiller Hingabe an ihr speziales Forschungsgebiet; kindhaft treue Existenzen und aufrichtig an der Formung ihres Charakters arbeitende Männer. All solche und noch viel andere Spielarten des deutschen Menschen bekennen sich zu antisemitischen Maximen, und schon darum wird man gut tun, immer der Rundheit und Fülle menschlicher Person, der vielfältigen Kreuzung von Motiven, Affekten, Empfindungen und Idealen im einzelnen Menschen zu gedenken, gerade in so prinzipiellen Untersuchungen. Geist macht einseitig, Leben ist vielseitig und Gerechtigkeit die Ordnung des Herzens oder ihre Voraussetzung. Wie Widerwille gegen gewisse Speisen oder Tiere nichts über das bewußtseinsfähige Seelenleben eines Menschen aussagt, sondern aus unterbewußten Erlebnissen stammt, auch kein Makel oder irgend Beeinträchtigung eines Wesens ist, wie ferner weder die Erlebnisse, die verdrängt den Widerwillen ergaben, noch die Tendenzen, die zur Verdrängung führten, irgend Einwände gegen den Verdränger sind – allgemein gesprochen, Ausnahmen zugestanden und eine unvoreingenommene Geisteshaltung dessen vorausgesetzt, der über ihn urteilen will –, genau so wenig ist, selbst für den Juden, derjenige a priori entwertet, der Gefäß des falschinterpretierten, falschmotivierten Differenzaffekts gegen die Juden ist: obwohl wir in der Leidenschaft politisch-nationalen Kampfes gegen den Affekt selbst und seine Wirkungen auf uns nicht selten von jeder Heftigkeit uns hingerissen sehen werden. Diese hier deutlich geschilderte Einsicht, von welcher der Untersuchende wohl gelegentlich abgewichen ist, die er aber als Grund und Klarheit seines Erkennens in sich zu spüren meint, wird eminent werden erst, wenn wir die Haltung schildern, die der Jude vor dem Antisemitismus einnimmt; aber auch jetzt schon, indem wir uns dem zuwenden, was wir seine Modi nennen, kommt sie zur Geltung: denn politische Erkenntnisse fallen zu allerletzt dem politischen Geiste ein, der ein polemischer sein wird, sobald er seine Grundlagen erörtert. Sie sparen sich lieber dem Denker auf, der sie cum amore et hilaritate aufnimmt, wie auch immer sie beschaffen seien.

15.

Mit diesem Unterton stellen wir jetzt fest, daß der pseudowissenschaftlich überbaute, der moderne Antisemitismus der Beitrag des Deutschen zur Geschichte des antijüdischen Affekts ist; mit dieser Schöpfung hat er ihn im »aufgeklärten« 19. Jahrhundert neu fundiert, legitimiert und wieder möglich gemacht. Man kann in den Diskussionen zwischen 1830 und 1848/49, als die Frage der Judenemanzipation die Geister erregte, deutlich spüren, wie wenig erfreut von ihrem Material und ihren Gründen gegen die bürgerliche Gleichstellung die Gegner der Judenbefreiung waren; abgesehen davon, daß sie damals gegen das ganze geistige Deutschland standen, weil sie für die verlorene Sache der Autorität und den alten Obrigkeitsstaat fochten, weil damals deutsche Einheit von deutscher Freiheit unlösbar schien, und in der Forderung auch wirtschaftlicher Freiheit für den tiers état die Interessen des gesamten Bürgertums einheitlich liefen: damals vertrug sich das deutsche Kulturgefühl nicht mit antijüdischen Empfindungen; es mußte ein Bewußtseinswandel und eine neue Formel zusammentreffen, um ihnen ein Bürgerrecht in der Öffentlichkeit wiederzuverleihen. Die Formel schuf Renan, den Bewußtseinswandel die Verheerung des deutschen öffentlichen Lebens durch die Industrialisierung des einstigen Agrarstaates, die Ratlosigkeit in der Suche des Übels, die Vordergrundrolle einer jüdisch-bourgeoisen Schicht, deren kulturelle Unsicherheit übermäßig heftig registriert ward, der Übertritt des deutschen Bürgertums zur Ordnungspartei, als nach 1848 die Revolution plötzlich ihr Wirtschaftsprogramm – von Juden formuliert – anmeldete, und die Militarisierung der öffentlichen Gesinnung nach soviel Siegen. Und dennoch wandten sich, als die konservative Partei in ihr Tivoliprogramm den Antisemitismus aufnahm, sehr konservative Edelleute von ihr ab – so fremd stand ihre protestantische Gesinnung den Selbstvergötterungen der Rassenlehrer gegenüber. Es mußte ein neues Geschlecht aufwachsen, von der Größe des neuen Reiches geblendet; die Nation mußte bei Treitschke in die Lehre gehen, den Nietzsche mit einem Mundwinkelzucken den »königlich preußischen Hofhistoriographen«

nannte, um seinen Grad von Ablehnung gegen solche Geschichtsschreibung zu äußern; Sachlichkeit, intellektuelles Gewissen und
Freiheit des Blickes für den Kulturvorsprung Westeuropas mußten schwinden; das neue preußische Schulbuch mit seinen Wert-
urteilen über alle fremden Staaten mußte sich in die Köpfe einer
Generation einbläuen, der alles Militaristische selbstverständlich
war; der Begriff »Europa« als der kultureller Einheit hatte zu
weichen; ein noch unter Wilhelm I. unverständlicher, lärmender
Kult der Herrlichkeit des Reiches mußte aus der deutschen eine
byzantinische öffentliche Meinung machen, damit, nach einem
verlorenen, militärisch verlorenen Kriege der Jude ins Zentrum
der politisch-kulturellen Diskussion gerückt werden konnte; damit eine Szene von der Denkwürdigkeit jenes 25. August 1920
möglich werde, wo in öffentlicher Versammlung ein jüdischer
Gelehrter von Weltruf, Einstein, von Studenten tätlich angegriffen ward unter dem Schlachtruf: »Dem Juden muß man an die
Gurgel« – von jenem Skandal verhetzter Hochschüler zu schweigen, der um die Figur eines denkenden und kritischen Juden,
des Dozenten Doktor Theodor Lessing, bis zu körperlichen Angriffen entbrannte, weil er den zu wählenden Präsidenten der
Republik zu glossieren gewagt hatte.

16.

Und nun verweisen wir von dem bis hierher Erkannten auf eine
Stelle zurück, die von einer noch nicht antisemitischen Wallung
gegen einen oder die Juden handelte. Ein Deutscher erleide einen
Nachteil oder ein Ärgernis persönlicher oder wirtschaftlicher
Art durch einen oder etliche Juden; er kann es abreagieren und
vergessen; er erleide ein zweites: hier entscheidet sich, ob er vom
Differenzaffekt beherrscht wird, oder ob andere Kräfte, der Einsicht etwa (auch der Güte, Leichtlebigkeit, des Humors), in ihm
die Oberhand haben. Im ersten Falle nämlich wird die unverhält-
nismäßige Heftigkeit seiner Reaktion darlegen, daß er durchaus
das erste Ärgernis nicht vergessen hatte, daß es in ihm unbewußt
gewühlt und gewartet hat und nun mit summierter Heftigkeit

vorbricht. In Zeiten geruhiger und reichlicher Lebensmöglich-
keit genügt ein Vorteil, den er von anderen Juden erreicht, eine
tröstend teilnehmende Haltung von Juden, denen er seine Krän-
kungen schildert und die seine Beleidiger tadeln, oder die Aufklärung, die ihm Nichtjuden darüber geben, daß man für die Taten Einzelner nie eine Allgemeinheit haftbar machen dürfe, um
ihm das Gefühl der Kränkung und die Haltung des Nachtragenden für immer zu nehmen. Heute aber, wo eine furchtbare
Enge und allgemeiner Mangel das Lebensgefühl peinigen, und
wo Abstoßungsaffekte von Gruppe zu Gruppe das politische Leben unerträglich machen, indes Leiden aller Art und viel zu
hohe Lebenskosten und -lasten die leiblichen Grundlagen des
geistigen Seins schmälern, ist solche Wirkung nicht zu erwarten:
eine nachtragende Gereiztheit beherrscht jedermann, der nicht
mehr als durchschnittliche Seelenschulung besitzt. Dies ist die
Vorform, das geackerte und gedüngte Feld auch für denjenigen
Modus des Antisemitismus, der Straße und Versammlung, Wahl-
plakat, Flugblatt und Hetzpresse der ausgesprochen antisemitischen Parteien den Stempel gibt: des Vulgärantisemitismus; und
sobald solch ein vorgeformter Mann (und, vor allem, eine Frau)
in den aussäenden Wurfbereich, in die Streuungszone dieser Partei und ihrer Ideen kommt, geschieht es, daß seine Kränkung,
vorher noch immerhin peripher in der Seele und trotz seines
lange nachklingenden Grollens immerhin fähig, vom Ablauf der
Zeit und anderweitigen Erlebnissen aufgesogen zu werden, zum
Zentrum einer seelischen Kristallisation wird; alle Sorgen, aller
Ärger, aller Groll über ungreifbare Zeitmächte schießen um diesen Punkt erstarrend zusammen: ein Antisemit mehr. Von nun
an wird er alle Strahlen des öffentlichen Lebens nur durch diesen
Kristall gebrochen aufnehmen, ganz unter der Herrschaft des
Abstoßungsaffektes gegen den Juden stehn, der ihm von einem
rationalen Überbau verdeckt wird, und zwar einem politischen,
und wird in einer lückenlosen Einheitlichkeit alles Schädliche,
Üble, Scheußliche in seiner Umwelt auf das Wirken »jüdischer«
Mächte zurückführen, von denen wir im ersten Teil dieser Arbeit bereits ein Bild versuchten. Je nach seinen eignen Lüsten
wird er eine anders gruppierte Ansicht von diesen Mächten

gewinnen, wird im Relief jüdischer Niederträchtigkeiten Ritualmord, Grausamkeit gegen Gefangene (Tscheka), jüdische Vivi-
sektion an Tieren unterm Mantel der Wissenschaft, Grausamkeit des Schächtens (Bayern) vorfühlen, vielleicht auch viehische
Sinnlichkeit und Verführung blonder Mädchen, oder mehr die
politische Verräterei der Juden durch Anstiftung des Weltkriegs
und der Revolution, die »Greuel der Rätezeit« in München und
vor allem in Ungarn und Rußland, oder schließlich die Ausbeutung der Wirtsvölkerarbeit durch den gerissenen und gewissen-
losen Wuchergeist der Juden – kurz, er wird das ganze absurde
Evangelium des Vulgärantisemitismus seine Triebe, Instinkte und
Wünsche auftreiben lassen, bis er eines Tages, fast ohne zu wissen wie, mit irgendwelchen Waffen in besinnungslosen Händen,
in einer Zeit, die, wie die Mordchronik jeder Zeitung lehrt, die
Hemmung vor Blutvergießen in allen Schichten abgeschliffen
hat, die Taten von anderer Leute Gedanken ausführt. Dann werden freilich eben diese Leute Gedrucktes vorweisen, in dem sie
vor Gewalttat gewarnt haben, geschickt wie sie sind, sie werden
sich selbst salviert und ihn von sich geschüttelt haben – und Tote
bleiben deshalb dennoch tot, und Totschläger verfallen – ideell,
nicht heutzutage – strenger Justiz. Diese Taktik der halben Hinweise, der Blindwut zeugenden Reden und Schriften mit ausdrücklichem Warnen vor den Taten dieser Blindwut, ist eines
der interessantesten und lehrreichsten petit faits heutiger Zivilisation; das einzige moralische Raffinement, das dieser Geisteshaltung möglich ist.

Dieser rabiate Antisemitismus ist reiner Affekt, eine Haltung,
die man kaum geistig nennen möchte, und die in der Soldateska
Denikins und Petljuras, Horthys und Wrangels ihre verruchte-
sten Wirkungen ausgeübt hat. Aber jeder Affekt ist der Abwandlung durch erforschbare seelische Abläufe fähig; von dieser Tröst-
lichkeit macht der Antisemitismus keine Ausnahme, und die Stufen dieses seelischen Prozesses, die wir seine Modi nennen, haben
wir jetzt vor, kurz zu beschreiben. Daß wir nicht von Verdrängung reden, wollen wir noch einmal unterstreichen; daß Antisemitismus die Verdrängungserscheinung anderer Erlebnisse sein
kann, haben wir anfangs gezeigt, und auch verdrängten Antise-

mitismus gibt es, wie wir noch finden werden; hier aber sprechen wir von klar erkanntem und vor dem Ich zugegebenem
Antisemitismus, und erwarten nicht, ihn etwa auf jeder Stufe der
Kultivierung ein erträglicheres oder gar erfreulicheres Gesicht
zeigen zu sehn – im Gegenteil: wie alles Ganze, Radikale und
Gewalttätige auf einen impassiblen Betrachter, der sich dazu auch
einmal »ästhetisch« zu verhalten vermag, einen erfreulichen Effekt machen kann, kann auch der nackte, rabiate Vulgärantisemitismus solche Wirkung haben, und sei es eine komische.

Der nächsten Stufe geht sie ab: sie wirkt unbedingt erbitternd.
Sie wird erreicht, wenn eine dem Staatswohl dienende, von der
Allgemeinheit erhaltene und von ihr dem Gefühl nach kontrollierte Institution ganz oder teilweise von Antisemitismus erfüllt
ist, wenn er in ihr Tradition ist, d. h. wenn ihre wechselnden
Funktionäre durch unbemerkte oder ausdrückliche Umgestaltung und Erziehung ihres Wesens zu ihm hin veranlaßt werden,
erstens das Auftauchen von Juden im Bereich der Wirkung des
amtlichen Apparates mit abschätzigen Regungen beliebiger
Heftigkeitsgrade zu begleiten, und zweitens, diese Regungen
nur so zu äußern, daß sie ihnen »nicht nachgewiesen werden
können« – weil eben der Charakter einer öffentlichen Institution diese Regungen nicht verträgt. Nennen wir diesen Modus
den geleugneten Antisemitismus, so erkennen wir zugleich, daß
er, im Sinne der auferlegten gewissen Selbstbeherrschung, in der
Tat eine höhere, d. h. gereinigtere Form des Antisemitismus ist
als der vulgäre; auch, daß die Verbindungen zwischen beiden
durch die vorhin als bescheidenes moralisches Raffinement bezeichnete Warnung vor Exzessen hergestellt wird – auf dieser
Stufe ist schon Exzeß, was auf jener noch gutes Recht des Antisemiten ist: er darf eigentlich dem Juden seinen Antisemitismus
nicht zu schmecken geben. Eine solche Institution war z. B. das
ehemalige preußische Heer, waren viele höhere Schulen in
Norddeutschland, viele Volksschulen, viele Polizeireviere, sind
jetzt im ganzen Reich gewisse Rechtsinstitutionen, Mittel- und
Hochschulen, war während des Krieges im Osten der gesamte
Verwaltungsapparat in bezug auf die Ostjuden – die Art der Abneigung gegen sie ließ sich charakteristisch anders an als die ge-

gen Polen oder Litauer – und ward unter dem Einfluß der ultranationalen Propaganda allmählich, seit der denkwürdigen Judenzählung 1916, zu einer Zeit als man wohlgetan hätte, die vergeblich geopferten Toten der schon verlorenen Verdunschlacht
zu zählen und zu erwägen, das deutsche Heer. Es wäre Versündi-
gung gegen den Geist der einfachen menschlichen Anständigkeit, wenn man nun unterließe, auszusagen, daß erstens in jeder dieser Institutionen unter den unzähligen Funktionären eine
wohltuend große Zahl von Männern arbeitete, die Charakter genug hatten, um von antisemitischer Infektion ganz frei zu bleiben, und weiter eine sehr große, die bei deutlich antisemitischer
Einstellung in vollkommener Selbstbeherrschung, ja -verleug-
nung diese ihre geistige Haltung auf ihre Amtsführung nie Einfluß haben ließen, ja bis zu positiver Förderung von Juden gingen, um sicher zu sein, daß sie gerecht blieben. Aber schon die
Tatsache allein, daß man »Charakter haben«, d. h. einen besonders unberührbar und deutlich individualisiert geprägten Charakter haben mußte, um der Infektion oder besser der Verbil-
dung durch die Luft das Amtes zu widerstehen, um nicht ins Ge-
dränge des antijüdischen Affekts und seiner Ideologie gerissen
zu werden, beweist das Vorhandensein dieser Ideologie als Amts-
geist. Und wie erbitternd war und ist ihre Wirkung – nicht nur
auf die Juden, sondern auf jeden billig denkenden Menschen,
der erwägt, daß es hier nicht, wie vor dem rabiaten Affekt, im
Belieben der Juden steht, seine Streuzone zu vermeiden! Erbitternd, weil tief in die Seele Schädigung auf immer gießend, ist
die antisemitisch gefärbte Äußerung eines einzigen Lehrers bei
einer einzigen Gelegenheit, eines einzigen Richters bei einem
einzigen Urteil – und wer ist da nicht zugleich mit dem jüdischen
Objekt geschädigt, wenn öffentliche Institutionen das Vertrauen
staatshafter Gerechtigkeit verlieren? Wenn mit schlechtverhoh-
lener Schadenfreude und der Haltung unterschiedsloser Pflicht-
erfüllung der Diener der Allgemeinheit seine Objekte abstuft
nach insgeheim sanktionierten Antipathien? Wenn gar die oberste Kontrolle eines oder etlicher Ressorts aus ihrer Billigung dieser Antipathien keinen Hehl macht – in Polen, in Ungarn, nicht
nur in Ungarn? Hier unterhöhlt der Affekt einer Gruppe das Fun-

dament des öffentlichen Wohles – und das ist eine nachdenkliche Geschichte.

Aus bloßer Unterlassung affektiver Handlungen, aus bloßer Beherrschung des Affekts kann seine Höherwertung und gar Fruchtbarmachung nie folgen. Und doch heißt Affekte kultivieren nicht nur, sie beherrschen, sondern vor allem, sie reinigen und fruchtbar machen, aus ihnen zeugen, gestalten, sich bilden, und Werte bilden. Und es gibt einen Modus des Antisemitismus, der diesen Habitus hat; nennen wir ihn den aristokratischen. Er ist die geistige Haltung von Menschen, die mit Leidenschaft »unter sich« sein wollen. Ihnen ist der Jude weder ein Träger von nichts als Unwerten noch ein Zerstörer ihrer Werte – sie sehen vielmehr ganz klar eine Art Vorbildlichkeit in gewissen Dingen an ihm: nur ist er nicht sie; sein Tempo nicht das ihre, seine Vorzugsgesetze nicht die ihren. Wo sie koncziliant sind, fühlt er radikal, wo sie ablehnen, betet er an, wo er Werte bejaht, die auch sie bejahen, möchten sie am liebsten zurücktreten, um ihm das Feld allein zu lassen, das nun das ihre nicht mehr ist. Und es bereitet ihnen einen fast körperlichen Schmerz, zu sehen, wie oft im geistigen Alltag Juden die vom Volkstum dieser Antisemiten gezeugten Werte schneller erkennen, heftiger lieben, tiefer verstehen und tätiger durchsetzen, als dieses Volkstum selbst es tut. So ging es ihnen mit Hauptmann, Wagner, Nietzsche, G. Keller, Hebbel, Stehr, den beiden Mann, und so wird es ihnen, um ein großes Beispiel zu wählen, mit Stefan George gehen. (Ein antisemitisches Flugblatt ⟨Flugbild⟩ aus dem Berlin von 1808 etwa verspottet mit einem Gefolge von Juden die Dichter Kleist, Brentano und Arnim.) Sie leiden darunter, daß sie nicht imstande sein sollen, ihre eigenen Ideale und Werte in Kunstwerken öffentlichster Geltung darzustellen, nur weil es Künstler und Dichter gibt, die ein anderes Ideal und andere Werte mit größerer Menschlichkeit, weiterem Horizont, intensiverer Gestaltungskraft ins öffentliche Leben hineinbilden und, dank jüdischer Unterscheidungsfähigkeit, sich und diese Werte durchsetzen. Sie ziehen eine geringere Kunst (Wildenbruch, Schönherr, Löns, Dahn, Bloem, Lienhard usw.) von ausgesprochen nationaldeutschem Programm einer größeren von europäischer Verbindlichkeit und Verbundenheit vor; sie wollen lieber das in Schmalzprosa verhunzte Nibelungenlied als den »Kaspar Hauser« lesen, lieber Hebbels Nibelungen als seinen Gyges für sein Meisterwerk erklären, die Bilder von Thoma – nicht nur seine schönen Landschaften, sondern auch seine leeren Figurenbilder – denen Liebermanns, Munchs, und gar der Franzosen und deutschen Expressionisten, öffentlich vorgezogen sehen, und überhaupt »deutsches Wesen« als das, was sie davon lieben und darzustellen versuchen, festlegen. Und in alldem sehen sie sich von Juden oder »verjudeten« »entdeutschten« Deutschen gestört. »Liebt, was ihr wollt, lest, was ihr wollt, aber prägt nicht unseren deutschen Bühnen euren Geschmack auf, auch wenn ihr sie geschaffen habt, und bestimmt mit euren Verlegern und euren Autoren, jüdischen und nichtjüdischen, die Form des öffentlichen Geschmacks nicht. Denn die Dichtung eines Volkes soll national und von seinen Besten in Zustimmung und Ablehnung getragen sein; ihr aber, mit euren Hauptmanns und Manns, Wedekinds und Strindbergs, Georges und Rilkes, Russen, Franzosen (und Skandinaviern) seid das nicht – von den Juden und Jüngsten ganz zu schweigen. Wir wollen das christlich-germanische Schönheitsideal, eine vaterländische Prosa, eine Kunst, die uns erfreut und das Leben verklärt, verschönt und sanft abbildet – nicht aber wollen wir, was bösartig, aufreizend und bedrückend, pervers, dekadent und artistisch zu gleicher Zeit ist – euer Europa, euren jüdischen Geschmack. Uns selber und was uns erbaut, wollen wir im geistigen Leben wiederfinden und den Geschmack des Volkes danach lenken – nicht aber finden wollen wir: euch; unmöglich können wir uns von euch die Vorbilder diktieren lassen, die den Geist unserer Jugend formen werden. Und obwohl eure Urteile uns nicht maßgeblich sind, auch wenn wir sie dreißig Jahre später zu den unseren machen sollten: lieber wollen wir nur vergangene große Kunst, und in der Gegenwart nur Mittelgut besitzen, als uns von euch die Wege öffentlicher Kunsterziehung und den Geschmack vorschreiben lassen« – so etwa sagen sie und handeln danach. Und da eine Fülle stiller, vornehmer, kultivierter Deutscher unter ihnen sich befindet, deren Heim eine Stätte guter Erziehung und oft vornehmer Traditionen ist, deren Lebenstempo sich nach dem geruhig in sich selbst gegründeten Stil vergangener Generationen sehnt, die sie in ihren starken und reinen Dichtern suchen, finden und lieben, bei Keller und Storm, Stifter und Mörike, ist es vielen Juden oft eine nachdenkliche und gelegentlich tragische Angelegenheit, von ihnen verneint zu werden; aber auch wir Anderen, die Zusammenhänge Durchschauenden werden im Zusammenstoß mit ihrer Welt immer zu spüren haben, daß dort Werte sind, die geschont, und Herzen, die nicht verstört werden sollten – wenn die Notwendigkeit es uns nicht hart abfordert. Denn da das Leben selbst sich jeden Augenblick ins Zukünftige fortsetzt, ist die Bewältigung des Ungewohnten ein Teil der menschlichen Aufgabe. Nun ist der Mensch im allgemeinen konservativ, sobald er nicht mehr im Zustand der Jugend lebt, das heißt, er ist nur Vorgeformtem hold. Daher ist das Recht immer bei den Vorandrängern, und die nur Bewahrenden, obwohl es gut ist, daß sie das wertvolle Überzeitliche lebendig halten, stehn im Unrecht, sobald sie »bremsen«.

17.

Wie kam dieser Typus zustande? Dadurch, daß der Verschiedenheitsaffekt sein Vorzeichen änderte, daß er aus der Negation des Jüdischen (und des fälschlich so genannten) und zu ihr addierend die Position des Nichtjüdischen, des Eigenen entwickelte. Voraussetzung solcher Entwicklung ist nun nicht etwa eine Abkehr von anderen Modi des Antisemitismus, sie ist im Verein mit ihnen sehr wohl denkbar und sicher vorhanden. In ihrer reinen Form aber liegt ihr eine Seelenart zugrunde, der jeder ungezügelte Affekt verdächtig und verwerflich ist, jede schrankenlos hinschießende Begierde und Verneinung. Im Setzen von wünschenswerten Zielen für sie, in der Auswahl solcher Ziele, in der Strenge des Festhaltens daran, in der Unterordnung der Affekte unter den Willen, den sittlichen Willen einer geistig, religiös oder durch Kaste und Tradition geformten Person wird auch der antisemitische Affekt verarbeitet und verwertet; man zieht vor, sich zu bejahen und besser noch die Werte zu bejahen, denen man sich unterordnet und widmet, als den Juden zu verneinen. Antisemitismus ist hier kein S t o ß affekt mehr, eher das, was man in der Verkehrsprache eine »Gesinnung« nennt – ein bestimmter intellektueller Habitus, mit dem man bewußt an die Auswahl derjenigen Erlebnisse und Erfahrungen geht, die man machen will oder nicht will.

Bewußt, darauf lege man Ton. Denn nun kann auch ein Zustand eintreten, in dem dieses Bewußtsein schwindet, und zwar aufgesogen wird von der Tendenz zur allgemein objektiven Haltung – nicht etwa nur zu Juden und Judentum, sondern zu allen Erscheinungen der reichen Welt. Der Komplex »Jüdisches« tritt aus den andern überhaupt nicht mehr hervor, er wird mit Akzenten des Mißfallens oder der Ablehnung bewußt gar nicht mehr begleitet, ja innerhalb seiner wird zwischen Wertvollem und Unwertträgern wohl unterschieden – vor der Absicht und der Selbstkontrolle der Träger. Und doch erlebt der Jude, der sich in das Weltbild solcher Personen vertieft, etwas Merkwürdiges. Zwar betrifft er sie bald verteilt quer durch alle Schichten der Gesellschaft, bemerkbar aber wird dies Merkwürdige am leichtesten vor der Produktion von politischen und literarischen Schriftstellern oder Rednern, von Dichtern, Wissenschaftlern, Philosophen. Eben noch, darin besteht es, findet er sie im Flusse freier Aufgeschlossenheit, jenes hellen Erblickens und Widerklingens, das, mit der Weite des Blickfelds, der sicheren Erfassung wesentlicher Zusammenhänge und dem aus dem Zentrum der Erscheinung gleichsam in alle ihre Ausstrahlungen gleich frei und vertraut dringenden Sehen und Verstehen, von der inneren Verbundenheit eines Erkennenden oder Gestaltenden mit seinem Gegenstande Zeugnis ablegt – da plötzlich berührt dieser Aussagende jüdische Phänomene, sei es Personen oder Einrichtungen, historische Gestaltungen des Judentums oder gegenwärtige Leistungen der Judenheit, berührt sie beiläufig, vielleicht nur in erklärender Parallele: und erscheint, ohne es zu wissen, wie mit innerer Blindheit geschlagen. Schiefe Zusammenstellungen treten auf, groteske Mißdeutungen, auf mangelnder Unterrichtetheit beruhend oder versagenden Blick dokumentierend, stehen unzweideutig da, ein hämischer Ton klingt an, eine jüdische Gestalt wird dargestellt so

ohnmächtig wie nichts im ganzen übrigen opus des Dichters –
und sobald dieses Thema verlassen ist, steht alles wieder an der
rechten Stelle. Offenbar vollzieht sich diese Entwertung des Jüdischen schon in der Auswahl, in der das Material aufgenommen
wird; ja, schon »Auswahl« ist mißdeutbar gesagt: im Grunde wird
hier nur gesehen, was der Sehende zu sehen erwartet, gedeutet
nur in der Richtung, in der die Ergebnisse der Deutung dem
Deutenden willkommen sind, und gegenteilige, unwillkommene
Ergebnisse fallen von selbst durch das auf jene eingestellte Sieb
des Bemerkbaren. Selbstverständlich teilt hier das Jüdische nur
das Schicksal anderer Gruppen nationaler, sozialer oder religiöser Bindung, z. B. des Jesuitenordens, der Deutschen in einer
gewissen ententistischen, der Ententevölker in der entsprechenden deutschen Kriegsliteratur, der Kommunisten, wenn bürgerliche, der Bourgeoisie, wenn sozialistische Ultras sie malen; Luther kommt bei manchen katholischen Autoren in dasselbe Zerr-
licht wie das Papsttum bei den entsprechenden Protestanten. Hier,
wo, auf unser besonderes Thema zurückkommend, von Affekt
oder »Gesinnung« nicht mehr gesprochen werden darf, wo die Betroffenen den Antisemitismus bedingt oder unbedingt verwerfen, ist dennoch erlaubt, wenigstens von dem Modus unbewußt
antisemitischer Einstellung zu reden. Denn: die durchdringende
blickschärfende Wärme, die Voraussetzung aller Erkenntnis,
geht diesen Erkennenden ab, wenn sie sich mit Jüdischem gelegentlich oder ausdrücklich befassen. Einem ganzen Flügel der protestantischen Bibelkritik liegt – von Ed. Reuß, Wünsche u. a. abzusehen – die Freude am Zerstören eines jüdischen Nimbus mit
im Ton der Worte, in dem sie ihre oft unanfechtbaren, auch uns
willkommenen Ergebnisse vorträgt: wo katholische Autoren vom
Rabbinismus, dem offiziellen Judentum zur Zeit Jesu und hernach, reden, haben sie sich die Mühe nicht genommen, ihn auf
seine Motive, Werte, Tendenzen hin zu prüfen. Am schlimmsten
kommen dort selbstverständlich die Pharisäer weg, denen »Pha-
risäismus« ebensosehr zugeschrieben werden darf, wie der englische cant den Engländern – und daß gerade diese große geistige
Strömung in Travers Herford (Die Pharisäer, deutsch Leipzig,
1920) einen fast weisen Darsteller gefunden hat, ist ein ebenso

großer Glücksfall wie etwa die Gestaltung eines modernen jüdischen Knaben in Jaques de Lacretelles prachtvollem »Silbermann« (deutsch bei E. P. Tal, Wien).

Aber vor allem eine Tatsache findet hier ihre Beleuchtung: daß noch heute die Juden, mitten unter den wißbegierigsten und forschungsfähigsten Völkern, welche überallhin ihre Expeditionen und Reisenden gesandt und alte Kulturen aufgedeckt haben, das unbekannte Volk geblieben sind – obwohl sie im Osten eine zusammenhängend lebende, erforschbare Gesellschaft und im Westen wenigstens eine erforschbare, überall vorhandene Literatur besaßen, die sie jedem nach ihrer Kenntnis Strebenden freudig zur Verfügung stellten, ohne nach seiner Gesinnung oder Einstellung zu fragen: froh, daß jemand von außen die Mühe des Kennenlernens auf sich nahm. Wie weit die Bemühungen Wünsches, Bubers, Ben Gorions, Fromers u. a. in deutscher Sprache dieser Unbekanntheit abhelfen werden, bleibt abzuwarten. Die Leichtfertigkeit, mit der auf Grund ungenügendster Intuition und mangelhaftesten Wissens Theorien über Theorien das »jüdische Wesen« nach irgendeiner Seite hin festlegten, ist hiermit erhellend gestreift; man glaubt zu sehen – und man wird gesehen. Noch einmal: ich rede hier nicht von so durchsichtigen »wissenschaftlichen Leistungen«, wie Chamberlains »Grundlagen« oder Blühers Juden-Broschüren, sondern von einer Sphäre, in der Erkenntnis ohne Liebe das einzige Kennzeichen antijüdischer Einstellung ist und bleibt. Der Differenzaffekt ist nirgendwo imstande, mit seinem radikal entfärbenden Lichte ein Gebiet des Lebens so zu erhellen, daß Erkenntnis dort sehen kann – eine Bemerkung, die im Alltag genau so gilt wie in der Geschichte von Individuen und Völkern. Und daß er sich ebenso untauglich zur Erkenntnis dort erweist, wo sich Individuen gegen ihre eigenen Stammvölker wenden, beweist Nietzsches erbitterte Darstellung des Deutschen (in den späteren Schriften) wie Weiningers Analyse des Juden – um nur zwei Beispiele neuesten und größten Formats zu nennen. Die Erkenntnisse des Differenzaffekts sind immer geistreich, d. h. sie geben eine überraschende Teilansicht des Gegenstandes so maskiert, als wäre sie konzentrierte Totalansicht; sie befriedigen vor allem auch beim Leser

den Affekt, der sie hervorrief. Wem der Jude widerwärtig ist,
ruft bei Weininger: wie wahr! Wer den Deutschen ekelhaft findet,
stimmt Nietzsche begeistert zu und findet übrigens in der französischen Kriegsliteratur so fabelhaft schlagende, nur viel besser
gesagte Parallelen zur Antisemitenmanier, daß man einige der
bei Dr. Joachim Kühn, Französ[ische] Kulturträger usw. (Diede-
richs, Jena) angezogenen Schriften als Abführmittel übersetzen
sollte; der antienglisch Fühlende tobt sich mit Sombarts »Händler und Helden« begeistert oder mit den anti-englischen Partien
von Schelers »Genius des Krieges« »philosophisch erkennend«
aus – und ist, weil, was er hört, mit dem übereinstimmt, was er
ohnehin schon wußte, mit Evidenztäuschungen hinters Licht
der Wahrheit geführt. Auch Thomas Manns »Bekenntnisse eines
Unpolitischen« gehören ins Gebiet solcher Schriften, wo Erkenntnisse, ebenso blendend als schief, sich für wahr halten – wie
überhaupt der Krieg und die geistige Epidemie, die er, in Deutschland und anderswo, ausbrechen ließ, ja nur aufdeckte, wer im ausgehenden neunzehnten und beginnenden zwanzigsten Jahrhundert über nationale Gruppen Erkenntnisse verhökert hat – was
wir Juden so lange, da wir's am ersten und fast allein spürten, für
unser Sonderschicksal als Objekt gehalten hatten: jüdische Anmaßung, wie sich alsbald erhellen sollte. Und eine weitere Bemerkung sei erlaubt: überall wo Geistige Völker ablehnen, haben sie
entweder nie mit ihnen gelebt oder die Ablehnung bereits als Disposition, als der Selbsterforschung deutlich kennbare Abneigung, mit ins Land gebracht. Nirgendswo ist die »Intuition«, d. h.
das Erblicken eines Volkscharakters aus seinem Schrifttum weniger verbindlich, als dort, wo schon vorgeformte Abneigungen
nur auf neues Material lauern. Wer nicht ins fremde Land gehen
will und dort warten, wie der Mensch sich ihm allmählich offenbart, kann sich nur an die Genien des fremden Volkes halten,
um dessen beste Möglichkeit zu erkennen – ein Drittes gibt es
nicht. Leider aber gibt es, d. h. in Form von Wälzern und Bro-
schüren, fast nur dies Dritte: und dennoch wären auch sie erträglich, ja willkommen, wenn sich ihre Verfasser während der
Niederschrift von Zeit zu Zeit des Blickes bewußt geworden
wären, den die Genien des von ihnen »behandelten« Volkes un-

ablässig auf sie richten. Aber ein Volk abstrahiert von seinen Großen beurteilen, ergibt immer den Effekt, als stelle einer den Nachkriegsdeutschen als Essenz deutschen Wesens dar – während doch in jedem Volke zu jeder Stunde verborgen die Mächte wirken, die in Jenen glorreich und schmerzlich zutage traten, sei es im Augenblick auch so entgeistet, wie Völker im heutigen Strudel aussehen. In einem weiseren Zustande der Menschheit erwarte man Strafparagraphen gegen jeden, der über Völker schreibt oder auf sie politisch einzuwirken hat (jeder Abgeordnete jedes Parlaments, jeder Stabsoffizier jedes Heeres), ohne mindestens ein Jahr im eigenen Volke und den betreffenden Nachbarvölkern arbeitend gelebt zu haben, und zwar nicht nur mit den Angehörigen der eigenen Schicht, sondern auch mit den Arbeitern, Kleinbürgern, Bauern, Vagabunden und Verbrechern; des eigenen und des Nachbarvolkes, nochmals gesagt.

Sodaß also Kritik von Gruppe zu Gruppe, Objektivität erzeugt von Distanz unmöglich sein sollte, verboten und diskreditiert als unter der Herrschaft des Differenzaffekts geboren? Kritik, die Bestand hat, ist Frucht von Liebe; kenntlich als Liebe durch ihre flammende Gründlichkeit und dadurch, daß nie ein Verdikt gesprochen wird, ohne daß in Ton, Gebärde oder Inhalt auch die Segnungen der Umkehr und die mögliche und erreichbare Glorie gegeben wird. Ob Goethe über die Deutschen, oder Jesaja über die Juden, Flaubert über die Franzosen und Tolstoi über seine Russen kritisch reden: immer hört man, daß sie sich einbeziehn auch wo sie abrücken; und auch dort, wo der bedeutende Kritiker über fremde Nationen spricht (Goethe über Italiener, Briten, Franzosen), ja, wie Swift und Voltaire, Heine und Shakespeare, über die Menschen im allgemeinen die bittersten Erkenntnisse zu verkünden hat: stets rückt er sich innerlich mit ein in den Kreis der Gebrechlichen, und sei es nur im Sinne der allgemein menschlichen Verantwortung für den Menschen vor dem Auge des Geistes. Denn diese verantwortlich machende Verbundenheit besteht: und niemand spürt dies besser, weiß dies besser als der entbrannte Prophet und Kritiker, denn seine Flamme brennt nur aus ihr. Niemand versteht die Kritik neuerer jüdischer Kritiker politischer und literarischer Art (Landauer, Kraus, Kerr,

Harden, Jacobsohn) in ihrer Radikalität, der nicht dies Phänomen der Mitverantwortlichkeit als stärkste ihrer Quellen erfaßt hat. Und Objektivität? Man beweise mir, daß, abgesehen von abstrakten Disziplinen streng wissenschaftlicher Art – wo aber auch, wenn Schöpfung geleistet werden soll, die begeisternde Liebe zur Sache, zum Gebiet, zur Erkenntniserweiterung die Vorbedingung und Aurora der erleuchtenden Erkenntnis immer ist – Objektivität dem modernen Menschen überhaupt möglich ist, dort, wo er sich der Erfassung menschlicher Gruppen und ihrer Lebenszeugnisse und -niederschläge befleißigen will. Es gibt keine objektive Geschichte der Religionen, Nationen, sozialen Experimente und Bewegungen, kaum von Personen (Napoleon, Mohammed), die irgendwie tief in die lebendig bewußten Zusammenhänge der Menschen gegriffen haben – nur liebend und hassend fundierte Objektivität – und dabei wird es vorderhand wohl bleiben.

18.

Und so wäre uns nur noch übrig, von verdrängtem Antisemitismus in Gegensatz zu kultiviertem ein Wort zu sagen, um zu bezeichnen, wo man ihn findet: überall dort, wo, zu Juden gesprochen, das Wort: »Ja, wenn alle so wären wie Sie« fällt – im Tone des Wohlwollens vorgebracht, der uns unerträglich dünkt. So reden Personen, die, nicht imstande, ihre Affekte zu bändigen, sich doch vor konkreten desavouierenden Fällen ihrer irgendwie schämen; um die generelle Verneinung zu retten, schaffen sie sich dies Scheinwohlwollen für den Einzelfall und geben sich ihm hin, um nun, guten Gewissens wieder und ihrer Objektivität versichert, um so tiefer ihren Affekt zu hegen. Diese Menschen erklären jedem, daß sie, auf die Juden schimpfend, dennoch keine Antisemiten seien, jüdische Freunde hätten u. dgl.; wenn ihre Meinungen dann aber laut werden, lacht man über ihre Naivität, oder erbost sich darüber – je nach Temperament. Gerade solche Seelen hegen in sich den Affekt in seiner vulgären Form, nur daß sie vor dem Einzelfall sich seiner schämen, oder Diskussionen, unliebsamen Szenen oder beschämenden Widerlegungen ausweichen wollen. Wie oft auch fehlt ihnen der Mut ihrer Meinung, und wie oft erst unterliegen sie (und hernach wüten sie darüber) der Ansteckung durch die bessere Atmosphäre des »anständigen Juden!« Und dennoch zeichnet sich noch in dieser Verzerrung der Umriß von etwas Wertvollem: von dem dumpfen Bewußtsein, daß die Affekte des Menschen, alle, ebensoviele Aufgaben des Menschen sind, und daß sie, wie die Schüler in der Algebrastunde, statt daheim ihre Aufgaben zu lösen, von den fleißigeren Kameraden nur die Resultate ab- und unter schon vorhandene Gleichungsableitungen hingeschrieben haben, hoffend, daß kein Lehrer den Schwindel durchschaue – was wir hoffentlich alle seinerzeit ebenso machten.

19.

So weit gekommen sein, heißt, ein Fazit ziehn müssen. Was bedeutet die gewonnene Erkenntnis für den Blick aufs Allgemeine, auf den Zustand der weißen Menschheit, auf die Kultur des zwanzigsten Jahrhunderts? Aber umgekehrt: fragen wir doch einmal, ob unsere Erkenntnis in ihrer Breite und Symbolhaltigkeit vor 1914 überhaupt möglich gewesen wäre! Damals galt der Antisemitismus in Deutschland als ein beklagenswerter Atavismus, das ganze politische Leben sonst aber gab sich als bewegt nur von Ideen; Politik, innere und äußere, getrieben von geistigen Strömungen: da rang die Idee des Staates mit der Idee des freien Menschen, die Idee des Sozialismus mit der Idee der Rangordnung, da stand das Ideal der allseitig ausgebildeten Persönlichkeit gegen das Ideal der äußersten Arbeitsteilung, das Ideal der Frauenentsklavung gegen das Ideal des häuslichen Herdes und ganz so philosophierte man der äußeren Politik einen wundervollen Überbau zusammen, der noch heute im Schlagwortkatalog der Parteien spukt – unverbindlicher, blasser, rührender – und der, nach letzten Dingen orientierend, Spiel und Gegenspiel der Völkerbeziehungen in einer erhabenen Sphäre aufzeigte. Und heute? Zwölf Jahre nach jenem Datum des Kriegsausbruchs, das metaphysisch zu verklären die besten deutschen Federn nicht geruht noch gerastet hatten? Heute enthüllt sich, daß damals der Antisemitismus den wahren Stand und Grad des Durchschnitts-Deutschen angegeben hatte, vielleicht des Europäers und weißen Menschen überhaupt. Heute zeigt sich, daß im Augenblick, wo Ernst, Not und Tod, Sein und Nichtsein die Wahrhaftigkeit menschlicher Vergeistigung erweisen sollten, von all den Ideen und Idealen nichts übrig blieb als ein Rudel von Affekten, blind nach allen Seiten beißend, vorstoßend, heulend und sich überschlagend. Heute zeigt sich, daß jedes Volk unter der Herrschaft solcher Affekte der gegenseitigen Abstoßung steht, und daß jedes sie mit einer Ideologie überbaut hat, die es nicht nur ernst – die es für seiend nimmt, für den wahren Antrieb zu allen Wertungen und Taten. Es ist gewiß, daß trotz des Krieges in den Völkern Einzelne lebten, die mit allen Kräften sich dieser tobenden Meute von Trieben zu entziehen versuchten: Romain Rolland, Karl Liebknecht, F. W. Förster, Georg Brandes, Heinrich Mann, Karl Kraus, Bernard Shaw, Bertrand Russell, Philip Morley; gewiß auch, daß ihnen die Völker nicht überall dieselbe Mißhandlung angedeihen ließen – hier ist die Möglichkeit einer Abstufung von Kulturen gegeben – aber wer, vor einer solchen Generaloffenbarung, kann Lust haben, nach Nüancen zu fragen! In Angelegenheiten der Erlebnisse zwischen Gruppen innerhalb der Völker und zwischen den Völkern selbst waltet als bestimmende Kraft der blinde, starre, leidenschaftlich sich ausrasende Affekt: erster Grundsatz politischer Erkenntnis. Mögen die Juden sich das gesagt sein lassen; mögen sie es sich zur Ehre anrechnen, daß an ihnen, als einem Prob- und Prüfstein, der allgemeine Zustand sich am dauerndsten offenbarte; wir werden noch sehen, warum.

Es ist verständlich, daß vor solcher Offenbarung sich tiefste Niedergeschlagenheit und ein allgemeiner grenzenloser Ekel all derer bemächtigt, die an die Echtheit obengenannter Ideologie geglaubt hatten, deren Verkünder und Wortführer, Weiterbildner und erste Opfer sie waren: der nationalen Idealisten. Und verständlich ist auch, daß sie, statt nun nur an ihren »Erkenntnissen« zu zweifeln, und einzusehen, daß sie die Wirklichkeit ein wenig zurückgesetzt hatten hinter der Idee und den Ideen, an den Völkern verzweifeln, ja am Menschen überhaupt. Rührender Überschwang! Weil der Mensch das nicht ist, was sie von ihm erwarteten, soll er sogleich – nichts sein? Weil das Natürliche und Bestiale in ihm noch immer die Ober- und Überhand auf alles Geistige legt, fällt von ihnen, denen, die jetzt schweigen und angeekelt sich in geistige Werte und Welten vergraben, jeder Mut zu öffentlicher Mitverantwortung ab? Fünfzigtausend Jahre etwa haben am Menschen geformt bis zu dem Augenblick, wo das beginnt, was heute Geschichte heißt; und keine sechs Jahrtausende vermögen wir – wie unvollkommen! die gemeinschaftsbildenden und -beherrschenden Kräfte am Werke zu sehen. Was in diesen Zeiten sich herausgebildet hat, zeigt unser Tiergeschlecht noch immer unterwegs; aber eine Zunahme an Weisheit, Geduld, Klarheit und Kraft ist deutlich zu sehn; zu sehn sind Versittlichung der Individuen, Ausbildung hoher Einzelner, deutlich von Kräften der Sympathie und des Gemeingefühls beherrschte Einzelgruppen und eine erschütternde Anstrengung, die den Einzelnen anerkanntermaßen bindenden sittlichen Gesetze auf die Beziehungen zu übertragen, die, von Affekten noch beherrscht, zwischen den Völkern sich ergeben; zu sehen auch das mächtige Lento, das diesem neuen Satze der Sinfonia humana vorgeschrieben ist. Ach, dies unermüdliche und so langsame Tier, »Menschheit« genannt: kann man seine ungeheuerliche Qual um Klarheit, Reinheit und Gerechtigkeit ansehn ohne ein begeistertes Weh in der Brust? Findet sich, vor diesem Anblick, auch nur ein Gran von Recht zu Verzweiflung und Ekel? Wer auch immer im Tempo des Menschen sich getäuscht haben möge: über den Menschen selbst sagt seine Enttäuschung nichts aus. Die ordnenden Kräfte, die im Kosmos der Sterne und Milchstraßen walten, und deren Erkenntnisorgan der Mensch ist, welche in Sittlichkeit umzusetzen vielleicht die Funktion des Menschen im All sein könnte und jedenfalls nach jüdisch-mythologischer Auffassung, ausgedrückt im Schöpfungsmythos, ist – diese Kräfte wirken unablässig und so langsam wie kosmische und tellurische Kräfte zu wirken pflegen, nämlich unter der Optik grenzenloser Dauer. Und so ist der Mensch ein junges Organ, mit einer herrlich grenzenlosen Offenheit des Blickes in

Jahrtausende vor sich: wahrhaftig kein Anlaß zu Ekel und Verzweiflung außer für jene Hochmütigen, die sich nicht ertragen,
wenn nicht als Höhen und Gipfel des Seins.

Unter dieser Perspektive aber frage man nun nach der Wirkung und Rolle jener Ideen, die sich am Antisemitismus als
Überbau der Affekte enthüllt haben, und deren Allgemeinheit,
auch im Überbaucharakter, der Krieg und seine Folgen uns
deutlich zeigen: sind sie selber darum entwertet? Entwertet ist
ihre Scheinhaftigkeit, nicht sie selbst; entwertet ist ihr Mißbrauch, entwertet die Anmaßung, die sich ihrer bediente, entwertet der Geisteszustand der Völker – nicht sie selbst. Die Aufgabe heißt: ins öffentliche Leben das Bewußtsein prägen, daß es
nur einerlei Sittlichkeit gibt: daß die Unterscheidung zwischen
persönlicher Moral und politischer eine radikale Unsittlichkeit
selbst ist – und eine Dummheit ersten Ranges, die ihre Träger
am tiefsten trifft. Ob die Apostel der »politischen Immoralität«
das gelernt haben? aber sie werden es lernen. Sie werden lernen
müssen, was Nationalismus, was das Kriegerische, was Eroberung und Wille zur Macht einzig sein kann – und da im Zusammenhang dieser Betrachtung, am Schlusse, wenn wir Näherlie-
gendes gesagt haben werden, der Ort ist, davon noch einmal zu
reden, werden wir unsere Überzeugungen dort auszusprechen
haben.

20.

Nur gegen eines ist Klarheit schon jetzt erreicht: gegen die Ver-
götterung der Affekte selbst. Der antijüdische Affekt – und in
ihm jeder andere, gleichartige Abstoßungsaffekt von Gruppe zu
Gruppe – ist von uns betrachtet und dargestellt worden ohne das
Pathos der Trübung: aber um so reiner ergab sich sein Charakter,
den wir jetzt noch, um keinen Zweifel aufkommen zu lassen,
mit Namen nennen. Er ist zunächst nichts Unveränderliches;
vielmehr liegt in seinem Wesen und seiner Offenbarung die Aufforderung an den befallenen Menschen, ihn zu verarbeiten, ganz
in dem Sinne wie die Begierde nach allem, was Gefallen erregt,
verarbeitet worden ist, nach einer Richtung zur Tauschwerte

schaffenden Arbeit, nach der anderen Seite zu dem den Tausch regelnden Recht, und nach der dritten, wichtigsten, zur Bildung der sittlichen Mächte der Selbstbeherrschung, der Werterkenntnis und des freien redlichen Verzichts. Die Kraft leidenschaftlichen Antriebs, die in ihm wirksam ist und die zu Taten drängt, waltet in ihm noch roh, zerstörend und selbstzerstörend; die Zielsetzung, auf die er losgeht, ist noch ganz unerlöst durch Erkenntnis und ungezähmt durch Weisheit; noch ist er mit Neid und blinder Rachsucht nahe verwandt, böse in einem Sinn, den kein Nietzsche vergolden kann, oder leichtherzig und verantwortungslos wie das Kind: zwischen Caliban und Papageno ist seine geometrische Kurve eingespannt. Und ferner ist ihm nur in einer einzigen Form gutes Gewissen eigen: nur in seiner Funktion als Ventil der Seele, als Ausbruch und Erlösung von angestauter seelischer Last hat er vor sich selbst Recht und Wert. Diese seine kathartische Möglichkeit aber weist wiederum hin auf die ihm immanente Aufforderung an seinen Träger, von der wir eben noch sprachen; er will Gebilde werden, das mehr ist als er, erlöst durch Gestaltung: sie wird je nach dem Genius des Volkes ästhetischer Art sein oder ethischer; Drama oder Ethos, Reinigung der Leidenschaften oder ihre Bindung in religiöser Lebensführung. Dort aber, wo er beidem widerstrebt, wo er zu beidem seinem Wesen nach impotent ist, da in ihm nicht positive Gewalt, sondern nur Negation des Anderen waltet, wird er der barbarische Pegel sein müssen für den allgemeinen Tiefstand der Völker und Kulturen. Als Aischylos die »Perser« gestaltete und den siegreichen Griechen den Jammer der Besiegten auf der Bühne darbot, und als Euripides in den »Troerinnen« das ungeheure Elend und die Sinnlosigkeit des Siegens an den leidenden Frauen aufzeigte, standen sie gegen den nationalen Differenzaffekt in dem gleichen Kampfe, den Aristophanes nicht müde wurde, mit großartigem Hohne zu führen (am leuchtendsten in den »Acharnern«); jeder von ihnen gab eine eigene Stufe in seiner Bewältigung. Die andere Form steht für die westliche Erde in den mosaischen, talmudischen und christlichen Gesetzen über das Leben mit dem Fremdling »in deinen Toren« und »auf dem Markte«. Beide Anfänge sind fortgesetzt und vergessen worden; heute stehen wir vor den Trümmern einer Kultur, die den Differenzaffekt, den Krieg aller Völker gegen alle, zur Maxime des öffentlichen Lebens machte: und wir sagen das klarste Wort zur Bewertung des Antisemitismus, wenn wir sagen, daß ohne verbindende Gesinnung Kultur überhaupt undenkbar ist, heute, am Anfang des zwanzigsten Jahrhunderts, wie zu Zeiten der mosaischen Gesetzgebung und der Bergpredigt. Und so mündet, wie jedes Anpacken menschlicher Aufgegebenheit, auch die Untersuchung des antisemitischen Affekts in die große klärende Aufgabe des Menschen: in den Kampf gegen die unkontrollierten, unerhellten Mächte, die außer, zwischen und in den Menschen wirken, gegen das Dunkel, das uns umgibt, aus dem wir stammen und in das wir vergehen. Gleich weit entfernt von der platten Befriedigung eines unvermeidlichen Fortschritts, einer verbürgten und automatischen Entwickelung des Menschen zu seinem heutigen »Hochstand« und darüber hinaus, wie von dem gläubigen Vertrauen des kindhaft Frommen in das unerforschlich gute Walten einer allwissenden Gottheit, sind wir ein Geschlecht suchender und leidenschaftlicher Arbeiter an der Erkenntnis jenes Geistigen, das uns die Entbarbarisierung der Erde und die Reinigung unserer menschlichen Seele zum Ziel gesetzt zu haben scheint, jenes göttlichen Geistes, dem wir tätig dienen und zu dem alle redlich gegangenen Wege wohl führen werden. Gestaltung des menschlichen Zusammenlebens, Versittlichung des Lebens beginnt bei jedem Ich; aber unmittelbar einleuchtend sagt uns Erkenntnis dieses Lebens, daß es weder ein isoliertes Ich noch eine einsam ringende Seele gibt, daß vielmehr mit ihm gleichzeitig alle anderen Seelen gesetzt sind, und daß zu den gleichgerichteten oder gleichzurichtenden verbindende Bahnen des Blutes, der Sprache und des Geistes, der Wege und des Ziels führen. Uns ist gesetzt, diese Verbundenheit zu bejahen, die Form dieses Ja ist das Tun des Menschen am Menschen unter dem großen Blick des göttlichen Ziels. So ist verbindende Gesinnung unter den Mitteln, mit denen wir das große Chaos bekämpfen, das vornehmste, stärkste. Verbindende Gesinnung, jene innere seelische Möglichkeit der Erfassung auch anders gelagerter und orientierter Wesensmöglichkeiten, die ohne den Zweifel an der apodiktischen Verbindlichkeit des eigenen Seins nicht möglich und ohne Sinn für die Werthaftigkeit der Typenfülle des Seins nicht denkbar ist, verbindende Gesinnung und Antisemitismus schließen einander aus. Denn daß die andersempfindenden Deutschen, welche Judengenossen genannt werden, von derselben radikalen Entwertung getroffen werden wie alles Jüdische, das allein zerstört schon selbst die engste Bindung, die nationale; und dazu kommt, daß sehr viele Juden in Deutschland in der Tat weit mehr Deutsche sind als Juden und daß, indem man sie ab- und ausstößt, Deutschtum bester Art verstoßen wird. Selbst diese an sich verehrte Bindung nach willkürlichen Maßen zerschneiden und dann noch nationales Sein, nationale Kultur repräsentieren wollen: so kann nur der Affekt sich selbst verkehren. Und damit wollen wir ihn verlassen, und endlich unseren Blick auf den richten, der den Anprall des Affekts auszuhalten hat, den Juden, den deutschen Juden.

3. Buch

Antisemitismus als Reaktion

9. »Das Volk der Söhne Iisraels
   ist uns zu viel und zu stark.
10. Auf, überlisten wirs,
    es darf nicht noch wachsen,
    sonst möchte geschehen, wenn Krieg uns widerführe,
    daß auch es sich zu unseren Hassern schlüge
    und uns bekriegte und sich vom Land weghöbe.«
12. Da graute ihnen vor den Söhnen Iisraels …

Das Buch NAMEN (2. Mose), I. Kap.
deutsch von Buber und Rosenzweig.

I.

Es könnte scheinen, als sei der Verfasser der Meinung, nichts sei am Antisemitismus schuldloser als das Judentum; als sehe er es in der Rolle des armen Lämmchens unter die Wölfe gefallen, als schreie seine Schuldlosigkeit zum Himmel, der durch nichts anderes als durch die fürchterlichsten physischen und moralischen Leiden dies Volk auserwählt habe, und zu nichts es dauern lasse als um einen Maßstab für die Bestialität der Nationen zu haben. Nun, scheint es so, so scheint es falsch. Wenn jemand, wie in dieser Untersuchung geschah, den Antisemitismus mit seinen Wurzeln zu geben versucht hat, wenn er in sachlichem Nachweis unternahm, ihn aus sich selbst zu analysieren, kommt er schließlich zu dem Punkte, wo er in der Kurve des Erkennens vor der Frage steht: Und die Juden? Woher das Besondere dieses Abstoßungsimpulses, verglichen mit dem der Urbayern gegen die Preußen, der Franzosen gegen die Deutschen, der Weißen gegen die Gelben und Schwarzen, der Chinesen gegen die Fremden Teufel? Haben die Juden nicht dem seelischen Wesen und der nationalen Lage nach immer wieder Anlässe zur Aktivierung der Gegengefühle gegeben, Druckstellen, an denen die Völker sich, die ach so empfindlichen, Entzündungen und Eiterherde ihres geistigen Leibes holen konnten oder mußten? Ohne Zweifel, das haben sie getan.

Zunächst haben sie, die sogenannten Nomaden, mit unbegreiflicher Zähigkeit in den Ländern der ärgsten Bedrückung gesessen, so lange bis man sie vertrieb, und sind immer wieder in die alten Städte und Stätten zurückgekehrt, sobald man's ihnen erlaubte. Weil sie die Orte des ehemaligen Wohlergehens nicht vergessen konnten – überall, aller Orten, ging es ihnen eine Anfangszeit lang wohl, solange sie wenige blieben, und weil der Impuls des Zusammenwohnens und -lebens in Zeiten unnationaler Geistigkeit

stärker war als der der Abstoßung, der erst durch die Kirche geweckt wurde (Grenzzeit in Frankreich z. B. das 10., in Deutschland das 13. Jahrh[undert]); – weil sie die Gräber der Märtyrer
und der Väter als heiligen Boden, von dem ihnen Kraft zu dulden
ins Herz strömte, immer empfanden; weil sie immer wieder an
bessere Zeiten und größere Erleuchtung der Völker glaubten; weil
sie Ort und Markt ihres Erwerbs kannten und gewissen Druck
dem ungewissen, der schon gefährlich gewordenen Fremde vor-
zogen – vor allem aber weil sie auf das Kommen des körperlichen
Messias, des Davidsohnes und seiner prophezeiten Vorzeichen in
der materiellen Welt harrten und Gott nicht ungehorsamen durften, der sie in dies Land und an diesen Ort gesetzt hatte, um zur
rechten Zeit sie durch Engel und Wunder von den vier Ecken
der Windrose wieder einzusammeln, der aber ihnen zur Läute-
rung für Abfall und Sünde wider Wort und Sinn seiner Lehre all
dieses Grauen, diese moralische und körperliche Folter zugeur-
teilt hatte, welche Geschichte der Juden in der Zerstreuung heißt,
damit sie dennoch in jenem Leben, vor dem göttlichen Ange-
sicht, zu bestehen vermochten: aus solchen Gründen, von Fall
zu Fall, ja von Individuum zu Individuum anders gruppiert und
betont, blieben die Juden in den Ländern, die nicht die ihren waren, wohnen, und während die Völker sich wandelten, formten
auch sie sich um, aber weit unmerklicher, indem sie einen Kern
bewahrten: den Wortlaut der Lehre und einen Teil ihres Geistes.

Jenen Teil nämlich, der das Leben innerhalb der Gemeinde re-
gelte; und auch er ward immer kleiner, je weiter die Zeit zersetzend an der religiösen Seele schabte. Das Leben nach außen aber
ließen sie allmählich, und das nach der Logik der Affekte, sich
von den Feindschaftstendenzen der Umwelt vorschreiben. Sie
hätten von übermenschlicher Geduld, Reinheit, Unangreifbar-
keit und Menschlichkeit sein müssen, wenn sie, nach all den Miß-
handlungen, Feindschaft nicht mit Feindschaft hätten bezahlen
sollen: ihre Waffe ward die wirtschaftliche, die allein man ihnen
ließ, ja die man ihnen aufgedrängt hatte, das Geld. Daß sie es erst
nach einer langen Phase der Feindseligkeiten anwandten, ist bewiesen (vgl. Coudenhove S. 180 ff., 412 ff.), in der großen judenfeindlichen Literatur zwischen Antike und 12. nachchristlichen

Jahrhundert gibt es nicht eine Anklage gegen das Wirtschaftsgebaren der Juden (Wucher); dann aber bedienten sie sich seiner, und in allen Formen. Daß sie sich zu diesem ihnen aufgezwungenen Gebiete schöpferisch verhielten und, wie Werner Sombart nachgewiesen hat, ihren Teil an der Ausbildung des modernen Kapitalismus nahmen, ist nicht erstaunlich, da sie sich ja immer und auf allen Gebieten als Schöpfer bewiesen, extrem im Guten wie im Bösen, nie matt, mittelmäßig und zum Nachmachen geeignet; und da man ihnen wölfisch begegnet war, antworteten sie wölfisch, trotz der Mahnungen und Anklagen ihrer Lehrer und Gerechten, die stets in ihrer Mitte lebten und den Geist der Gesetze lebendig zu halten suchten. Sie wurden Saftadern, daran ist nichts zu deuteln, auf allen Gebieten der Wirtschaft: sie beuteten nicht die Arbeitskraft ihrer Bauern aus wie alle Ritter, Herren und Fürsten vor und nach den Bauernaufständen in allen Ländern, auch nicht, wie alle Kolonisationsstaaten, die Länder und Schätze von niedergemetzelten Menschenvölkern – weiße im slavischen Osten, farbige über See – zu denen jene sich in ihrer vollkommenen Rüstung und Kriegstechnik genau so übermächtig verhielten wie eine Schar von Trustkapitalisten heute, in ihrer ökonomischen Rüstung und Technik, zu den Legionen der Verbraucher und Arbeitenden; auch nicht Kraft, Gesundheit und Leben der Völkeruntertanen wie Fürsten bis auf den gestrigen Tag: sie beuteten »die Wirtschaft« aus, ein Sammelding, wohlgeeignet, um die Not der Einzelnen und Familien dahinter verschwinden zu machen, aus deren Arbeit und Dasein sie bestand; beuteten aus, bis es Zeit war, »den Schwamm auszupressen«, als den man sie gebrauchte. Nicht einer religiösen oder rassenhaften Anlage bedarf es, um diese »Eignung« der Juden für den modernen Kapitalismus zu erklären: nur Feindschaft als Entgegnung von Feindschaft, nur Fremdheit als Antwort auf Fremdheit. In einem Gemeinwesen, verbunden durch hilfreiche Gesinnung und gemeinschaftliche Antriebe und Lebensgefühle, hätte Kapitalismus als Daseinsform kaum überschwellen können: nur von fremden Individuen zu fremden Gruppen war er möglich und dort, wo physische Gewalt zur Ausbeutung nicht anwendbar war – fremd wie der Lombarde im Norden, der Deutsche in

England und dem Baltikum, der Graf »seinen« Bauern, der deutsche Ritter dem slavischen Unterworfenen. So fremd war der Jude in der entstehenden und sich ausbildenden Wirtschaftswelt des ausgehenden Mittelalters und der neuen Zeit, und so raubte er wie jeder Räuber mit den eingesessenen Herren um die Wette. Statt ihrer »legitimierten« Gewalt hatte er seine intellektuelle, statt ihrer Hand auf allen Erzeugnissen des Bodens schob er die seine in die Lücken der Wirtschaft – aus Abfällen und Altwaren zog er Geld, und auf den unsichersten Zonen neuer Rechtsgefühle und Erfolgsmöglichkeiten erraffte er ohne Hemmung, indem er, da fremde Arbeitskraft und öffentliches Bedürfnis jedermann zur Ausbeutung offen standen, von der Not seines Lebens, der Übung seines Blicks, Denkens, Organisierens und Rechnens, der helleren Raschheit seines Mittelmeertemperaments und der rücksichtslosen Unverbundenheit des Verfolgten vorangeworfen, das schaffen half, was heute zum Rückgrat des öffentlichen Wesens und Unrechts geworden ist, und was aus seinen Händen längst in die der langsameren, aber nicht minder rücksichtslosen Eingesessenen des Landes übergegangen ist: Verkehrswesen (Eisenbahnbau, Schiffahrt), Geldwesen, Warenhaus, Presse, Fabrikation, Handel jeder Art, Industrieen – die moderne Gesellschaft in ihrer ganzen Entseeltheit, Mechanisierung, Verwerflichkeit und Lüge.

2.

Und was ist aus ihm dabei geworden! In welcher Gestalt steht er jetzt vor den Antrieben seines innersten Wesens und vor seiner riesenhaften Schöpfung, dem Geist seines früheren Lebens, den Worten Moschehs und der Propheten, der Gestalt Jeschu und der ersten Christen, den unermüdlichen Mahnungen so vieler Lehrer, dem Genie des Chassidismus, dem liebevollen Geist der Zedokoh, der noch heute in Gestalten und Gemeinden des Ostens da und dort spürbar ist! In gar keiner Gestalt, das ist das Furchtbare. Er ist unsichtbar und ungreifbar geworden selbst für uns, in deren Zorn noch Gemeinsamkeit und Einheit mit ihm ist. Einzig der gesetzestreue Jude, wenn er es von innenher und ganz ist und die Hand des Unrechtes an ihm abgleitet, zeigt in einer Teilform seines Lebens, eben der jüdischen, und in der Rechtlichkeit auch seines allgemeinen Tuns noch eine unverwechselbare Gestalt. Aber wie viele denn solcher Juden gibt es noch? Und wie viele vertragen die Prüfung auch dort, wo ihnen ein ewiger Kampf auferlegt ist, in der Sphäre des öffentlichen und wirtschaftlichen Lebens? Wo haben sie ihre Hand von all dem unleugbaren Unrecht abgezogen, das zwar heute geltendes Recht des Kapitalistenstaates ist, vor der Entscheidung der strengen jüdischen Gesetzlichkeit aber Unrecht ist und bleibt? Und gar erst all diese anderen Juden, Atome von stets sich wandelnder Struktur: woran sie erkennen, wie sie fassen, wie ihr Gemeinsames feststellen? Konservativ und aristokratisch, liberal und Demokrat, Revolutionär und Sozialist, Kapitalist und Kleinbürger, Wissenschaftler, Künstler, Religiöser: in allen Gestalten der modernen Gesellschaft hat sich der Jude verborgen, alle Züge seines Wesens aufgelöst und alle Haltungen des Machtvolkes in sich aufgenommen bis zum völligen Schwund seines Wissens und Ahnens von sich selbst. In diesem Augenblick, da der immerwährende Krieg und sein Gefolge von wirtschaftlichen und politischen Umschichtungen die Ordnung der Ostjudenheit zerreißt, schwindet der letzte Ort jüdischen Gesamtlebens: und mit ihm die letzte Möglichkeit, jüdisches Lebensgesetz gelebt zu sehen, bis Palästina die neue Ordnung jüdischer Gemeinschaftsbildung ermöglicht. Heute aber, in den Tagen des Übergangs: wohin sehen, um wirklich Juden zu sehen?

Es muß hier ein Zwischenwort und Maßstab hergesetzt werden, um recht verstanden zu sein. Messen wir den Juden mit demselben Maße wie alle anderen Völker, so hat niemand ein Recht, ihn anzuklagen, niemand. Hat der Jude das Gesetz »Du sollst nicht stehlen« verletzt, so haben sie alle noch mehr gestohlen, dazu vier Jahre lang (»Kriegsnotwendigkeit«) ganze Länder mit Raub und Gewalttat ausgeplündert, verheert, verbrannt und zerstört, und unter ihnen alle Zentren des ostjüdischen, ja des jüdischen Lebens (Palästina!) unbewohnbar gemacht; haben dort die unerhörteste Not des Lebens geschaffen, alle Sittlichkeit zerquetscht, und all das mit der Miene von rechtlich Handelnden lügnerisch, heuchlerisch, gnadenlos fortgesetzt. Zu allem anderen aber haben sie, was der Jude nie getan hat, für die egoistischen Interessen einzelner Klassen Hunderttausende in den Tod getrieben wie Vieh, und die Seelen der ihnen anvertrauten Völker so fürchterlich an Mord, Raub, Plünderung, Unzucht und Lüge gewöhnt, daß der heutige Europäer sittlich auf der vornoachitischen Stufe lebt und sich dabei wohlbefindet. Wir aber messen hier den Juden an dem Maßstab, den er selbst in die Welt gebracht hat, an den Satzungen sittlich-religiösen Lebens, die er gelebt hat, als er nichts denn Jude war, an den Auswirkungen seines Genies, welches über die westliche Erde hin als »Geist Gottes« leuchtet; und wie man ein Shakespearesches Drama, eine deutsche Sinfonie, ein italienisches oder französisches Gemälde, eine antike griechische Plastik mit den Werten vergleicht, welche sie selbst vollkommen verkörpert haben, sehen wir den Juden unter dem Gesetz des Lebens, das er gegeben und vorgelebt hat. Und nicht einmal gehen wir dabei auf die Werte aus, die dies Leben darstellte und unermüdlich fordernd bereicherte, nicht auf das Sittliche und Menschenformende sehen wir, nur auf den ungeheuren Drang, in jüdischer Gemeinschaft, in einem jüdischen Zusammenhang zu leben, als selbstverständliche Juden, Gott gegenüber sofort kenntlich durch Nachfolge seines den Juden gegebenen Gesetzes und durch die Sprache, die Sitte, die Bezogenheit auf das Land der Juden. Daß eine natürliche Ordnung dem Juden befehle, zunächst und unmittelbar auf seinesgleichen zu wirken: Brot zu essen, gebaut vom jüdischen Bauern, gemahlen vom jüdischen Müller, gekauft und gebacken vom jüdischen Bäcker, im Haus zu wohnen, das der Jude gemauert und gezimmert und auf jüdischem Grunde errichtet hatte, seinen Handel mit jüdischen Käufern und Verkäufern zu treiben und an den Armen des jüdischen Landes, ja noch der jüdischen Gasse, im Ghetto irgendwo, Barmherzigkeit oder Härte zu erweisen: das galt den Juden damals als das Selbstverständliche und als natürlich-göttliche Grundgegebenheit. Und alles andere als perverser, verbannter, vom Abfall und der Awerah, vom Zorn und Strafgericht heraufbeschworener Zustand.

Und heute ist dieses dem deutschen Juden der natürliche, selbst-

verständliche und lotrechte Zustand, und jenes andere eine geschichtliche und erledigte Tatsache, der Wunsch danach aber ein
Kuriosum und etwas Empörendes zuguterletzt. Denkt der deutsche Jude heute »Richter und Recht«, so steht ihm vor dem inneren Auge der deutsche Richter und das Strafgesetzbuch oder
B. G.-B. – und vergessen, völlig vergessen hat er, daß sein »Rab-
biner« gar kein Seelsorger, sondern sein Richter war, und sein ihm
zugeordnetes Recht im Talmud und seinen Erläuterungen steht,
den er bestenfalls für ein Religionsdokument hält. Dies ist seine
volle Wirklichkeit, seine Norm und simple Richtigkeit. Ganz mit
den Völkern leben als loyaler und treuer Bürger seines Staates: das
ist seine Existenz. Ohne innere Unsicherheit, ganz und gar, ohne
die leiseste Spur von Ahnung, daß dies das Natürliche nicht wäre,
gibt er sich, geben wir alle uns dem öffentlichen Leben des deutschen Staates hin: um daheim allenfalls Juden zu sein, oder es,
von der Mehrheit zu reden, nicht einmal zu sein. Dies ist, noch
einmal, unsere heutige Wirklichkeit: und dabei pflanzen wir uns
weiter fort als Juden, rechnen uns zu den Juden, zu einer irgendwie verbundenen Gemeinschaft. Nenne man das Verbindende
wie man wolle: Religion, Rasse, Blut, Abstammung, Tradition,
Geist, Volk, Schicksal, Nation – irgendein nur uns Verbindendes
besteht noch für den entfremdetesten von uns, noch für seine ge-
tauften und gemischten Kinder, ja Enkel. Wenn dies unheimliche
Zwitterlicht, diese gestaltlose Gestalthaftigkeit, diese unpackbare
Doppelexistenz nicht Verdacht, Unruhe, Abstoßungsaffekt zu
wecken geeignet ist, so verstehe ich nichts vom Kräftespiel der
Seele.

3.

Aus dieser Zwitterhaftigkeit, diesem lautbewußten Nein und
dumpfverkörperten Ja gebiert sich sofort ein Weiteres. Ganz offensichtlich hat sich in den Händen einzelner Juden, einiger
markanter und sehr vieler verschwindender, eine beträchtliche
wirtschaftliche Macht angesammelt, deren wirkende Möglichkeit in der Zeit bis zum Kriege und erst recht nach ihm immerhin weit genug gereicht hätte. Zugleich lebte und lebt der aller-

größte Teil der Juden jenseits der deutschen Ostgrenze, in Rumänien, Whitechapel, Ungarn, New York in einem Zustand namens Hölle. Nirgendwo in Europa gab es und gibt es Elend wie innerhalb der Ostjudenheit, markauszehrendes Elend, seelenverwüstendes, wie es kein noch so beraubter Europäer kennt: denn bewegungslos zusammengeballt geht dort Tag für Tag jüdisches Leben seinen Untergang. Die Ursachen dieses Elends waren und sind zuletzt politischer Natur; die Wirkungen jüdischwirtschaftlicher Macht, politisch gewendet, konnten helfend in Marsch gesetzt werden. Und niemals, hört es, niemals hat sich diese Macht auf ihre Macht besonnen. Niemals hat sich der von Juden kontrollierte Teil des Kapitals gegen diese politischen, so leicht zu bewegenden Druckpressen zusammengeschlossen; nicht der leiseste Versuch ist gemacht worden. Warum? Aus Mangel an Gemeingefühl, aus unsäglich feiger Angst vor der eigenen Fähigkeit, aus grenzenloser nationaler Schwäche. Nun wohl: diese Feigheit hat den Druck auf die Unglücklichsten vermehrt. Sie, sie allein hat den Differenzaffekt über alles Maß ermutigt. Da er nirgend eine reale Gegenwirkung erfuhr, erging er sich in freiester Willkür; Energie, Mut, Gegendruck hätte ihn zwar laut schreien, aber sehr eilig zurückweichen lassen. Die Wehrlosigkeit seiner Objekte forderte ihn zur Frechheit heraus – und fordert ihn noch dazu heraus. Und noch mehr: die Gegenwirkung, die er öffentlich nicht fand, erfand er sich für eine unterirdische Wirksamkeit der Juden, erlog er ganz bewußt für seine Zwecke. Genau dessen, was er, wäre es wirklich da, gefürchtet hätte, bediente und bedient er sich als Popanz und Lockmittel für zu werbende Unwissenheit, indem er die Gemeinbürgschaft zitiert, die Juden einst, in weniger feigen Geschlechtern, für einander wirklich leisteten und von der er weiß, daß sie, auf die totale westliche für die totale östliche Judenheit angewandt, einfach eine historisch gewordene Phrase ist. Ach, er weiß genau, daß sich damals keine Hand des Juden rührte, als jenseits der Grenze Hunderttausende von Juden ermordet wurden. Er sieht, daß die deutschen Juden als Masse, eine oder zwei Gruppen ausgenommen, die zu fürchten er keinen Grund hat, einen fanatisch fixierten Schnitt zwischen sich und den Ostjuden gezogen haben: und um so mutiger geht er nun vor, auch gegen jene, hemmungslos vor soviel Ohnmacht. Er weiß sehr wohl, daß nicht allein die Landesgrenzen die Juden einander unerreichbar machen; weiß, wie sehr diese Grenzen seelische Kraft im einzelnen Juden bekommen haben, so daß ihn innerlich nur noch zu flüchtigem Seufzer erregt, was Juden jenseits ihrer zustößt: er weiß, daß um den Ostjuden auch in Deutschland diese Grenze gezogen bleibt, ja daß selbst innerhalb des Landes, zwischen deutschen und deutschen Juden, ein Grad von Abstoßung besteht, der es ihm erlaubt, sich einer Partei zu bedienen, um die andere zu diskreditieren, zu vereinsamen und das Ganze bis zur Selbstaufhebung zu schwächen. Dies ist die Wirklichkeit, niemand kann es leugnen. Und nur eines ist zu beklagen: daß jener einst propagierte Kongreß der deutschen Juden nicht zusammentrat: grell und bis zur Unerträglichkeit schamlos hätte er das Faktum gezeigt, daß das deutsche Judentum fast bis zur Wurzel gespalten und von seinen Parteiungen paralysiert ist. Das ist die Wirklichkeit. Es gibt keinen jüdischen Machtwillen der Selbstverteidigung und der Verteidigung nationaler Existenz: es gibt nur einen Erfolgswillen einzelner, in bezug auf das Schicksal des jüdischen Volkes völlig indifferenter Juden.

4.

Und endlich gibt es den Führerwillen und das Führersein einzelner Juden, deren Verantwortlichkeitsgefühl, Kämpfertum und organisatorisches Können, deren Liebe und Verbundenheitsgefühl sich sehr wohl auf Massen bezieht und richtet, aber auf nichtjüdische Massen, auf die Menschheit – wenn man bis zu Ende sieht – ohne den Umweg über das eigene Volk, und zwar auf denjenigen Teil der Menschheit, mit dem sie wohnen und leiden: auf deutsche. Das Seelische und das innere Verhalten des Juden zu diesem Phänomen soll in eignen Abschnitten dargestellt werden; hier bezeichnen wir mit unserer Aussage nur den Punkt, wo am heftigsten der Differenzaffekt sich gestachelt und genährt fühlt. Als Gegenpol nämlich zu dem isolierten und faktisch apolitischen Judenkapitalisten (dessen politisches Funktionieren ihn in nichts vom nichtjüdischen Kapitalisten unterscheidet) gibt sich jedermann der jüdische Sozialist zu erkennen, der mit der geistigen Sprengkraft und Schmiegsamkeit, Bildung und Führerfähigkeit eines in bourgeoiser Umwelt erwachsenen Begabten die überzeugte Identifizierung mit dem auf Änderung der Verhältnisse angewiesenen Proletarier vollzieht. Da sich die Gebildeten und Bürgersöhne Deutschlands seit der Reichsgründung auf die Seite der Autorität und realen Macht geschlagen haben, wäre der Arbeiter auf die wenigen Auftriebbegabten aus seiner, künstlich und methodisch im Existenzminimum erhaltenen Klasse angewiesen, wären nicht Juden überall in Mittel- und Osteuropa seine natürlichen Bundesgenossen – natürlich aus ihrer faktischen Ungleichberechtigtheit innerhalb des Autoritätsstaats bismarckscher Prägung und seiner Gesellschaft, und noch tiefer natürlich-geistig aus den Antrieben seines von der Zedokoh, der sozial gerichteten, heiß im Herzen empfundenen Gerechtigkeit, seit Urvätertagen bewegten Blutes. »Gedenket, daß ihr Knechte waret in Ägypten«: dieser dem Juden eingehämmerte Leitsatz stellt ihm, sobald er geistig und politisch überhaupt erregbar ist, Aufgaben sozialer Art; und er löst sie selbstverständlich auf dem Boden der jeweils radikalsten Partei, aus innerer Radikalität, und weil ihm in Deutschland, in ganz Mittel- und Osteuropa, der andere Weg, der Weg durch Regierungsmaßnahmen, verschlossen war. All das sind Banalitäten, welche nur von dem agitierenden Differenzaffekt und seiner geschickten Verleumdungsfreude aufs wirksamste umgelogen werden. Und nun stelle man sich einmal ganz lebendig vor, was eine Klasse empfinden muß, die eine andere Klasse, von deren Arbeit und Ausgenutztheit sie lebt, dank geschickter Gesetzgebung und kapitalistischer Ordnung des Lebens eingekreist, unbeweglich gemacht und mit physischer Arbeit überlastet hat, so daß es ihr fast unmöglich wird, aus eigenem Geiste Formulierungen ihrer Nöte und Abhilfsweisen zu erreichen: und die nun sehen muß, wie den Eingekreisten unaufhörlich Führer zuwachsen, Juden, die im vollen Besitze der geistigen Waffen sind, groß geworden inmitten der Bürgerei und eingeweiht in alle Schliche bürgerlicher Apparate – Rechtsprechung, Wissenschaften, Parlamente, Regierungen! Und weiter stelle man sich vor, was in dieser bürgerlichen Welt vorgehn mag, wenn, durch vorübergehenden Sieg der Arbeiter, ihre jüdischen Führer aus den Tagen des erfolglosen Kampfes, den Jahrzehnten erfolglosen Kampfes, plötzlich zur Macht, zur Regierung, zur vollen Sichtbarkeit repräsentativer Personen kommen! Dann verliert der affekttolle Bürger und sein Mob, dann verliert vor allem seine Jugend den Kopf: und sie, die unentwegt zur Autorität gehalten hatte, deren Lebensideal sich oberhalb der Rücken arbeitender Millionen vollzog, springt auf und überschlägt sich vor Wut, weil ihr die aspirierten Plätze weggenommen sind – von wem? von Arbeitern und Juden. Daß dieses Rache heischt, wird jeder einsehen, auch wer sich sonst auf Herren-Seelen nicht sonderlich versteht. Daß aber in westlichen Ländern dergleichen nicht vorkommt, weil sich, wie auch in angelsächsischen, überall gewissenswache Jugend ihrer niedergehaltenen Volksgenossen und Mitmenschen annimmt, nicht nur in folgenlosen Theaterstücken, sondern mit der Tat und dem Einsatz des ganzen Wesens, bürgerliche Jugend des Machtvolkes selbst, keine Juden – und weil das Schulwesen jener Staaten den Lernenden ohne abgestempelten Staatsschulenweg unendlich besser stellt, als er im deutschen Schulbetrieb wegkommt, wo der sich selbst unterrichtende Arbeiter fast nie zur Universität gelangt – das gehört mit zu den kulturellen Unterlegenheiten all jener Anderen, von denen Sombart meinte, daß sie die Deutschen nichts lehren könnten – vor dem Verlust des Krieges.

Aber, nur die Fakta ansehend, haben wir hier in der Lage und im Sein der Juden und Deutschlands einen objektiven Anlaß für Antisemitismus; und zwar einen mit besonderer Charakterfarbe. Es sieht fast so aus, als trete er hier mit schicksalhafter Notwendigkeit auf: als müsse überall, wo eine Gruppe selbstbewußt lebt und einer andern Gruppe Führer liefert, und gar Führer der Neuerung, der Differenzaffekt des Machtvolks wach werden und je nach Volkscharakter und Sachlage, gereizt und grollend oder wild und rasend sich äußern. Dann hilft es jener ersten Gruppe gar nichts, daß sie laut und dauernd von diesen ihr irgendwie zugehörigen Individuen abrückt: die gemeinschaftsgründende Gleichheit mit ihnen – hier Blut, Geist, Jugendmilieu, Vergangenheit –

kann sie durch keinerlei Protest aufheben, und gerade auf dieses Element stürzt sich der geweckte Affekt. Mit der Erkenntnis dieses Sachverhalts betreten wir eine neue Ebene des Gegenstands: neue Blickarten tun not und neue Kategorien.

5.

Alle Diskussionen zwischen Völkern wurden bisher unter der Fragestellung nach Art und Wert ihres Seins geführt. Stillschweigend setzte man voraus, daß man imstande sei, über dieses »Wie sein« eines Volkes gültige Antworten zu geben, das Relief seiner Werte adäquat oder in Graden von Adäquation zu erfassen, d. h. zentrale von peripheren Eigenschaften zu trennen, in objektiv eingestelltem Schauen die Werthaltigkeiten dieser Eigenschaften wahrzunehmen und zu ordnen, und dann synthetisch eine einheitliche und repräsentative Gestalt dieses oder aller Völker aufzurichten, und zwar so gültig, daß sie auch dem so dargestellten Volke, besäße es nur Selbsterkenntnis genug, überzeugend einleuchten müßte. Daß dieses Unternehmen die Kräfte theoretischer Erkenntnis des heutigen Menschen, möglicherweise des Menschen überhaupt, überschreitet, ist uns nach den Erfahrungen des Krieges gewiß. »Beurteile keinen Menschen, eh du in seiner Lage gewesen« – dieser Grundsatz unseres Lehrers Hillel, in welchem schließlich auch das »Richtet nicht, auf daß ihr nicht gerichtet werdet« mitklingt, gilt schon für das Individuum – um wieviel eher für jene riesig ausgebreiteten und vielfältig geordneten Individuen, als die wir Völker sehen müssen. Es bedarf eines über-menschlichen, über-irdischen Auges, um sie gerecht und angemessen in der Sphäre der Wahrheit wahrzunehmen, wie es eines großen dichterischen Blickes bedarf, jenes aus übergewöhnlichem Reich her fassenden und umfangenden Schauens, um einzelne Menschen und gar repräsentative Gestalten zu sehen. Wie der Dichter sieht, indem er formt, erkennt der göttliche Schöpfer der Völker, indem er sie sein läßt; beide legen schweigend die Werte dar, in denen das Leben der Geschöpfe sich auswirkt. Aber der Unterschied zwischen dem Kunstwerk und dem Lebendigen ist ja, daß jenes eben kein Organismus und auch kein Mechanismus ist, sondern ein Sein für sich, so daß wir die Gestalten des Dichters – dies verdanken wir ihrem nichtorganischen Anteil – analysierend erkennen können, während jeder einzige lebendige Mensch der Wert-Analyse spottet, oder nur durch die Schau seiner Taten und Werke offenbart, was er ist. Und wenn es überhaupt keine adäquate Darstellung z. B. Napoleons gibt, sondern jeder, der über ihn schrieb, einen privaten Napoleon darstellte – wogegen Goethe, der vermutlich den ganzen Napoleon gesehen hatte, zeitlebens seinen Eindruck verschwieg – so gibt es noch weniger ein volles Erkenntnisbild irgendeines Volkes in menschlichen Augen. Die Geschichte der Vorstellungen von dem Sein und Wesen der Griechen sollte endlich geschrieben werden, sie wäre unendlich lehrreich und über die Grenzen unseres Schauens unterrichtend – und hier haben wir ein begrenztes, zeitlich beendetes Volk als Gegenstand der verschiedensten Anschauungsbilder; ein lebendiges Volk aber ansehen wollen und sein Sein mit Worten abmessen: wohl dem, der sich das zutraut!

Wir haben bereits gesagt, daß wir in dem Differenzaffekt von Volk zu Volk, im nationalistischen Affekt einen der notwendig verzerrenden Faktoren sehen, der solche Erkenntnis fremden Seins vereitelt, abgesehen schon von der Begrenztheit menschlichen Blicks überhaupt; wie nun aber, wenn das eigene Sein eines Volkes zum Gegenstande solcher Schau wird? Gesetzt selbst, daß hier das positive Gegenspiel zu jenem Affekt, die Zentralität, welche jedes Volk in seinem Weltbild sich gibt, ausgelöscht wird durch die leidenschaftliche Forderung des Erkennenden, die er ihm zuruft: das, was ihm an Möglichem gesetzt ist, auch wirklich zu sein, sein empirisches zu seinem metaphysischen Wesen emporzusteigern und zu läutern – auch hier ist die Frage: Volk, wie bist du als Ganzes? unstellbar; sie wird stets nur im Sinne des: »Volk, wie sehe ich dich in diesem Augenblick?« ausgesprochen werden können und mit der vollen Wucht rasender und klagender Anklage gegen ein Sein geschleudert werden, das, unbeweglich und im ganzen unerkannt, bestenfalls sich, vor der Wahrheit dieser Leidenschaft, über seine eigene Gebrechlichkeit beugt, um

in Selbsterforschung und Selbsterkenntnis die unendliche Arbeit
des Formens und Bildens an sich selbst aufzunehmen und sein
Bild von sich an seinem göttlichen Ur- und Zielbild zu messen –
durchwühlt von den Erdbeben der Umkehr sich auf den ewigen
Weg zu machen.

Aber so dringlich diese Aufgabe nach einem Sachwalter und
Diener ruft, der z. B. dem Judenvolke endlich einmal sein Bild
zeigt: hier ist keinesfalls der Ort ihrer Lösung. Wir haben es ja
nicht mit dem Juden zu tun, sondern mit dem Gegenstande des
jetzigen deutschen Antisemitismus, der deutschen Judenheit –
einem völlig zerklüfteten, nur mit Fasern noch zusammenhän-
genden Gebilde ohne Einheit der Struktur, ohne festen Umriß,
ohne Einheit des Bewußtseins zuguterletzt. Und wenn schon
für ein Volk die Frage: »Wie bin ich?« keine wahrhafte Antwort
zuläßt, und sie vielmehr nur verzweifelnd und demütig an »Gott«
gerichtet werden kann: »Herr, sage du mir, wie ich bin, denn ich
weiß es nicht und sehe meinen Weg nicht mehr« – so ist sie für
dies Gebilde von vornherein unstellbar. Nur noch vage verbunden durch gemeinsame Abstammung – in welcher für die meisten keine Verpflichtung mehr erkenntlich ist –, kaum noch einig
in einer religiösen Formel – die mit dem allgemeinen und gut-
zuheißenden Verfall dessen, was man in dieser Zeit »Religion«
nennt, für die allermeisten von ihnen ein verlegener oder einfach
vergessener Aberglauben wurde – ohne ein anderes Ziel, als so
weit wie möglich im Deutschtum aufzugehen, dafür aber gespalten in alle deutschen Parteien, soweit sie nicht ausdrücklich
christliche sind, und mit voller Schärfe die Gegensatzgefühle
mitempfindend, die in Deutschland von Partei zu Partei, von
Weltanschauung zu Weltanschauung sich stemmen, kulturell auf-
geteilt in alle Lager des Geschmacks und vereinigt nicht einmal
vor der fremden Feindschaft gegen jüdisches Sein, wohl aber
voller Ablehnung gegen jenen Teil von sich, der das nationale
Judentum in Deutschland darstellt, und in beträchtlicher Anzahl
bereit, das Ostjudenvolk preiszugeben und es dem Antisemitismus zu denunzieren, damit man selber relativ verschont bleibe:
was soll für diesen unseligen Klumpen von Zellen Einheitliches
gefragt und gesagt werden? Und dann, vom Standpunkt des Ein-

zelnen unter ihnen, des typischen Deutschjuden, die Dinge betrachtet: was kann irgend gegen sie vorgebracht werden – sobald
man die kapitalistische Form des Gegeneinanderlebens und die
Entartung der menschlich-göttlichen Welt zur bürgerlichen Gesellschaft erst einmal als europäische Gegebenheit hinnimmt?
Denn hier wird doch nicht der neid- und wutblinden Machtgier
»national-sozialistischer« Rohheit das Wort geredet, deren Plakate (in München) für ein kulturhistorisches Museum gesammelt werden müßten; hier wird doch die Wirklichkeit gesucht!
Und die Wirklichkeit ist, daß selbstverständlich auch auf dem
Spezialgebiet der wirtschaftlichen Kriminalität der Anteil der
Juden weit geringer ist als die Zahl der nichtjüdischen Wirt-
schaftsverbrecher, bestrafbarer wie ungreifbarer, ja weit geringer
als er ihnen, prozentual zur Bevölkerung des Deutschen Reiches
und der allgemeinen Kriminalität gerechnet, zuständе, da ja jedes Volk heute ein Anrecht auf Verbrechertum haben dürfte,
unwidersprochen im Kriege, warum also nicht im sogenannten
Frieden? Legt man die Frage: »Wie bist du?« heute dem durchschnittlichen Juden vor, so darf er, vor seinem individuellen
Bewußtsein, ruhig sich das Zeugnis persönlicher Anständigkeit
geben, nach dem Maße dessen, was heute in Deutschland ein
anständiger Mensch ist, und er darf sogar ein Plus für sich beanspruchen, weil er einen eingeborenen Widerwillen gegen jede
Form des Tötens hat und Armen gegenüber, dem Bedürftigen,
der ihn angeht, wesentlich williger zur Hilfe ist als irgendeine
andere Schicht von Bürgern oder heutigen Menschen. Fragt man
ihn aber: »Wie bist du, national gesprochen?« so antwortet er,
wieder mit allem Recht, er sei ein loyaler Staatsbürger nach dem
Maße dessen, was heute so genannt wird, und empört sich gegen
die antisemitische Tyrannei, gründet einen schwächlichen Ab-
wehrverein oder wendet sich als »vom Antisemitismus nicht betroffen«, verdrängend und ressentimental ab, um eines Tages, selbst
voller antisemitischer Affekte, sich gegen das deutsche Judentum
nicht, sondern gegen den jüdischen Geist zu werfen und Sperrgesetze gegen die Ostjuden zu verlangen.

6.

So also fragend kommt man nicht zu greifbarem und klarem Ergebnis, weil diese Fragestellung selbst dem Problem ebensowenig adäquat ist wie etwa eine, die Minerale nach ihrem Geruch klassifizieren wollte. Die Frage nun, auf die uns eine Antwort werden muß, heißt: wie beschaffen ist das Leben der deutschen Juden, nach den Werten beurteilt, die Leben als solches trägt? Ist es aufsteigend, beharrend, oder untergehend? Harmonisch oder dissonierend? In gerader Linie verlaufend oder von Konflikten gekreuzt? Und, an den besten Trägern dieses Lebens geprüft, siegreich oder tragisch? Und mit völliger Klarheit ergibt sich jetzt die Antwort: niedergehend, dissonant, konfliktvoll und tragisch: niedergehend als Teil des jüdischen Volkes, dissonant zum Machtvolk, konfliktvoll im Verhältnis zur Öffentlichkeit und voll tiefer Tragik für die edelsten und wertvollsten Individuen, sofern sie innerhalb der deutschen Kultur und als Teil des deutschen Volkes ihren Ort sehen. Diese Tragik und Schwere wird vom Antisemitismus nicht ausschließlich geschaffen, aber durch ihn sehr ersichtlich; sie braucht das Lebensgefühl des Einzelnen nicht zu belasten, ja seinem Selbstbewußtsein durchaus nicht offenbar zu sein, und sie gilt heut vornehmlich aus der Perspektive der jüdischen Verbundenheit gesehen.

Dies aber ist unser Ort, auf dem wir stehen. Das Judenvolk kann und wird auf diesen seinen Teil nicht Verzicht leisten. Es weiß am besten, welche Fülle von Werten in diesem Konglomerat von Familien, Gemeinden, Parteien und Individuen verkörpert ist; es sieht vor allem den Weg, um aus den Konflikten herauszuführen, Dissonanzen aufzulösen und die Tragik durch Einheit zu überwinden. Gerade weil das Leben des Menschen, gestellt zwischen sein göttliches Gesetz und seinen tierischen Ursprung, an unvermeidlichen Konflikten reich und von tiefer und ewiger Tragik durchzogen ist, gerade weil der Mensch selbst Dissonanz ist und sein Leben kaum lang genug für die Aufgabe ihrer harmonisierenden Auflösung, sollen nicht immer mehr Verflechtungen und Wirrnisse hineingeballt werden, ohne daß irgend wer am Werke der Sonderung ist. Mit der Leidenschaft des zeugenden Lebens selbst bewegen die Völker, beschattet bald und bald besonnt, sich auf ihren ins Ungeformte hineingetriebenen Bahnen, jedes in jedem Augenblick auf dem Wege zu seiner Zukunft und daher von letzter Verantwortlichkeit gespannt: und der Jude, national verletzlicher und allem Schaden ausgesetzter als jede andere auf der Erde, sollte widerstandslos eine Gruppe seines Blutes hinabgehn und sich auflösen sehn? Über jedes Abwehrgefühl und die tiefe Gleichgültigkeit der deutschen Juden hinweg werden wir ihre Sache wahrnehmen: denn es ist ihre Sache, seelisch reicher zu werden, stärker, widerstandsfähiger und einheitlicher endlich, und aus dem Verwerflichsten herauszutreten, das es für Lebewesen gibt: aus der lethargischen Indifferenz und Herzensträgheit gegen ihr eigenes Wesen und Heil.

7.

Wir erwägen hier nicht, ob im Juden selber, im reinen totalen Juden, der den Imperativ seiner Sittlichkeit ins Menschenleben hineinformt, vielleicht auch ein tragisches Element liege. Hier vielmehr sehen wir auf das Phänomen, das sich enthüllt, je reiner, edler und intensiver das Wirken, und somit das Wesen, eines deutschen Juden aufbauwillensvoll sich auf deutsche Wertsphären, deutsches Sein, deutsche Welt richtet; wenn geistige Leidenschaft, Tatwille, Opfermut und schaffende Kraft eines Juden sich hingibt an die Gestaltung eines Volkstums, das vor ihm zurückweicht, sich verschließt und abwendet, ja das eben die Gebiete des eigenen Seins als diskreditiert und entwertet empfindet, und gar direkt proportional dem jüdischen Anteil an ihnen, denen der Jude seine Liebe und seine Wirkung zuträgt. Da wir von Person und Wert sprechen, geben wir die Sphäre des Geschehens als geistige an, obwohl es sich selbstverständlich mitten im realen Leben abspielt, und wir erläutern, was wir meinen, an drei Beispielen, die für alle anderen stehen mögen – typischen, nicht individuellen. Es kann kein Einwand gegen das zu Sagende aus der möglichen Vergänglichkeit des Erscheinens solcher Tragik geholt werden; sie kann zu Zeiten, wie der heutigen, sehr sichtbar, zu anderen wieder sehr verschleiert oder selbst unsichtbar werden: sie, die Tragik dieses Widerspruchs selbst, wird dadurch in ihrer Existenz nicht angegriffen, wofern nur die beteiligten Werte und Wesen selbst dieser Vergänglichkeit nicht unterliegen. Ja, selbst dann wäre gegen die Tragik der gegenwärtig sichtbaren Situation nichts ausgesagt, wofern Tragik dort erscheint, wo hohe positive Werte gegeneinanderwirkend sich mit Notwendigkeit und aus strengem Rechte vernichten.

Schon im demokratischen Deutschjuden zeigt sich eine schwache Spur dieser Tragik. Er, dessen innigste Sehnsucht ein dienendes Aufgehn im Deutschtum ist, und der mit hingebender Liebe an Glück und Größe seines Vaterlandes hängt, dessen Zukunft ihm gebunden erscheint an das befreiende, alle politischen Kräfte ins Spiel bringende Erwecken des demokratischen Gefühls im Deutschen; er, dessen Überzeugung sich ein Gemeinwesen ersehnt, in dem das ganze Volk mit Einsicht und Sachlichkeit seine öffentlichen Angelegenheiten selbst besorgt, ungegängelt vom Übergewicht irgendeiner bevorrechteten oder übermächtigen Klasse, sei's die des Grundbesitzes oder die der Fabrikation, und der, dank historischer Gegebenheiten, das demokratische und liberale Ideal lange Zeit der Opposition hindurch mit anderen deutschen Schichten getragen hat, sieht jetzt, wo es siegte und die Zeit des positiven und schaffenden Wirkens anbrach, sich vor einer schmerzlichen Wahl. Entweder setzt er weiter seine Kräfte an der wirksamsten Stelle ein, das heißt, er übernimmt einige von den Regierungsstellen, die seine Partei zu besetzen hat, und in denen er endlich frei wirkend zu tun imstande ist, was er bislang nur durch Kritik des Alten oder im Parteidienst anstrebte; übernimmt sie, weil er den Mangel an fähigen Köpfen kennt, den engen Kreis, den das Neue bis auf weiteres im Lande des einstigen Scheinparlaments zur Wahl seiner Träger und Leiter hat; dann muß er erfahren, daß er die Regierung und die Idee, die er stärken will, de facto schwächt, weil er den Differenzaffekt gegen sie entfesselt, sie als »Judenregierung« dem Lande denunzieren hört von einer feindlichen Partei, welche ebenso genau wie er selbst weiß, daß zurzeit die Regierung sich auch der Juden bedienen muß, will sie mit wirklich Fähigen ihre Ämter besetzen. Denn dank des Systems vergangener Jahrhunderte haben die Fähigkeit zu Befehl und geistiger Leitung öffentlich politischer Angelegenheiten unter Nichtjuden vor allem diejenigen Kreise, die das alte Regime darstellten, erworben, die jetzt in Opposition gedrängt die Rückkehr des Alten anstreben und die nicht zögern, die neue Reichsflagge als »Judenfahne« gerade demjenigen Instrument des Staates zu denunzieren, das sie schützen und ehren sollte, dem neu-alten Heere. Oder aber verzichtet er in Erkenntnis dieser Zusammenhänge auf einen Platz, der ihm nach seinen Fähigkeiten und der demokratischen Idee gebührte: dann legt sich sein Judentum, eine ihm unwesentliche und jedenfalls ganz private Angelegenheit, wie früher, als sei alles beim Alten, lähmend und kränkend über ihn: ja schlimmer als früher wird ihm weder der Akt der Taufe noch erst recht der schwächere des Austritts ein Ausweg aus dem Zwiespalt.

Man wird zu fühlen wissen, wieviel Schmerz und innere Verbitterung hier über vornehme und tatwillige Menschen gebracht wird, obwohl man erkennt, daß in dem Widerspiel von Stärken- und Helfenwollen mit beträchtlicher Gefährdung der Position des demokratischen Gedankens durch die Juden die tragische Spur nur schwach durchfärbt; besonders wenn man genau weiß, wie unbedingt zur Rettung des deutschen Gemeinwesens und zu seinem Aufbau dieser Gedanke und seine Einprägung ins deutsche Wesen gehört, den gegen das autokratische Preußentum alle großen Führer der Deutschen von Klopstock, Wieland, Schiller, Herder und Jean Paul bis zu den Göttinger Sieben, Uhland, Virchow, Konstantin Frantz, Mommsen, Eugen Richter auch die Juden Jacoby, Bamberger, Lasker, Rathenau und Nathan vertreten haben.

8.

Mächtiger schon, aber noch immer mehr im privaten Leben und in spiritueller Sphäre manifestiert sich der tragische Zug im geistigen Radikalen, im Juden, der sich in den Dienst einer neuen geistigen Strömung innerhalb der deutschen Kultur stellt, sei sie Pazifismus, Schulgemeinde, Aktivismus oder Durchsetzung eines

Künstlers und seines Weltbildes (George) oder eines expressionistischen Stils. Jedes wirklich neue Prinzip trifft das Bestehende mit der Wucht einer Umwälzung und hat daher alle beharrenden Tendenzen im Volke, in allen Völkern, gegen sich. Volk ist stets konservativ, schon weil es zum Assimilieren geistiger Strömungen eine im Grunde endlose Zeit braucht und gerade dann anfängt, sich an einen Zustand zu gewöhnen, wenn die Idee, die ihn schuf, veraltet, d. h. eben gewohnt geworden ist, und die geistig Vorangehenden bereits ein Neues gesichtet haben, das, so vollzieht sich Wachstum gewissermaßen pendelnd, Ergänzung und Gegenteil des schon Alternden ist. Jedes Neue wird dem Beharrungswillen der Völker aufgezwungen und abgetrotzt; und hat das Behagen im endlich ergriffenen Zustand dem Volke sein gleichgewichtiges Lebensgefühl gegeben, jene gesunde Philistrosität, ohne die Kultur niemals Angelegenheit der Massen würde, so sieht es sich schon wieder vor die Arbeit der gedanklichen Umschichtung aller Begriffe gestellt, die seine Existenz, sein Bleibenwollen schroff angreift – um so schroffer, je bedeutender das Neue ist. (Beispiel: Beethovens langsame Aufnahme im deutschen Geist: die Missa solemnis, 1823 beendet, zuerst in St. Petersburg 1824, in Warnsdorf 1830 und in London ohne Folgen für Deutschland aufgeführt, erlebt 1844 ihre deutsche Uraufführung in Köln und verbreitet sich erst nach 1860 schneller.) Geborener Parteigänger des Neuen kraft seiner beweglicheren und zugleich geistig älteren und geschulteren Phantasie, auch erwachsen in der bewillkommnenden Haltung zu neueren Zeiten, die ihn befreien sollen, und ohne Anteil am »guten Alten«, am Ende aber einfach wertempfindlicher dem Unerprobten gegenüber, und, nicht zu vergessen, gegen das Zuständliche des eigenen jüdischen Milieus in rebellischem Widerspruch, ist es der Jude, der allen neuen Bewegungen in Deutschland vom Augenblicke seiner Assimilation an zu raschem Siege verholfen hat, als Publikum, Verleger, Kritiker, Künstler. Die Sache nun, für die Juden als erste eintreten, ist als »jüdische Sache« gestempelt und entwertet. Dies besorgt der Differenzaffekt aller Modi in kürzester Zeit. Und nun, selbst wenn das ungelehrige, stets vor Neuem schimpfende und lachende Massenpublikum einer neuen Bewegung, neuem Künstler von Rang oder einem Philosophen fremd, träg und spöttisch gegenüberstände auch ohne diesen Stempel, ein Publikum, auf das der große Künstler anfangs stets verzichten muß und auf das er auch verzichtet: zum Publikum in diesem Sinne gehören auch die Lehrer der höheren und Hochschulen, die oft auch Zeitungsschreiber sind. Die unnationale Kunst, Wedekind etwa oder der »Jude« Stefan George, wird einem Schülerjahrgang nach dem anderen in einen gehässig entstellten Popanz verwandelt vorgeführt; die Urteile der Schüler, unreif und schwankend im schwer zu gebrauchenden Kunst-Urteilsvermögen, werden verzerrt, ihre Instinkte künstlich abgelenkt und verwirrt; Zeitschriften, die man ihnen nahebringt, bestätigen und »vertiefen« die Schulweisheit, »Literaturgeschichten« (Bartels, Koch, Geißler!) befestigen sie vor der »Wissenschaft«, und damit der Negation die Position nicht fehle, werden »Moderne« der Jugend als deutsche Genien dargebracht, deren Verwaschenheit und inneres Phlegma, deren hochtrabende und formlose, zugleich naive und schwindelhafte Idealität, Heimatkunst oder sonstige Deutschheit dem Wesen jeder Jugend genau entgegengesetzt ist, und dazu verhilft, sie zu verbürgern. Dadurch erst entstand die alberne und verderbliche Spaltung in »Literatenliteratur« und »gesunde deutsche Dichtung«. Es gibt gar kein Ästhetentum in der neueren Literatur hierzulande, keine »krankhafte« und Caféhausliteratur, soweit die großen Talente in Frage kommen; es gibt nur ein künstlich durch den Differenzaffekt und seine Scheidungen verdummtes Volk auf der einen und die lebendige Literatur und Dichtung auf der anderen Seite, die oft von Juden zuerst erkannt und geliebt wird. Von den jüdischen Künstlern ganz zu schweigen: wer außer Hauptmann und Stehr ist nicht als »Ästhet« gestempelt worden? George ein Ästhet! Wedekind ein Kloakendichter! die beiden Mann Literaten des Treibhauses – aber man kann all den Unsinn nur andeuten. Eine gefährliche, das Volk selbst tief schädigende Wirkung aber hat das Geschwätz, das sich so durch Jahrzehnte hinschleppt: die wirkliche humanisierende Wirkung der Dichtungen und der Dichter, ihre seelenbildende Gewalt, der eigentlichste Sinn ihrer Sendung wird dadurch vereitelt oder um Jahrzehnte verzögert, eine genießende

Einstellung zur Kunst ist die Folge bei denen, die überhaupt nicht mehr lernen, worauf die Dichtung eigentlich abzielt, ja selbst ganze ältere Dichtungs- und Dichtergenerationen werden in dieser falschen Haltung aufgenommen; und die mitlebenden Künstler werden, verzweifelnd an der Tragweite ihrer Stimmen, leicht zu einem bösen Forte des Tons, zu vergröbernder Zeichnung und Färbung ihrer Werke verleitet, wenn sie gern ein Volk anredeten und immer nur ihr Publikum um sich erblicken.

Diese Wirkung des Differenzaffekts – und nur ihm fällt diese Steigerung der Widerstände zur Last, seiner verengenden, mit Neid und Spottlust niederster Art parallel arbeitenden Schäbigkeit – gibt der Hingabe des Juden an neue deutsche Geisteswerte ihren tragischen Zug. Denn indem er liebt, verkündet und wirbt, lähmt er die breitere Wirkung dessen, wofür er sich einsetzt. Je mehr er sich selbst verleugnet, je tiefer entzündet und hingegeben an die Größe, Weite und Mission seines Heros er sich verschwendet, je inniger in deutsches Schöpfertum er sich vertieft und je selbstvergessener er die Nachfolge seines Ideals verlangt, um so boshafter verzerrt sich die heroische oder liebenswerte, bahnbrechende oder lebenzwingende Gestalt, der er dient, vor den Augen des verführten und belogenen Volkes. Damit tritt in seine Wirksamkeit selbst der Zug der Vergeblichkeit, des vertanen Opferns und der umsonst vom eigenen Volkstum sich abwendenden Bahn. Denn es mag sein, daß heute gelegentlich ein schlechter Typ Jude in gute deutsche Dinge pfuscht: weit häufiger aber geht auf diesem Wege der Sachhingabe und Selbstaufhebung der edle und reine, in deutscher Umwelt erwachsene Jude, den so vergeblich sich verschwenden wir anderen nur mit Trauer sehen können, und der, mit allem persönlichen Recht als Sachwalter bester deutscher Werte auftretend, der Anlaß dauernderer Lähmung wird als nötig und natürlich.

9.

Aber ganz deutlich und bis zur persönlichen Katastrophe wirkt dieser tragische Zug sich in dem dritten Beispiel aus, an das wir rührten: im deutsch-jüdischen Sozialisten. Seinem Wesen als

Klassenbewegung nach ist der geltende Sozialismus international, er greift quer durch die senkrecht geteilten Nationen hin.
Dieser Charakter der Bewegung nun verpflichtet und berechtigt
den Juden, an jeder beliebigen Stelle, an der durch Geburt und
Neigung er sich findet, für sie zu wirken; für den strengen Sozialisten gilt die Scheidung der Grenzen nicht, deren geistigen
Charakter zu unterschätzen er erzogen worden ist. Der Sozialismus wie jede ähnliche Bewegung ist seinem Geiste nach radikal
und extrem; er hat ein Ziel, das nicht etwa seine äußerste Möglichkeit bezeichnet, sondern sein wahres Wesen angibt: vollständige Vergesellschaftung der Produktion. Und ferner verlangt er,
daß der ganze Mensch, der ihn bekennt, sich ihm zu Diensten
halte, und zu tatbereitem Dienst; nicht Gesinnung, sondern Ausprägung der Gesinnung in der Wirklichkeit des Lebens ist das
Amt des Sozialisten. Beides, die Tatbereitschaft und die Radikalität, beflügelt von der urjüdischen Losung gerechten Lebens auf
der Erde, bringt der Jude dem Sozialismus entgegen, nicht Amal-
gam sondern chemische Verbindung gehen die beiden Elemente
im Juden ein. Weiterhin gibt es überall in den deutschen Massen
des Proletariats Gruppen und Schichten, deren eigene Radikalität, aus alten Quellen des Volkstums fließend, wie sie seit den
Bauernkriegen sich bewahrten, der jüdischen entgegenkommt
(Schwaben, Bayern), andere, wie Sachsen, Berlin oder Hamburg
radikalisiert die Not und der Luxus hochkapitalistischer Großstädte. Dies sind Kräfte, die einheitlich und gleichgerichtet vorwärts streben. Gegen sie aber bewegen sich ebenso daseiend und
zähflüssig die Tendenzen der Wirklichkeit. Völker sind untereinander verschieden, auch ihre Proletariate, vor allem im Tempo
der bewegten Massen. Dieses ist in Deutschland langsam, zögernd, von einem Zustand in den anderen gleitend; um so mehr,
als die wirtschaftlichen Kräfte in der Struktur des Bürgertums,
ihr energischer Drang zur Beständigkeit, und die noch lebenden
Reste patriarchalischen Fühlens das Lento dieses Tempos noch
unterstreichen. Aus nationaler Substanz wächst jenes Ideal von
Kleinbürgertum im deutschen Arbeiter, das als Ziel sozialistischer Entwicklung von ihm gehegt und gesucht wird, wie als
Resultante der beiden divergenten Kräfte »sozialistische revolu-

tionäre Idee« und »nationale Wirklichkeit« der evolutionistische
Sozialismus deutscher Prägung sich herausstellte. In den festen
Zuständen des alten Staates konnte dies Paradox ein Dasein führen, einheitlich dem Anschein nach und mit der Fassade einer
macht- und zielsicher wollenden Partei der großen Internationale. Aber nur, solange es sich um Tat und Verwirklichung nicht
handeln konnte. Der Augenblick, der beide verlangt, die Revolution (nachdem der Kriegsausbruch im Übermaß des nationalen Differenzaffekts verpaßt war), bringt den Bruch und die
Katastrophe. Als Führer einer deutschen sehr kleinen Minderheit zeigen sich jüdische Sozialisten voll Liebe zum deutschen
Proletariat, ja zum deutschen Volke und seiner Zukunft, in der
sicheren, von dieser Liebe wie von ihrer Hingabe an die Idee ge-
tragenen Erkenntnis, daß nur Ganzheit, wirkliche Neugeburt,
radikaler Bruch mit dem ins Verhängnis getaumelten Alten diese
gute Zukunft bestimmen, ja retten und überhaupt erst ermöglichen könne, unbedingt willens, diesen Bruch zu vollziehen und
den Rest der Gegenwart, vor allem aber die Verbindung mit der
alten deutschen Existenz dafür aufzugeben. Die Spannweite ihres Willens, ihr Vertrauen in die bauende Kraft und die Einsicht
des Volkes führen sie, und führen sie in den Irrtum. Denn in den
müden Massen ist der Drang zur Sicherung des Gegenwärtigen,
der Glaube an die gleitende Entwicklung, die Liebe zur nationalen Existenz, der Wunsch nach möglichst bewahrendem Vorgehn noch im Zusammenbruch das beherrschende Gefühl. Die
Liebe zur Heimat wie sie war, abgesehen von der als schuldig gekennzeichneten Regierungsform, der Hang ihrer Führer, soweit
als möglich Gewaltsamkeiten, überstürzende Maßregeln zu vermeiden, Furcht vor dem ungewissen Ausgang von Experimenten
im gefährlichsten Augenblick lähmen jeden Versuch, die Einheitlichkeit der Bewegung zu vollziehen. Da drängt die Erkenntnis
von der nur einmaligen und notwendig transitorischen Gunst
des Augenblicks die Radikalen und ihre Gruppen zum Versuch,
vollendete Tatsachen zu schaffen, die Revolution zu retten, indem man sie weitertreibt; aber es ist schon zu spät. Das Bündnis
der nationalen Sozialdemokratie mit dem Bürgertum trägt seine
praktische Frucht. Um die Zukunft des Volkes zu sichern, haben

jene ihre Energie gespannt und vorwärts geworfen; um mittels der Gegenwart die Zukunft des Volkes zu retten, werfen diese ihre Energie rückwärts. Sie sind im Bunde mit dem Bestehenden die Stärkeren, aber ganz ohnmächtig vor ihrem Werkzeug, der bewaffneten Macht, welche die Ordnung wieder herstellt, indem sich zum sozialen der antisemitische Differenzaffekt hemmungslos gesellt. Außer Liebknecht (der überall im Heere für einen Juden galt, selbstverständlich): Rosa Luxemburg, Eisner, Leviné, Hugo Haase, vor allem der innerlich schon ganz von der gegenwärtigen Revolution abgelöste Landauer fallen nacheinander – alles Juden und dem Volke, das sie tötet, leidenschaftlich ergeben; auf deutschen Schlachtfeldern und vor deutschen Standgerichten fallen Scharen von Arbeitern, die Gefängnisse füllen sich mit den entschlossensten der Überlebenden, und eine deutsche Gegenwart kann aus den Rechtsfolgen sich entwickeln, die den überlebenden Genossen beweisen, daß die Radikalen und die nun Toten die besseren Realpolitiker waren. Aber diese Erkenntnis kann der Differenzaffekt, der heute herrscht, alle Schuld den Juden beimessend, verdecken, vielleicht auf lange Jahrzehnte hin. Und da der plastische Moment, die einmalige und notwendig transitorische Gunst des Augenblicks, ohne Frucht verstrichen ist, bleibt das Feld der »Entwicklung« offen, in deren Spiel und Gegenspiel weiterhin deutsch-jüdische Sozialisten ihre tragische Tat vollziehen werden, während die jüdischen Massen im Osten grauenvoll dezimiert und ohne Führer sich langsam auflösen. Und indem wir die typischen Individuen deutsch-jüdischen Schicksals verlassen und uns dem Problem der Gesamtheit wieder zuwenden, leugnen wir nicht den bitteren Geschmack, der uns im Munde zurückbleibt.

10.

Ein summarischer Blick auf das deutsche Judentum wird hier unerläßlich: nach der Intensität des Jüdischseins und Jüdischfühlens müssen Kern, Grenz- und Zerstäubungszonen voneinander geschieden werden. Damit ist zugleich gesagt, daß in diese beiden äußeren Zonen etwas Nichtjüdisches eindringt, in der ersten das Jüdische balancierend, in der zweiten überwiegend. Nationale Juden werden dieses Element als Assimilation anprangern: falsch und vorschnell, wie sich zeigen wird. Assimiliert vielmehr an ihre jeweilige deutsche Umwelt ist das gesamte deutsche Judentum, sowohl in politischer Zielsetzung als auch in Wirtschaftsvorstellungen und kulturellen Zielen; assimiliert ist das Gesamtbewußtsein der deutschen Judenheit. Loyales deutsches Bürgertum ist die gemeinsame Voraussetzung fast Aller, auch jener Juden, die sich dem jüdischen Nationalgedanken für ergeben halten, oder es auch wirklich sind. Davon kann nichts abgestrichen werden. Kern, Grenze und Zerstäubungszone scheiden sich vielmehr nach der Intensität desjenigen bewußten Fühlens, das vom Gefühl deutschen Bürgertums übrig gelassen wird, es unterbauend oder von ihm instinktiv abgetrennt: nach Willen zur Verbundenheit mit dem jüdischen Schicksal in der Welt zeitlich rück- und vorwärts, nach dem Empfinden einer inneren, mehr oder weniger leidenschaftlich schwingenden Besorgnis und Mitverantwortung an der Fortdauer eines unklar, aber als innerste Angelegenheit bejahten Judentums – sei es nun Volk oder Religion benannt; und ferner nach dem unbewußten, die Basis des Lebensgefühls ausmachenden Spiel von Wertungen und Impulsen in innerjüdischen Angelegenheiten.

Danach bildet Kern und eigentliche Substanz des deutschen Judentums die kleine Gemeinde und das jüdische Kleinbürgertum der Großgemeinden. Hier zeigt es sich als Träger allen Bewahrens, von einer konservativen Hartnäckigkeit, die wir nicht genug preisen können, wenngleich sie sich am schärfsten gegen uns, die nationalbewußte und zionistische Minderheit, gerichtet fühlte oder noch fühlt. Aber mit der gleichen unbeweglichen Härte und Unverführbarkeit stemmt sie sich auch gegen den Zeitgeist, der Flucht in Verantwortungsfeigheit heißt, Atomisierung, Erledigung des Juden zugunsten der unterschiedslosen Vermischung. Nur zum kleineren Teil ist dieser Kern auch noch religiös traditionell im strengen Sinne; eine laxere Übung des Ritus hat hier weithin schon Platz: aber noch ist das verpflichtende Gefühl zum Judentum hin hier, vag aber deutlich, metaphysisch verwurzelt in einem Gott, dem zu vertrauen man nicht aufhört, und der die waltende Macht der Feiertage und Gottesdienste, Fasttage und Riten ist. Alles Neue im Judentum setzt sich hier in Erregung um, die Abwehr und Erörterung zum Zwecke der Abwehr ist. Kulturell lebt man ganz in der Ideen- und Wertewelt des umgebenden deutschen Bürgertums, die von liberalen Zeitungen und ihrem Feuilleton abhängt und auf dem Besten und Erprobtesten des deutschen Kulturguts beruht, ohne jedoch zeitgenössische Schöpfung, sofern sie nirgendwie aufreizend neu ist, von vornherein abzulehnen. Der Wunsch nach einer würdigen Unauffälligkeit ist oberstes Gesetz auch in jüdischen Dingen, doch bewahrt vor Selbstverleugnung und Feigheit ebensosehr das Gefühl der Berechtigtheit jüdischen Seins wie das Vertrauen in die gesetzlich zugesicherte Freiheit der Religionsübung. Hier ist der Abfall vom Judentum, aus welchem Grunde auch, noch Abscheu und Haßerregung; nur Heine wird er nicht angerechnet, dem man ihn mit Recht vergißt; und indem man in den Kindern diesen Abscheu wachzuhalten sucht, gibt man ihnen, neben allerhand ungeschickt betriebenem jüdischem Unterricht und der Innehaltung der Sabbate und Feste, alles was man an jüdischem Gehalte geben kann. In der Minorität der traditionstreuen Familien freilich gibt man ihnen weit mehr: eine größere Menge und Intensität religiöser Bräuche und Kenntnisse so fest als möglich eingeprägt; und in einer Minorität dieser Minderheit noch ein lebendiges und suchendes Verhältnis zum jüdisch-historisch erfaßten Gott von rührender und wundervoller Reinheit. Das alles aber, hier kraß und kahl aufgezählt, wird bewegt und umspült von der Atmosphäre der Familie, die, so stockig oft und schwer sie sein möge, doch Schimmer, Wärme, unvergeßliche Feierlichkeit und Verbundenheit mit diesem rätselvollen und unverstandenen Sein auf das ganze Dasein ausgießt, welches Leben des Juden in dieser Zeit darstellt, und dessen stärkste Bindung die frühe Einsicht der Kinder in die Last und Arbeit ausmacht, die die Eltern auf sich nehmen, um sie zu leichterem, edlerem und reichlicherem Dasein aufzuziehen.

11.

Die Kinder dieser Eltern geben die zweite Zone, die Grenze, in der noch Anhänglichkeit zu Juden und Judentum lebendig ist; selbstverständlich dies nur schematisch angeordnet. Die Eltern hatten noch gar keine Wahl: sie hätten nie verstanden, wie man zwischen Jüdischem und Allgemeinem wählen könne; ihre Stellung war gegeben, und sie empfanden keinen Unterschied. Die der Kinder ist es nicht mehr. Ihr Lebenskreis, die größere oder die Großstadt, vereinzelt sie schon; das freiere und reichlichere Leben, die weitere Offenheit für Zeitideale und Güter der allgemeinen Kultur führt ihnen so viele, als ungleich lebendiger, bereichernder, befeuernder empfangene Erlebnisse außerjüdischer Art zu, daß ihre Zugehörigkeit zum Judentum erblaßt und unmerklich schwindet. Darum kommt ihnen der Augenblick der Wahl. Ob sie noch Juden sein wollen, und wie sie es sein wollen, müssen sie vor sich entscheiden – und rational begründen. Das Instinktive hat keine Macht mehr; wohl aber wirken Atmosphäre des Elternhauses nach, Wille zur Verbundenheit mit ihm und, zum Gegenstand bewußter Analyse gemacht, mit dem undefiniert existierenden Träger dieses Jüdischen, das ihnen daraus entgegenschlägt. Sie definieren es: als Glaubensgemeinschaft, wenn ihnen ihre sonstige Identität mit dem deutschen (allgemeinen) Bürgertum entscheidend ist; als Rasse, wenn sie sich ihrer religiösen Indifferenz achselzuckend bewußt werden; als Volk, wenn das Irrationale und Tieflebendige dieses jüdischen Seins sie überkommt. Dann suchen sie Verbindung mit Gleichgesinnten; es entstehen Vereine und Zusammenschlüsse organisatorischer Art jenseits der alten Gemeinde, die ihre Verbindlichkeit für sie verloren hat. Innerhalb ihrer sättigen sie sich mit entsprechenden jüdischen Inhalten, die an die Stelle aufgegebener Formen treten; die Zionistische Organisation gewann hier einen Großteil ihrer Anhänger, die Logen U. O. B. B., der Zentralverein deutscher Staatsbürger und die Vereine für jüdische Geschichte und Literatur. Hier schon spielt die Wirksamkeit des Antisemitismus entscheidend in die Entschlüsse; ohne ihn sähen sich viele dieser Wählenden der Wahl enthoben; und die Kinder dieser Grenzzone werden von den Eltern nach Möglichkeit mit der Empfindung unaufgebbaren Judentums gesättigt, mittels Jugendbünden und modernen Unterrichts, die je nach der Zugehörigkeit der Eltern liberal oder national sind, die aber jedenfalls eine Art jüdischer Jugendatmosphäre zu schaffen suchen, in der das erwachsene Kind seinem inneren Antriebe gewisser folgen kann als den kulturellen Lockungen der Umwelt: sie sollen durch sie unschädlich gemacht werden, indem man ihre reibungslose Vereinbarkeit mit jüdischem Verbundenheitsgefühl suggeriert. Und da, wo Jugend mit Jugend lebt, ein freudiges Vertrauen in das Erlebte wach wird, da vor allem die Qualitäten der Großeltern in den Enkeln erfahrungsgemäß energischer als in ihren Eltern wirken, zeigt sich keine dieser Veranstaltungen so unfruchtbar wie man befürchten müßte.

12.

Jenseits dieser Grenzzone aber leben als Individuen, versprengt, national ohne Bewußtsein, die meisten deutschen Juden. Alle Großstädte sind ihrer voll, nichts verbindet sie miteinander als die Abstammung von intensiveren Juden als sie selbst sind, und die Scheu vor dem Schnitt zwischen sich und jenen. Ob Handlungsgehilfe, Reisender, Arzt, Großhändler oder Literat: dies, und ihre liberal-politische Grundhaltung – bei jenen mehr links, bei anderen mehr rechts orientiert – hält sie zusammen. Sie suchen ihresgleichen im Verkehr, es ergibt sich, daß sie meist mit Juden gleicher Art zusammenkommen, weil sie dort vor Antisemitismus sicher sind, den sie wie Zionismus als Attacke mit Ärger empfinden, folgenlos empfinden. Wie es in den vorher skizzierten Schichten moralisch verwerfliche Einzelne gibt, gibt es sie auch hier, hier aber in sichtbarerer Gestalt, weil sie ohne andere als individuelle Bindung leben müssen. Und ebenso gibt es unter ihnen eine erschütternde Fülle wertvollster Gestalten, deren persönliches Sein unantastbar ist, und die oft nur aus Mangel an jüdischen Gehalten und Werten ihrer Jugendumwelt in diese Vereinzelung gerieten; oft aus leidenschaftlicher selbstvergessener Begeisterung für deutsche Kultur und deutsche Werte sich aus dem jüdischen Zusammenhang lösten, oft auch in der Hingabe an über- und widernationale Ideenwelten (Wissenschaft, Sozialismus, Kunst) bewußt jede besondere und absondernde, ihrer Idee widersprechende Bindung durchschnitten. Aus ihren Reihen kommen die aus dem Judentum durch Austritt oder Taufe Ausscheidenden – und die Umkehrenden. Das Gros aber dieser Schicht ist der allgemeine irgendwie jüdisch genannte, überall sichtbare Großstädter, das heftigste Ziel des Antisemitismus. Und stets, wenn sie von ihm getroffen werden oder auch nur, wenn sie auf irgendwie anders begründete Hemmungen und Angriffe stoßen, empfinden sie sich als Opfer ihres Judentums. Jeder nichtige Schieber und Jobber ruft dann den Schutz und das Gemeingefühl einer Gemeinschaft an, von der er sich sonst durch die alles tötende radikale Gleichgültigkeit getrennt hat; und umgekehrt wird jede Verfehlung eines dieser Einzelnen oder die geschmacklosen Freuden ihrer ganzen Gesellschaft dem Judentum zur Last gelegt, das, und mit vollem Recht, dann für sie, schwächlich wie auch immer, aber dennoch zur Mensur antritt.

Mit Recht: denn so sehr wir den einzelnen, nachweislich korrupten, entarteten und gar verbrecherischen Juden der allgemeinen berechtigten Strafe und Verachtung preisgeben, er möge nun zu der Zone des Kerns, der Grenze oder des Zerfalls gehören, so sehr empfinden wir, daß das Auge, welches die Laster dieser Zerfallszone mit wilder Schärfe sieht, und der Mund, der das Gesehene laut ausschreit, unter demselben Diktat des Differenzaffekts handeln, der sich gegen die reinsten, erhabensten und fruchtbarsten Seiten und Auswirkungen unseres jüdischen Seins wendet. Eisner und Leviné, dem Judentum abgekehrt und gebunden in der, wie gegen alles Nationale, so auch ajüdisch wirkenden sozialistischen Welt, sind uns Märtyrer und teuerer Besitz, dem Antisemitismus aber noch leidenschaftlicheres Angriffsziel als irgendwelche jüdischen Schieber: sollte uns das nicht nachdenklich machen, wenn dieser selbe Differenzaffekt sich gegen eine Gesellschaft richtet, die, uns tiefst antipathisch, ja bis zum Zorn gegensätzlich, doch nicht ihres moralisch-ästhetischen Mankos wegen so wild attackiert wird – denn dieselben Mängel nichtjüdischer Kreise bleiben still geschont – sondern weil sie, so vag auch immer,

Juden heißen? Hier ist schwieriges Gebiet für uns, und nur der Einzelfall wird jeweils entschieden werden. Überall aber darf man vorsichtig sein, wenn unser eigenes Gefühl mit dem Differenz-affekt in einer Richtung wirken will: wir meinen stets Verschiedenes, diametral Entgegengesetztes, selbst wenn wir dieselben Worte gebrauchen sollten und die gleichen Fakta uns erbittern: wir dürfen hassen, weil wir lieben – er kann mit Recht weder das eine noch das andre.

13.

So auch haben nur wir, nicht er, ein Auge für die melancholische Tragik über der deutschen Judenheit aller Lager. Es ist keine brennend großartige Untergangstragik; eine graugelbe, lähmende, langsam bröckelnde, erhebungslose Tragik vielmehr liegt über ihr, sie versickert wie ein Fluß im Sande, verbrennt nicht abendrotgroß am wolkichten Horizont. Je intensiver sie ihrem Drang zur Deutschheit hin folgt, desto mehr verliert sie zuerst am Werte des Charakteristischen, erzeugt den physiognomielosen Großstädter und vermindert das Bild der menschlichen Typen in Deutschland um die charakteristische, besondere und scharfumrissene Gestalt des Juden. Ferner aber erregt sie gerade den Differenzaffekt in den zentralsten und empfindlichsten Wertsphären: nicht mehr politisch, nicht mehr ökonomisch, sondern geistigkulturell ist das Abwehrgefühl gegen sie dann bestimmt, und dadurch am wenigsten beeinflußbar durch Abwehr, Widerlegung, Kompromiß; an Vererbbarkeit mit der Bedeutung der als vom Juden gefährdet empfundenen Seelen- und Werteschicht wachsend, nähert er sich wieder jenem religiösen Überbau, der durch ein Jahrtausend vorgehalten hat. Und in dem fortgesetzten Hin und Wider von Andrängen und Abgewehrtwerden leidet auch das moralische Niveau, nicht nur der Abwehrenden, in denen der Differenzaffekt immer heftigere Entzündung bewirkt, sondern noch mehr in der ganzen andrängenden Masse, die zur Selbstverfluchung, zu schlechtem Gewissen gegen ihr Sein und zu allerlei Selbsterniedrigungen, Schlichen und Kniffen, Rankünen

und Ressentiments verführt wird. Es gibt ganze jüdische Gesellschaftskreise, deren Sprechart, wenn sie auf Nichtjuden zu reden
kommen, sofort all die Verzerrungen und Selbsterkrankungen
anzeigt, welche in sonst vielleicht sehr braven Menschen, denen
nur leider das Bewußtsein ihres Volkswertes als Juden abgeht, von
diesem Streben nach Entjudung und Eindeutschung verursacht
wird. An Wert abnehmen, indem man glaubt und will, daß man
daran zunehme, und Abstoßung erwecken gerade dadurch, daß
man andrängt: wenn für den impassiblen Betrachter hier Quellen
der Komik fließen können – für uns als Juden, denen (als Min-
destwunsch!) das Bestehen und Gesunden des Juden um seiner
Werte und seiner Aufgabe willen Axiom unseres eigenen Seins
ist, zeigt dieser freiwillig und gern versickernde Fluß seine tragische Erscheinungsform.

Denn wir verlieren Unglaubliches dabei. Untrennbar einge-
mengt in moralisch abnehmende Zerfallselemente gehen immer
und immer wieder Scharen von Individuen an uns vorüber und
hin zum Deutschtum, in ihm zu verschwinden, die zum Edelsten gehören, was irgend Völker erzeugen können: Gelehrte, ganz
besessen von einer Aufgabe erkennender geistiger Art, Religiöse,
deren Geistigkeit sich dem Christentum ergibt, so inwendig wie
nur Juden diese europäisierte und vergriechte Emanation des Judentums erleben können, Künstler, die ihr Schaffenstrieb in die
Sphäre der deutschen Kunstwelt hineinweist, Frauen, wie nur
Jüdinnen Frauen werden, ganz Gleichgewicht des Instinkts, des
Intellekts und des Leibes, und die ihrer Liebe nachgehen hin zu
deutschen Männern (wie Nichtjüdinnen zu jüdischen); und die
wir am schmerzlichsten entbehren: Menschenführer jeder Art,
Volksführer, die aus dem Elend einer ganz vom Kapital und Mehr-
wertwurm zerfressenen Zeit zu den Massen gehen – aber nicht
zu den jüdischen des Ostens, sondern zu den deutschen ihrer
Umweltstädte. Was hat man für all diese, die unsere Schöpferkraft am deutlichsten bezeugen, die unsere Legitimation in der
Gegenwart und Unterpfand unserer Zukunftshoffnungen sind,
für einen gemeinsamen Namen erfunden? Einen Schimpf- und
Spottnamen im Munde jedes zionistischen Schmocks? Man
nennt sie »Assimilanten« und bläht sich überlegen.

Wohlan: sehen wir diesem Worte und den Sachverhalten dahinter ins Gesicht: was berechtigt uns, diese Fortgehenden anzuklagen? Daß sie des Judentums überdrüssig sind, ja, daß es für sie überhaupt keine Existenz hat oder sie abstößt: sind sie dafür verantwortlich? Oder nicht vielleicht das zwitterige, anspruchsvollfeige, in Unkenntnis seiner eigenen Werte und ohne Gefühl nationaler Verpflichtung gegen sich selbst dahinwankende Volkstum selbst – dahinwankend, seit ihm die Emanzipation den Wagen des Ghetto genommen hat, auf dem es gesicherter in die Zukunft fuhr! Man gehe doch zu diesen Assimilanten, man frage sie, was vom Judentum in ihrer Jugend sie erlebten! Man erinnere sich selbst, was man davon erfuhr, in den schimpflich öden Unterrichtsstunden, von denen niemand mit Ehrfurcht sprach und die von den ledernsten und hilflosesten »Pädagogen« uns aufgezwungen wurden; im Elternhaus, das von der Not des Tages keuchte, in den Kreisen der Städte, in denen man erwuchs, ohne irgendeinen liebenswerten oder imponierenden Menschen, der durch sein pures Leben als Jude dem jungen Herzen einen unvergleichlichen Impuls gegeben hätte, und gar in den Bethäusern, den »Tempeln«! Wo ist ein deutscher Jude der älteren Generationen, der nicht, statt die Ostjuden als lebenspendendes Zentrum unseres Volkes und als Grund der Erhaltung auch des deutschen Judentums ausdrücklich mit nationaler Ehrfurcht uns zu deuten, als wir noch jung waren, sich selber beengt und verlegen von den »Polnischen« in Kaftan, Stiefeln, Mütze und Pejes abgewandt hätte, wenn er sie auf der Straße traf – und damit die national schwächeren Elemente auch unter den Ostjuden zur Entjudung ermutigt hätte? Wo ist der große jüdische Gotteslehrer, der imstande ist, das religiöse, auf Glauben und Gottsuchen eingestellte Herz so zu entflammen, wie die mit Jesu Beispiel und einer ungeheuren geistigen Luzidität arbeitende katholische Kirche es vermag? Wo ist überhaupt die Institution, die unsere jüdische Spiritualität der schon halb den jüdischen Sprachen entfremdeten Jugend verständlich machen, wo die große leidenschaftlich erfühlte Darstellungskraft, die dieser Jugend aus der Riesenschar vorbildhafter Juden auch nur einige Führer und Leiter herzlich nahe bringen könnte? Statt einer heiß erregenden und zeugenden jüdischen Atmosphäre gab es in Deutschland nur jüdischen Wissensstoff und die eng begrenzte traditionstreue Frömmigkeit, deren liberales Deutschtum sie an jeder wahrhaft aktiven und werbenden jüdischen Haltung verhinderte. Diese Frommen, diese nur in Religionsübung jüdisch lebende, sonst ganz deutsch assimilierte Orthodoxie, im öffentlich-kulturellen Leben liberal, in jüdischen Angelegenheiten manchmal bis zur Schimpflichkeit reaktionär, diese, wie wir noch zeigen werden, im entscheidenden Augenblick durch sich selbst entmannte Orthodoxie ist an der Assimilation im schlechten Sinne hauptschuldig, wenn von Schuldigsein überhaupt geredet werden darf. Man hinkt auf beiden Beinen, wenn man Jude zu Hause und Mensch auf der Gasse ist.

Und sind unsere nationaljüdischen Bürger, die Nationalisten chauvinistischer Observanz, die Zionisten der Ortsgruppen, die jüdisch-nationalen Akademiker, die wandernden Jugendbünde, hervorgerufen vom Wandervogel, die Literaten deutscher Zunge mit jüdischen Stoffen, Tendenzen, Werten, vielleicht weniger assimiliert als die Assimilanten? Von Wilna aus betrachtet ist der Schattierungsunterschied redlich komisch … Wir sind alle assimiliert, und wir alle wissen es. Daher die kindliche Großsprecherei der zionistischen Flegeljahre sich verloren hat, nicht ohne sehr geschadet zu haben. Und diese Assimilation ist selbstverständlich an sich gar kein negativer Wert. Sie wird es erst, oder wird ein Positivum, je nach der Kraft der Seele, die ihr standhält und sie umdeutet. Wollen wir vielleicht den alten Lehrer Rabbi Elasar Chisma, der in den Pirke Aboth Geometrie und Astronomie für peripheres Wissen verglichen mit Thora und Talmud erklärt, und der also beide Kreise des Geistigen kennen mußte, für weniger wertvoll oder jüdisch geringer erachten? Der gesamte europäische Kulturkreis voll befeuernder und beglückender Erlebnisse soll vielleicht vom Juden ferngehalten werden, nur weil Assimilation eine Gefahr ist? Seien wir vielmehr dreist genug, uns für so stark zu halten, daß diesen Kulturkreis mit seinen Menschen- und Wertebildnern wir uns assimilieren, ohne uns an ihn zu verlieren! Wer denkt denn auch daran, wenn man die Palästinenser fragt oder die Jugend des Ostens, diese Wertewelt zu ignorieren! Entweder erweitert, lockert und befruchtet das Judentum sich aus diesem Europa, nimmt zur eigenen Problematik noch diese fremde ins Blut, reizt die eigene ethisch-lebensgestaltende Uranlage durch Beimengung neuer sozialer Ideen, komplementiert sie durch die ästhetisch-kunsthafte Gestaltung von Lebensfülle und vorbildhafter Menschlichkeit, kreuzt sie durch alle Wissenschaft der Erde, bereichert sie durch alle Technik und Spezialisierung des Alltags und wirft überhaupt die Frage des jüdischen Seins mitten in der Gegebenheit des zwanzigsten, elektrischen Jahrhunderts auf – oder man ist ein rührender Romantiker, aber kein Wegweiser eines lebensfähigen Volkes. Die Assimilation ist die Voraussetzung der jüdischen Wiedergeburt und nichts weniger.

14.

Und warum greift ihr sie dennoch an? Warum beschleunigt ihr sie nicht vielmehr? Warum erhellt ihr das dunkle und stille Reich, in dem sie wie alle Verkohlung vor sich geht, durch Fragestellung, öffentliches Wort und die bremsende Sammlung der Jugend um judaisierende Parolen? Was fällt, auch noch zu stoßen – habt ihr diese Weisheit des Lebens vergessen? Und wir antworten: hier fällt nichts, hier wirft sich etwas weg, das bewahrt zu werden verdient; hier hebt leichtfertig und ohne Not ein Volksteil sich selber auf, um am Ende etwas sehr Bezweifelnswertes und Verfrühtes zu erzeugen, eines jener Irrbilder guter, werttragender Wirklichkeiten, die wie Schatten den eigentlichen Gestalten vorausfallen: den modernen Großstädter, den Gebildeten der Gegenwart, das Publikum – als Irrlicht nur und vorfallender Schatten des guten Europäers anzusehen, als eine künstlich überhitzte und mißliche Frühgeburt. Denn der Europäer tritt aus einem Volkstum heraus, mit dem er ganz gesättigt ist wie Rolland, oder er sieht sich gekreuzt durch zwei Blutströme wie Heinrich Mann; worauf aber stützt sich der Asphaltmensch jüdischer Abstammung, wovon quillt er über? Nirgendwo daheim sein, heißt nicht Weltbürger sein, sondern Luftmensch, wenn man nicht durch irgendein Schöpfertum legitimiert ist. Der Schaffende ist schlimmstenfalls in seiner Arbeit zu Hause, und alle anderen Schaffenden können – wenn der Differenzaffekt nicht die wahrere, wildere Wahrheit an den Tag bringt – als sein Volk gelten. Der unproduktive Großbürger aber, abgesehen von persönlichen Werten, als Klasse gepackt: ist er für ein Volk das Ideal, das seinen Untergang rechtfertigen könnte? Was galten die einstigen Hellenen noch, als sie die graeculi der späten Römer geworden waren, summarisch gewertet?

15.

Und genau das hat die Assimilation aus den deutschen Juden gemacht: die graeculi der Kaiserreich-Deutschen, die sich so gerne als neue Römer sahen.

Hierin waren sie's: Großgrundbesitz, Großfabrikation, die ganze Verwaltung, das ganze Heer als Reservate des Machtvolkes. Karriere in ihnen, Leistung in ihnen für den Staat, Ausprägung der Person in ihnen: das Ideal des jungen Deutschen. Ganz unbemerkt und verspottet begibt sich das, was sie selber regelmäßig nach 20–80 Jahren als ihre Kultur in Anspruch nehmen: die Dichtung, Kunst, Wissenschaft, Lebensgestaltung der Zeit – und die verachtete Presse. Da die Technik Ausfuhrtrumpf ist, gilt sie als werbender Beruf; die deutschen Dichter aber, im Phrasendeutsch die Blüte der Nation, bedürfen seit etwa 1880 gar sehr wie die Musiker von Rang, die kämpfenden Maler, die Bühnen und Bibliotheken, zum Blühen der Existenz von deutschen Juden. Die, erstens, sind das breite Publikum der großen Städte, sind zweitens die Erkenner der neuen Qualitäten, die Werber drittens für diese Qualitäten und ihre Abstempler, und, letzter Grad der Befruchtung: sie werden auch Erzeuger. Und all das nicht allein aus den Säften des deutschen, sondern immer mehr auch ihres jüdischen Wesens, in Tempo, Haltung, Aufrichtigkeit letzter Konsequenzen, in Zielen, Mitteln und Wertreliefs durchaus von den Deutschen früherer Zeit verschieden. Dieser Prozeß begibt sich in der ganzen Breite des geistigen Reiches. Daß er schon jetzt, nach knapp fünf Generationen der Assimilation, bis zur letzten Station gedrungen ist, und jüdische Schöpferkraft, als wär's das natürlichste Ding der Welt, Begabungen jeder Art und jeden Ranges produziert, in jedem geistigen Reiche, gehört zu den Wundern des jüdischen Blutes und zu den Glückszufällen, die selten so auftreten: zwei Jahrtausende jüdische Geistigkeit, eingesperrte Vitalität – das Ghetto und der harte Kampf ums tägliche Brot als Staubecken – relativ reinen Volkstums, ein erstarrtes jüdisches Kulturskelett ohne blühendes und werbendes Fleisch; Öffnung eines industriell bearbeiteten Marktes für den eben losgelassenen Juden (fast gleichzeitig dringen der Dampfkessel und der Jude auf die europäische Wirtschaft ein), ästhetisches Verschmachtetsein des Juden, ästhetische Fruchtfülle des Deutschen, Umlagerung der Anziehungszentren für die deutschen Begabungen durch das Auftreten Bismarcks, Sterilisierung des deutschen Geisteslebens, dafür Befruchtung des jüdischen durch dasselbe Medium: den wachsenden Reichtum – all das mußte zusammenwirken, um den schöpferischen Juden, den modernen graeculus, im deutschen Geiste zu erzeugen. Dazu aber kommt noch als wichtigstes: daß die geistige Atmosphäre aller westlichen Länder durch drei, vier internationale Faktoren nach einerlei Richtung geweht wurde, so daß um 1890 der Unterschied des französischen vom deutschen, englischen oder italienischen Geiste geringer ist als je seit der Régence: überall die Wirkungen des Kapitalismus und der sozialen und sozialistischen Ideen, überall Entkirchlichung und Sinn für die »Realität«, überall der naturalistische Einfluß der großen Russen und gesellschaftskritischen Skandinavier und als Gegenstoß das dandystische Künstlertum, aber dahinter die Anbetung der Form und des reinen Kunstwerks; da überall die gleichen Faktoren wirken, wer wundert sich über die Verschwisterung und Europäisierung der geistigen Produkte? Und da auch die Antlitze der Nationen sich anähnelten, wer wundert sich, daß es dem Juden leicht werden konnte, allen ähnlich zu werden? Nehmen doch Ehegatten im Verlaufe weniger Jahrzehnte sogar körperliche Ähnlichkeiten miteinander an.

Als Rausch überkam den Juden die Möglichkeit der Assimilation. Frei sein dürfen, Ausströmen der Kräfte nach allen Seiten, Einatmen eines neuen Zeitwinds und der hellsten Morgenstunde, gehen, laufen, fliegen lernen in einer Atmosphäre ohne Druck, ohne Last der Tradition; dazu Rausch der Wissenschaft, kritisch gesicherter Erkenntnisse jenseits entweder radikal verworfener oder der wissenschaftlichen Weltanschauung amalgamierter religiöser Überlieferung; dazu Rausch eines ungeheuren Zuwachses an Reichweite für Wirkung und Erlebnis – das Individuum projiziert auf die breite Fläche der deutschen Welt durfte wieder wachsen auch im Wirklichen, nicht nur spiritual oder phantasiehaft – und endlich der einer ästhetischen Kultur, die den Juden als Volk seit Spanien gefehlt hatte, eines neuaufgerissenen Kontinents von Werten, Erschütterungen, Entzückungen, Nachschöpfungs-, endlich Schöpfungsmöglichkeiten: all das ist selbstverständlich Geschenk der Assimilation an die jüdische Seele. Und es ist abermals selbstverständlich, daß sich eine zuerst nachahmende, deutsch-imitatorische Haltung der assimilierten Juden, soweit sie Schöpfer wurden, allmählich von einer immer intensiver judaisierten Färbung durchdrungen sah, ebenso wie die Wertung des Jüdischen als Wesenselementes in den assimilierten Seelen sich langsam von hassender oder gleichgiltiger Verleugnung jedes Zusammenhangs mit Judentum wieder mit einer ton- und gradweis gestuften, aber deutlichen Bejahung des jüdischen Elementes durchtränkte, so daß zuletzt die Assimilation an den europäischen Nationalismus die Gefahr der Assimilation selbst entscheidend verschob: nicht mehr die Existenz des Jüdischen, sondern seine Essenz ward das Bedrohte, eine falsche Konzeption und Vorstellung vom Wesen des jüdischen Volkes trat ein und ward schließlich überwunden durch die Konzeption des echten jüdischen Nationalismus, wie ihn Buber synthetisch, und alsbald erst, nach Brods Vorgang, Felix Weltsch (Nationalismus und Judentum, Weltverlag 1920) analytisch darlegte. Hiermit hatte die Assimilation sich selbst überwunden: ein Vorgang von ungemeiner Bedeutung für uns alle, so daß von ihm noch einmal die Rede sein muß.

16.

Wie aber, darf man nun fragen: wenn die Assimilation an Europa dem Juden so ungemeine Befreiung, Bereicherung, schalensprengende Befruchtung war und ist: wozu dann ihre Überwindung? Warum nicht vielmehr ihre energische Propaganda? Was soll der sentimentale, romantisch-rücksehende und -sehnende Protest eines Deutschtums, welches nur ein Wunschbild ist, vor der quellenden und bewegenden Macht eines realen Daseins gelten, welches die Fruchtbarkeit des Juden für die Neugestaltung des deutschen Geistes jeden Augenblick bewiesen sieht, bewiesen durch eine Liste von schaffenden Deutschjuden, deren jeder einmalig und unwegstreichbar im Bilde der deutschen Gegenwart ein Farb- und Formelement ist? Was auch soll die nervöse Empfindlichkeit des Juden vor momentanem Widerspruch anderes besagen, als daß zu seinem Sein ihm noch das Bewußtsein und zu seiner Leistung noch der Stolz fehle? Ob einzelne deutsche Schichten, ja das ganze Volk ihn refüsiere, kann ihm nichts als augenblickliche Verstimmung anhaben, denn vor den Augen der Zukunft und vor gerechtem Gericht weiß er sich fehllos und am Ort. Kaum ist er dem verwirrend-lähmenden Druck entronnen, den leider der Differenzaffekt in sein zentralstes Selbstgefühl suggerierte: er sei, als Jude, a priori unschöpferisch, nur nachahmend, zersetzend zuletzt wirksam, sein Gestalten sei artistisch, seine Wissenschaft vermittelnd, sein Verhältnis zu letzten Dingen abgeleitet und undenkbar ohne die Vorschöpfung anderer Völker – kaum hat sich diese selbst von Juden geistigen Ranges angenommene Verzweiflung am eignen Wesen aufgelöst in die Komik absprechender, auf ungeduldig unzureichender Erfahrung beruhender Fehlurteile: da soll, wieder unter dem Seitenblick auf den Differenzaffekt, die ganze fruchtbare geistige Strömung, die so viele bedeutende Individuen geschaffen hat, verneint, aufgehoben, unter negative Vorzeichen gestellt werden? Hat man den Mut zur Konsequenz, so befürworte man die Assimilation, erleichtere sie und, in Formen, über die noch zu verhandeln wäre, sanktioniere sie vor dem jüdischen Gewissen. Man hätte dann den Anstand und Vorteil, sich vor einer unhemmbaren Entwicklung nicht lächerlich zu machen, denn was man auch immer sage, im neuen Reiche muß mit der Logik chemischer, osmotischer Gesetze der Austausch der Seinsweisen innerhalb des Staates noch weit breiter vor sich gehen als im alten. Selbst wenn der Differenzaffekt dann zeitweise wachse: unter der Optik der Dauer gesehen müsse er schließlich, je weniger Juden bemerkbar seien, wieder, und diesmal für immer, abnehmen; das gehe aus dieser Untersuchung selbst hervor. Werden die Juden aber, verführt vom Leben, als Menschen der Daseinsfreude und der Praxis Assimilanten, d. h. Liebende des Deutschtums und also Deutsche, so gerate notwendig, wer diesem Drange entgegen sei, in die vielleicht edle aber gewiß grotesk-ohnmächtige Haltung Don Quixotes, der gegen die kreisenden Flügel windmühlengroßer Tatsachen, und die noch dazu vom Föhn des Lebens bewegt werden, auf einer armen Rosinante lächerlich anreite. Der Weg des Deutschjuden sei unweigerlich vorgezeichnet; er heiße Assimilation und sonst nichts.

So die Stimme des modernen Lebens. Wir werden zusehen müssen, ihr irgendwie zu entgegnen.

17.

Notwendig Deutscher sein, weil man das Deutsche liebt und lebt – in der Tat, das Denken des konsequenten Assimilanten ist schon recht assimiliert, in seinen stillschweigenden und ausgesprochenen Voraussetzungen nämlich. Wer zum beliebigen Beispiel hat den Satz bewiesen: man sei, was man liebe? Wer auch nur hat ihn aufgestellt und naiv zur Grundlage seines Seins gemacht? Wer anders als der moderne Nationalismus, die Weltanschauung unter dem Winkel des Differenzaffekts! Aber dieser Satz bleibt unbeweisbar, denn er ist ein trauriger Trugschluß. Nach ihm wären Winckelmann, W. Humboldt, Hölderlin und Nietzsche Griechen, Goethe Römer, Schopenhauer Inder und Strindberg Jude; und ist die Umkehrung erlaubt, daß man, was man hasse, nicht sei, gäbe es keinen großen Deutschen der klassischen Zeit, der Deutscher wäre: denn von allen sind Ausdrücke ungeduldigster Ablehnung gegen ihr Volk bekannt, Ausbrüche zentralsten Widerwillens gegen die Deutschen. Aber so wenig wir der Einbildung der heutigen national-deutschen Jugend entgegentreten werden, wenn sie überzeugt ist, sie besäße das Register schöner Eigenschaften, das sie sich beilegt, so wenig glauben wir ihr darum schon. Was man liebt, das ist man noch lange nicht: dieser Satz hätte heute schon mehr Plausibles. Aber auch ihm zu verfallen hüten wir uns. Die Liebe, von der hier die Rede ist, geht auf bestimmte Werte und die Durchdringung des Lebens mit ihnen: über das Sein des Liebenden ist damit noch nichts gegeben. Erst die Haltung, die er bei dieser Verwirklichung einnimmt, entscheidet über seine Qualität: ob er sie voll Hingabe und bewundernd in sein Leben einbezieht, das Angeborene damit bereichernd und von innen her erleuchtend, oder ob er, voll Selbstverachtung und gehässig gegen dieses angeborene Selbst, immer auf der Flucht vor ihm, in all die Verwandlungen hineinkriecht, die diese Werte ihm bieten, Masken und Verlarvungen der eigenen Ohnmacht: erst mit dieser Fragestellung treffen wir den Nerv des Seins. Und die Antwort ist klar: der gesammelte Mensch bereichert das Angeborene, der flüchtende nicht; der erste vermehrt, indem er sich hingibt, den Besitz seines Volkes und dessen Wesen, der andere, indem er sich verkriecht, macht das seine zum Gespött und gibt es, wenn er massenhaft verächtlich wird, der Verachtung preis. Darum hat Gustav Landauer, der tiefste Kenner und hell Liebende des echten Deutschtums, der Wiederentdecker Meister Eckeharts, das jüdische Volk bereichert als er liebte, und darum erniedrigt es der durchschnittliche Großstadtjude und Fluchtassimilant – genau wie zwischen 1700 und 1850 die deutschen Klassiker das Deutschtum mit seiner bislang schönsten Frucht, dem deutschen Hellenismus, auch klassische Dichtung genannt, beschenkten, während die wilde und platte Imitation des höfischen Franzosentums Fürsten und Bürger der Lächerlichkeit preisgab, und das deutsche Volkstum eine Angelegenheit der Kleinbürger und Bauern wurde. Nur daß die Deutschen sich diese Verschüttung schließlich leisten konnten, weil sie, unbeweglich auf eigenem Boden lebend, Zeit hatten, während das großstädtische Judentum – und in jeder mittleren deutschen

Stadt gibt es ein Inselchen solcher »Großstadt«-juden – unwiderruflich das deutsche Judentum verwässert, schwächt und tötet.

Weil es einleuchtet, ward hier das Beispiel des großen Menschen gewählt; das, was er mit dem unproduktiven Menschen kleineren Wuchses gemein hat, ist in unserem Falle das Beharren bei sich selbst, seine instinktiv erlebte Wohlgeratenheit, das Edle und Beständige seines Wesens, welches ihm in den vielfältigen Entscheidungen der Tage als durchgehendes Prinzip der Wahl treu bleibt und ihm jede Niedertracht und den Selbstverrat unmöglich macht – das Gegenteil also, nebenbei, von plebejischer Selbstzufriedenheit und platter Trägheit des Geistes. Unter den Juden, die ausdrücklich oder seufzend das Prinzip der Assimilation bekennen, gibt es, das wurde schon gesagt, nicht wenige, auf die diese Kennzeichnung zutrifft; und noch weit mehr Mischformen aus diesen und dem anderen Typus, denn was im Denken sich rein und das Gegenteil ausschließend darstellt, gerade das verbindet im Leben sich am häufigsten. Zu diesen beiden Gruppen von Juden und über sie wird das folgende gesagt: ist diese Assimilation an das Deutschtum wirklich die Stimme des Lebens und einer unhemmbaren Entwicklung? Wird im neuen Reiche der Austausch der Seinsweisen wirklich auf immer breiteren Flächen vor sich gehn, mit der Logik osmotischer Gesetze? und ist wirklich euer Weg unweigerlich vorgezeichnet – vom Judentum weg?

18.

Der deutsche Nationalismus war vor dem Krieg und in ihm erst recht imperialistisch, aggressiv nach innen und außen; er ist jetzt, ohne etwa jene Richtung aufzugeben, aber bis auf weiteres, bis die Weltlage ihm günstiger ist, aggressiv nach innen, das heißt kulturell gerichtet, und mangels anderer Gegenstände antisemitisch. Das bedeutet die Übertragung jenes deutsch-österreichischen Studentenantisemitismus auf das ganze Deutsche Reich, und wir haben ihn schon. Auf einem Göttinger Studententage debattierte man lange, ob der Vertreter sozialistischer Studentengruppen, ein Jude, zu Worte kommen dürfe; auf der Eisenacher Tagung der Burschenschaftler »verpflichtet der Burschentag die einzelnen Burschenschaften, ihre Mitglieder so zu erziehen, daß eine Heirat mit einem jüdischen oder farbigen Weibe ausgeschlossen ist«; – hört man den Ton? Weiß man, ohne das läppische Niederwerten der farbigen Menschen mitzumachen, was diese Burschen bei diesem Satze empfunden haben? (Damit man wisse, was einmal d e u t s c h war: im »Sinngedicht«, in jener herrlich empfundenen und erzählten Novelle »Don Correa«, schildert Gottfried Keller eine solche »Heirat mit einem farbigen Weibe«; zum Nachlesen empfohlen!) – und das »Waidhofener Prinzip«, dem jüdischen Studenten als solchem die Satisfaktion mit der Waffe zu verweigern, durch die man erst deutscher Gent ist, wird den einzelnen Burschenschaften nahegelegt. Nehmen wir nun den günstigsten Fall: selbst wer genau sieht, wie systematisch alle von den Zentralen nicht ganz unmittelbar kontrollierten deutschen Institutionen im antidemokratisch-reaktionären Sinne arbeiten: die Gerichte, die Schulen, die Hochschulen, Technikums, Verwaltungen und beinah die gesamte kleine Provinzpresse, deren Einfluß auf das Volk in seiner breitesten Fläche ganz unüberschätzbar ist, wird an eine erfolgreiche Gegenrevolution und eine Restauration oder Wiederherstellung der Monarchien schon deshalb nicht glauben, weil keine Konstellation der europäischen Politik denkbar ist, in der aus dem Trüben die alten Kronen herauszufischen möglich wäre, und weil die royalistische Propaganda zwar das ganze Bürgertum, aber sicher nicht die Arbeiterschaft preußisch oder bayrisch blau zu färben vermöchte. Man wird also die Republik nach dem Vorbild der französischen haben und behalten; auch eine neue sachliche Staatsgesinnung wird sich den Gewaltträumen der Ultranationalen entgegensetzen und in vielerlei Krisen, ruckweise und zögernd wie alle Umformungen von Massengesinnung sich vollziehen, schließlich siegen. Selbst wenn nun, in diesem günstigsten Falle, und nachdem die deutsche Besinnung zurückgekehrt ist, diese Jugend zu Funktionären des Staates aufrückt und sich jeder bewußten Durchtränkung ihrer Amtsführung mit antisemitischer und antiproletarischer Gesinnung enthält: der Atmosphäre ihrer Jugenderlebnisse kann sie sich nie entziehen, und ihre Gesinnung selbst kann kein Staat der Welt ihr vorschreiben; vielmehr wird diese Gesinnung um so intensiver die freie und autonome Sphäre durchdringen, die man das Gesellschaftliche nennt. In ihr aber spielen sich alle die unwäg- und unzählbaren Erlebnisse ab, die die Lebensluft eines Staates ausmachen, und die unmittelbar auf die Seele des empfindlichen, selbst des gröbsten Menschen wirken; sie allein schon genügen, um Bitterkeit, Verzerrung und selbst leidenschaftliche Verzweiflung in die Herzen der von dieser Gesinnung abgelehnten Menschenart zu prägen – wenn nicht die niedrige Dickfelligkeit oder ätzender Selbstverrat davor bewahrt.

Gegen dieses Erlebnis hat die konsequente Assimilation keine Waffe, kein vorbeugendes Mittel und keinen Trost.

Lehrt man den jungen Juden nichts weiter schätzen, verehren und in Leben umsetzen, als was die parallelen Gesellschaftskreise nichtjüdischer Herkunft schätzen, werthalten und lieben, so muß in Deutschland wie in Polen, Böhmen, Ungarn das Ende Verzweiflung sein – und dem Revolverschuß, mit dem jener junge jüdische Münchener Student und Offizier sich, unter den Klängen einer Tanzmusik, tötete, weil man ihn aus einem Verein »Frohe Garde« ausschloß, ohne ihn auch nur noch anzuhören: diesem Schuß, eine Tat tiefster echtester Assimilation und menschlicher Verzweiflung eines auf seine Art vornehm empfindenden Herzens, sind andere gefolgt.

Dies ist der »Weg des Lebens«. Wer die Assimilation befürwortet, möge seinerseits den Mut zur Konsequenz aufbringen; er wird darum nicht zu beneiden sein – auch nicht unter der Optik der Dauer.

19.

Wir haben noch mit keinem Wort die primitive Würde des Menschen erwähnt, welche verbietet, daß jemand sich seiner Herkunft schäme; kein Wort gesagt auch von der naheliegenden, notwendigen und krankhaften Konsequenz des »jüdischen Antisemiten«, den besonders radikale Fälle von Assimilation hervorbringen und dem man als Soldat gelegentlich unter deutschen Offizieren und Militärärzten merklich jüdischer Abstammung

begegnete; nichts von der ärgerlichen Gegebenheit der Selbstaufhebung, die, weil Generationen auch gefühlsmäßig innerhalb
einer Familie eine Einheit bilden, in der Tatsache liegt, daß Söhne
und Enkel von Juden, die zu ihrer Zeit für die Emanzipation, das
heißt die Menschenrechte der Juden, mannhaft arbeiteten, nun
in exaltiert falscher Konsequenz für das Verschwinden dieser selben Juden arbeiten; wir haben nichts von den einleuchtenden,
weil selbstverständlichen Unterscheidungen zwischen Staatsbür-
gertum und der aus ihm folgenden Hingabe an das öffentliche
Wohl mit Pflichten und Rechten eines Staatsbürgers, und andererseits der Zurechnung zu einem besonderen Volkstum vorgebracht, welches sich weder in der Schweiz noch in Deutschland
(Oberschlesien!), weder in Polen noch in Amerika oder England
mit dem Umfang des Staates deckt. Dafür aber erbitten wir, von
dem elementar unwissenden Gerede verschont zu werden, es
müßten die Juden sich abhärten gegen diese antisemitische Gesellschaft, tapfer weiter deutschen, ja nicht empfindlich sich zu-
rückziehn und leiden, dies sei unmännlich, sentimental und so
weiter. Es gibt eine seelische Abhärtung im Verkehr mit sich
selbst und mit Überlegenen, die man ehrt und die einen lieben;
sie ist Bestandteil der Erziehung. Wer aber wagt den Differenzaffekt zum Erzieher des Juden zu proklamieren? Die »Abhärtung«,
die man hier verlangt, wenn sie nicht jene Skala psychischer Entstellungen, ja Erkrankungen hervorruft, die von der Selbstzerglie-
derung, -zerfleischung, -erniedrigung und -beschimpfung bis
zum Selbsthaß und allen Neurosen und Hysterien des untermi-
nierten Selbstbewußtseins und des ohnmächtigen Minderwer-
tigkeitsgefühls geht – man vergleiche Alfred Adler: »Der nervöse
Charakter« – ist die des hinausgeworfenen Reisenden, welcher
unerschütterlich und abgebrüht den Laden wieder betritt, und
durch so entwaffnende Aalglätte siegt – einer schmachvollen Witz-
blattfigur des jüdischen Lebens; und es fehlte noch, daß jemand
ihn uns zum Ideal und Hochziel anbieten dürfte.

Es kann sich vielmehr nur darum handeln, jeder jungen jüdischen
Generation auch in Deutschland d i e Wa h l offenzuhalten. Jeder junge jüdische Mensch muß in den Stand der Sachkenntnis
gesetzt werden können; wenn die großen Entscheidungen sei-

nes weltdenkenden und -fühlenden Lebens fallen, muß auch diese frei fallen können: dies darf und soll dem jüdischen Volk von jedem Juden zugestanden werden, selbst wenn er ein noch so überzeugter Liebender des deutschen Wesens ist. Denn, dem Geiste der Menschheit sei Dank: zwischen der Wahl der Alten und der der Jungen steht heute der Riß einer neuen Zeit; die Fremdheit zwischen den Generationen hat metaphysischen Charakter angenommen: das sicherste Zeichen einer wirklichen Wendung. Darum dürfen (und können bei kräftigen Individuen) die Väter und Mütter keine Entscheidung mehr vorwegnehmen für Söhne und Töchter. Dein Sohn sollte studieren? Er wählt wahrscheinlich ein Handwerk. Deine Tochter gesichert heiraten? Sieh zu, ob sie nicht mit einem armen Jungen davongeht oder Gartenbau, Kinderwartung, fremde Sprachen erlernt, um das Leben von einer unverhofften Seite zu packen.

20.

Bevor die Mittel – oder das Mittel – angegeben wird, welches zur Freihaltung der Wahl führt, muß weitere Klärung der Assimilation versucht werden. Scheiden wir also streng die Hingabe an die Werte einer Kultur von der Nachahmung der Lebensordnung, in der das Volk, welches sie einst hervorgebracht hat, gerade befangen ist – unbeirrt durch die Behauptungen der Völker, sie lebten genau das, was ihnen in ihrer besten Zeit gelang. Diese Aussagen des gekitzelten Zentralitätsaffekts über das eigene Wesen und Leben haben nicht mehr Wert als die des Differenzaffekts über das anderer – sie ergänzen sich doch. Geben also die heutigen Deutschen durch den Mund ihrer Nationalisten sich als Träger des deutschen Geistes aus, der von Wolfram und Eckehart bis Gottfried Keller wirkt, so hat man, gesetzt, man sieht die Dinge selbst an, zu lachen: denn Undeutscheres, Unhumaneres, Beschränkteres und Widergeistigeres als das Erbe der Bismarck, Treitschke, Wagner und Chamberlain hat es hierzulande noch nicht gegeben – man frage nur Nietzsche über die Reichsgründung und ihren Geist: den einzigen universalen Deutschen, der zugleich den Bau der Gegenwart noch aus seinen Grundsteinen erstehen sah. Aber es gibt da keine Brücken, nur einen krassen Widerspruch zweier Wirklichkeiten.

Die Juden nun haben sich – beiden assimiliert, der einen oder der anderen, in den meisten Fällen aber einem wilden Gemenge aus beiden: der modernen für das »praktische Leben« und der alten für das »geistige Leben« und die kulturellen Genüsse. Die Nachahmer des modernen Deutschtums, des imperialistischen, stehen jenseits unserer Beeinflussung, und wenn für ihre Kinder die Umkehr möglich sein sollte, kann sie nur indirekt erweckt werden dadurch, daß in ihnen selbst der Widerspruch auftreibt, und von außen, durch die Gelegenheiten des geistigen Lebens, eines günstigen Augenblicks dasjenige zu ihnen kommt, wonach ihr Unterbewußtes suchte – ob von deutscher Geistigkeit und aus deutschen Erneuerungen oder aus jüdischen, das hängt dann von Konstellationen jenseits unserer Seh- und Reichweite ab. Wir leugnen nicht, daß wir auch noch mit ihnen und ihrem Irrweg solidarisch, ja identisch sind, und indem wir auf ihre Kinder hoffen, beweisen wir das ausdrücklich; aber sprechen können wir weder für sie noch zu ihnen, und nur vertrauen, daß die Atmosphäre um lebendigere Herzen sie eines Tages treffen und innerlich berühren wird.

Jener Mehrheit weiter, die das Praktische und den Geist zu trennen so arg geübt ist, werden wir uns eher nähern können: schon indem wir ihr sagen, daß sie weder vom Geiste des Lebens mit Menschen und Dingen noch vom Geiste des Lebens mit Gedanken und Kunstwerken auch nur einen wahrhaften Hauch spürte. Der Sinn jeder großen Kunst und jedes einzelnen Werks geht auf die Vergeistigung und den gesteigerten Adel des Lebens, jenes täglichen praktischen Lebens, das sie mit so irrsinniger Selbstverständlichkeit – und hierin tun sie wie die ganze Erde, nicht nur wie ganz Deutschland – als Ding für sich, mit ausmünzbaren Gesetzen und Prinzipien, behandeln. Man müßte sie aus diesem Irrsinn Schritt für Schritt zurücktreiben durch Argument und zwingende Darstellung, bis sie nachdenklich werden über sich – und sich schließlich in eine lachende Majorität von Unbelehrbaren und in eine Minderheit spalten, denen eine nachdenkliche Lebensstimmung bleibt, um sie in die schöpferische Unruhe zu treiben, aus der die Einsicht möglich ist. Denn wer auch nur dumpf zu hören vermag, was in einem Quartett von Schubert, Brahms, Beethoven sich austönt, ausraunt, auf den ist noch zu hoffen. Und so um so intensiver auf diejenigen Juden, die unter Negation der deutschen Gegenwart sich innig an den großen Genius deutscher Schöpfung angeschlossen haben und sich mit ihm identifizieren, die auf die Genesung des deutschen Volkes und ganz Europas vertrauen und keinesfalls, weder vor noch im Kriege und erst recht nicht in der Not sich von ihm auch nur durch gedachte Scheidungen zu trennen gewillt oder imstande sind. Sie stehn heute unter den Verwaltern des deutschen Erbes bei den Sichtbarsten und tiefst Erkennenden, leidenschaftlich hingegeben und so eingewurzelt im deutschen Feld, daß man sie nur ausreißen kann, um sie verdorren zu sehen, und zugleich sind sie Berührungsflächen, an denen europäischer Geist als Antike, Mittelalter und Gegenwart in seiner reinsten Schöpferkraft an dieses beste Deutschtum grenzt. Ihre Repräsentanten sind Husserl, Cohen und Simmel, Heimann, Bab und Kerr, Gundolf, Borchardt und Hofmannsthal, Bruno Walter, Siegfried Ochs und Kreisler, Liebermann, Wassermann, Mombert, Döblin, Schönberg und Sternheim – um nur einige Kategorien durch die legitimiertesten Namen zu kennzeichnen – und Brahm und Reinhardt; ganz und gar erfüllt das Deutsche ihr Bewußtsein und ihr Leben: und wenn sie vor einem Erlebnis deutscher Kunst erschüttert und hingerissen atmen, erleben sie mindestens so sehr das Deutsche daran wie das Kunsthafte. (Andere Kräfte, die man vielleicht erwartete: Mahler, Einstein und Landauer, Freud, Karl Kraus, Lasker-Schüler, Werfel, Beer-Hofmann, Brod und Feuchtwanger stehen schon halb oder ganz jenseits dieser Sphäre.) Jenen sagen, daß sie Juden sind, heißt ihnen nicht viel mehr als einen besonderen Akzent auf Körperform oder Haarfarbe legen; es bleibt Akzidenz und biologische Unwesentlichkeit, manchem eine Bereicherung persönlicher Fülle, keinem aber das Entscheidende. Sie wissen zu gut, daß dieses deutsche Volk ein Gemisch von deutschen Stämmen tiefster Verschiedenheit, slawischen Grundschichten, keltischen und romanischen Einsprengseln ist und fügen den jüdischen Bestandteil diesem werdenden Volkstum gelassen und gerechtfertigt ein. Und wir sind zu Widersprüchen nicht Narr genug. Sie sind es, die heute zutiefst am Antisemitismus leiden, nicht wir – denn kein Differenzaffekt und nicht der Tod ist imstande, uns an unserem Wesen irre und am Besten, das wir haben, unserem jüdischen Erbe, leiden zu machen; unser Leid kommt wie unser Glück vielmehr aus ihm selbst, aus seiner Entstellung, Gespaltenheit, Verworrenheit und Erniedrigung, nicht aus den Meinungen und Taten über und an uns. Aber zu ihnen, unseren edlen Antipoden und Widersachern reden wir am liebsten, ja, vielleicht spricht diese ganze Erörterung am reinsten zu ihnen, den Schaffenden deutscher Gegenwartswerte wie den sie Aufnehmenden. Ihnen, Leidenden und Überlegenen, tief Verwirrten und still Gefaßten legen wir das folgende vor.

21.

Die Aufeinanderfolge der Geschlechter ist keine biologische Angelegenheit, sondern eine vitale; das heißt eine vom Leib getragene und verkörperte geistige Tatsache. Sie enthält eine Verpflichtung und ein wirksames, menschenformendes Prinzip, dessen abschwächender und heute unverbindlicher Name Tradition ist – Tradition, mehr noch wirkend im Unbewußten als im Bewußten, in der Anlage und den artgestaltenden Mächten der unerkannten Seele heftiger diktierend als in den Inhalten und Leitsätzen führender Bewußtheit. Der einzige Psychologe großen Formats im deutschen Geiste, Nietzsche ist es, der gelegentlich anmerkt, wie tief im geistigen Menschen der Habitus seiner Ahnen nachwirke; daß eine Ahnenreihe von Pastoren und Theologen eine radikal andere Geistigkeit schaffe als die von Beamten und Offizieren oder Kaufleuten. Und was er da an sich selbst beobachtete, ist der Nachprüfung jedes Einzelnen offen: wer etwa zum Urgroßvater einen Landwirt und Kretschampächter, zum Großvater einen Kretschampächter und Schlächter, zum Vater einen Handwerker hat, kann sich unmöglich dem geistigen Typ des Städters und Kaufmannsohnes angleichen, selbst wenn er es wollte: er wird gebundener im Sinnlichen, der Wirklichkeit der Welt offener und dem Material seiner Kunst – gesetzt er gerate unter die Künstler – traditionell befangener, gesetzmäßiger, weniger spielend, und frei schaltend gegenüber stehn, seine Antriebe und Aufgaben aber weniger aus dem Willen und dem Bewußtsein empfangen und naiver, unreflektierter, im Handwerklichen gewissenhafter hinter seinem Werke und an ihm verbleiben. Diese Diktate ererbten Wesens sind keine Konstruktion, vielmehr Wirkungen einer geistigen Kraft und sehr tätige Wirklichkeiten, die der abgelöste Individualist, welcher hinter sich nichts dergleichen spürt, wie alle untast- und unmeßbaren Wirklichkeiten leugnen kann, die aber ungerührt von solcher Leugnung weiter bestehen und schaffen. Dem Menschen ist gegeben, dieses sein Ich nach rückwärts mit dem Bewußtsein zu erhellen; er trägt nicht nur sich in die Zukunft hinein, sondern seine Ahnen mit sich, und wie Hofmannsthals Oedipus kann auch er ihre Stimmen im Sturme am Kreuzweg über sich bestimmend brausen hören. Wie der die Grenze des Vernünftigen überschreitet, der solche Zusammenhänge leugnet, denen die Wissenschaft schon heute auf die Spur geraten ist, würde auch der sich, nur nach Entgegengesetztem, der Grenzverletzung schuldig machen, der aus solchen Gesetzen der Tradition bewußt die Formen bestimmen wollte, in die das Leben seiner Kinder hineinzuwachsen hätte. Dunkel und darum frei für jeden Vorstoß steht vor ihnen, den Fortsetzenden, die Zukunft; und das große Siegel des menschlichen Geschicks, die Freiheit der Wahl, die immer offene Möglichkeit, ererbte Antriebe neu zu ordnen und in unverhofftem Zusammentreten von Augenblick und Tradition das Leben aus Eigenem weiterzuführen, gesteigert oder gekreuzt von Willen und Schicksal, diese das Leben selbst symbolisierende Freiheit muß Jedem erhalten bleiben.

Alle Generationen vor uns – nun wird von den deutschen Juden und zu ihnen geredet – hatten es leicht, dies instinktive Gesetz zu befolgen; es gab für sie als Ganzes keinen Kreuzweg. Als deutsche Juden lebten sie schlecht und recht eine ganz unparadoxe Einheitlichkeit: der Staat, dem sie dienten, die Zivilisation, die sie begehrten und annahmen, und das Judentum, das sie – in moderner, das heißt ganz matter, ganz unverbindlicher Weise, doch unaufgebbar – waren, gingen ohne Schnitt nebeneinander her, und die Demütigung ihrer nur theoretischen oder halben, nie praktischen und vollen bürgerlichen Gleichberechtigung nahmen sie mit anderen Volksschichten als zeitlich bedingte Bürde, in der Hoffnung auf gerechtere Tage, zum Erbteil ihres Stammes, dem Dulden eines göttlichen Verhängnisses und menschlicher Dummheit. Darum kamen sie als Ganzes nicht in die Lage, dieses Judesein ihren Kindern vorzuenthalten, es vor ihnen zu verbergen oder zu diskretisieren: denn Judesein war von innen her ein Minimum von Gebräuchen, nur eine Konfession mit anderen Feiertagen und einem Sabbat statt des Sonntags, und Demütigungen von außen.

Diese Sachlage hat sich völlig verkehrt. Heute meldet sich das jüdische Volk zu den andern Völkern in dem Augenblicke, wo das deutsche Staatswesen, das heißt die Regierung, mit der vollen Gleichberechtigung der Juden Ernst macht, und der Differenzaffekt der Abstoßung geht akut und lodernd auf die bürgerliche Gesellschaft über, gegen deren Ablehnung heute weder Taufe noch Mischehe schützt; zugleich aber erhebt das Judentum ein Maximum von Forderung an seine Träger, indem es sich als Nation konstituiert, in Ländern jüdischer Massensiedlung und Nationalitätsstaaten politische oder kulturelle Autonomie beansprucht und ein jüdisches Gemeinwesen gründet, das sich mit den Arabern auf autonomer Basis einigen wird: das neue Land Israels. Ja, seine Forderung, als ideelle und sittliche, bliebe bestehen und träte erst rein hervor, wenn auf der Gegenseite gar keine Abstoßung des Jüdischen mitspielte: wenn die demokratischen und sozialistischen Parteien den Staat auf immer bestimmten, ihn geistig immer freier gestalteten, wenn keine politische Reaktion wirkte und der Differenzaffekt der Gesellschaft schnell oder langsam schwände, so daß der junge Jude von außen auf dieses Judenwesen nie schmerzhaft gestoßen würde.

Dies Maximum von Forderungen an den Juden stellt sich heute klar, vor aller Welt dar, als die Aufforderung zum tätigen Bekennen jüdischen Volkstums. Indem man sich auf seinen blut- und geistmäßigen Zusammenhang mit dem Judentum der ganzen Welt besinnt, indem man sein Jüdisches zum Primat seiner volkhaften Zugehörigkeit macht, bestätigt man sich als tätiger Anhänger des nationaljüdischen und zionistischen Programms. Aber dies setzt einen Akt der Selbstprüfung und Entscheidung voraus, für den diejenigen assimilierten Deutschjuden, an die hier gedacht wird, weder den Willen noch die Voraussetzungen in sich vorfinden. Den Willen wecken, die Voraussetzungen schaffen, ist schon ein Akt, der aus dem Maximum fließt, und der mit dieser Studie über den Antisemitismus unmittelbar nichts mehr zu tun hat, wohl aber in den Zusammenhang der Judenfrage gehört und in ihr auch nach Gebühr erörtert wird – ein Akt jüdischer Politik und eine Pflicht des nationalen Juden im Galuth. Weder den Willen noch die Voraussetzung; denn in ihnen ist der geistige Zusammenhang mit dem Deutschtum das Aktive, bewußtseinsmächtig weit über das blutmäßig Jüdische hinweg, wirkender und richtunggebender als dieses, das allein nicht wahlbestimmend sein kann, weil seine geistigen Imponderabilien, die vorhin beschrieben wurden, im heutigen Juden übertönt werden von den lauten Parolen der Politik und der jähen Aufgeklärtheit dieser Zivilisation, so daß das Ergebnis für uns dasselbe bleibt, ob nun der Einzelne sich dem deutschen Volke zurechnet und das Nationale von ihm empfängt und anerkennt, oder ob er, die Eminenz des Volkshaften als Sozialist verneinend, sich der sozialistischen Menschheit zurechnet und in deren deutscher Abteilung aufgeht.

An sie aber nun ergeht die Forderung eines Minimums, von dem auch sie nicht weichen dürfen, ohne an ihren menschlichen Werten Schaden zu nehmen. Sie müssen ihren Kindern nicht nur das reine Bild des deutschen Geistes übermitteln, den sie leben, sondern ihnen auch, nach ihrer Möglichkeit, ein Bild des jüdischen Wesens und Wertes gönnen, so gut immer sie es wahrnehmen können: ihnen die Antriebe deuten, die sie von ihm empfangen, ihnen die jüdischen Lebensgesetze nicht verhehlen, die zu den Formen der jüdischen Religion geführt haben, ihnen diese Religion als Kreuzung urjüdisch-urmenschlicher Anlagen und national-historischer Bedingtheiten zeigen und übermitteln, ihnen den stolzen und fürchterlichen Weg des Judenvolkes durch die abendländische Welt weisen, ihnen die Existenz dieses

Volkes als eines besonderen, geistig entscheidenden Menschen-
gebildes auf der ganzen Erde und in allen Abschnitten der Men-
schengeschichte kundgeben, und sie nicht hindern, wenn sie sich
intensiver mit jüdischen Werten sättigen wollen, als ihr Elternhaus es ihnen zeigt. Voraussetzung dafür ist – und das sieht heute
nicht leicht aus und wird von Jahr zu Jahr schwerer werden – daß
sie sich selber die Bewertung des Jüdischen nicht vom Differenzaffekt diktieren lassen dürfen. Welcher Entwertung, welcher
kalten Entstellung alles Jüdischen werden diese Kinder in der
Atmosphäre der höheren Schulen begegnen, im Verkehr mit ihren
Kameraden und auf der Straße! Jedem einzelnen Falle, der das
Kind antastet, muß von den Eltern mit der Richtigstellung begegnet werden, die es verlangt, jedem einzelnen Fall muß auch
in dem anlaßgebenden Umstande entgegengetreten werden. Ein
aktiv jüdisches Verhalten und nicht das ängstlich passive Hinneh-
men liegt in diesem Minimum, wohlverstanden, beschlossen:
und wie schwer kommt dies Ältere an, in deren Jugendatmosphäre Antisemitismus nur latent war! Sie werden sich selbst mit
jüdischen Inhalten und Fragen bekannt machen müssen, oder
wenigstens, wenn die Jugend danach verlangt, ihr den Weg zu
besser unterrichteten Personen offen halten. Dann wird es immer wieder geschehen, daß Jugend nach einer von Abstoßung,
Entwertung und steter Verteidigung freien Luft verlangt: der
Vorbote jener Wahl, die sie auf die Seite des jüdischen Volkstums
treiben kann. Hier nicht einzugreifen, hier klar zu scheiden zwischen dem legitimen Anspruch des Staates auf treues Bürgertum
und redlichen Bürgerdienst und den Übergriffen eines hypertro-
phierten Nationalismus, der die Selbstaufgabe als Preis für Bürgerrechte verlangt: das ist auch von dem assimilierten und deutsch-
jüdischen Juden gefordert. Und gefordert schließlich wird von ihm
eine nicht vorsichtig und ängstlich abgezirkelte oder verschwie-
gene Teilnahme am Schicksal der Judenheit überhaupt. Mögen
immer ihre Entscheidungen zuerst von ihrem Deutschtum bestimmt werden: antisemitisch dürfen sie niemals werden. Sie
sind es schon heute in gewissem Grade; dem Ostjuden gegenüber
tritt der Deutschjude mit einem kälteren und gehemmteren Gefühl als etwa dem »deutschen Polen« oder »südtirolischen Ita-

liener«; und wieviele Deutschjuden werden diese Volksnamen empören! Es wird aber immer Verhältnisse geben, in denen die menschliche Teilnahme über die Grenzen des Staates hinausgreift; das ostjüdische Elend wird trotz aller Anstrengungen noch lange genug bestehen bleiben, um den Deutschjuden immer und immer wieder auf die Probe zu stellen. Wehe wenn er wieder so, und in aller Öffentlichkeit, versagt, wie er eben vor den ukrainischen Pogromen versagt hat! Als die Deutschamerikaner im Anfang des Krieges, unbeschadet ihrer Staatsbürger-Loyalität, für Deutschland leidenschaftlich Partei nahmen und dabei verharrten, hatte man hierzulande dergleichen von ihnen erwartet, und niemand rechnete es ihnen zur besonderen Tugend an; wenn die Deutschjuden in friedlichen Umständen sich ihrer Solidarität mit den Juden auf der Erde bewußt bleiben, werden nur die Träger des Differenzaffekts ihnen das zur Last legen, und sie werden es auch tun, wenn jene tatsächlich dieses Band ableugnen sollten. Die Deutschen in Böhmen und Polen, gesetzt daß die Landkarte von heute auch die von morgen und übermorgen bleibt, werden ihr Deutschtum gegen den nationalen Differenzaffekt auf lange hin zu verteidigen haben, wobei erschwerend die tyrannische Politik der früheren deutschen Regierungen gegen diese heutigen Machtvölker mitspricht, welche von denselben Deutschen willig mitbewirkt worden ist; dergleichen Parallele gibt es für die deutschen Juden nicht, sie haben nie unterdrückt: und was den Deutschböhmen und Deutschpolen recht ist, sollte den Deutschjuden, dem Affekt gegenüber, der sie befeindet, nicht billig und möglich sein – eine Verbundenheit unlöslicher Art mit allen anderen Juden? Akte der Solidarität beim Aufbau der jüdischen Siedelung, Akte der Solidarität in aller Öffentlichkeit und mit der Sicherheit des guten Gewissens, zur Rettung des Ostens? Sie sind möglich und sind Pflicht, auch, und vor allem, den Ostjuden gegenüber, die in Deutschland versprengt leben, und gegen die, als völlig Schutzlose, der antisemitische Affekt sich am lautesten tummelt. Niemand verlangt den Schutz von Verbrechern; dem Antisemitismus aber ist es schon Verbrechen, Jude, und doppeltes, Ostjude in Deutschland zu sein.

22.

Man könnte nun noch, und es wäre eine heitere und malerische Aufgabe, die Verhaltungsweisen beschreiben, die das deutsche Judentum den verschiedenen Modi des Differenzaffekts gegenüber einzunehmen hat oder tatsächlich einnimmt. Aber aus allem Gesagten gehen sie mit Deutlichkeit hervor, und es sei der Phantasie, Sach- und Menschenkenntnis des Lesers überlassen, sie sich auszudenken. Als Regulativ aber hat immer zu gelten, daß jedem Affekt gegenüber Besonnenheit, Mut und Humor am weitesten hilft. Wer einem Zornigen ängstlich, einem Neidischen demütig, einem Habgierigen schüchtern gegenübertritt, muß stets die Folgen solcher Ermutigungen tragen, ebenso wie der Gegentyp, der sich selbst zu Affekthandlungen hinreißen läßt. Daß der Klügere nachgebe, gilt vielleicht unter Befreundeten und ganz sicher nur für augenblickliche Verwirrungen des anderen; in unserer Sphäre aber herrschen die Gesetze, die zwischen Gegnern gelten, wo jede Höflichkeit und Nachgiebigkeit an der primitiven menschlichen Selbstachtung ihre Grenze findet. Mit schimpfenden Gassenbuben aber sich in Dialoge einzulassen, ist damit niemandem geraten; der Erwachsene geht vorüber und meditiert gelassen über die Umstände, die aus liebenswürdigen Kindern so boshafte und unflätige Kerlchen geformt haben.

Es wird sich für den Deutschjuden darum handeln, ob er trotz des Gegendruckes aus seiner Natur heraus weiter öffentlich leben und tätig sein kann oder nicht, ob er die Besonderheit seines Wesens, politischer Orientierung und künstlerischer Neigung weiter darstellen kann oder nicht. Er wird seine Position innerhalb des deutschen Geistes zu verteidigen haben, oder er wird sich kastrieren und immer höhnischerer Aggressivität seiner Gegner entgegenschleichen. Es ließe sich wohl ein Gegenteil denken; ließe sich denken, daß, wenn die Zustände sich nicht mildern, von stolzen Deutschjuden jüdische Schulen in passenden Orten gefordert und geschaffen würden, nicht auf religiöser Grundlage, sondern auf allgemein jüdischer; es ließe sich eine jüdische Universität in Deutschland denken, ja die im Sein und in der Lage wohlbegründbare Proklamation eines deutsch-jüdi-

schen Anspruchs auf amtlichen Schutz seiner Kultur parallel zur
Existenz eines westfälisch-sächsischen, fränkischen, bayrischen,
thüringischen Stammes – immer innerhalb des deutschen Geistes und Volkes, deutscher Existenz und Rechts; keine feindliche
oder aggressive, sondern eine verteidigende und bewahrende Abgrenzung innerhalb der deutschen Heimat: und wer weiß, ob eine
solche Scheidung nicht zur Reinigung der Leidenschaften und
zum Abschwellen des Differenzaffekts mehr beitrüge als die Aufrechterhaltung des heutigen Zustandes? Gelebte Paradoxe ver-
deutlichen heißt sie erkennbarer, lösbarer machen … Aber ich
weiß wohl, zu solchen Gründungen wird es nicht kommen, zu
viele Einwände gültiger Art stehen ihnen entgegen, und so werden die heutigen Formen der antisemitischen Ablehnung bestehen bleiben, solange das deutsche Judentum besteht, dessen
Assimilation es ebensowenig vor ihr schützen wird wie die französische Judenassimilation, die radikalste Europas, vor dem französischen Antisemitismus geschützt hat.

Denn der Anteil des deutschen Juden am Entstehen des Antisemitismus ist das jüdische Blut in ihren Adern und der hyper-
trophierte Nationalismus auf der Erde, der den religiösen Fanatismus, jene frühere Form des Differenzaffekts, würdig ersetzt hat.

4. *Buch*

Antisemitismus als Umwelt

Trotzdem!

I.

Seine volle furchtbare Realität aber entwickelt der Antisemitismus erst als jüdisches Lebensproblem. Ohne zu den Lobrednern des Ghetto zu stoßen, das immer eine unnatürliche, bösartige und schimpfliche Komponente ins Weltgefühl des Juden einimpfte, war dennoch, solange es die lebendige Kehillah gab, irgendwo für den Juden ein Ort der Entspannung bereitet, auch wenn er so unromantisch und wirklichkeitshart war, wie Max Brod ihn im »Rëubeni« bewundernswert gedichtet hat. Nicht überall war Krieg. Es gab innerhalb des Hauses und innerhalb der Stadt eine Zone des Waffenstillstands, in welcher auch die gereizten, durch den Differenzaffekt ins Überspannte hineingetriebenen Ichgefühle der Einzelnen und der Gruppen sich normalisieren konnten. (Den Juden, um den dank seiner Vereinzelung der Kleinkrieg niemals schweigt, und sein zerreibendes Gegenleben hat, nebst Größerem, das er in diesem Romane gab, Lion Feuchtwanger im »Jud Süß« meisterhaft zur Plastik erhoben.) Seit der Emanzipation aber hat sich jene Defensive, in welcher die Judenheit gegen die Nichtjudenheit stand, um jeden Einzelnen als Aura gelegt: die modernste aller Kriegsformen, der Wirtschaftskrieg, d e r K a m p f u m s n a c k t e L e b e n. Dank ihrer Übermacht an Zahl, als Machtvolk in der Gesetzgebung, an allen Quellen der Produktion sitzend, waren die Nichtjuden, da sie die Juden entrechteten, im Angriff; aber so, daß sie sich durch die pure Existenz der Juden angegriffen fühlten. Sie sahen den Juden, der mit so viel älteren Begriffen, Kategorien und Kenntnissen, so viel erwachseneren Geistes in ihre Mitte trat, je und je etwa wie Halbwüchsige, unter denen ein Erwachsener sitzt, mit Kenntnissen ausgerüstet, die ihnen selber noch fehlen; und so sehen die Kleinbürger ihn heute noch. Der Jude bedrückt sie durch sein pures Dasein. Er ist älter als sie, klüger, seine Erfahrung länger, seine List unparierbarer, seine Späße und Ergötzungen, seine literarischen Maßstäbe so viel reifer, oder sagen wir besser, älter als die ihren. Sie empfinden ihn, das sahen wir schon, als etwas Lastendes, welches man zurückwälzen, vom eigenen Leben abwälzen muß. So ist die Lage genau gleich der beim Ausbruch des modernen Krieges: beide Teile fühlen sich angegriffen, beide Teile den anderen als Angreifer, und besonders der Nichtjude wird, indem er sich nur zu wehren glaubt, kraft seiner Gewalt zum aggressiven Feind: er bekennt sich zum Antisemitismus.

Der Jude nun verzeichnet sehr wohl die geschlossene Abwehr seiner Existenz durch die Wucht einer Majorität. Um zu leben aber und um, dem Gesetz des Lebendigen nach Ausbreitung folgend, zu gedeihen, Erfolg zu haben, muß er in die Macht, die er spürt, eine Bresche schlagen. So antwortet er mit dem, was seine ältere Vernunft ihm nahelegt und seine physische Schwäche ihm diktiert, mit der Geschmeidigkeit dessen, dem die Wirtschaft weniger Rätsel aufgibt als anderen. Das Geld, das aus Nichts zu machen er gelernt hat, ist der Abgott all der Völker. Und so wendet er es an. Dennoch spürt er sehr wohl die im Differenzaffekt schwingende Verachtung, und an seiner Antwort entscheidet sich für ihn der Weg wesentlich. Durchschnittlich antwortet er mit aufrichtiger Dialektik, die wir formulierten, daß er nichts anderes sei als ein Teil der Völker selbst, und durchaus nur eine Konfession für sich habe; mit der Demut des Schwachen, mit der Entschuldigung für sein belastetes Dasein. Anstatt zu sehen, daß ein in ihnen vorhandener Differenzaffekt eine Wirklichkeit ist, streitet er den Völkern das Recht ab, ihn zu haben. Sie haben ihn aber – offensichtlich! Und es nutzt nichts, gegen ihn zu protestieren, statt ihn durch Analyse zu überwinden. Trotz seines Protestes weiß er auch sehr wohl, daß er den Kampf gegen Alle aufnehmen muß, da er nun einmal existiert. Früher fühlte er sich darin verachtungsvoll und stark, denn er setzte dem Fremden seinen eigenen Zentralitäts- und Differenzaffekt entgegen, der sich in dem Worte »Gojim« für Nichtjudenheit einen Ausdruck von unvergleichlicher Prägnanz schuf; eine Welt von Verachtung lag darin. Und ferner hielt er sich, weil er sich auf die weltweite, netzartig verknüpfte Judenheit zu stützen wußte, nicht zum wenigsten in seinem Empfinden, welches ja eine nicht geringere Art von seelischer Wirklichkeit gegen die des Differenzaffekts setzte: wer sich mit anderen seinesgleichen verbunden fühlt, wer nicht allein ist, ist darum schon stärker als vorher. Heute aber hat der aggressive Differenzaffekt der Straße einen Teil der Judenheit so sehr besiegt, ihm die Angst vor dem Vorwurf der Vaterlandslosigkeit so tief eingebrannt, daß er nicht einmal mehr wagt, gegen den internationalen Differenzaffekt des Antisemitismus, der sich anschickt, wenigstens der Absicht nach, eine internationale Organisation der Nationalisten zu schaffen, sich durch ein Bündnis der Juden als solcher quer durch die Völker zu wehren; ein Grad von Ohnmacht, den der feindliche Differenzaffekt zielsicher anstrebt und bei jenem Fall von Juden tatsächlich erreicht hat, der heute (wenn er es auch nicht wahr haben will), von sich selbst und von allen Juden etwa denkt wie ein völkischer Abgeordneter. Durch den Bruch mit den Gesetzen und durch die Selbstverfluchung seines Judentums hat er sich um jede Rückverbindung gebracht, die ihn hätte stärken können, erst um die religiöse, dann um die historische. Im Bewußtsein seiner Isoliertheit vervielfacht sich seine Schwäche; da er nur einer sein wird gegen viele, hilft es ihm nichts, daß sich viele solcher Einzelner zusammenfinden: das, was sie so sehr vereinzelt, ihre Interpretation des Jüdischen, macht sie ja erst so ohnmächtig. Immer noch glaubt dieser Typ, körperlich weniger tauglich, moralisch aber einer minderwertigen Rasse angehörig zu sein, und überdies verpflichtet, immer wieder zu beweisen, daß er dem Gemeinwesen nicht schädlich sei, sondern ein nützlicher Bürger, den man dulden müsse. Wenn er aus nichtorthodoxem, nicht jüdisch-national geladenem, nicht jüdisch-familiär wenigstens gestütztem Judenhause stammt, wenn er gar in leidenschaftlichem Protest gegen alles besonders Jüdische verharren muß, blindlings gegen alles, was ihn vom Durchschnitt der Nichtjuden scheidet, gibt es keine Kraftquelle mehr, die er für sich mobilisieren könnte, außer dem allgemeinen Appell an das von Not und Affekten zerfressene Rechtsbewußtsein seines Machtvolkes und dem meist sehr geringfügigen Kraftreservoir, das das individuelle Ich dem Einzelnen zur Selbstbehauptung liefert. Unterbewußt, in der

Erfahrung seiner Kinderwelt, lauern dann noch besondere Läh-
mungen und Fallstricke für seine Kraft zur Gegenwehr.

Hier nun berühren wir jene kleine, aber furchtbar verwund-
bare Stelle, an der der Antisemitismus den Juden wirklich zu
treffen vermochte; – nicht an Geld und Gut, einer Kategorie, die
bei der Lage der Juden auch eine große, aber doch keine solche
Rolle spielt, daß man ihrer ausdrücklich und mit Erbitterung gedenken müßte. Zwar fehlt es dem jüdischen Volke an Geld. Ob
einzelne Juden welches haben, wie breit die jüdische besitzende
Bürgerschicht sei, wird belanglos vor der maßlosen, Jahrhunderte alten Not. Das jüdische Volk gehört im ganzen zu den aus-
geplündertsten auf Erden; dennoch würde man an diesem Ort
davon kein Aufhebens machen. Was uns aber sehr wohl angeht:
jene Stelle, an der der Antisemitismus den Juden trifft, ist die, an
der er am allerwenigsten getroffen zu sein wünscht: die seelische
und damit die körperliche Konstitution der jüdischen Materie
selbst, die Gesundheit der jeweiligen Kindergeneration.

2.

An sich spielt Gesundheit für den Juden eine ungeheure Rolle –
nicht nur in seinen Gebeten, unter den wünschbaren Gütern, die
er von Gott erfleht, sondern vor allem in seinem täglichen Leben, seinen Redensarten und Daseinsgewohnheiten. Die Juden
gehören bestimmt zu denjenigen Völkern, die die Hygiene mit
in der Welt durchzusetzen halfen, und zwar von frühester Zeit
an; und das Reisewesen unter den Juden, die sommerlichen Er-
holungs- und Badefahrten, das Hinstreben nach gesunden vernünftigen Wohnungen, die Gewöhnung an den Arzt als neu-pa-
triarchalische Autorität, die Hochschätzung der medizinischen
Berufe und das Talent zu ihnen sprechen beredt davon. Es ist der
Selbsterhaltungstrieb eines Volkes, das, abgeschnitten von den regenerierenden Kräften des Bodens und gezwungen, in hygienisch
oft ungünstigster Situation zu leben, als einzige Garantie seiner
Dauer eben den Kampf mit jeder Art von Krankheit als ein Gebot empfand, tiefer begründet als bloß im Intellekt der jeweiligen

Generation. Es ist der nationale Instinkt selbst, der hier in der Form des Gesundheitsdranges sich bemerkbar macht – wer eine Sendung auf Erden hat, hat von jeher gewünscht, lange zu leben; man frage die Künstler. Gesundheit und langes Leben sind für den Juden zwei Güter, die bei ihm in eine höhere Sphäre hineintendieren als in die bloß vitale. Sie werden unter der Perspektive der Ewigkeit und der messianischen Hoffnung geistige Werte. Daher könnte aus der Blickart von Völkern, die dank natürlicherer Lebensbedingungen mit ihrer Gesundheit achtloser umzugehen gewohnt sind, durch die Tatsache so vieler jüdischer Ärzte und Hygieniker ins Bild des Juden ein leiser Zug von Komik fallen.

Und doch liegt für die Juden der Gegenwart derselbe Fall außerordentlich ernst. Der beständig gegen sie gerichtete Differenzaffekt schafft zunächst einmal eine Lebensgrundlage von ungewöhnlicher Gespanntheit. In den seltensten Fällen ist den Juden in der Kindheit das harmlose ins Blinde oder Blaue hinein-Leben gestattet; dieses Gefühl paradiesischer Sicherheit, das jeden jungen Menschen umgibt, dieses Gefühl des Behütetseins, des Nichts-geschehen-könnens, des Daheimseins. Der Jude, der junge Jude ist daheim nur bei Vater und Mutter, soweit Kinder in der Welt der Erwachsenen überhaupt daheim sein können. Auch Vater und Mutter sind nicht unter normalen Umständen Vater und Mutter. Eine Art heftiger überreizender Innigkeit oder Brutpflege dringt ununterbrochen auf die Kinder ein, und je intensiver die Not des Lebenskampfes an den Eltern zehrt, desto leichter schlagen sie, und zwar als regelmäßige Gefühlshaltung, von heftigem Ärger dem Kinde gegenüber in ebenso heftige Liebesbezeigung um, so daß es schon, an den Eltern erlebt, ein Gefühl fortwährenden Wechsels von Heiß und Kalt als Selbstverständlichkeit mit in sein Leben einbaut. Im Freien dann, d. h. außerhalb des Hauses, sieht sich das Kind in einer vollkommen anders strukturierten Welt. Das Jüdische, das daheim ein positiver Wert war, oder wovon nicht geredet wurde (was sehr schlimm ist); oder dessen man nur in jargonartigen Sonderworten gedachte (was noch schlimmer ist): draußen, in Zeiten, wo der Differenzaffekt im Zustande der Reizung sich befindet, öffnet es breite

Angriffsflächen gegen die Kinderseele, die um so zerstörender ins Innere wirken, je weniger das Kind imstande ist, von einer liebenden und bewundernden Einstellung zur Welt zu lassen. Damit ist zunächst einmal eine Grundhaltung oder besser eine Grundanlage zur Zerrissenheit (Spaltung) in die Seele des jüdischen Kindes gelegt. Allen Kindern weht draußen andere Luft als drinnen; aber während das für die Kinder normal lebender Völker ein Reiz ist, sich draußen zu tummeln, wo das Abenteuer und die weite Welt lockend, verheißend, vielleicht auch gefährlich sich ausbreiten, wo aber doch der Grundton, mit dem diese Welt von der Existenz des Kindes Kenntnis nimmt, einer bärbeißigen oder herzhaften Gutmütigkeit nicht entbehrt, ist für das jüdische Kind das Draußen sehr oft geladen mit einer nicht weniger verlockenden, zugleich aber auch unverständlich schmerzenden Gefährlichkeit, wesensverschieden von der Luft des Heims, in der bei allem nervösmachenden Wechsel doch die leidenschaftliche Bejahung selbstverständlich vorwaltet. Zu derartiger, die Welt von vornherein in zwei Teile zerlegender Dualität von Beschütztheit und hinterhältiger Bedrohlichkeit kommt zweitens die Beobachtung, daß gerade dort, wo die Eltern mit dem Kinde in jüdischer Beziehung Verstecken spielten, das Kind panzerlos und in hoffnungsloser Vereinzelung der riesigen und großartigen Welt des Fremden in seiner innersten Seele unterliegt. Es hat nicht mehr, wie im Ghetto, die Waffe, die der eigne Zentralitätsaffekt ihm gegen den Differenzaffekt der Anderen als Rüstung verlieh: im ganzen einer so auserwählten Gemeinschaft anzugehören, als Jude schon so sehr über dem Niveau der »Gojim« zu leben, daß ihr Differenzaffekt nur als das niedrige ohnmächtige Ressentiment benachteiligter Mehrzahl an die junge Seele prallen, nicht aber in sie verheerend eindringen konnte. Solange das jüdische Kind des Ghetto aus dem Verkehr mit dem geistigen Schrifttum und der bis ins letzte spiritualisierten jüdischen Eigenwelt einen Hochmut sog, der objektiv gesehen durchaus unbegründet, subjektiv aber doch, für ein so exzeptionell schlecht gestelltes Gemeinwesen wie das jüdische, eine schicksalhafte gute Notwendigkeit war, konnten die gegen die Juden sich wälzenden Massen sie zwar, wie heut in Rumänien, erschlagen, nicht aber in der Seele erschüttern und in ihrer eigenen Werthaftigkeit irre machen. Und zwar, weil sich die Auseinandersetzung um Sinn und Unsinn dieses Zustandes, die Anklage deswegen, und das flehentliche Ringen um seine Änderung nicht abspielte zwischen Juden und fremdem Volk, sondern zwischen dem Juden und seinem Gott. Solange das Schicksal Israels eine Funktion seines eigenen Abfalls von Gott war, blieb, so paradox es klingt, auch noch das jüdische Leid und die Verachtung der Völker ein Zeichen für seine Auserwähltheit. So spielte sich selbst noch bei Austreibungen und Pogromen oder bei der täglichen Demütigung durch die entwertenden und gehässigen Verkehrsvorschriften zwischen dem jüdischen Kind und der nichtjüdischen Welt die Erniedrigung nur innerhalb der jüdischen Sphäre ab, wo sie sich auch rechtfertigte; nichts Fremdes drängte sich in die beständige Auseinandersetzung zwischen dem Juden und seinem Schicksal, und das Hepp-hepp-Geschrei der Gasse war nur das unabänderliche Brennen eines göttlich siegelnden Willens, um der Treue willen, mit der die Jeschurun auf den wirklichen Messias wartete und keinem bereits gekommenen Usurpator den Glauben, seinen stolzen unerschütterlichen Glauben zu opfern willens war. Man sieht, wie hier die einheitliche jüdische Lebensluft eine gesunderhaltende Atmosphäre war eben an den Punkten, wo, wie wir gleich auszuführen gedenken, die Erkrankung verheerend eindrang: am Wertigkeitsgefühl des Einzelnen.

3.

Denn ohne dieses Rüstzeug der jüdischen Auserwähltheit stand plötzlich das jüdische Kind als ein einsames, verlorenes und ungestütztes Ich einer von Werten strotzenden Welt gegenüber. Die Schönheit des Daseins, die ganze Welt der Landschaft, die ganze breite Glücksfläche des Körpers, das Gefühl der Wohlgeratenheit, das von körperlicher Befreitheit und Übung herkommt, die Welt einer technischen und zivilisatorischen Kultur, das ungeheure Kraftgefühl einer Mehrheit anzugehören, der schöne lichte Typus dieser Völker des Nordens, und nun noch dazu die innige Anerkennung der ästhetischen und politischen Wertewelt der Mehrheitsvölker: alles das in einem ununterbrochen sich drehenden Globus majestätischer Wertfülle entfaltete sich einem einzigen einsamen, durch nichts gestützten Kinderherzen gegenüber. Wo sollte es sich im Gefühl eigenen Wertes dagegen stützen können? Wie sollte es sich in dieser hoffnungslosen Minderheit seines armen wissensdurstigen Seelchens gegen diesen Anprall großartig fröhlicher Unbekümmertheit halten können? Selbstverständlich bekam in diesem Augenblick das Jüdische auf der ganzen Linie Unrecht. Ein M i n d e r w e r t i g - k e i t s g e f ü h l verzehrender Art breitete sich von der Fläche des Erlebnisses aus wie ein Pilzgeflecht, wuchernd hinein bis in die zartesten und verletzlichsten Teile der jüdischen Seele. Zusammen mit dem auf Spaltung gerichteten Bohren des Gegensatzes zwischen Daheim und Draußen vergiftete jetzt das Gefühl von der Entwertetheit des eigenen Seins die jüdische Substanz – in einem Maße, das nur der moderne Psychologe der Freud'schen Epoche als Erfahrender imstande ist, abzumessen. Von da an etwa, vom Anfang des 19. Jahrhunderts ab, wird Neurose die Schicksalskrankheit des jüdischen Menschen, mit allen anderen Erkrankungen, welche funktionelle Störungen, körperliche Leiden auf der Basis des Säftekreislaufes entwickeln, des Ineinanderspiels der Absonderungen von Drüsen, die man Innere Sekretion nennt, und die von seelischen Erlebnissen ununterbrochen beeinflußt wird. Trifft diese seelisch-körperliche Situation nun auf die ohnehin vom Differenzaffekt, durch traumatische Erlebnisse und Verdrängungen zweier Jahrtausende abgeschwächte Regenerationskraft eines Volkes, bei dem jede einzelne Familie in ihrer Erbmasse Erschütterungen schreckhaftester Art mit sich herumträgt: Plünderung, Hetze, Austreibung, Druck, denen sie im Verlauf der jüdischen Geschichte unterlagen, so ist vollkommen klargestellt, warum die Juden heute zu Geisteskrankheiten, vor allem aber zum ungeheuren Heere der Neurotiker, Neurastheniker und Stoffwechselkranker ein ungemeines Kontingent stellen. Jeder einzelne Mensch, der einmal infolge von Aufregungen seiner persönlichen Sphäre Veränderungen seiner gastrischen Tätigkeit erlitten hat, jeder weiterhin, der die Abhängigkeit seines körperlichen Zustandes von den starken Erregungen seines seelischen Alltags beobachtet hat, muß an dieser Stelle erst einmal nachdenklich werden, ehe er ihr widerspricht. Unmöglich, wie sich von selbst versteht, hier nun den Aufbau und die Entwicklung einer neurotischen Disposition darzulegen, wie wir sie aus den Existenzbedingungen der Juden und dem Differenzaffekt in der Seele der Individuen vorhanden sehen. Viel zu wenig berufen, in die Auseinandersetzung der einzelnen Schulen über diesen Punkt einzugreifen, begnügen wir uns hier mit dem Hinweis auf die Schriften zur Neurosenlehre der beiden oder der drei hauptsächlichen Richtungen: der Freud'schen, Adler'schen und Jung'schen Schule. Kann es sich hier doch nicht um die Schilderung eines Krankheitstypus handeln, der so differenziert auftritt wie diese Veränderung in der Struktur der Seele, die man Neurose nennt, sondern nur um den Nachweis der Entstehung einer bestimmten, zur Neurose führenden oder ihr vorangehenden neurotischen Disposition, die durch das Schicksal der Juden hervorgerufen wird. Doch wage ich zu gestehen, daß ich auch die sogenannte autistische Geisteshaltung, nämlich die ins Ich hineingedrängte, in den Bezirk des eigenen Wesens und der eigenen Phantasie eingesperrte Seinsart der weitaus meisten begabten Juden aus der Verschreckung ableite, die das vertrauensvoll der Welt zustrebende Kind erfährt, wenn es in den ersten Serien die Breitseiten erlebt, die der Differenzaffekt der Welt auf es abfeuert. Wer, noch einmal, die Abhängigkeit körperlicher Struktur von seelischen Erlebnissen kennt, darf zum mindesten nicht lächeln, wenn hier behauptet wird: der bestimmte, von Kretschmer beschriebene Profiltypus des autistischen oder schizoiden Menschen hat in seiner Entstehung viel zu tun mit der tiefen Verzagtheit, mit der das verlorene kleine Menschenwesen das Kinn hängen läßt, d. h. zurücknimmt, wenn es sich im beständigen Rückzugsgefecht gegen die große strahlende Welt ins eigene Sein und das Surrogat seiner Phantasie zurückflüchtet. Wie Kindergesichter und Gesichter junger Menschen in einer beständigen Umbildung begriffen sind, weiß jeder Mensch; aber während man bisher die Faktoren der Rasse, des Blutes und der familiären Körperformen allein heranzog, um sie zu erklären, materialistisch wie man nun

einmal gelernt hat zu denken, wage ich den Satz, daß der Körper
– das Gesicht – und seine Umbildung von den seelischen Erlebnissen des Kindes und ihren Folgen tiefer beeinflußt wird als von
irgendeiner andern der mitwirkenden Ursachen.

4.

Solange vor dem Krieg die Zivilisationswelt der Weißen dem jüdischen Kinde in einer ungeheuer imponierenden Kulturfülle
und Gewachsenheit gegenüberstand, und solange nicht Zionismus, d. h. jüdische Renaissance, den Juden aus eigenem Wesen
Kraftquellen neu erschloß, nämlich die verschütteten wieder zum
Strömen brachte, war jüdisches Minderwertigkeitsgefühl nahezu unablösbar die Folge, wenn ein begabtes und empfindliches Ich
mit der Welt Europa zusammenstieß. Aber schon weit vorher
entwickelte der Differenzaffekt eine bestimmende Note im jüdischen Wesen: er überreizte die kindliche Seele zu gewissen, einen
Ausgleich ermöglichenden Mehrleistungen. Um sich behaupten
zu können vor dem eigenen Gefühl entwickelt das jüdische Kind
äußerst früh Begabungen, die das nichtjüdische Kind bürgerlicher Schichten im Durchschnitt so früh ins Sichtbare zu stellen
nicht nötig hat. Die Intellektualität zahlloser Juden, der flinke
Begabungstypus, der, ohne mit wirklich schöpferischen Anlagen
ausgerüstet zu sein, ein Schöpfertum vortäuschen kann, entsteht
so. Die allgemein im Menschen angelegte Begabtheit, die, wie
Adler ausgezeichnet nachgewiesen hat, zu uns und unserer Spiel-
fähigkeit und -freude überhaupt gehört, wird nämlich von dem
beständigen Drang, die Entwertung von Seiten der Welt her durch
individuelle Mehrwertigkeit des eigenen Ich wieder auszuglei-
chen, zu auszeichnenden Leistungen einseitig entwickelt, ausgebildet, hypertrophisch spezialisiert. Jawohl, diese Intellektualität
und Begabungsfülle gehört durchaus zu den vom Differenzaffekt
her zu betrachtenden Tatsachen. Es ist nun sehr wahr, daß ein
normal lebendes Volk mit solchen Halbbegabungen und geistigen Überzüchtungen jeweils außerordentlich viel Positives anfängt. Es bringt sie in dem riesenhaften Beamtenapparat unter,

den jedes moderne Volk zu seiner eigenen Gelenkigkeit oder Schwerfälligkeit nun einmal notwendig zu haben scheint. Zehntausende überanstrengter Menschen, die bei Juden die geistigen Berufe zwischen Arzt und Journalisten, Rechtsanwalt und Filmmann übervölkern, wären im Augenblick unsichtbar und stünden an ihrem rechten Platze, wenn die Juden aus ihnen allen gescheite, unbehörnte Oberlehrer, Assessoren, Verwaltungsbeamte hunderterlei Art, Diplomaten, Ingenieure und sonstige Glieder nationaler Selbstverwaltung machen könnten. Wir haben nicht mehr »geistiges Proletariat« als alle anderen Völker, sondern nur ein sichtbareres, weil uns die verdeckenden Berufsgruppen für sie fehlen, so daß sie ortlos und darum störend zwischen die Schaffenden geraten, zu intellektuell und gewandt, um nach unten abzusinken. Weit entfernt also, uns etwa Klagen oder Anklagen über die Wirkung dieses Judentyps hier anzuschließen, verweisen wir vielmehr auf die viel zu schmale Existenzbasis der Juden in der Diaspora und auf die überreizenden Wirkungen des antijüdischen Druckes. Wenn das jüdische Kind jene Fähigkeiten, die bei normalen Völkern zu Dilettantenkunst und angenehmer Lebensverschönerung frei bleiben, dazu benutzen muß, um sich aus der Masse anderer Durchschnitts-Iche mit einer angestaunten Fähigkeit berufsmäßig herauszuarbeiten, und damit jene Begabungsmassen von Berufsschauspielern, Sängern, Schriftstellern, Musikern und Kunst-Unternehmern für Frankreich, Deutschland, England, Amerika, Rußland zu liefern, so ist das, vom Juden aus gesehen, die bedauerliche Vergeudung zwecklos freier Begabung, die das eigene Volkstum dadurch verarmt, daß sie es eines schmückenden und erfreulichen Überflusses beraubt, jener Fülle, Behaglichkeit und heimischen Kultiviertheit, die das Wesen und die Funktion eines breiten Dilettantenstammes innerhalb jeder Kultur immer gewesen ist. Und da der riesenmäßige Bedarf der modernen Massenstaaten nun einmal zahllose Punkte und Knotenstellen im Netze seiner geistigen Beziehungen schuf, die um des Funktionierens des Ganzen willen besetzt werden müssen – Stellen, die ihrem Wesen nach nur von schöpferisch begabten Menschen ausgefüllt werden könnten, die aber in dieser Massenhaftigkeit der Nachfrage nie und nirgends anzutreffen sind –

so macht es nichts aus, daß zu zahllosen anderen Halbbegabungen auch die jüdischen in der Kulturverflechtung sich gesellen.
Es ist doch klar, daß im Grunde genommen jeder Lehrer vor jeder Kinderklasse, jeder Arzt an jedem Krankenbett, jeder Richter an jedem noch so kleinen Gericht, jeder Beamte in einem
Organisationsapparat ein im Kleinen wirklich schöpferischer
Mensch sein müßte, um den Anforderungen zu genügen, die der
Ort, an dem er steht, an ihn stellt. Ebenso selbstverständlich ist,
daß kein Volk der Welt heute imstande ist, für alle seine Schul-
klassen wirkliche Pädagogen aufzubringen, vor allem, weil zahllose pädagogisch begabte Individuen entweder von ihrer Begabung gar nichts ahnen und an den Platz, für den sie notwendig
wären, niemals gelangen, oder aus Gründen ihrer Armut oder ihres Reichtums den Beruf, der sie verlangt, nicht ergreifen. Es ist
also nicht einzusehen, warum der moderne Massenstaat, der sich
mit dem schlechten Durchschnitt an Lehrern oder Richtern,
Offizieren und Beamten immer wohl sein ließ, nicht auch noch
mit einem schlechten Durchschnitt literarischen oder theatrali-
schen Wesens auskommen sollte – abgesehen davon, daß noch zu
beweisen wäre, dieser Durchschnitt sei dem anderen an Qualität
gleich und nicht vielmehr überlegen. Sicherlich gibt es viel weniger schlechte Ärzte, Schauspieler oder Geiger als es schlechte
Lehrer, Richter oder Offiziere gibt, den Grad von Verantwortlichkeit mit angerechnet, den diese Stellen in sich schließen.

   Viel wesentlicher allerdings ist die Frage, was aus den wirklich
schöpferischen Begabungen der Juden vom Differenzaffekt her
gemacht wird; welchen Verunstaltungen gerade die empfindlichsten und verletzlichsten jungen Iche und Seelen ausgesetzt sind,
die in ihrem Wesen verschlossen Kräfte zur Entfaltung persönlicher Leistungen und Lösungen tragen und darum besonders geschont werden müßten, weil ihre Phantasie trächtiger und stärker,
ihr körperliches und geistiges Gleichgewicht labiler, ihr ganzes
Ich verstimmbarer ist als das des Durchschnitts der Menschen.
Sieht man sich unter diesen wirklichen Begabungen mit Augen
um, die gelernt haben, zu sehen und die Kategorien des Differenzaffekts und seiner Wirkung sogleich zu erfassen, so ergibt sich ein
geradezu erschütterndes Bild der Bedrohtheit und Verzerrtheit

gerade derjenigen, die bei anderen normalen Völkern, indem sie ihre Persönlichkeit entfalten, das Volkstum schöpferisch vorwärts bringen, ihm neue Organe der Weltverarbeitung und des Seins-Ausdrucks schaffen. Ein Pandämonium von Zerstörung des Edlen, von Verzerrung des Bezaubernden, von Verhexung des Gütigen offenbart sich hier. Das Schlimme an der Sache will, daß man, um diese Dinge zur vollen Wirkung zu bringen, die Namen der Namhaften mit einer Analyse ihrer Person hier hersetzen müßte – was offenbar unmöglich geschehen kann. Über die Kompetenzen eines aussagenden Buches wie dieses hier weit hinausgehend, würde man allerdings damit beweisen, wie Eigenarten des Stils, der künstlerischen Entwicklung, der Erstarrung oder Neubelebung, der Erkaltung und des Verschwindens von Talenten eigenwüchsiger Art lediglich verständlich zu machen sind aus der Tatsache, daß ihre Träger – nicht etwa Juden sind, sondern Juden, unter dem Anprall der Entwertung aufgewachsen und ihr schutzlos preisgegeben; Dokumente weit weniger jüdischer »Dekadenz«, als vielmehr des jüdischen Schicksals; eine besondere Art von Dorian Gray-Naturen, deren Entstellung Zeugnis ablegt von der Verworfenheit der Zustände, denen sie zum Opfer fielen. Soziologisch vollkommen erklärlich, daß der größte Teil solcher Beispiele aus der ehemalig österreichisch-ungarischen Monarchie herzunehmen wäre. Dort lebte eine Gemeinschaft von Juden, mehrere Millionen – ein ungeheures Reservoir von Begabungen aus einer in grenzenlosem Elend materiell und kulturell leidenden galizianischen, madjarischen, slowakischen, mährischen Judenheit – aus Beamtenfrechheit mit komischen Namen gebrandmarkt, als ihr von der Liberalität der nachjosephinischen Ära kultureller Aufstieg eröffnet wurde, und die der Kulturglanz einer wirklichen Gesellschaft und eines auf gewisse Weise verführerischen Menschentyps am Ende der Karriere lockte. Es lohnte schon für ein kluges Mädel aus dem galizianischen Ghetto, den Weg bis zur Lebenshaltung einer kleinen Erzherzogin zu durchlaufen. Es war schon etwas für einen Budapester Judenjungen, als Staatsmann mit dem deutschen Kaiser oder den Rothschilds zu verhandeln. Man konnte schon Triumph spüren, wenn man vom kleinen Mimen bis zum Schloßherrn mit einer Art von Hofhaltung in die Höhe kam. Man durfte schon verzweifeln und zur Pistole greifen, wenn der Drang, anders zu sein als man war, nur durch den Tod befriedigt werden konnte. Keine Selbstverhöhnung und Selbstzüchtigung war stark genug, wenn sich herausstellte, daß man ewig ein »Untam« aus Ottakring bleiben, aber die Seele und das Schönheitsverlangen eines Hellenen in sich entdecken mußte. Der sogenannte jüdische Selbsthaß, diese spezifisch österreichische Form der Ich-Entwertung, der jüdische Weltschmerz, die jüdische Verzweiflung, der leidenschaftliche Ansporn zur Verneinung des eigenen Wesens kam vorzugsweise dort vor, wo das Leben der nichtjüdischen Gesellschaft wirklich Glanz, Farbe, Zauber und humanes Menschentum hervorbrachte oder spiegelte. Wir reichsdeutschen Juden − woran sollten wir uns schließlich verlieren? An die Welt deutscher Bücher und Noten, verstorbener isolierter Genien, und das taten wir auch. Aber man mußte schon sehr weit im Eigenen verwirrt sein, um etwa im märkischen Junker, im preußischen Offizier, im deutschen Industriellen oder Beamten einen Typus Mensch zu sehen, dessen Werte so übermächtig überzeugen konnten, daß man das Eigene unter allen Umständen aufgeben, sich selber unter allen Umständen vernichtenswert finden mußte. Das Deutschtum, das in seiner Machtentfaltung als Kaiserreich auf uns einwirkte, konnte nur zum Spott und zur gutmütigen, beinahe zärtlichen Verulkung aufrufen, weil es ja an einem Menschentyp, der es repräsentierte, vollkommen gebrach. Den deutschen Juden vermochte der von Fontane geschilderte Geheimrat zu verführen, nicht der Geheimrat selbst, die von Dahn verkitschte deutsche Vergangenheit, nicht diese Vergangenheit selbst. Die deutsche Kultur, der sich das jüdische Kind inbrünstig erschloß, ward in ihrer Diskrepanz zu aktuellem Deutschtum von Nietzsche nur aufgedeckt, ausgesagt, mit prophetischem Ingrimm herrlich geformt − empfinden mußten wir sie aber alle Tage. Und es mögen schon ganz besondere Verhältnisse vorgelegen haben, um in seiner Vereinzelung den Fall jener wertvollen Menschen, Kritiker- und Dichterpersonen zu ermöglichen, die ganz und gar an ein Preußen- und Deutschtum assimiliert sind, das in Wirklichkeit nur literarisch, als Geschichtsunterricht und Dichtung, vorkommt.

5.

Uns vermochte freilich eine andere Form des Differenzaffekts zu verwirren, die nämlich, die sich als wissenschaftlicher, rassentheoretisch oder sonstwie formulierter Germanismus an den Universitäten darstellte; aber nur, wenn er, professoral verblümt, in der Maske objektiv vorgetragener Kunst- oder Lebenstheorien auftrat. Wer z. B. als junges Kind und junger Mann der Infektion durch deutsche Literaturgeschichten antisemitischer Provenienz ausgesetzt war, solcher aber, die sich nicht offen antisemitisch hielten, denn die gab es nicht – selbst Bartels war ja um 1905 durchaus noch krypto-antisemitisch »eingetarnt« – oder in der empfänglichsten Zeit seiner Jugend durch den romanisch-germanischen Rückwärtswillen des großen George eingefangen, mit Anschauungen vom Wesen der Kunst, des Epischen, des Dramatischen, des Literarisch-Sittlichen, des Dichterischen überhaupt aufgezogen wurde, die sämtliche Werte der Weltliteratur und im besonderen der deutschen nach einem kleinbürgerlich landstädtischen oder antikisch-romantischen Lebens- und Gefühlsideal werteten, der konnte schon zu völlig falschen Kunstkriterien gelangen, zu einem irrigen Denk- und Schreibstile, zu lächerlichen und närrischen oder gegenwartsfeindlich kothurnischen Wertungstafeln – aber er brauchte nicht am eigenen Sein zu verzweifeln, sondern konnte gutgläubig und kindlich den Versuch machen, das, was als allgemeingültige Kunstlehre z. B. über das Epische, das Musikalische, das Dichterische überhaupt vorgetragen wurde, aus sich herauszuholen und selber zu sein. Wahrhaft vom Eigenen abgelockt werden, in Katastrophen eigenen Wesens gestürzt werden konnte nur der Jude, der mit dem großen Schwung ungebrochener Volkskraft und der Begabungsfülle seiner jüdischen Ghettokultur nach Wien oder Prag geriet, in eine Welt, die kulturell, politisch und menschlich eine Einheit von verführerischem Glanze vor ihm aufrichtete. Wie es nach Aussage von Sachkennern ein wirkliches Österreichertum nur unter den österreichischen Beamten und den österreichischen Juden gegeben hat, während alle Völker der Monarchie ihre selbständigen Tendenzen durchzusetzen versuchten, so hat es doch auch eine wirklich vorhandene, dargelebte, in menschlichen und geistigen Werten schwebende österreichische Welt gegeben, anschaulich vorhanden, deutsch der Geistigkeit nach, kulturell aber so eigenwüchsig mittelmeerverbunden, landschaftlich beglückend durch den Glanz eines schon voralpin-südlichen und alpin-mächtigen Wesens, daß man die infernalische Schärfe der Konflikte wohl versteht, die der judenfeindliche Differenzaffekt dieser gleichen glanzvollen Welt in den Abkömmlingen des breiten österreichischen Ghettos hervorbringen mußte. Was Schnitzlers »Weg ins Freie« nur viel zu zart und freskenhaft andeuten konnte, das entblößte mit einem grandiosen Ausbruch von Ernsthaftigkeit die protokollarische Literatur der österreichisch-jüdischen Psychoanalytiker.

6.

Und so enthüllt uns sich die Welt dieser österreichischen Juden als ein Stück durch familiare Gemütlichkeit verschärfter Dantehölle. Sie alle flüchten aus dem Judentum. Sie werden getrieben von dem grenzenlosen Wunsche, der Pressung der Atmosphäre durch den Differenzaffekt zu entrinnen. Eine unendliche Qual: zu fliehen und nicht zu wissen wohin, zu fliehen und zu wissen, daß man stets mit sich trägt, wovor man flieht, wie seinen Schatten. Ungeheure Verunstaltungen des Charakters, Verdrängungen, Verlogenheiten, Verbiegungen des Menschen schon in früher Zeit setzen ein und wirken sich aus; manche fliehen in die Kirchen, die Hoffnungsloseren in Karriere, Vergnügen, Verzweiflung, Gelächter, Tod. Viele verstummen früh, viele wieder gehen hin und bauen an der Ideologie und Verwirklichung besserer Zeiten durch einen Sozialismus, der, da er vom Differenzaffekt nichts weiß, ihn mit hinübernimmt auch in die neue Verantwortung, und mit bitterem Lachen sehen sie dann inmitten des von ihnen gebauten Parteiapparats, der von ihnen geführten sozialistischen und kommunistischen Arbeitermassen von neuem aufflammen, wovor sie geflohen sind. Nur sehr wenige finden den Weg zum Aufbau einer Zukunft für Juden durch Juden, in der der Differenzaffekt sich im Sinne dessen, was wir an seinem Platze

»prophetischen Nationalismus« nennen werden, rechtschaffen einbauen läßt in Wirkung und Erlösung.

Der Durchschnitt aber der jungen Juden, der Juden überhaupt wird durch den Differenzaffekt und seine wahrhaft verpestende Wirkung um das einzige Glück betrogen, das auf Erden jedem Menschen zusteht: U n b e f a n g e n h e i t d e s S e i n s. Man ist von Gnaden des Differenzaffekts als Jude daran verhindert, zu sein wie man ist; man wird zur Leistung gezwungen schon in jungen Jahren und bezahlt einen unfreiwillig geweckten Ehrgeiz, die fahrige Hast eines überspornten Gerittenwerdens mit der ruhigen hellen und heiteren Persönlichkeit, die dem Juden als Mittelmeermenschen so nahe liegt. Statt der großen Komödien, die dem Daseinsgefühl der Juden durchaus zuständen und seinen Talenten – Heine, Sternheim – so gut geraten könnten, entsteht als nationale Entladung der bittere, gallige, bezaubernde jüdische Witz, die in Faserform zutage tretende Triebkraft des großen Komöden. Hunderte von Formen der Verunstaltung durch die Feindschaft der Gleichaltrigen, das wüste Affentum der Lehrer, die schneidende Borniertheit eines antisemitischen Staatsapparates wären aufzuzählen. Die Analytiker wissen, daß unter den Minderwertigkeitskomplexen der Menschen der jüdische Komplex am schwersten zu überwinden, am schwersten zu heilen ist, weil er nach unserer These nicht mehr allein im Einzel-Ich sich ausbreitet, sondern seine Wurzeln nur allzuleicht ins Gruppen-Ich zu senden vermag, in jenen Bezirk, wo die Empfindung des Verfluchtseins, des von Gott Verlassenseins mit dem Auserwähltheitsgefühl streitet.

7.

Das Schwere an dieser Situation: daß auch die Flucht ins Religiöse, in die alten Formen und Gefilde nichts mehr fruchtet. Der Mensch von 1926, mit einer Fülle wissenschaftlicher Erkenntnisse, ob er will oder nicht, dem Bereiche religiöser Kontrolle entwachsen, kann nur durch das Sakrifizium intellektus Befriedigung in orthodoxen Formen und traditionstreuem Judentum finden;

oder aber: er trägt die Krankheit seiner Seele, die Zerspaltenheit seines Wesens auch noch ins Allerletzte und scheidet nicht allein zwei Iche sondern sogar zwei Kosmen: den einen, in welchem er lebt, arbeitet, wissenschaftlich denkt, astronomische und physikalische Gesetze walten weiß und der von Astrophysik und Ionentheorie, Lichtjahren und ultramikroskopischen Schattenmessungen ausgelotet wird – und jenen anderen, in dem er ißt, trinkt, heiratet und betet, und der vom Herrn der Heerscharen in sechs Tagen auf eine äußerst spirituelle Weise geschaffen worden ist. Links die Welt des Tuns und des Verstandes, auf Kapitalismus gebaut, rechts die Welt der Triebe und ihrer Formungen, in Erlaubnis und Verbotenheit von der Zedokoh regiert, jener Einheit von Gerechtigkeit, Frömmigkeit und Erbarmen: das ist die äußerste Konsequenz jenes Judentums, welches auf nichts so ungeheuren Nachdruck legte als auf die Einheit des Menschen, die Einheit Gottes und die Einheit der Welt.

Und nun will die Sachlage, daß in einer Hinsicht, nämlich vom Differenzaffekt aus gesehn (nicht von der Frage nach dem Juden und seinem Schicksal, der rechten »Judenfrage«) die Umwelt eines traditionstreuen Hauses dem jüdischen Kinde noch fast allein Rückhalt und Basis eines einigermaßen normalen Ich-Gefühls geben kann. Wenn man heute Juden trifft, die zwischen unechter Würde und unechter Leichtfertigkeit in einer guten Mitte geradeaus zu leben und zu sein verstehen, werden sie sehr oft auf eine orthodoxe Jugend zurücksehen können, oder es noch heute in dieser nationalen jüdischen Lebensform vergangener Jahrhunderte aushalten. Es hat etwas Großartiges beinahe, einen modernen Juden in orthodoxer Lebenshaltung dem Differenzaffekt der Andern begegnen zu sehen durch den eigenen, der mit ihnen nicht ißt und nicht trinkt und in Trauer und Freude, Jahresrechnung und Monatszahl, Rhythmus der Feste und selbst der Jahreszeiten nach Einteilungen sich richtet, die vor 2000 Jahren gültig waren. Die Masse der westlichen Juden aber, viel zu sehr Kinder der Zeit, um Kinder der Vergangenheit zu sein, rollen dahin ihre kleinen Bahnen, ein jeder in der Seele zersprungen durch die Stöße, die Kinderseelen nun einmal nicht aushalten können. Nicht einmal ein Lächeln gebührt dem idiotischen Geschwätz von der Abhärtung, welche Kindern auch in seelischer Beziehung nottue, weswegen man sie ruhig dem Differenzaffekt der Anderen aussetzen könne. Was so redet, lebt, denkt, das treibt sich noch immer in der kahlen Welt dümmster Jahrzehnte der achtziger und neunziger Jahre des 19. Jahrhunderts herum, wo man materialistisch stolz war auf längst widerrufene Dinge. Wenn nicht die jüdisch-nationale Jugendbewegung und die Judaisierung der gesamten Atmosphäre des Westens durch den Zionismus, der gerade in liberalen Kreisen eine Lebensnotwendigkeit erfüllte, hier begonnen hätte, Abhilfe zu schaffen, indem sie dem losgelassenen Differenzaffekt der Gegenwart wenigstens einen jüdischen Zentralitätsaffekt entgegenzusetzen lehrte, müßte man aufs tiefste entsetzt dem Heranwachsen und der späteren Lebensleistung einer Generation entgegensehen, die zwischen 1916 und 1926 das zweite Jahrzehnt ihres Lebens vollendete.

8.

Denn die L e b e n s l e i s t u n g eines Einzelnen und einer Generation ist direkt abhängig von dem Grade von Gesundheit, Natürlichkeit, Zwangslosigkeit, in welchem die Person sich auswirken kann. Der neurotische Mensch hat einen Teil seines Ichs abgespalten und verdrängt und zwingt ihn, im Unterbewußten ein parasitäres, selbständiges, dämonisches Leben zu führen. Sowohl dieses Weiterbestehen als auch das beständige Hinunterdrängen fesselt einen Teil, und zwar einen mit den Jahren immer wachsenden Teil, der gesamt verfügbaren Kräfte des Ichs. Um mit dem Rest – einem also immer mehr schwindenden Rest – die Lebensleistung eines erwachsenen Menschen zu vollführen, bedarf es erst einer übernatürlichen, zwanghaften, immer starreren Anspannung, dann beständig gesteigerter Reiz- und Rauschmittel. Durch sie, wie durch die Überlastung und Spaltung überhaupt, unterhöhlt die mächtige Seele ihren Leib und senkt damit Vitalität und Lebensdauer der Generation. Vor allem aber führt sie nur allzu leicht zum freiwilligen Wegwerfen eines Lebens, dem dank zwanghafter Verwucherungen der Seelenorgane ein großer Teil des normalen Reizes fehlt. Der neurotische Mensch hat das Gefühl, in einem ihm vom göttlichen Schneider falsch angemessenen Ich zu stecken, das auszuziehn Erlösung wäre. Die Neurose lockt mit dem Tod aus einem Dasein, das unter dem Überdruck der verlangten Leistung in schwierigen Zeiten, ja an besonders bedrängten Tagen nur allzu leicht verhaßt und in Verwirrung und Rettungslosigkeit weggeworfen wird von Menschen, deren noch gesunde Großeltern viel schlimmere Krisen mit der Gelassenheit der an schlecht Wetter gewöhnten Lebenskämpfer überdauert hätten. Zunächst die relativ zahlreichen Freitode begabter jüdischer Frauen und Männer unter Dreißig, dann aber die Selbstmordepidemie des Jahres 1926, die, im jüdischen Leben unerhört, die Reaktion älterer Menschen auf eine wirtschaftliche Stockung war, spricht mit der kühlen Sachlichkeit eines statistischen Beweises für die Bedrohlichkeit der Situation. Da der neurotische Mensch infantil bleibt, an einem bestimmten Punkte seines Wachstums gehemmt und in der Reifung seiner seelischen Person aufgehalten und gestört durch jenes beständig kindbleibende und -spielende Sonder-Ich, flüchtet er vor der Lebensangst nur zu leicht in den großen Mutterschoß des Todes zurück, den er bereut, jemals verlassen zu haben.

9.

Darum wirkt die Neurosenlehre Freuds, fußend auf seinen mit Breuer unternommenen Studien zur Hysterie, vom Gruppen-Ich »jüdisches Volk« aus gesehen, gleich der regenerierenden Ausbildung eines heilenden Organs an einem befallenen Körper, der noch die Kraft hat, sich selbst zu helfen. Wie in jedem angegriffenen Organismus Wanderzellen, Phagocyten und andre, uns noch unbekanntere Kräfte der Selbsthilfe sich gegen den eindringenden Feind stürzen, wie Fremdkörper herauseitern, Parasiten in Kalkpanzer verschlossen werden und verdrängte Komplexe in Träumen ununterbrochen mit ihren hilflos weisen Fäusten gegen die verschlossene aber öffenbare Tür des wachen Seins schlagen, so lebt auch in dem großen Gruppen-Ich der Drang zur Ge-

nesung von dieser Spaltungskrankheit, die die Lebenssubstanz
selber anzutasten wagt. Die geniale Intuition Sigmund Freuds,
der in wunderbarem Fortschreiten und Ineinanderspielen philosophischen Denkens und praktischen Heilens die Neurosenlehre aufbaute und die Neurosenheilung bewies, gibt sich unter
diesem Gesichtswinkel gesehen als eine Tat der »Vorsehung« –
einer Vorsehung, die, doppelt unerklärlich, jedem Organismus
gewissermaßen entelechetisch mitgegeben zu sein scheint. Dieser Mann hatte den Mut, nicht nur der gesamten Wissenschaft
seiner Zeit entgegenzutreten, den viele der großen Forscher
besaßen und besitzen müssen, sondern die bürgerlichen Verdrängungen, Prüderien und Vorurteile, Ängstlichkeiten und Ver-
schweigungen an derjenigen Stelle zu treffen, wo sie am leichtesten zur Raserei zu wecken waren: durch seine Herausmeißelung
der Triebnatur im Menschen, besonders des Geschlechtstriebes,
den er in allen seinen Formen als den großen Beweger Eros auch
im heutigen Menschen und all seinen Taten nachwies – ohne
Angst, wissend, gelassen, tapfer bei beständiger Gefahr, unter
Einsatz seines ganzen furchtlosen Mannestums. Sigmund Freud,
bei weitem der erste Psycholog seit Nietzsche, und tiefer, weil
enger konzentriert, genialer schauend als der großartige Kultur-
denker, auf Naturwissenschaft unerschütterlich gegründet, aber
mit der ganzen Neugier und Liebe eines Arztes der Tatsache
»moderner Mensch« gegenüberstehend, hat das Verdienst, als erster die Heuchelei der europäischen und amerikanischen Öffentlichkeit in wichtigen Erkenntnissen zurückgeschlagen zu haben.
Nicht nur entdeckte er und forschte er in dem Labyrinth der
menschlichen Unterwelt; in diesem Sinne ist sein Werk an Syste-
matik und Tapferkeit die Verwirklichung dessen, was Dante als
politisch-sittlicher Kritiker dichterisch gestaltete: die Ausmessung
der Hölle; nicht nur erschloß er gesetzliche Welten des unterbewußten Lebens, nicht nur bezog er das Gebiet der Träume er-
neut, seit gut 3000 Jahren zum ersten Male wieder, in die Welt
geistiger Tatsachen ein, nicht nur erschloß er von den gewon-
nenen Übereinstimmungen des Neurotikers mit dem Kinde, dem
Künstler, dem Wilden (primitiven Menschen) neue großartige
Aspekte auf die Phänomene des Religiösen, des künstlerischen

Schaffens, der Fehlhandlungen, des Witzes, der Kinderpädagogik und der Völkerkunde; nicht nur ermöglichte er neue Sicherungen des Blicks in das, was der Metaphysik und dem Transzendenten an Gegebenheiten zugrunde liegt: sondern zu alledem schuf und verbreitete er eine lehrbare und lernbare Methode der Seelenheilung, die gerade denen zu Hilfe kam, die Hilfe am nötigsten hatten, aber bis zu seinem Auftreten entweder mit sich alleingelassen oder den barbarischen Surrogaten bisheriger Nervenärzte überantwortet waren: den empfindlichen, leicht verletzlichen, seelisch wertvollsten Söhnen und Töchtern des ratlosen Bürgertums und des niederen Volkes. Psychoanalyse, die von Freud geschaffene Methode der Abfuhr seelischer Bedrängnisse und Erkrankungen, heute noch am Anfang ihrer Wirkung, wird eines Tages erkannt werden als die folgenvollste Entdeckung, mit der das 19. Jahrhundert ins 20. mündete. Es ist nicht erlaubt, im Zuge dieser Abhandlung die Perspektive zu eröffnen, die ihr in politischer Beziehung (Befreiung gerade der Gedrückten und Elenden unter den Menschenklassen) zukommen wird. Von ihrer Anwendung auf die Beschreibung politischer Phänomene ist dieses Buch ein bescheidener Beginn. Seit Freud gibt es in der Wissenschaft eine wirkliche menschliche Seele als Gegenstand wirklicher erkennender Akte; damit schon bezeichnet sie ein Novum in der atheistisch-materialistischen Zerstörung aller wesenhaften Kategorien, mit denen die neue Zeit beginnen mußte. Daß sie zum Allgemeingut wird, daß Pädagogen, Ärzte und Beichtväter sich ihr bereits nicht mehr verweigern, ist ein hoffnungsvolles Zeichen für die Besserung einer verlassenen und erkrankten Zeit. Und wenn sich heute noch ihr gegenüber heftiger Widerstand bemerkbar macht gerade von sehr geistigen Menschen, die ihrer besonders bedurft hätten, so wird sich kein Psychologe darüber wundern.

10.

Für den Juden nun, der im Zusammenhang dieser Überlegungen das jüdische Volk besonders der neurotischen Erkrankung ausgesetzt sieht, ist an der Tatsache nichts Verwunderliches, daß sie in Theorie und Praxis besonders von Juden und österreichischen Juden praktiziert wird. Die S e l b s t h e i l u n g   e i n e s O r g a n i s m u s   setzt am bedrücktesten Punkte von jeher ein; so zieht die allgemeine Judennot aus dem Kraftreservoir, welches einzigartig gelagert für Gefahr und Rettung im österreichischen Judentum vorhanden ist, jene Fähigkeit und Möglichkeit, den Differenzaffekt an der Stelle seiner feinsten und gefährlichsten Wirkung zu paralysieren. Wie es kein Wunder ist, daß der Gedanken- und Empfindungsbau des Zionismus für die westliche Welt von zwei Juden der k. u. k. Monarchie geschaffen wurde, von Herzl und Buber, ist es auch keins, daß, in gleicher Generation Freud und seine Schüler, mit der Bekämpfung der neurotischen Zerstörung jüdischer Menschen einsetzten. Und wie die Gedankengänge Theodor Herzl's durchaus nicht spezifisch jüdisch sind, sondern für europäische Zustände unter gleichen Voraussetzungen und gleichen Nöten (revolutionärer Siedlungsimpuls) allgemein gültig, ist auch die Neurosenlehre und -heilung und das Vorkommen der Neurose als Krankheit nicht etwa auf jüdische Menschen beschränkt. Das hindert nichts an einer Betrachtungsweise, mit der wir sie hier in den Komplex des Differenzaffekts und der jüdischen Situation eingliedern; was dem Juden als Juden im besonderen und vielleicht besonders sichtbar zustößt, muß allgemein im Menschen als Menschen sein Gleichnis oder Vorkommen haben. Zum Glück fehlt der wirklichen Welt das System von Liniierungen und Quadraturen, in das Zentralitätsund Differenzaffekt die Menschenwelt aufteilen möchten. Der heile geniale Mensch, indem er ein Organ seines Volkes, ja enger noch, seines besonderen Stammsplitters in Österreich ist, ist zu gleicher Zeit auch ein heilendes Organ der Menschheit, in die und für die jede große menschliche Lebensleistung befruchtend und befreiend mündet.

11.

Genau das gilt für einen anderen, sehr bemerkenswerten, sehr wichtigen und einsamen jüdischen Mann, den tapferen Karl Kraus. Schon um der Verantwortung willen, die wir an den Zu ständen der Erde mittragen müssen, ist auch er ein allgemeines und ein jüdisches Phänomen und an dieser Stelle einzuordnen.

Wenn die Juden bei der Frage der Schuld am Kriege das gute Gefühl haben dürfen, daß sie als Volk an ihr nicht beteiligt sind, daß die Machinationen, Zetteleien und Eifersüchteleien unter den Völkern, der Kampf um die Märkte und um die Kolonisierung des Erdballs sich wesentlich unter Schichten abspielten, in denen, in allen Staaten, Juden nur verschwindend schwach vertreten waren, so haben sie doch umgekehrt auch keinen Grund, mit heiliger Miene dazustehen und ihre Unschuld an der Barbarisierung Europas frohlockend in der sanften Brust zu wärmen. Ein Teil der Verantwortung, der für die Entstehung, rasende Intensität und zähe Dauer des Krieges zu tragen ist, bleibt ja der Presse Alt-Europas auferlegt, dieser zeitungspeienden, bäumeverschlingenden, menschenzermahlenden, donnerähnlichen Mühle der öffentlichen Meinungen, welche zu böser Letzt mit öffentlichen Verrücktheiten identisch waren. Was vier Jahre lang – und wieviele hernach noch – europäische Völker aus ihrer Mitte verlauten ließen, diese Reinkultur des Zentralitäts- und Differenzaffekts, diese Essenz, gepreßt aus dem Gruppenaffekt von gut 300 Millionen Menschen, fand seinen Niederschlag, aber vorher seine tausendfältige Steigerung durch das moderne Zeitungswesen, welches in diesem Kriege ja zum ersten Male in großem Stil als Kampfmittel diente, ganz wie Eisenbahn, moderne Flotten, Auto, Gas und alle späteren Errungenschaften. Unentwirrbar aus dieser Verschuldung der europäischen Presse ist der trübe Anteil der Juden; aber er ist darum nicht kleiner. Es mag sein, daß den großen Zeitungen schon heute unbegreiflich ist, was sie damals für Gedanken oder auch nur intellektuell gefaßte Meinungen hielten und verbreiteten. Aber sie sollten sich von der guten Scham nicht zu bösen Verdrängungen verführen lassen; sie sollten einsehen, daß die Zeitungen aller Länder, in denen eine ungewöhnliche Zahl von fähigen und verantwortungsbereiten Männern und Frauen neben einer ebensogroßen Zahl unfähiger, hemmungs- und skrupelloser Schreiber ihr Unterkommen fand, zur Erziehung des Menschengeschlechtes einiges beitragen könnten, wenn von ihren Kriegsjahrgängen, dem Verfall des Holzpapiers durch sorgfältigste Konservierung entrückt, vollständige Exemplare in allen Sprachen für zukünftige Historiker der menschlichen Seelenentwicklung aufbewahrt würden. Dann wäre auch für die Konservierung des jüdischen Anteils an der Entstehung und Dauer dieses Unheils sehr viel geleistet und ein großer Dienst erwiesen gerade den Juden, die von ihrem Nationalgefühl nichts weiter mehr haben als den Zentralitätsaffekt des Auserwähltseins, Reiferseins, Besserseins, kurzerhand Unschuldigseins. Wo gelogen wurde, haben Juden mit einer prachtvollen Überzeugtheit mitgelogen, wo gehetzt wurde, gehetzt, wo entstellt wurde, entstellt und wo durchgehalten wurde, durchgehalten – einfach aus der Wonne, endlich einmal von Herzen gute Bürger sein zu dürfen und den Vaterländern ihren vollkommenen Patriotismus und ihr brauchbares Talent, ihre Opferfreude und ihr Aufgehen in der Gemeinschaft vor Augen zu führen. Sie brachten vier Jahre lang das Opfer des Intellekts auf dem Altar der Gruppenleidenschaften mit Hingabe und Selbstverleugnung dar. Bis auf wenige Einsichtige machten sie die Vorurteile derjenigen mit, die in einer möglichst langen Dauer des Krieges die möglichst große Siegeschance erkannten, und die nicht, wie z. B. Harden oder Theodor Wolff, die Einfühlung besaßen, aus Patriotismus zur Abkürzung des Krieges zu drängen, jeden Frieden, je schneller desto segensreicher, mit der ganzen Gewalt des öffentlichen Worts zu unterstützen und lieber noch zu schweigen als mitschuldig zu werden. Keine einzige große Zeitung Europas wagte, sich verbieten zu lassen. Jede hielt es für klüger und dem öffentlichen Wohle dienstbarer, ihr Wort – ihr relativ vernünftigeres und dienlicheres Wort – weiter lautwerden zu lassen. Daß große Zeitungen durch ihr pures Nichtmehrerscheinen gegen die Herrschaft des infamen Kriegsgeistes und die Diktatur des Kriegs-Presse-Amts auf eine unvergleichlich eindringlichere Weise Protest eingelegt hätten, ja daß durch diese Maßregel allein schon eine Änderung in der Handhabung des öffentlichen Wortes hätte erzwungen werden können, das einzusehen und gar zu praktizieren verhinderte sie die Verflochtenheit von Vaterlandsliebe, kapitalistischem Interesse und der Verblendung durch den Differenzaffekt.

Der Anteil von Juden an diesem Sachverhalt ist, wie gesagt, unausschälbar, aber auf alle Fälle groß, und es entspricht der ingrimmigen ethischen Leidenschaft des jüdischen Geistes, daß er gegen diese Verschuldung dort, wo sich jüdischer Anteil verhältnismäßig einfach und einheitlich darbietet, in Wien, auch ein Organ der Reinigung von ihr produzierte. Von der Gruppe her gesehen sind einzelne Menschen Organe des verbundenen Organismus. Karl Kraus: hier ist einer der größten Schriftsteller dieser Tage an die Presse, an die von Juden geschriebene besonders, als seinen Gegenstand gebunden. Er ist ein Musterbeispiel des prophetischen Nationalismus; sein Ingrimm wendet sich vor allem und mit einer unerhörten Begabung gegen alles Unechte, Anmaßende, Verzerrte und Aufgeblähte in der öffentlichen Tätigkeit schreibender Juden. Ihm entgeht von den Symptomen keines, die der Verschleiß geistiger Waren aus den Mauern eines unsichtbaren Ghettos in die Öffentlichkeit der deutschen Sprache impft. Je intensiver seine Liebe der reinen guten Sache gehört, so weit sie sich eines sprachlichen Mediums bedient, um zu seiner Kenntnis zu kommen, so ungeheuerlich leidet er unter den Flecken und Geschwüren, die durch die unverantwortliche Handhabung des Lesen- und Schreibenlernens an beiden hervorgebracht werden: am jüdischen Wesen und der deutschen Sprache, dem deutschen Geiste. Durch ihn werden ephemere Ungeheuerlichkeiten in ihrer Ungeheuerlichkeit aufgedeckt, erstmalig für jene Masse Menschen, die an ihnen sonst vorüberläsen, weil sie sich von der allgemeinen Ungeheuerlichkeit der Zeit nur abheben, wenn ein reizbares und sittliches Temperament sie mit der leidenschaftlichsten und begabtesten Anklage unserer Zeit, dem schmerzlichen Gelächter, anprangert. »Wo aber Gefahr ist, wächst das Rettende auch« – wo eine wirkliche Verschuldung vor heiligen Gütern Europas und der Menschen durch Juden und an ihnen sichtbar wird, produziert die Heilkraft dieses erstaunlich gesunden Volkes Organe zur Reinigung seines Selbst, die, wie es nun einmal in der Natur des Menschen liegt, mit ungemeinem Krafteinsatz, mit dem Fanatismus einer ganzen bebenden Person weit übers Ziel hinaus zu schießen verpflichtet sind, um nur das Ziel nicht zu verfehlen. Wer bei den

Menschen die Lage einer Klasse, der Scheuerfrauen etwa, verbessern will, gelangt zu diesem Ende nur, wenn er entschlossen ist, mit sich oder von sich aus eine neue Epoche der Menschheit zu proklamieren und als alleinige Aufgabe der Kraftanstrengung dieser Menschheit sein Ziel – sein bißchen Ziel – zu verkünden. Dann wird es ihm vielleicht gelingen, das öffentliche Wohl ein weniges zu fördern. Und so ist die Lebensleistung und der viele Grenzen verletzende Fanatismus von Karl Kraus wohl nötig, um einen Teil der von Juden und Nichtjuden stammenden Literatur zum Bewußtsein ihrer Verantwortlichkeit zu erheben – jener Verantwortlichkeit, die darin liegt, daß niemand so sehr seine Hände an den Hähnen und Schaltungen des Differenzaffekts und anderer Gruppenleidenschaften hat wie der Journalist, der, indem er Massengefühl losläßt, den Glauben dieser Mengen an die Geistigkeit und die allein regierende Vernünftigkeit ihrer armseligen intellektuellen Überbauten stärkt.

12.

Da nun der Krieg bewiesen hat, welcher Sprengwirkung die Zeitungswelt fähig ist, sobald sie affekthaft in Bewegung gesetzt und den Machthabern ausgeliefert wird, müßten alsbald Versuche gemacht werden, durch allgemeine Anstrengung den einsamen Kampf prophetischer Naturen wie dieses erstaunlichen Menschen Karl Kraus, zu stützen. Ein Völkerbund, der dieses Namens wert sein will, hat wohl die Pflicht, hier als allein zuständiges Organ ganze Arbeit zu leisten. Da es im Zuge dieser Untersuchung liegt, die Wirkung des Differenzaffekts nicht allein auf die Juden und von ihnen her, sondern immer auch darüber hinausdeutend zu zeichnen, und weil keine Gelegenheit vorübergehen darf, ohne daß, wer ein Mittel gegen Feuer zu wissen glaubt, dieses Mittel öffentlich macht, stehe hier, in Thesen und Parenthese, die Skizze internationaler Regelung der Presse unter dem Gesichtspunkte des Differenzaffekts und seiner Abdrosselung: 1. Das öffentliche Wohl verlangt von Zeitungen die verbürgte Wahrheit der von ihnen gebrachten Meldungen. Der privatwirtschaftliche Konkurrenzkampf verlangt von den Zeitungen Wettlauf in der Schnelligkeit der Berichterstattung. Es ist keine Frage, daß das öffentliche Wohl dem privaten Erfolg übergeordnet zu werden hat, wie es auch keine Frage ist, daß der Antrieb zum Geldverdienen stärker ist als der zum Dienst an der Gemeinschaft. Daher muß jener gestützt, dieser gezügelt werden durch eine Kontrolle, welche von der geschädigten Öffentlichkeit Europas leicht einzurichten wäre. 2. Es dürfte also keine Zeitung in irgendeinem Lande, das Mitglied des Völkerbundes ist, außerhalb der Grenzen, in denen sie erscheint, vertreten und verkauft werden, wenn sie sich nicht bestimmten Gesetzen unterwirft, die der Völkerbund durch Beschluß einer Vollversammlung seinen Mitgliedern zur Annahme vorlegt. 3. Das Erscheinen jeder Zeitung wird an die Bedingung geknüpft, falsche Nachrichten, die sie gebracht hat, innerhalb einer Woche an einer dafür einzurichtenden Rubrik »Dementis« noch einmal zu drucken und dann zu widerrufen. Da jede Zeitung mit ihrem Raum geizt und diese Rubrik sich alsbald, vor ihren eigenen Lesern, zum Pranger oder zu einer Ehrentafel – wenn sie wenig zu widerrufen hat – entwickeln würde, wäre diese Einrichtung eine Selbstheilung von außerordentlicher Wirksamkeit. 4. Jeder Korrespondent jeder Zeitung in einem dem Völkerbunde angehörigen Staate wird zu seiner Tätigkeit zugelassen zunächst auf vier Wochen. Danach ist ihm die Genehmigung zur Ausübung seiner Tätigkeit von dem Staate, über welchen er berichten wird und dem Presseamt des Völkerbunds wie jedem anderen Diplomaten zu erteilen; jedoch so, daß jederzeit, wenn er durch die entstellende affekthafte Art seiner Tätigkeit die Interessen Europas verletzt, seine Zeitung gezwungen werden soll, Berichtigungen des Presseamts des Völkerbundes an derselben Stelle abzudrukken, an der die Aufsätze des Korrespondenten sonst erscheinen. Nur bei sehr ernsthaften Verunglimpfungen oder bei einer sehr lange fortgesetzten hämischen Art der öffentlichen Äußerung soll, wie bei anderen Diplomaten, die Entfernung dieses Journalisten von seinem Posten verlangt werden. 5. Das Presseamt des Völkerbundes, mit welchem die Vertreter der Völkerbundsstaaten zusammenarbeiten müssen, soll das Recht haben, Dementis dieser Art auch in Zeitungen zu erzwingen, wenn sie sich bei der Äußerung und Berichterstattung über innerstaatliche, das eigene Volk betreffende Vorgänge affektiv und sachwidrig verhalten. Bei der Gefährlichkeit, die in dieser Zeit der Umlagerung des Differenzaffekts von der nationalen auf die Klassenschichtung der Völker dem innerpolitischen Moment zukommt, muß eine solche Aufhebung der absoluten Selbstherrlichkeit der Zeitungen als eine Sache öffentlicher Gefahrverhütung allgemein anerkannt werden. 6. Die Mitglieder des Völkerbundes werden verpflichtet, bei gravierenden, den öffentlichen Frieden bedrohenden Falschmeldungen von Zeitungen sich mit dem Dementi nicht zu begnügen, sondern nach scharfer Verwarnung über eine solche Zeitung, sie möge nun den Frieden zwischen Nationen oder den Klassen ihres eigenen Volkes dauernd bedrohen, Strafgelder [zu] verhängen, die unter allen Umständen zur Linderung der außerordentlichen Not zu verwenden wären, die als Kriegsfolge und als Ausdruck europäischer Wirtschaftskrisen leider dauernd vorhanden bleibt. 7. Der Berufsehre europäischer Journalisten, die zu diesem Presseamt des Völkerbundes zusammenzutreten hätten, bliebe überlassen, besonders schädlichen und verhetzenden oder besonders unfähigen und leichtgläubigen Journalisten das Recht abzusprechen, sich als Macher öffentlicher Meinung aus privater Gebrechlichkeit in öffentliche Gefährlichkeit zu steigern. 8. Dem Presseamt des Völkerbundes und der Regierung des jeweiligen Staates müßte erlaubt sein, in Fällen, die sich durch andere Mittel nicht beheben lassen, einer Zeitung die Benutzung ihrer öffentlichen Einrichtungen zur Nachrichtenübermittlung vollkommen zu untersagen. 9. Das Presseamt des Völkerbundes benutzt das Radiowesen sämtlicher dem Völkerbunde angeschlossener Staaten, um in regelmäßigen Intervallen auf besonders wertvolle, sachgemäße und würdige Aufsätze innerhalb der Presse aller Staaten hinzuweisen und sie, wenn tunlich, durch Übersetzung den beiden daran interessierten Bevölkerungen mitzuteilen. Ebenso warnt es im Notfall vor dem Glauben an bestimmte schädliche und unzutreffende Betrachtungen öffentlicher Angelegenheiten an wichtigen Stellen. Nach den Erfahrungen des Krieges, welche bis jetzt zu positiven Folgerungen nicht verwendet wurden, haben die Völker der Erde das Recht und die Pflicht, ihr W i s s e n   v o n e i n a n d e r nach Möglichkeit zu korrigieren und es jedenfalls der Willkür einzelner Menschen zu entziehen, da festgestellt ist, daß auch die gewissenhafteste Skepsis eines Individuums von den Gruppenaffekten beiseite geworfen wird, sobald sie in ein besonders aktives Stadium treten.

Es ist sicher, daß im Augenblick dieser Veröffentlichung viele Menschen solche Vorschläge als utopisch und undurchführbar belächeln werden. Aber für ebenso utopisch und undurchführbar hielt man vor ihrer Durchführung eine Menge Einrichtungen internationaler Art, die heute selbstverständlich sind: die internationale Regelung der Fahrpläne, des Postwesens, der Schiffslinien, der Versicherungen und dergleichen mehr; und man wird wohl einer Generation, die durch den losgelassenen Differenzaffekt um die schönsten Jahre ihres Lebens gebracht wurde, das Recht nicht absprechen können, in Sachen öffentlicher Verhetzung das gebrannte Kind zu spielen. Wenn nur von diesen Vorschlägen eine breite Erörterung dieser Aufgabe ausginge, an deren Ende bessere, praktischere, radikalere oder mildere Ergebnisse stehen könnten als diese hier, der privaten Gewissenhaftigkeit eines einzelnen freien Schriftstellers entflossen! Denn wenn diese Sache nur zustande kommt, soll es herzlich gleichgültig sein, wem die Ehre der treffenden Formulierung gebührt haben wird.

5. Buch

Über Art und Dauer
des antijüdischen Affekts

Ein Denker, der die Zukunft Europas auf seinem Gewissen
hat, wird, bei allen Entwürfen, welche er bei sich über diese
Zukunft macht, mit den Juden rechnen wie mit den Russen,
als den zunächst sichersten und wahrscheinlichsten Faktoren
im großen Spiel und Kampf der Kräfte.

Nietzsche, Jenseits (1885)

I.

Aber aus der Zukunft zurück! Den Blick auf die Sache geheftet! Es handelt sich jetzt darum, jene bestimmte Kategorie von Tatsachen zu untersuchen, die man gelegentlich als Wurzeln des Antisemitismus aufzuzeigen liebt. Für uns, das gaben wir im breitesten zu erkennen, wurzelt Antisemitismus dort, wo die übrigen Gruppenaffekte des Menschen ihre Nahrung herziehen; besondere Wurzeln des Antisemitismus anzugeben, brauchen wir nach allem nicht mehr das Bedürfnis zu haben. Sehr wohl aber müssen wir auch diejenigen geistigen Tatsachen und wirkenden Ursachen erwähnen und analysieren, die, aus der Situation der Juden selbst gezeugt, den auf sie zielenden Differenzaffekt so besonders färben und so dauernd nähren und wach halten.

Eine von ihnen haben wir bereits bestimmt: die Siedlungsweise der Juden verstreut und eng eingebettet in die Völker, die so nicht imstande sind, sie zurückzuschieben, ebenso wie die Juden dadurch verhindert sind, Gestalt in gruppenhaftem Sinn, Volksgestalt, die ihnen zugeordnet wäre, anzunehmen. Wie an den Grenzen, an denen zwei Völker sich berühren, die falschesten Urteile beider über beide entstehen und geglaubt werden, wie z. B. Polen und Preußen am aufgeregtesten und unsachlichsten in den Grenzmarken sich begegnen, (Deutsche und Italiener, Deutsche und Tschechen, Deutsche und Dänen), oder wie die irische Frage am unlösbarsten aus der Perspektive des englisch besiedelten Ulsterlandes erschien, entzündet sich an der intensiven Berührung der Juden- und Nichtjudenheit und an dieser unübersehbar langen Grenzlinie der Affekt zu einem dauernden Grade abnormer Temperaturhöhe, und nicht vermittelt sich durch dieses gegenseitige Durchdringen von Juden und Nichtjuden etwa besonderes Verständnis jüdischen Wesens und besondere Einsicht in seine Werte, wie eine jüdische Missionstheorie gerne behaupten möchte. Es sieht vielmehr so aus, und jüngste Ereignisse bewiesen es, daß man in den letzten hundert Jahren über Juden nichts zugelernt hat.

Aber andere, wurzelhaftere, tiefer greifendere Ursachen gilt es, aufzudecken. Die Analyse hat bewiesen, daß es in der Seele der Menschen Vergangenheit nur für die alleroberste Zone des wachen Bewußtseins gibt. Unterhalb ihrer leben auch beim Individuum alle Erfahrungen bis zur frühesten Kindheit und darüber hinaus die Erfahrungen aus der Zeit im Mutterleibe, und noch weiter zurück alle psychischen Gegebenheiten, die innerhalb der Vergangenheit des Stammes oder der Gruppe einmal mächtig waren. Je tiefer eingebaut ins Seelische sie ihren Ort haben, um so schwerer bewußt zu machen sind sie, um so instinkthafter treten ihre Wirkungen als Selbstverständlichkeiten in die Wertung und Weltbetrachtung des Einzelnen ein. Von solchen verborgen wirkenden, dem oberflächlichen Blick weit hergeholten Grundtatsachen stellen wir jetzt einige dar.

2.

Zunächst wird immer wieder vergessen, daß ins Bewußtsein der heutigen Völker die Juden als Kriegsgefangene traten. Sie waren seit der Zerstörung ihres Reiches unter Titus und noch einmal unter Hadrian von den Sklavenmärkten Roms her in Scharen durch das Imperium verteilt worden. Nirgendwo vollzogen sie eine Landnahme durch das Schwert oder wurden geschlossen angesiedelt; überallhin kamen sie waffenlos, sei es als Händler oder als Nachkommen römischer Unfreier. Dieser Charakter der Kriegsgefangenschaft gab ihnen innerhalb des römischen wie des germanischen Rechts eine ganz besondere Stellung unterhalb der freien vollwertigen und vollbürtigen Männer, eine Stellung zwischen Person und Sache, eine Stellung ähnlich der germanischer Höriger und antiker Sklaven. Freizügigkeit und Waffentragen war ihnen, wie Landbesitz, verwehrt. Damit fiel unter Völkern, die den freien Mann an gerade diesen drei Kennzeichen unterschieden, vom Unfreien auf sie von vornherein ein entwertender Schatten. Es nutzte ihnen nichts, daß sie etwa unter den Ostgoten gegen die Byzantiner oder unter den Mauren gegen die Kastilianer beherzt und waffengeübt fochten; als Volk niemals erobernd ins Bewußtsein der nordischen oder südlich ziehenden Germanenstämme getreten, immer nur als Einzelne, als Kaufleute und Nachkommen von Kriegsgefangenen bemerkbar, war ihre Stellung innerhalb des Lehnssystems ein für alle mal im Gefühl der anderen festgelegt, und so erklärt sich, sowohl daß in mittelalterlichem Recht den Juden gelegentlich der elementare Anspruch des Menschen auf Notwehr abgesprochen wurde, wie, daß um das Jahr 1925 deutsche Studenten in ein Beifallsgetrampel ausbrachen, als ihr Rechtsprofessor diese Tatsache Gelegenheit hatte, vorzutragen.

3.

Aus ihrer Waffenlosigkeit resultierte eine Komponente der Entwertung, eine andere aber aus der Furcht vor ihnen. Der Jude trat zu den nordisch-westlichen Kelten-, Germanen- und Slawenstämmen als fertig durchgeformter Geist, ganz und gar erzogener Menschentyp, während sie selber sich gerade erst im Lehnssystem eine primitive Kultur und Rechtsordnung geschaffen hatten. Alle ihre geistigen Akte waren auf Anschauung gegründet, ebenso wie alle ihre wirtschaftlichen Beziehungen sich in Naturprodukten oder Personalleistungen vollzogen. War ihr Verhältnis zum Staate mittelbar, gebunden, im Stufenbau des Lehnsstaates, dem Grundherrn und dem Grafen des Königs gegenüber an körperliche Dienste der Arbeit oder des Wehrsystems, so entsprangen ihre Rechtsanschauungen der Sitte oder dem Rechtsgefühl, wie es sich innerhalb der Gemeinde und des Stammes traditional vererbte und endlich, langsam ausgebildet, mehr in der Überlieferung von Vater zu Sohn als in festen Begriffen, Rechtsnormen oder gar Gesetzesbüchern, weitergeben ließ. Dagegen lebte der Jude in einer durchaus modernen Rechtswelt, die mit ihren feingegliederten, theoretisch und rechtsphilosophisch durchgebildeten Prägungen eine weit spätere Stufe menschlicher Kultur darstellte und den so Geschulten mit einer, dem einfacheren, sittengebundenen Dorf- oder Stadtmenschen gegenüber sehr fühlbaren Überlegenheit ausrüstete. Und dazu kam nun, daß sowohl das kanonische Recht, wie auch das immer intensiver vom Erbe Roms und der byzantinischen Juristen durchtränkte Königs- und Staatsrecht mit dem Juden in einer Linie marschierte, so daß für den einfachen Laien aus niederem Volke der Jude, der geistliche Richter und der Justitiar des Staates in einer, durch geistige Gewandtheit, Disziplin, Vielgliedrigkeit und geschmeidige Reife nahezu unheimlichen Überlegenheit stand. So erklärt sich die Tatsache, daß noch im 11. und 12. Jahrhundert die Gerichte der nichtjüdischen Staatswesen, des normannischen in Sizilien z. B., das Zeugnis eines Juden für gültiger annahmen, auch wenn er gegen Christen zeugte, als dasjenige von Christen gegen Juden. Der T a l m u d , die Pandekten und der K a n o n   d e s   K i r c h e n r e c h t e s stammten gleicherweise aus der hohen intellektuellen Zivilisation der spätrömischen Großstaatepoche, während das Rechtsgefühl der Kelten, Germanen und Slawen sich aus den primitiven, gefühlshaft durchtränkten Schichten sogenannten Naturrechts nährte. Dadurch ward den Völkern immer wieder als Unrecht, d. h. als List, Abstraktionskraft, betrügerische Schlauheit und Winkelzug bewußt, was für den juristisch weit durchgebildeten Juden ein vollgültiger, einsichtig verständlicher Rechtsanspruch war. In Lagen, in denen der Slawe oder Germane sich rettungslos verstrickt sah zwischen unverständlichen Finten und Tricks, die ihn besiegten ohne daß er merkte wie, fand sich der Jude spielend zurecht, wie einer, der die Spielregeln mühelos beherrscht, so daß oft genug der Primitive keinen anderen Ausweg wußte, als dem aufgestachelten Differenzaffekt zur Gewalttat freien Raum zu lassen.

4.

Da dies sich besonders in wirtschaftlichen Verwicklungen offenbarte, meldet sich hier eine weitere Quelle gegenseitiger Ungleichheit an. Der ungegliederten Intellektualität entsprach bei diesen Völkern die im großen ungegliederte Wirtschaftsweise und

die in natura oder in persönlichen Diensten zu leistende Steuer-
art, die, ohne Tauschwirtschaft zu sein, sich von einer ausgeprägten Geldwirtschaft dennoch aufs wesentlichste unterschied. Kam
dazu noch aus dem kanonischen Recht das Verbot des Leihens auf
Zins, das in einer menschlich und gefühlshaft verbundenen, in gegenseitiger Hilfe geeinten Gemeinde seinen ausgezeichneten Sinn
hatte, und die Tatsache, daß zwischen Volk und Volk, zwischen
Stammstaat und Stammstaat internationale Beziehungen nicht
bestanden, so versteht man vielleicht, mit welcher Überlegenheit
und zugleich wie fremdartig der Jude dieser Kultur erscheinen
mußte. Er besaß das ausgedehnte System menschlich-wirtschaft-
licher Beziehungen quer durch alle neuen Reiche im ganzen Gebiet des ehemals römischen Imperiums, wo jüdische Ansiedlun-
gen zu finden waren; standen doch Juden mit Juden zwischen
Babylon und Cordova, zwischen Palermo und Prag in dauerndem
geistigen Austausch durch Sendschreiben, die in religionsgesetz-
lichen und anderen, das jüdische Leben fassenden Fragen hin und
her gingen. Damit war ein Netz auch wirtschaftlicher Beziehungen quer durch die Völker gespannt, das den Juden, trotz ihrer
körperlichen Wehrlosigkeit, eine ungeheure Überlegenheit verlieh, weil sie ununterbrochen an die höchsten Instanzen, Könige,
Kaiser und Päpste appellieren konnten, wenn sie irgendwo von
untergeordneteren oder lokalen Gewalten benachteiligt wurden.
Auf diese Weise entstand unter den einfachen Menschen jene
mythenbildende Empfindung von der Macht dieses scheinbar
wehrlosen und verächtlich waffenlosen Wesens, das sich den
Schutz der Mächtigen zu erkaufen wußte durch Medium, nämlich das Geld, das innerhalb der Naturalwirtschaft und der Lehns-
dienste überhaupt kaum Platz hatte.

Mit Geld umzugehen aber hatte der Jude gelernt, wiederum
als Erbe jener spätrömischen, ja schon der hellenistischen Kul-
turwelt, die in ihrer ausgeprägten Geldwirtschaft und in ihren
erst für unsere Zeit wieder verständlichen Zinshöhen schon bei
Plutarch, am besten aber etwa aus einer kulturhistorischen Mei-
sterleistung, wie der Mommsenschen Geschichte oder der Brandesschen Caesarbiographie (2 Bände, Erich Reiß-Verlag) abzulesen ist. Auch hiermit stand der Jude dem Bürger des Lehnsstaates

gegenüber, ausgerüstet mit wirtschaftlichen Begriffen, Methoden und Rechtsempfindungen, die ihn überlegen machten wie jeden Angehörigen einer alten Zivilisation, der mit primitiven Völkern und Zuständen zu wirtschaften gelernt hat – etwa wie der kapitalistische Europäer des 19. Jahrhunderts sich der Negerstämme oder der naiven und in nur eigener Kultur gebundenen Gruppenverbände der Südseeinsulaner zu bemächtigen verstand. Der Jude erlangte Geld aus Stoffen, mit denen der Mensch der primitiven Wirtschaft überhaupt nichts anzufangen wußte, d. h. er erzeugte wirtschaftliche Werte aus bislang vergeudeten Alt- oder Zwischenprodukten wie ein Zauberer, und er band mit seinen Verschreibungen und seinen Zinsen diejenigen, die ihn in Anspruch nehmen mußten, wie ein Zauberer. Daß der Zins zum ausgeliehenen Kapital sich genau so verhält wie das Vielfache, mit dem jede Ernte die Summe aus Saatgut und menschlicher Arbeit übertrifft, die man im Acker anlegte, daß also für den Menschen der geldwirtschaftlichen Zivilisationsstufe das Recht auf Kapitalsertrag in genau derselben natürlichen Seelenhaltung steht wie das Anrecht des Bauern auf den Mehrertrag seines Feldes, vermochte zwar jener, aber nicht dieser zu empfinden. Was innerhalb einer durch gegenseitige Hilfe und verbundene Gesinnung zur Einheit verschmolzenen Gruppe von Menschen die unrechtmäßige Ausnutzung nachbarlicher Notlage gewesen wäre, war zwischen dem vom Differenzaffekt beiseite gehaltenen Juden und dem ihm an Bürgerrechten und Vollwertigkeit überlegenen Sohn des Machtvolkes geltendes Recht; aber nur der Jude, nicht auch der andere vermochte diese Empfindung dauernd in sich wach zu halten. Erst jahrhundertelange Gewöhnung war imstande, in den europäischen Staaten diesen Rechtsbrauch zum Gefühl und zur Verständlichkeit zu erheben und zu vertiefen, so daß das um 1800 hereinbrechende Zeitalter der Maschine einen allgemeinen nichtjüdischen Bürgerstand und Wirtschaftsgeist vorfand, mit dem allein es sich verschmelzen konnte. Aber noch tief ins 19. Jahrhundert hinein findet sich der Kampf zwischen diesen beiden Rechtsgefühlen real, wenn Grundbesitzende, Aristokraten oder freie Bauern, mit dem Geiste des Bankkapitals in Konflikt traten.

So entstand, tief verdrängt, auch in den Europäern den Juden gegenüber ein tiefes Minderwertigkeitsgefühl. Je mehr sie sich dagegen sträubten, den Juden, den sie verachteten, als auch überlegen anzuerkennen, je heftiger sie sich wehrten, dem Juden etwas verdanken zu müssen, um so tiefer entwerteten sie ihn. Erst auf der Grundlage dieses Zwiespalts, der dem Psychologen nur allzu leicht verständlich ist, kann sich der Differenzaffekt mit voller Kraft loslassen. Daher ist der Antisemitismus solcher Völker, die den Juden weniger verdanken – wobei wir »verdanken« durchaus regulieren am Zustand heutiger Zivilisation und keineswegs etwa absolute Werte dabei in Betracht ziehen – im Verhältnis schwächer und geringer. Da sich die Entwicklung der Nationen nach einem Zivilisationsideal hin vollzog, das dem der antiken Zivilisation, wie es die Juden mit sich trugen, gleichartig und gleichgerichtet war, fanden jene sich in Lebensgestaltung, Ethos, Weltansicht, Begriff vom Menschen, d. h. von sich selbst, und vor allem im Religiösen, überstülpt mit Kategorien, die von Juden teils stammten, teils getragen wurden, mit Wertungen und Begriffen einer reiferen, älteren Menschenstufe, ohne daß sie die Zeit hatten, ihr eigenes, jüngeres, hochherziges und draufgängerisches Ethos allmählich zu einer gleich hohen Stufe emporzuzüchten. Nicht ihre eigene Naturreligion, nicht ihr eigenes Rechtsempfinden, nicht ihre eigenen Gedankenzüge und Gesellschaftsformen vermochten sie zur Höhe und Reife zu führen, sondern jüdisch-christliches Ethos, römisch-griechisches Recht, antikisches Kunstideal wurde ihnen gewissermaßen auferlegt; sie wuchsen hinein, wie sich die plastische Substanz des Lebens schließlich harten Formen zu fügen weiß, aber in ihr Wesen kam vielleicht ein Bruch, der sich noch heute als Reizbarkeit, d. h. als Unsicherheit und ätzende Schärfe des Differenzaffekts kundtut. Wer wie die Italer, Römer, Romäer, Graeculi Zeit hatte, sich selbst durch viele Stufen bis zur Höhe eines eigenen Spätalters hindurchzuleben, wer von Achill und Odysseus, Zeus und Aphrodite zu Sokrates und Platon, Eleusis und Pythagoras, zu Mithras, Plotin, Serapiskult und der Gnosis auf eignem Wege weiterkam, hatte keinen Grund zu dauernder innerer Unruhe. Differenzaffekte sind da, aber es fehlt ihnen das Gift – jenes Gift, das bei den Völkern der Pyrenäenhalbinsel und der nordalpinen Zone, und je weiter östlich man gerät, um so schärfer, noch wütet.

5.

Aber alle diese Gegebenheiten, obwohl sie stark genug gewesen wären, einen Differenzaffekt von einiger Dauer zu begründen, hätten niemals ihn verewigen können. In dem Augenblick, wo die Völker, in der, wie es scheint, dem Menschen eingeborenen Richtung vom Einfachen aufs Komplizierte fortschritten, wo sie sich überall auf die Stufe kapitalistischer Wirtschaft, auf die Ablösung des konkreten naturalen Steuer- und Leistungswesens durch das abstraktere System der reinen Geld- und Papiergeldwirtschaft – oder Schuldverschreibungswirtschaft – erhoben, in diesem Augenblicke war im Grunde genommen der Anlaß da, den antisemitischen Differenzaffekt durch den allgemeinen sozialen zu ersetzen. Damit hätte die ältere Form ihr Ende finden müssen; als letzten Zeitpunkt dafür hätte man das erste Drittel oder die erste Hälfte des 19. Jahrhunderts ansetzen können; aber man weiß, daß im Gegenteil das 19. Jahrhundert und gar der bis jetzt verstrichene Teil des 20. eine ungeheure Lebendigkeit gerade des anti-jüdischen Affekts bewiesen haben – gehört doch Antisemitismus in unserem Sinne, der vom Überbau einer ganzen »Wissenschaft« überdeckte und versteckte Differenzaffekt, zu den Errungenschaften gerade dieses Jahrhunderts. Es gibt also etwas, das verhindert, was jedem Affekt von seinem Aufbau her zugesprochen ist: eben dieses Abklingen, das Aufgesogen- und Sublimiertwerden durch die immer tätige Seele der Gruppe und des Einzelnen. Diese Kraft muß so beschaffen sein, daß auf sie die Veränderungen, welche der Jude selbst gerade in dieser entscheidenden Zeit vom 18. Jahrhundert an erlitt, keinen Eindruck macht; seine Emanzipation nämlich, das Abschleifen der religiösen Trennungsmauern zwischen dem Juden und der Welt durch den Verfall der früher allein verbindlichen Gemeinde- und Thorawelt. Und in der Tat gibt es eine Kraft, die den areligiösen oder verborgen religiösen Juden intensiver befeindet als den religiösen, den atheistischen

Einzelnen leidenschaftlicher ablehnt als die fromme, gottergebene, in ihrer religiösen Bindung weithin sichtbare Gemeinde: das ist die Sphäre der religiösen Bindungen in der nichtjüdischen Welt, das Christentum in seinen konfessionellen Gestaltungen.

Hier wird das Religiöse zu betrachten unerläßlich.

Wir müssen um des intellektuellen Gewissens willen, das in uns pocht, und dem wir in all diesen verschlungenen Gedankenwegen treu gehorcht zu haben hoffen, auch diese Qualität als Gegenstand unserer biologisch-phänomenologischen Denkart stillhalten lassen. Es ist notwendig, auch das Göttliche dem Gewissen des Denkers zu unterwerfen und wissenschaftlich zu erforschen, was darunter im Verlauf der Arbeit menschlicher Vernunft betrachtet worden ist, ohne die Werturteile zu berücksichtigen, die es als besondere Kategorie des Seins in eine Sphäre entrücken wollen, in der die Gesetze menschlicher Vernunft nicht mehr zureichen. Wir haben nur diese Vernunft, und wir haben sie zu jenem schrankenlosen Gebrauch und zu jener leidenschaftlichen Anwendung, die als Anspruch der ausdenkbaren Welt an den denkenden Menschen in ihr selber lebendig ist. Darum gilt es vor allem, das Weihevolle, das Feierliche beiseite zu halten, das mit der Betrachtung des Göttlichen um der Frömmigkeit willen heraufzukommen pflegt. Dem wahrhaft Frommen, dem Menschen, dem die Unbegreifbarkeit und das einheitliche Wunder des Weltalls gegeben ist, kann unmöglich eine besondere Art geistigen Gegenstandes, z. B. eben das Göttliche, erschütternder sein als die Tatsache der Welt. Darum gälte es, wenn auch nicht an dieser Stelle ausbreitbar, erst einmal das Göttliche und das Religiöse zu untersuchen, wie man etwa die Eigenschaften des Satzes, des Beweises, des Kunstwerks oder eines ethischen Aktes untersucht; eine Theologie zu schaffen, die die Aussagen derer, die das Göttliche erfuhren, über dessen Eigenschaften und Erscheinungsformen gewissenhaft und geistig ordnend zusammenträgt, die Mitteilung vergleicht, Begriffe reinigt, Kategorien aufstellt und so erstmalig den Menschen darüber unterrichtet, was wohl in der Wirklichkeit gemeint ist, wenn die religiösen Dokumente von »Gott« reden; was eigentlich angerufen wird, wenn die religiös begnadeten und erregten Menschengemeinden »Gott« anrufen.

6.

Völlig beiseite zu halten wäre da zuerst alles, was die Fetischangst der Menschen in das Gotteserlebnis mit hineingetragen hat. Dies allein schon wäre eine Tat von unabsehbaren Folgen, denn es würde dabei klar werden, daß die radikalen Atheisten, je größer desto schlimmer, wenn sie Gott verwerfen, nichts begingen als den Sklavenaufstand gegen ihre eigene Kinderangst vor dem kindlich geglaubten, donnernden Gebilde im Himmel. Ihre ungezüchtete Kinder-Frömmigkeit hat selbst noch Nietzsche und Anatole France verhindert, die Realität dessen zu sehen, was sich als Göttliches dem Menschen dartut. Vielleicht sind wir hier schon zu ausführlich über einen Punkt, der so wenig zur Sache zu gehören scheint wie dieser. Da aber Gott ein Bewußtseinsbestand der gesamten Menschheit ist, kann man unmöglich ohne eine flüchtige Berührung dieses ungeheuren Gebietes zum wirklichen Verständnis des Einflusses kommen, den das religiöse Erlebnis der christlichen Welt auf den Fortbestand des gegen die Juden gerichteten Affekts ausgeübt hat und noch heute ausübt.

Eine wirkliche Theologie reifer Menschen wird eines Tages die Gott zugeschriebenen Eigenschaften untersuchen, um den Gegenstand zu finden, der sich mit diesen Emblemen des Religiösen im menschlichen Bewußtsein darbietet. Dann findet sie etwa: Gott ist die Spiegelung des lebendigen Plasmas in den Bewußtseinsschichten des Menschen, jenes Plasmas, mit dem das Bestehen von Menschen an das Bestehen des Lebendigen überhaupt rätselvoll angeschlossen ist, und welches über das Lebendige hinaus in die Geheimnisse der Existenz jener Kraftschwingungen mündet, als die wir heute Sterne, Milchstraßen und Universumorganismen ebenso ahnen wie Moleküle, Atome und Elektronen; die den Tisch, auf dem wir schreiben, das Papier und die schreibende Hand selbst ausmachen. Alle Eigenschaften, die Menschen jemals dem Göttlichen abgelesen haben, stimmen zusammen, um diese Urerscheinung des Schöpferischen zu beschreiben. Es ist ewig und unerschöpflich, es ist gütig und von einer furchtbaren Gerechtigkeit, es hat Himmel und Erde und den Menschen geschaffen, es war vor dem Menschen da und wird nach der Erde da sein, es ist nicht hier, sondern unserm Ich transzendent, es offenbart sich dem Menschen in den Eingebungen, die aus den tiefsten Schichten seiner Seele in sein Bewußtsein hinaufblitzen; nach seinen Antrieben ist das Leben der menschlichen Gemeinschaften zu gestalten, da es das Verbindende schlechthin ist, da es sich in unerschöpflicher Gnade des Prinzipes gegenseitiger Hilfe ebenso bedient wie des Kampfes und der Auslese: es ist keine Ausgeburt des menschlichen Denkens, sondern eine Erfahrungstatsache, und sein Sein ist nicht daran gebunden, daß Menschen seiner bewußt werden. Die analytische Psychologie hat aufgedeckt, daß unterhalb des wachen Bewußtseins die Erlebnisse regieren, die dem Einzelnen zugestoßen sind von Anfang an; daß aber unterhalb dieser Schicht eine Sphäre gruppenhafter Erlebnisse lagert, in denen der Niederschlag des Stammes, des Volkes, zuletzt des Menschen als Wesen sich festgesetzt haben – und daß noch tiefer, der Analyse nicht mehr analysierbar, jene Bezirke der produktiven Geistigkeit regieren, aus denen Inspiration, Genie, Schöpfung jeder Art in großen Ausnahmezuständen, sei es von Einzelnen, sei es gar von Gruppen, hervorbricht. Aus dieser Sphäre auch stammen die Offenbarungen, die den Menschen über das Göttliche unterrichten. Wenn im Gruppen-Ich Gemeinschaftserlebnisse, Gruppeneigenschaften und die Erfahrungen der Geschichte niedergeschrieben sind, so ist das Urselbst übergeschichtlich, Anschluß an das Schöpferische und dem Ich, außer in besonderen »Offenbarungen«, »transzendent«.

Welche Schwierigkeit es macht, die Spiegelungen dieser Sphäre im menschlichen Bewußtsein richtig zu sehen und zu deuten, lehrt die Geschichte der menschlichen Entwicklung – jene Religionsgeschichte besonders, die als Zweig der Völkerkunde von Deutschen (Bachofen), Franzosen und besonders von Engländern in der aufschlußreichsten Wissenschaft unserer Tage in großartigen Einzelwerken dargestellt ist. Mit einem nur zu verständlichen Mißverständnis mischten die Menschen, geschüttelt von den Erregungszuständen ihres unsicheren, der Natur abgetrotzten Daseins, ununterbrochen Erlebnisse der Angst, der Furcht, der Scheu in die Offenbarung des Göttlichen. Alle Mächte der Natur, des überwältigenden und unverstehbaren Erdgeschehens verquickten sich mit der Angst vor den Dämonen des eigenen Trieblebens, die jede kindliche Phantasie nach Außen projiziert, und der schwierigen Sprache der göttlichen Erkenntnis. Daher sind noch heute die entscheidenden Erlebnisse der Menschen dem Religiösen gegenüber die Kindeserlebnisse, – jene Stufe individueller Entwicklung, in der der heute geborene Mensch die animistische und fetischistische Entwicklungsstufe der Art rekapituliert. So interpretiert er auf unvermeidliche Weise auch die religiösen Mitteilungen der ausgeprägt spiritualistischen Religionssysteme auf Kinderart und mit Kinderglauben. Wo sich Gott selbst dieser fetischistischen Verkörperung entzieht, schafft sich die lebendige Volksreligion Ersatz in Untergöttern, seien es Abspaltungen göttlicher Eigenschaften oder Menschen, die in die Sphäre der Heiligkeit emporgehoben werden, und von nun an Wunder tun, d. h. in der Menschenseele gestaltende Kräfte der Autosuggestion entbinden können. Auf diese Weise wird von Generation zu Generation bei den Völkern der christlichen Epoche das Christentum erlebt – das Christentum, welches an sich das theologische Gebäude spätantiker Zivilisation ist, einer Zivilisation, welche Erlebnisse religiöser Offenbarung fremder, nämlich jüdischer Herkunft, mit den Mitteln logisch-spiritualistischen Denkens zu einem Lehrgebäude verarbeitete, das in seiner abstrakten Schwierigkeit einfachen Menschen überhaupt nicht durchsichtig werden kann. Ohne uns hier auf die Darstellung einlassen zu können dessen, was entstehen mußte, wenn der Mensch Gesetze, welche das mathematische Denken des vernünftigen Ichs regieren, anwandte auf Gegebenheiten aus der dem Ich transzendenten Zone des religiösen Urselbst, leuchtet wohl schon ein, wie über alle Grenzen groß die Anstrengung des kindlichen Ichs der Völker und der Einzelnen sein mußte, in dieser Sphäre sich zurecht zu finden. Daher auch übernahm die gesamte westliche Zivilisation das Gebiet der göttlichen Uroffenbarung von dort her, wo sie es in Form eines Schrifttums fertig fixiert fand, nämlich von den Juden. An keinem Punkte des religiösen Gebäudes, das sich selbst Christentum nennt, hat es die Grundgegebenheiten des Judentums verlassen können, und nur durch jüdisches Genie (Paulus) hat es sie erweitert.

7.

Alle Völker, zu denen nacheinander das Christentum kam, von der römisch-griechisch-asiatischen Mischwelt des Ostens bis zu den letztbekehrten Slawenstämmen erfuhren also die göttliche Botschaft und die Wege des Heils der Seele durch die Vermittlung des Judenvolkes, welchem allein Gott sich geoffenbart hatte. Zu gleicher Zeit vernahmen sie weiterhin, daß dieses Volk noch immer lebte, daß es seinerseits auf einer anderen Stufe religiöser Haltung verharrte, und daß es von einem furchtbaren politischen Schicksal, dem der Landlosigkeit, Kriegsgefangenschaft und Rechtlosigkeit, unter die anderen Völker ausgestreut war, ohnmächtig wie keines von ihnen. Es war die Aufgabe der menschlichen Vernunft, welche überall auf die Vereinheitlichung des Widersprechenden hindrängt, diesen Zwiespalt aufzulösen. Man fand seine Auflösung in einer Kategorie, die im nationalen Schrifttum der Juden selber vorgebildet stand, nämlich in der der Verfluchung. Den hochherzigen Stämmen des Westens und Nordens wäre, was man hypothetisch annehmen darf, eine Haltung der Dankbarkeit der neuen Religion gegen die Juden um ihres Schrifttums, seiner Propheten und Heiligen willen ebenso verständlich und natürlich gewesen, wie man sich erinnern wird, daß Europa den Abkömmlingen der großen Hellenen dankbar war für die seelenbildenden Gewalten der klassischen Antike. Aber erstens war dieses Christentum entstanden aus dem Kampf einer ganzen Zahl geistiger Sekten, die auf dem Wogen einer großstädtischen Hochzivilisation mit allen Waffen der Polemik gegeneinander fochten, wie heute politische Parteien innerhalb eines Volkes schonungslos unter Einsetzung aller Leidenschaften gegeneinander um Geltung und Übermacht streiten. Und zweitens ist es dem Selbstgefühl primitiver, affektbewegter Gruppen offenbar unerträglich, etwas verdanken zu müssen. Aus der Zeit, wo Christentum und Judentum miteinander um Dogmen und die Gläubigen stritten, wo sich die Tochterreligion ihre Selbständigkeit erfocht, indem sie sich mit der ganzen Leidenschaft des Differenzaffektes gegen die Juden wandte; aus dem 2. und 3. nachchristlichen Jahrhundert stammen jene Schriften, die als Evangelien die Glaubensgrundlage der neuen Gemeinschaft vom Alten Bunde scheiden. Dieser Parteikampf, der sich aus ihnen ablesen läßt, brachte zuwege, daß sich der neue Glaube durch einen Dialektikerzug davor rettete, dem Volke Israel Dank schuldig zu sein. Wir wissen, daß das Christentum in den unteren Schichten der antiken Zivilisation, bei den Sklaven, Freigelassenen und Frauen seine Herrschaft begründete, wissen auch, daß kraft der Schuld der damals herrschenden Schichten diese Menschenmassen von der Vornehmheit und Seelenkultur der oberen gebildeten Sphären streng abgetrennt worden waren; daher ist es kein Wunder, daß die Verpflichtung zum Dank verdrängt wurde, nicht indem man sagte: wir verdanken dem Volke Israel nichts, sondern indem man dekretierte: wir s i n d von nun an das Volk Israel, wir die Gemeinschaft der Gläubigen, wir, die Kirchen, sind die Erben der israelitischen Verheißungsfülle und Auserwähltheit; was heute von Juden lebt, beweist schon durch seine politische Existenzform der Zerstreuung, daß es von Gott verstoßen, entthront, verflucht ist, wie es ja auch Gottes Sohn nicht erkannte als er, der Messias, kam, um es zu erlösen, sondern ihn kreuzigte. Indem man die Schriften der jüdischen Führer (Mose und der Propheten) ausbeutete, vermengte man den Begriff der Verfluchung, der im Jüdischen der Spätzeit nichts als den entgotteten Lebens bezeichnet, mit der jüdischen Frühstufe des fetischistischen Angstgottes, der man aus eigner Dämonologie noch eben untertan gewesen war, und seinen donnernden Bestrafungen, zu deren Werkzeug man sich aus Gründen kult-politischen Wettbewerbs nur zu gerne machte. (Wenn man die Schriften der Führer und Erzieher jedes beliebigen Volkes tendenziös exzerpiert, kann man jedes Volk zum verfluchten stempeln.) So entstanden im Verlauf von mindestens 400 Jahren, d. h. in einer Zeit, wie sie sich etwa zwischen der Verbrennung von Johann Hus und der Ermordung Gustav Landauers hinstreckt, ausgefüllt ohne literarische Fixierungen, hauptsächlich durch mündliche Tradition, eine Grundanschauung von den Juden folgender Art: offenbar lag auf diesem Volke von wehr- und rechtlosen Kriegsgefangenen der Zorn eines sehr mächtigen Gottes – wobei »Zorn Gottes« in der geistigen Haltung dieser synkretistischen Völkerschaft

dasselbe meinte, was die Antike als »Unstern des Schicksals«
empfunden hatte – weil dieses Volk den Sohn dieses Gottes ermordet hatte. Eine nur zu natürliche und verständliche Seelen-
tendenz gab den Römern und Griechen jener Epoche Anlaß,
den Gottmenschen, von dem sie durch die Urchristen erfuhren,
nicht selber geopfert zu haben. Da seine Passion der wesentlichste Bestandteil der neuen Heilslehre war, mußte sie zwar stattgefunden haben, aber von anderen als von ihnen selbst hervorgerufen worden sein. Zwischen dem Schicksal der Juden, den
Tatsachen der Heilsgeschichte, den heiligen Schriften Israels und
dem eigenen Bedürfnis war so unter intensiver Mitarbeit des
Zentralitäts- und Differenzaffekts eine Harmonie errichtet, die
von Generation zu Generation bis zum heutigen Tage Geschlech-
terfolgen christlicher Kinder mit den Grundlagen ihrer Glau-
benslehre die Verewigung des Differenzaffekts gegen die Juden
einbetoniert, und jüdischen Kindern von christlichen Dienstboten (Früherziehern) ihre ererbte Verfluchung einflößen läßt.

8.

Man könnte an dieser Stelle sehr wohl unser Wort zu der Jesusge-
stalt der Evangelien sagen. Seit mehr als zwanzig Jahren nimmt
der jüdische Geist auch öffentlich von dieser verdrängten Erscheinung Kenntnis. Während eine Richtung Jesus unter die jüdischen
Propheten aufzunehmen sich anschickt, beweist eine andere, zuletzt vertreten von Georg Brandes (Die Jesussage, Berlin 1925),
daß dieser Gestalt nur mythische Realität, überhaupt kein historischer Kern zukomme. Wir glauben indes, an dieser Stelle und in
diesem Zusammenhang nicht weiter gehen zu sollen, obwohl auf
überraschende Weise sich die eine und die andere Haltung verschmelzen ließe, indem man als den historisch lebenden Kern der
Passion und Jesuslegende eine im jüdischen Schrifttum bekannte
Gestalt aufrichtete. Hier jedoch sind uns andere Forderungen
dringlich und aufgegeben: es meldet sich die Frage der christlichen
Kirchen in der Gegenwart und ihres Einflusses auf den Differenzaffekt in dieser Epoche nach einem brudermörderischen Kriege.

9.

Sie selber empfinden, wie furchtbar abgekommen von ihren eigentlichen Aufgaben, wie sehr im Widerspruch zu all ihren Grundlagen sie sich erwiesen, als der Krieg ihre Feindesliebe, oder, um davon zu schweigen, ihre Nächstenliebe und christliche Wirklichkeit auf eine einfache Probe stellte. Keine von ihnen sah sich stark genug, um mit einer auch nur kleinen Zahl ihrer Gläubigen dem kriegstreiberischen, Menschen und Güter verheerenden Trieb zum Kriege, dem Differenzaffekt in Weißglut zu widerstehen; sie vermochten nicht einmal, sich ihm zu entziehen. Sie machten mit, ihre Diener in der Uniform der in Wolkenbrüchen von Stahlmassen mordenden gasvergiftenden Heere hielten Gottesdienst ab zwischen Granatkörben, auf denen zwar ein Kreuz, aber ein grünes oder gelbes zur Unterscheidung der Giftgasfüllungen angebracht war. Und während in England 8000 tapfere Männer sich aus Gewissensgründen dem Kriegsdienste widersetzten und dem Zentralitätsaffekt ihrer eigenen Völker mit dem ganzen sachlichen Mute freier, innerlich erfüllter Menschen widerstanden, gab es innerhalb der kontinentalen Kirchen oder gar im leitenden Klerus nur die wohlgemeinten, aber im Grunde genommen sehr vorsichtigen Gebete und Bemühungen des Papstes – eines Mannes, der mit den Mitteln der Exkommunikation den Kriegsdienst unheilbar hätte treffen können. Trotz des Zulaufs, dem im Nachkrieg die Kirchen sich öffnen durften, trotz der politischen Wichtigkeit klerikaler Parteien und damit Geistigkeiten in Mitteleuropa, und trotz der neuen Welle religiöser Ernsthaftigkeit, die über die Erde läuft: die innere, leuchtturmhaft winkende und gewinnende Kraft echten Glaubens, echten Tuns, menschlicher Verbundenheit, christlicher Gesinnung geht den Kirchen heute ab, und sie fühlen es selber. Auf Tagungen und Konferenzen versuchen sie, sich zurechtzufinden. Daß der heutige Mensch, unverändert übernommen aus der Welt des Business und wieder entlassen in sie, als Gläubiger kein großer Aktivposten ist, und daß auch Hunderttausende und Millionen von ihnen für eine Kirche, die den Geist wägt, nicht sehr viel wert sein dürften, läßt sich am wenigsten verheimlichen vor den Augen jenes Teiles der Jugend und des Nachwuchses, der aus der Welt des Kriegs und Nachkriegs Impulse zur Umkehr empfangen hat.

Als Beitrag eines Juden zur Erhellung der kirchlichen Situation sind diese Sätze und die folgenden vielleicht von Wert. Wie würde man die Krankheit, an der die Kirche leidet, als Gnostiker und Diagnostiker nennen? Nicht vielleicht etwa Abdrängung von der eigenen Wahrheit ohne Anerkennung dieses Verzichts? Kompromiß mit dem wilden, nur wenig gedrehten Strahl des Zentralitäts- und Differenzaffektes ohne das laute mutige Eingeständnis dieses Kompromisses? Die Religionen sind Bestandteile des Staatslebens geworden, und so haben sie dem Staate, den noch Augustin verwarf, gestattet, munter weiter nach seinen eigenen lebensmäßigen, geistwidrigen Antrieben fortzuschreiten, und haben geglaubt, sie könnten sich in ihrer eigenen Geistigkeit erhalten. Aber sie wurden dabei nur einflußlos. Während sie immer noch hoffen, das Leben zu regulieren, reguliert das Leben sie. Der moderne bürgerliche Mensch, er bekenne welche christliche Konfession er wolle, vereinigt in sich das mutige Heidentum eines Kriegsanbeters, die gottlose Erfolgsfreude eines Geldmenschen, die kühle Ungläubigkeit eines Jüngers von Karl Vogt oder Haeckel und die andächtige Kirchlichkeit und geistliche Seelenstimmung eines – nun, eines Durchschnittsgläubigen. Daß es im französischen Heere Herz-Jesu-Regimenter gab, daß englische Flieger, bevor sie zum Bombenflug starteten, ihre Betstunde hatten, und daß Wilhelm II. seinen Herrgott ununterbrochen mit der Zunge im Munde rührte wie einen Kaubonbon, das zeigt, wie weit die Vereinbarlichung von Kirche und Staat zugunsten des moderneren von beiden gediehen ist.

Der Kraft des Lebens ist nicht zu widerstehen. So lange die Beseitigung kirchlicher Bevormundung auf den Gebieten des modernen Denkens, Forschens und Wissens und Lehrens ein Palladium des Fortschreitens vom Engen ins Weitere war, so lange mußte sich die Kirche von Jahrzehnt zu Jahrzehnt aushöhlen lassen durch die Ausdehnungskraft des Staates, der stärker war, weil er erheblicher war, geschlossener, ganzer, ethischer weil wahrer. Im Grundbau der Kirche muß sich offenbar der Keim zu einer

Spaltung finden – zu einer Trennung zwischen realer Wirklichkeit und kirchlicher Wirklichkeit, zwischen lebendigem Leben und einer Fiktion, die sich geistig erlebt und spiegelt, die darum aber nicht weniger scheinhaft ist. Der Keim zu dieser Spaltung, von der wir reden, mag unscheinbar sein, und er mag zu seinen außerordentlichen Folgen in einer Art paradoxen Mißverhältnisses stehn, wie eine Eichel zu einer Eiche in einer Art paradoxen Mißverhältnisses steht. Er muß zu guterletzt die Folgen, die er tatsächlich hat, als äußerst unerwartbar erscheinen lassen, denn so will es die Logik seelischer Spaltungsprozesse, von denen wir aus dem Aufbau der Neurosen und Hysterien genug wissen. Dieser Keim zur Abdrängung der Kirche von wirklich fruchtbarer Gestaltung des alltäglichen Lebens, das unscheinbare Übel, das zu guter oder böser Letzt die Religion aus den lebenformenden Kräften der Gegenwart nahezu ausgeschaltet hat, liegt erstens in dem Mißverständnis des Religiösen als einer Angelegenheit der Verinnerlichung des einzelnen Menschen, zweitens aber, und davon reden wir jetzt und hier, in der Stellung der christlichen Kirchen zu den Juden.

10.

Die Kirchen glauben an die Evangelien. Ihnen entnehmen sie nicht nur die Gestalt des Heilands und seiner Jünger und all die anderen Gebilde jüdisch-christlicher, lebensgestaltender Antriebe, sondern auch die Enterbung der Juden durch die Tatsache, daß sie Jesus nicht als ihren Messias anerkannten. Sie setzen den Kampf der Sekten und Gemeinschaften aus der Entstehungszeit des neuen Glaubens noch heute fort. Jedes Kind, das in den Glaubenslehren einer christlichen Kirche die ersten entscheidenden Prägungen seiner Begriffe und Orientierungen empfängt, empfängt damit auch Imprägnierung mit dem Differenzaffekt früherer Epochen, der seinem heutigen Differenzaffekt eine Art feierlicher Bestätigung aufdrückt, so weit er sich gegen die Juden richtet. Anstatt wahrzunehmen, daß in der Dauer des jüdischen Volkes bis zum heutigen Tage das Phänomen der Großartigkeit eines solchen Dauerwillens enthalten ist, der ohne göttliche Einwilligung nicht bestehen könnte, erlebt das christliche Kind diese Dauer der Juden unter der Kategorie der Verfluchung, eines ahasverischen Nichtsterbenkönnens. Anstatt eines Antriebs unvergänglicher Dankbarkeit für die jüdischen Genien, die ihm sein Verhältnis zum Göttlichen vorformten, sieht es nur ein Volk, das, um den reinen gütigen Gottessohn kreuzigen zu können, nach der Freigabe eines Mörders schrie. (Daß diese Gestalt des Barrabas, Barbas, Barwasch einem Schreibfehler ihr Leben verdankt, sei hier vermutend ausgesprochen. Sie ward offenbar erfunden, um eine sonst unverständlich gewordene Stelle auszunutzen, indem nämlich in den aramäischen Urschriften das Wort Barnasch = Menschensohn, das sich im Talmud findet, Barwasch gelesen wurde – Beth (ב) und Nun (נ), das weiß jeder Hebraist, sind leicht zu verwechseln, besonders in der Technik des Abschreibens jener Zeit, in der die Schreibergilde, wie heute die Setzer fremdsprachlicher Texte, von dem Inhalt dessen, was sie kopierten, zu allermeist nichts verstanden und nach Vorlagen, aus denen sie abschrieben, nur Buchstaben nachmalen konnten, nicht aber Sprachen beherrschten – so daß das jerusalemische Volk in der ursprünglichen Überlieferung »Barnasch!« gerufen, d. h. also die Freigabe des Messias verlangt haben mußte – dies ist ein besonders reizender Zug der Tradierung und ein recht folgenvoller Schreib- oder Druckfehler geworden.) Innerhalb solcher Tradition erzogen, wird in der entscheidenden und empfänglichen Kinderseele jeder Blick auf einen Kruzifixus zu einer Anklage gegen seine Peiniger. Was will einer solchen jugendprägenden, anderthalbtausendjährigen Ablehnung gegenüber, die man heute, in der Zeit der Greuelpropaganda durch Plakat, Bild und Film, besonders gut nachkontrollieren kann, die allein sachliche, unpopuläre Einsicht in die historischen Verhältnisse des damaligen Palästina besagen? Gesetzt, ein Jesus habe damals gelebt, so konnte er nicht mehr von einer anderen als der römischen Justiz gerichtet werden, nachdem ein Protektorat und dann eine Staatsverwaltung von 80 Jahren Dauer, von drei Generationen also, die jüdische Selbständigkeit vernichtet hatte. Aber selbst wenn in allen Oberklassen aller Schulen diese Lehre verbreitet würde, wäre ihre Wirkung schwach gegenüber der Bestä-

tigung werdender Differenzaffekte durch die frühen Katechis-
mus- und Religionsstunden des Kleinkindes und durch die ungeheure Macht des Anschauungsapparates, mit dem die Kirchen
ihr Ritual darstellen. Noch heute sind in der christlichen Welt
die Juden, die lebenden Juden, verantwortlich für Taten, die die
Greuelpropaganda leidenschaftlicher Glaubensdifferenzen und
Machtkämpfe im werdenden Christentum ihnen angedichtet hat.
Zugleich aber benutzt dieselbe Kirchenwelt das nationale Schrifttum der Juden, ihre gesamte klassische Antike, als alleinige Quelle
der göttlichen Offenbarung; sie hat einfach keine andere.

Mit dieser Spaltung setzt die Ohnmacht der Kirche zur Bewältigung des modernen Lebens ein. Da nämlich in der Beurteilung
dieser Sachverhalte nicht mehr die Empfindungswelt, sondern
die des heranwachsenden und gereiften Verstandes Ausschlag gibt,
welche ja auch das reale Leben mitregelt und bewertet, gelingt es
nicht, jene in diese lückenlos zu überführen. Der erwachsene
Christ, zum Urteil aufgerufen, muß zugeben, daß seine Religion
von jüdischem Erbgute lebt. Er muß fernerhin erkennen, daß das
jüdische Volk den Eindruck des Verfluchten nur machen kann,
wenn man es mit den Augen des Differenzaffektes betrachtet,
daß es aber, unbefangen gesehen, durchaus nicht enterbter und
verfluchter dasteht als irgend ein anderes, christliches, vorausgesetzt, man zieht einmal die grauenhaften Leiden ab, die nicht im
Wesen der Juden, sondern in dem des losgelassenen Differenzaffekts liegen. Aus dem Zwiespalt zwischen der Welt des Kindes
und der des Erwachsenen bricht mit der Kraft des Lebendigen
selbst die Abkehr hervor, die die moderne kapitalistische Welt,
von Christen aller Konfessionen getragen, entchristlicht hat. Auch
der kirchlichste Arbeitgeber denkt nicht im Traum daran, sein
Verhältnis zu den Arbeitern seiner Werke von einem anderen Gesetzbuch regeln zu lassen als von dem gerade geltenden Arbeits-
recht. Er ist Christ in der Kirche und Bürger in der Wirtschaft.
Und er kann es sein, weil die gesamte christliche Welt diesen
Zustand sanktioniert, indem sie geistig von Juden lebt, politisch
und gegenwärtig die Juden aber enterbt und unter der dauernden Belichtung schwefelgelben Fluches gesehen wissen will.

Hier, in der Stellung zu dem von den Juden, den lebenden Ju-

den, entnommenen Erbgut liegt die geheime furchtbare Schwäche der christlichen Kirchen, was die Bewältigung und die Vergeistigung des wirklichen Lebens anlangt. Sie haben das Unmögliche über sich gestülpt, eine Religion, deren Grundantriebe nicht
aus ihrem, sondern aus jüdischem Willen zu gerechter Lebensgestaltung quellen. Was Marx, Landauer, Trotzki – um nur drei
Typen zu nennen – oder den Siedlern palästinensischer Kwuzoth
ohne übermenschliche Schwierigkeit lösbar schien, das Problem
gerechter Güterverteilung auf der Erde, das Grundproblem der
Arbeit und der Lebenshaltung, die Auflösung des Gegensatzes
von arm und reich, Herr und Knecht, daran wagen sie nicht einmal theoretisch zu gehen, geschweige es zu verwirklichen. Der
Lehre nach von gleichem Geiste gespeist, billigen sie der Praxis
nach eine abgründig andere Lebensordnung, und je mehr sie sich
an das seit Jahrtausenden interpretierte Wort der Schrift klammern, um so grauenvoller klafft die Realität davon ab. Wir alle
wissen, was christliche Lehre verkündet. Liest man aber einmal
die Leitsätze der Lebensgestaltung von der Praxis des Christentums ab, statt von den Evangelien, was man doch dürfen sollte,
so heißt heute Christentum etwa: der Krieg ist gerecht, und der
Staat ist göttlich. Macht schafft Recht. Wer arm ist, soll arm bleiben. Nicht wer arbeitet soll essen, sondern wer Gelegenheit zu
Arbeit gibt. Wer aus der Armut in besseres Leben strebt, ist ein
rechtloser Rebell. Wer Menschen über die Tatsachen ihres Lebens aufklärt, ist ein Ketzer und darum verflucht. Wer denkt, wo
er glauben sollte, hat schon dadurch Unrecht. Alle Probleme dies-
seitigen Lebens werden im Jenseits gelöst – in einem Jenseits, das
ein richtiges individuelles, bloß nichtkörperliches Leben ist.

Die Kirchen könnten all diese Verwirrung natürlich schlichten,
wenn sie eine neue Wendung zu ihren eigenen evangelischen
Grundlagen nähmen und die Tatsachen moderner Forschung
über die Zeit und Art des eigenen Entstehens ebenso aufnähmen
und sich zu eigen machten, wie sie Telephon, Schreibmaschine,
Bankscheck und Radio aufnahmen. Und ebenso könnten sie die
Stellung der Christenheit zu den Juden von Grund auf ändern.
Aber sie werden weder das eine noch das andere tun. Immer werden ihre erleuchteten Bekenner für sich und vielleicht auch für

andere nach einer Harmonie der Gegensätze streben; den Mut zum Martyrium, d. h. zu einem hohen Grade von Unpopularität werden sie nicht aufbringen. Sie könnten sagen: »die Juden mit ihrem Schrifttum, mit der Gestalt Jesu, des Paulus, der Apostel und ersten Christen gaben uns unseren Geist und wiesen uns die Richtung auf ein gerechtes, unheidnisches Leben. Was in der Heilandsgeschichte an Vorgängen berichtet ist, unterlag dem Irrtum, wie jeder Bericht über Vorgänge, und darum ist, wer Jesus kreuzigte, unbeträchtlich gegenüber der Tatsache, daß es ein Sohn des jüdischen Volkes war, der sich für das Leiden des Menschen um der großen Erlösung willen kreuzigen ließ. Darum sind wir den Juden zu unauslöschlichem Brüderlichkeitsgefühl verpflichtet. Nur frühe kindliche Zeiten konnten glauben, daß der Schöpfer des Himmels und der Erde, der wirkliche Gott, einen irdischen Sohn haben könne. Dagegen bleibt unvergänglich, ewig und heilig ein Weltgefühl, das seine Geborgenheit im Walten des Schicksals und sein Zutrauen zu ihm nicht anders ausdrücken konnte und nicht erschütternder als in jener bildlichen Wortgestalt von der Sohnschaft und dem Vater. Alles, was spiritualistische Auslegung und Anstrengung an Scharfsinn hervorgebracht hat, um diese Tatsachen anders zu deuten oder aus ihnen ein System der Theologie, der Lehre von den Eigenschaften Gottes zu bauen, gehört in die Geschichte menschlicher Erkenntnisversuche und ist Veränderungen unterworfen wie sie. Die Juden können nicht anerkennen, daß Gott einen Sohn habe? Aber das Weltgefühl geistiger Geborgenheit ins göttliche Walten drücken sie noch heute im Osten aus, wenn sie Gott als Väterchen, Tatinju im Gebet und im Lied anreden, und ganz Israel den Lenker der Welt als ›unser Vater‹ anbetet. Zwischen den Juden und den Christen stehen historische Irrtümer, aber kein Fluch.«

Wenn christliche Kirchen in eine solche Vergeistigung ihrer Grundlagen zurücktauchen würden: kann man sich vorstellen, welche Erlösung, welch inneres Aufatmen, welch unersetzliche Gnade sie selber von dieser Wendung haben würden? So unmöglich alles ist, was hier geschildert wurde, wenn man es als vollziehbar, heut oder morgen geschehbar ansieht: darf man nicht in der Vorstellung einen Augenblick verweilen, bei dem ungeheuren

Gefühl, einen falschen Weg verlassen und einen richtigen dafür eingeschlagen zu haben? Wäre damit nicht der Keim besiegt, dieser verdrängte Keim, der im Grundbau der christlichen Welt sein scheidendes und spaltendes Wesen weiterwuchert, und der die wirkliche Wirklichkeit und die Probleme des wirklichen Lebens von der christlichen Wirklichkeit abscheidet? Wenn einmal erwachsene geistliche Männer den Mut fänden, auf Dogmen zu verzichten, um des Heils der Menschen auf der Erde willen? Wenn sie begriffen und verkündeten, daß das Jenseits nach dem Tode eine Frage unlösbarer Erkenntnis ist, verglichen mit jenem Jenseits des heutigen Zustands, mit jenem Aufbruch in die Wirklichkeit des heutigen arbeitenden und leidenden Menschen, das unmittelbar in der Seele jedes Lebenden, erreichbar und Aufgabe, pocht? Eine solche Welt wäre nicht weniger geistig als die der Dogmen, sie wäre nicht weniger gläubig als die des Glaubens, aber ihre Geistigkeit und Gläubigkeit wäre Wirklichkeit, wirkend, unmittelbar, erlösend, und sie bedürfte nicht erst des Todes als Durchgangspforte, sondern rettete im Gegenteil das tägliche Leben und die alltäglichen Jahre von dem Tode der Entgöttlichung, der unaufhaltsam über sie hereinzubrechen scheint, mit Kapitalismus und Mechanisierung und Vernichtung des lebendigen Menschen durch die fürchterliche, sinnlose, zu Kriegen zwingende Arbeitsleistung für den Mehrwert.

Die Kirchen könnten ferner sagen: »Wir schulden den Juden für ein entsetzliches Martyrium seelische Wiedergutmachung, für eine Verfluchtheit durch und unter uns, die wir nicht länger aufrechterhalten können. Wo immer Juden leben, hat jeder einzelne Christ die Möglichkeit, mit dieser Wiedergutmachung zu beginnen; die gesamte Christenheit aber hat Palästina hierfür als einen guten, gottgewollten Ort.« Würde sie dadurch nicht ein gutes Gewissen dem Juden gegenüber bekommen, diesem Juden gegenüber, den sie doch nie, dank der Kräfte der Verdrängung, bisher ohne schlechtes Gewissen ansehen konnte? Das schlechte Gewissen der Christenheit den Juden gegenüber, das sind die verdrängten Schuldgefühle für die Entrechtung, Verfolgung, Zerstörung und Demoralisierung von anderthalb Jahrtausenden. Wäre es nicht eine gute Tat und wirklich der Beginn einer neuen Zeit, wenn dieses schlechte Gewissen sich endlich reinigen könnte? Es gibt Menschen, die der Überzeugung sind, nicht eher könne die Welt den Schritt ins Gerechtere tun, diesen einen Schritt, zu dem sie materieller Grundlagen nach längst befähigt wäre, wenn nicht vorher das ahasverische Phantom seine Ruhe gefunden hätte. Hier wäre ein Weg, das Phantom zur Ruhe zu setzen. Denn Ahasver ist nicht der Jude, Ahasver ist das, was der christliche Differenzaffekt aus dem Juden machte, jenes Gespenst, das er in die Welt hineinsah, und dem er durch seinen Glauben und sein Tun Leben schenkte.

Mit einer solchen Tat der Nichtjudenheit bekäme der antisemitische Differenzaffekt die Normalität, die jeder andere, z. B. der britisch-deutsche oder polnisch-tschechische längst hat. Er wäre entgiftet und seiner Unveränderlichkeit entkleidet. Er unterläge den Züchtungsgesetzen und dem allgemeinen Gesetz der Wandlung seelischer Zustände, die erst dann mit ihm frei schalten könnten. In der Seele von beiden, Nichtjuden und Juden, wäre große Ordnung möglich: es bliebe übrig nur das allgemeine Problem des Differenzaffektes zwischen Völkern, das Nationalismus heißt, und dem wir uns gleich zuwenden können, nachdem wir noch über die Natur der Gruppenaffekte unsere Ansichten entwickelt haben.

6. Buch
Über die Natur der Gruppenaffekte

Ein Tier heranzüchten, das v e r s p r e c h e n   d a r f – ist das nicht gerade jene paradoxe Aufgabe, welche sich die Natur in Hinsicht auf den Menschen gestellt hat? ist es nicht das eigentliche Problem vom Menschen?

Nietzsche, Genealogie der Moral.

I.

Obwohl dies ein politisches Buch ist, dazu angetan, den Menschen das Leben auf der Erde zu erleichtern, und dennoch auch in erster Linie ein erkennendes, ein geistig erhellendes Werk der Untersuchung sein soll, muß noch über die Natur des Affekts, von dem hier immer die Rede ist, und damit über die Tradition, in die das Buch sich stellt, ganz kurz berichtet werden. Der Differenzaffekt und sein polarer Bruder, der Zentralitätsaffekt, da sie wie andere Leidenschaften aus dem Untergrund menschlichen Seins vorstoßen, gehören zweifellos in jene Reihe von Phänomenen, die Nietzsche meinte, als er sie entdeckend das Dionysische nannte – sie, die mit dem orphischen, dem orgiastischen, dem plutonischen Reiche einer Herkunft sind. Es lag ungeheuer nahe für jemanden, der Friedrich Nietzsche die ganze geistige Umgeburt und Atmosphäre seiner Jugend verdankt, in diese Kategorie des Dionysischen einzureihen, was er anläßlich einer arglosen Untersuchung über Antisemitismus allmählich entdeckte. Dies wäre jene mehr dichterische Beschreibung seelischer Reiche gewesen, die dazu geeignet ist, die innere Bedeutendheit einer Untersuchung und eines Verfassers ebensosehr ins Licht zu rücken, wie dem menschlichen Seelenleben gestalthaftes, anschauliches Klima zu schenken. Aber in erster und letzter Linie auf wirkliche Erkenntnis und auf praktische Brauchbarkeit bedacht, mußte der Verfasser, dem das Dichterische sonst ja nicht so fernliegt, sich hier der reinen Kategorie des Traktats unterwerfen. Die seelischen Mächte gestalthaft zu umreißen, ist unser aller Sehnsucht, die wir im Kunstwerke mit dem prinzipium individuationis spielend umgehen. Aber wenn anschauliche Gestaltung imstande wäre, die Menschheit wirklich zu bessern und zu bekehren, wäre sie weiter als sie ist, und das Mißverständnis der tiefen Dichter als harmloser Unterhalter unmöglich gewesen. Der

Mensch, ein Geschöpf Ariels ebensosehr wie er der von Caliban
Gestoßene ist, der Mensch ist in intellektuellen Dingen naiv. Er
lehnt das Denken, die sachliche erhellende Erkenntnis, mit dem
Unbehagen ab, mit dem ein Tier dem Blick des fixierenden
Menschen ausweicht. Denken, Erkennen, Philosophieren, nicht
im Sinne der Eleaten, sondern im Sinne Spinozas, Husserls und
Bergsons ist die letzte und späteste Blüte menschlicher Entwickelung und vielleicht noch nicht einmal eine Blüte, sondern erst
der schüchterne Ansatz zur Knospe wirklichen intellektuellen
Denkens. Daher gelingt es dem Menschen ohne Mühe, alles
»Geistbeladene«, alles »Bedeutende«, alles »Symbolgetränkte« in
dem Augenblick beiseite zu schieben und unschädlich zu machen, in dem ihm, seinem schlechten intellektuellen Gewissen,
auch nur der geringste Vorwand geboten wird: durch gestalthaftes
Anschauen von seiten des Denkers oder Dichters, das ihm erlaubt,
aus der verantwortungsvollen Sphäre des Intellekts in die bezau-
bernd leichte, müßige, entwirklichende Atmosphäre der Phantasie überzuspringen. Wie es in den Griechen wirklich ausgesehen
hat, wie sich das Lebensgefühl und die Daseinsmächte wirklich
von innen her angefühlt haben, welche Kräfte der heutigen Seele
den von Nietzsche bestimmten Mächten entsprochen haben mögen: dies aus der »Geburt der Tragödie« und den dazugehörigen
Schriften herauszulesen, erfordert schon eine ziemlich produktive Psychologenbegabung. Mit der Eleganz eines frühen Mei-
sters hat Nietzsche zwei Mächtegruppen umrissen, die in der Seele
der Hellenen spielten. Aber die Erkenntnis des wirklichen griechischen Seins hat er nur für uns gefördert.

2.

Über die Natur und den seelischen Ort dieser Affekte zu sprechen,
mit der Genauigkeit und der Aussicht auf Ermöglichung weiterer Forschungen von Wissenschaftlern, denen hier ein neues Gebiet der Erkundung eröffnet wird, und sich dabei der psychoanalytischen Resultate und Terminologien zu bedienen, verbot sich
leider auch. Nichts ist so grauenhaft wie der Dilettantismus, der

durch Mißbrauch der großen wissenschaftlichen Leistungen der Freudschen Psychologen- und Heilkunst-Schule in den Köpfen und dem Gerede der Bildungsmacher angerichtet wird. Dies ist keine Schuld der Forscher und Meister, sondern lediglich eine Folge, und zwar eine notwendige und unbeklagenswerte, der Bildungssituation unserer Zeit. Wollte ich nun mit der nötigen Klarheit und Genauigkeit zur Beschreibung der Gruppenaffekte ein analytisches Buch schreiben, so wäre, ganz abgesehen von meiner geistigen Orientierung wirkliche Ausschöpfung nur möglich gewesen, indem ich die Kenntnis analytischer Forschungen bei dem allgemeinen Leser auf wirkende Weise voraussetzte. Einem Buche wie diesem, das letzten Endes nicht von einem Wissenschaftler, sondern von einem geistigen Menschen, einem Schriftsteller kommt, hätte dieser Versuch nur sehr dilettantisch ausschlagen können. Außerdem wäre die allgemeine Zugänglichkeit dieses recht voraussetzungslosen Traktats sehr beengt worden. Das durfte nicht sein. Denn wir haben die Pflicht, wir Geistigen und Ungebundenen, wir Wenigen in den Myriaden des Sports und der Gruppenseuchen, nicht für uns selbst zu schreiben. Auch noch das Pathologische, vor allem aber das Normale haben wir so zugänglich als möglich hinzustellen – um der Vergeistigung des Lebens willen und wegen der Reinigung der Leidenschaften, die uns auferlegt ward. Und darum bleibt sich auch in der Ortsbeschreibung der Affektwelt, die wir eben versuchen müssen, dieses Buch nur treu, indem es das wiederzugeben versucht, was von der Natur der Gruppenaffekte auch ohne analytische Vorschulung verständlich und sichtbar wird.

Danach quellen in der Tat die beiden Gruppenaffekte aus jenen Tiefen der menschlichen Psyche, der man die Zone des Orphischen und Dionysischen zuordnet. Hemmungslos, gierig nach Vernichtung, mit der katarakthaften Macht von Stromentladungen durchstoßen sie im Anfall das verstandhafte Leben und kommen zutage, Boten der wirklichen Unterwelt der Menschheit, in die der neue Odysseus Sigmund Freud den großartigen Mut hatte, vorzudringen. Differenzaffekt und Zentralitätsaffekt aber mit der Würde, dem Glanz, der rauschhaften Schönheit solcher Affektentladungen zu bekleiden, wie wir sie als das dionysische

Prinzip gewohnt sind, zu verstehn, oder besser, zu empfinden, wäre falsch. Wie allen Affekten des Menschen kann auch ihnen der Charakter des Großartigen und Erhabenen zukommen, wie ja der Geschlechtstrieb des Löwen oder Hengstes, wenn Dichter ihn sehen, auch in diese Zone mündet. Darum aber bleibt es doppelt gefährlich, wenn man nicht sofort hinzufügt: diese grandiosen Ergüsse unserer Affekte sind selten beobachtete Ausnahmeerlebnisse – nun gar im 19. und 20. Jahrhundert. Vielmehr eignet ihnen im Zustand der Latenz etwas dauernd Bewußtes, Kaltschlagendes bei aller unhemmbaren Brutalität des Ausstroms. Sie tragen in sich den Drang, angesammelt zu werden, sich schweigend oder grollend zu häufen; ihr Ausbruch aber erfolgt dann nicht nach Gesetzen rein elementarer Kraftentladung, sondern immer mit dem Hineinspielen einer kalten, froschhaft widerwärtigen Berechnung, so zwar, daß die Entladung der Affekte mit der größtmöglichen Reserve an Einsatz eigener Gefährdung erfolgt. Die Gruppe will sich's leisten, den angesammelten Affekt auszutoben, aber nur bei vorhandener Garantie, daß sie selber nicht ernstlich Schaden dabei nehme. Die einundfünfzigprozentige Sicherheit, mit der Militärs bei Putschen zu rechnen sich verrieten, ist ein Symptom eindringlichster Allgemeinbedeutung. Auch diese Eigenheit des Affektes hat in der Tierreihe wohlbegründete und sehr beachtenswerte Vorstufen. Das sogenannte wilde Tier vermeidet nach Möglichkeit Kämpfe, in denen es selber zugrunde zu gehn oder ernstlich beschädigt zu werden Gefahr läuft; dies ist ein weiser und überlegener Zug der Psyche jener kraftvollen Emanationen des Lebens, die die Zoologen zu beobachten erst sehr spät Gelegenheit nahmen. Dies gilt für das wilde Tier im Zustande seines normalen Lebens. Im Augenblick jedoch, wo es seinerseits von einem seiner Affekte, dem Gattungstrieb, dem Muttertrieb, völlig beherrscht wird, verliert sich mit einem Schlage der Rest von Besonnenheit, um den kämpfenden Ansprung auf den Gegner hemmungslos freizugeben. Was im wilden Tiere, sofern es in normaler Seelenhaltung seiner Lebenslinie folgt, weise und sympathisch wirkt, nimmt bei der Entladung affektbesetzter Gruppen den Charakter des Verzerrenden und Entwertenden an, den wir beschrieben. Die Feigheit, die ein wich-

tiger Teil der lebenerhaltenden Kräfte innerhalb der menschlichen
Seele ist, gepaart mit der Lust des Affektes, der sich selber austoben und loslassen will, und geleitet von der Berechnung, die den
Ort geringsten Widerstandes und geringster Gefahr sucht: das ist,
mit Begriffen aus dem Seelenleben des einzelnen Menschen beschrieben, ein Grundcharakter unserer beiden Affekte. Der Dün-
kel des Zentralitätsaffektes kommt daher, ebenso wie die Pogrom-
lust des Differenzaffektes. Seit im 19. Jahrhundert die Manie
scheinhafter und oberflächlicher Disziplinierung in die Massen
getragen wurde, dank der Erziehung durch stehende Heere, haben wir heute nur noch selten Gelegenheit, Fälle von Differenzaffekt zu sehen, wo sich die heroische Zone des Affektes dem
Blick öffnet. Daher wurde hier die Symbolwelt des Dionysischen,
des Orphischen, der eleusischen Mysterien, das Haupt der Me-
dusa mit voller Bewußtheit bis zu diesem Punkte der Untersuchung beiseite gelassen. Diese Embleme, indem sie dekorativ
und herrlich seelische Tatsachen malen, denen das Herrliche nur
ungeheuer selten zugeschrieben werden darf, nehmen der See-
lenzone, aus der die Affekte brechen, und ihnen selbst einen Teil
des entwertenden Charakters, den sie nun einmal haben. Was
bei Griechen zur Tragödie führte, führt im modernen Leben zur
gehässigen, pamphletischen Massenflugschrift im Stil der »Weisen von Zion«. Was in Hellas die Phantasie des Aischylos, des So-
phokles, des Euripides und des Aristophanes in Bewegung setzte,
bedient sich im 19. und 20. Jahrhundert hysterischer Redner
und Schreiber à la Götsche, Dinter, Hitler und Konsorten. Und
gleichwohl ist es dieselbe Zone des Seins, aus der beide Arten
von Emanationen ihren innersten Ursprung haben – nur daß die
griechische Tragödie und Komödie ihre ungeheure Würde aus
der Aufgabe zog, die Aristoteles, der große Phänomenologe der
Antike, als die Reinigung der Triebe beschrieb, unsere arme
Epoche aber statt zur Reinigung vielmehr zum Mißbrauch der
Affekte im Sinne barbarischer Kulturvernichtung aufruft. Über
die Art, auf die unserem Meinen nach Gruppenleidenschaften
gereinigt und mit Sinn besetzt werden, kann man an anderer Stelle
dieses Buches einiges lesen. Hier war nur erst auszusprechen,
daß die Blickart, mit der wir Caliban und Trinkulo, aber vor allem

doch Caliban, in die Symbolwelt des Denkens einführten, unserer nüchternen Geisteshaltung mehr zusagte als ein antikes Symbol irgendeiner Art. Das Froschhafte Calibans, das kalt-hitzige Gebell aus seinem Maule durfte bei der Charakterisierung der Gruppenaffekte schon darum in den Vordergrund geschoben werden, weil es in die Struktur unseres heutigen Erwerbslebens, in die kaltschnäuzige, feige, vertragsbrüchige, ja vertragsunfähige Nachkriegswelt schneidend hell hinableuchtet. Wir sehen die Tobsucht verdrängter Lebensangst in ihrer zugleich eisigen und hitzigen Gewalttätigkeit am klarsten in jenen Trägern des Differenzaffekts, die ihn wissenschaftlich aufmachen und parteipolitisch organisieren. Das Unzivilisierte an sich im Sakkoanzug und Oberhemd, womöglich nach amerikanischem Schnitt: das ist für die Welt nach dem großen Kriege allzu charakteristisch, als daß wir dieses Bild des »orphischen Menschen« hätten übergehen dürfen.

3.

In Wahrheit scheint die menschliche Seele aus lagernden Schichten zu bestehen, die man sich more geometrico als ein spitzwinklig nach unten gerichtetes Dreieck schematisieren möge. Zu unterst ragt ein langer schmaler Keil tief in das bewußtseinsunfähige Wirken des lebendigen Selbst hinein, jene Zone, aus der die Inspirationen kommen, und in der jene Mächte des Eros hausen, denen allein das Schöpferische, das Fortsetzen des Lebendigen, das Weiterschleudern des Lebens von Generation zu Generation eigen ist. Bis an diese Schicht wird keine Analyse heranreichen. Sie selbst zur Manifestation zu bringen wird immer den freien genialen Kräften des Seelenträgers überlassen bleiben. Darübergewachsen, eine schon breitere, aber im Verhältnis zur ersten doch dünne Schicht möge man sich die Gruppenzentren denken, die mit den Erfahrungen der Gruppe amalgamiert unter anderem das Sprachvermögen der Menschen tragen können, die »Gattungszone«, die Zone der Masseninstinkte, die Zone der Herdenerlebnisse und Hordenbegierden, den Drang zum Wettkampf, zur Durchsetzung des hordischen Seins auch im Individuum und durch das Individuum, und hier auch neben anderen, auf die sich die Aufmerksamkeit anderer Erkennender bald richten sollte, die Träger geistiger Epidemien der Gruppenpsychen, der Gruppengläubigkeiten und all der Gruppenaffekte und Erlebnisse, von denen wir nur zwei, oder vielmehr ein Paar herausgeschnitten haben. Man ahnt über dieser Schicht dann die Zone der Individualseele, die die Mächte des Einzelnen, des Selbst und Ich trägt, auch sie wieder geteilt in die ewig ruhende Zone des Unbewußten, die schon bewegtere des Unterbewußten und die helle, spiegelnde, immer wieder wechselnde und schillernde des wachen alltäglichen Ich-wissens. Stößt nun, um dieses mechanische Bild einer menschlichen Seele zu vollenden, aus der Tiefe des Keils das Schöpferische zur Bewußtseinsfläche vor, so kann es dies nur, indem es die Zonen passiert, von denen wir sprachen; von ihnen gefärbt, aus ihnen Atome mit sich reißend, an denen allein es sich manifestieren kann, wie die namenlose elektrische Entladung sich allein manifestiert an den Bewegungselementen der Elektronen, Ionen, Atome, Moleküle. Genial wird dasjenige Einzelwesen sein, dem gegeben ist, seine Dränge so unentstellt als möglich bis in die helle Zone des wachen Ichs zu entsenden. Je affektverstrickter und noch mehr: je neurotisch-verfilzter das Seelenleben im Gruppen- und Einzel-Ich sich nun versträhnt, desto entstellter, getrübter, bruchstückhafter und zerspaltener vermag sich allein die Aufgabe des Begabten, der Befehl zur Schöpfung zu vollziehn. Wir haben dann bei Einzelnen das Bild der »versetzten Begabungen«, der »gestörten Leistungen«, der »zerrütteten Äußerungen«; bei Gruppen die ganze Problematik, die z. B. jüdischen oder deutschen Talenten im allgemeinen anhaftet.

Aber mit diesem Satze treten wir aus der Zone unserer Untersuchungen in eine, wenn auch benachbarte, die uns heute verwehrt ist.

4.

Nach diesem allem besteht die Gefahr nicht mehr, daß man den Differenzaffekt verwechseln könne mit Gesinnungen, Gefühlen oder Liebesakten, die sich auf Gruppen beziehen, z. B. auf das

Volk, die Nation, »die eigene Rasse«; oder zu meinen, wir ver-
mischten diese Dinge, und indem wir jenen charakterisierten,
liefen wir Gefahr, diese herabzuwerten. Die leidenschaftliche
Hingabe, die opferbereite Selbstvergessenheit, das große und klare
Verzichten des Individuums auf sein eigenes Sein, um das der
Gruppe zu stärken, diese und hundert ähnliche Akte der Ich-
Unterordnung behalten selbstverständlich in unseren Augen und
in der Welt ihren überragenden Wert. Ja, indem man sie reinlich
von allem scheidet, was den Differenzaffekt, den Zentralitätsaffekt und ihre Wirkungen anzeigt, erhebt man sie erst wirklich
zur vollen Würde ihrer das Leben verklärenden Einzigkeit. Dadurch aber, daß in den affektbesessenen Gruppen selber diese
Verwechselung, dieses ahnungslos-hinterlistige Unterschieben des
Calibanischen für etwas Erhabenes der menschlichen Seele ununterbrochen geschieht, geben sie sich ein gutes Gewissen, und,
anstatt die Gefahr der Affekte zu mildern, überhitzen sie sie durch
Selbstanbetung bis zum klaren Gruppenselbstmord. Affekte groß-
züchten: das hat sich noch immer an denen gerächt, die sich so
unberechenbarer seelischer Kräfte gefahrlos für irgendwelche
Zwecke zu bedienen gedachten. Indem man heute Affekte
großzüchtet und sie in der jungen Generation, den kommenden
Erwachsenen, den Wirtschaftsführern, Justizbeamten, Jugendleh-
rern, Bildungsträgern mit der Glorie einer Weltanschauung umgibt, verurteilt man, wenn nicht Gegenwehr erfolgreich einsetzt,
das eigene Volk oder die eigene Schicht zu vollständiger Unfruchtbarkeit der Selbstanbetung und zu jener Vereinzelung innerhalb der großen Gruppierungen, die aus den entscheidungs-
trächtigen Schichten eines zu Großem berufenen Volkes die
Decke aus Ton oder Lehm machen kann, unter der die Kräfte ent-
gegengesetzter Art, befruchtender Art, befreiender Art entweder
ersticken oder zur Explosion führen müssen.

Den Unterschied zwischen den Liebesakten und den großen
Gesinnungen zum eignen Volke hin und der erfolgreichen Bewirtschaftung von Gruppenaffekten erkennt man untrüglich an
der Haltung der Führer. Die großen Begeisterten eines Volkes
setzen sich selber unter allen Umständen in die erste und gefährlichste Linie, und ein Teil ihrer Größe lag in ihrer Bereitschaft

zum Opfer der eigenen Person. Die erfolggierigen Macher von Affektplantagen bedürfen immer des Hinterhalts, bleiben im Dunkeln, suchen einundfünfzigprozentige Sicherheit und schießen aus voller Deckung.

5.

Daß die Veredelung von Gruppenaffekten, zu der wir an anderer Stelle von anderen Seiten her gelangen, nur über den Einzelnen ins Gruppen-Ich gleiten kann, versteht sich von selbst und scheint einen Widerspruch gegen unsere eigenen Thesen in sich zu schließen. Dadurch, daß wir überall das individuelle Ich, den einzelnen Menschen und seinen gelehrigen Verstand, vom Gruppen-Ich und seinen starrströmenden Leidenschaften schieden, scheinen wir uns ja den Weg verbaut zu haben, der von der Beeinflussung des Einzelnen in die breiteren Gebilde langt. Natürlich hat nur der Einzelmensch ein Ohr zu hören und einen Verstand zu überlegen, Besinnung, sich zu entscheiden und Kraft, Leidenschaften innerlich zu überwinden. Wie nun von diesem Bestandteil der Gruppe zur Gruppe selbst hingelangen, wie Erfahrungen des Ich für die Gruppe verwerten? Aber es ist klar, wie diese Sachverhalte sich auflösen. Hunderte von einzelnen Verrichtungen, die uns geläufige Mitgaben fast aller Gruppenindividuen der Menschen sind, haben auf ähnlichem Wege ihre Allgemeingültigkeit erlangt, sind erst von Wenigen, dann von Generationen von Einzelnen immer wieder mühsam oder gierig aufgenommen worden und heute Eigenschaften der Gruppenindividuen. Dazu gehören die religiösen Gebilde, das Absinken der Dämonologie in den Aberglauben, die vollkommene Selbstverständlichkeit der logischen Kausalitäten, der Aneinandergebundenheit von Ursache und Wirkung; dazu gehören alle unsere Selbstverständlichkeiten in der Betrachtung der Natur: daß auf den Frühling der Sommer folgt und auf diesen Herbst und Winter, daß die Zeit des Säens eine immer wiederkehrend festgelegte ist, daß die menschliche Begattung die Befruchtung der Frau nach sich zieht und daß die Seele des Kindes schon im Akte der elterlichen Vereinigung dem Fötus innewohnt, daß man mit den Fäkalien eines Menschen nicht über ihn Zaubermacht gewinnt, daß der Schatten eines Menschen kein Produkt seiner Seele, sondern optischer Verhältnisse ist – ja Hunderte von ähnlichen Erfahrungen, die in den Urepochen unserer Art zu den ganz großen aufklärerischen und aufrührerischen Prometheustaten der Menschheit gehörten, und mit denen heute die Kinder der Weißen geboren werden.

Wie sich Erfahrung in Vererbung umsetzt? Von den Gesetzen der Vererbung wissen wir so viel oder so wenig wie Mendel, De Vries, Weismann und all die anderen Biologen uns gelehrt haben. Daß aber durch Vererbung erworbener Eigenschaften das Gruppen-Ich umgestaltet wird, darüber kann kein Zweifel mehr obwalten. Die Herabzüchtung, das Abschleifen von Gruppenaffekten geschieht wohl so, daß auf dem Wege von einer Generation zur nächsten und übernächsten Abfuhr allzu heftiger Affektströme und Abdämmung der Überreste nachzuweisen ist. Nichts wäre für diese Sachverhalte aufschlußreicher, als in der Geschichte des 17. bis 19. Jahrhunderts auf den jeweiligen Gebieten der Entscheidung das Abschleifen und Austilgen bis dahin bestimmender Gruppenaffekte zu analysieren, z. B. die gefühlsmäßige Aufnahme des dritten Standes unter die bestimmenden Mächte der politischen Verbände, oder in unserer Zeit die gleichartige Rezeption des vierten Standes oder der Frauen, mitten in der wir ja begriffen sind. Daß Wirkungen dieser Art nicht sehr schnell vor sich gehen, versteht sich von selbst. Aber man braucht nicht zu befürchten, daß sie etwa die Langsamkeit jener oben als Beispiel genannten Bereicherungen der menschlichen Erfahrungswelt beanspruchen werden. Heute, bei ungeheuer gesteigerter Verwendung von Bildungsmitteln und einer ebenso gesteigerten wirtschaftlichen Verbundenheit von Kontinenten, steht der Herabzüchtung von Gruppenaffekten so unbeträchtlicher, weil provinzieller Art, wie der antijüdische Affekt einer ist, nicht mehr viel im Wege. Drei bis vier Generationen könnten genügen, um zwischen Juden und Nichtjuden ein ebenso normales Dasein herzustellen wie zwischen Bürgern und Adligen, Katholiken und Protestanten, Bauern und Städtern.

Obwohl nämlich die Juden die Farbigen unter den Weißen sind, verlieren sie sich doch bei der kommenden riesenhaften Gruppenproblematik zwischen den wirklich Farbigen und den Weißen und zwischen dem vierten und fünften Stande und allen anderen. Wer die Geschichte der Judenemanzipation genauer verfolgt, wie sie in den drei Bänden seiner »Neuesten Geschichte der Juden« der außerordentliche und verdienstvolle Schriftsteller S. Dubnow (Jüdischer Verlag) auseinanderzulegen wußte, wird sich über das Tempo der jüdischen Geschichte im 19. Jahrhundert nicht genug wundern können. Zudem lassen sich gerade an der Geschichte so kleiner Gruppen wie die jüdischen Siedlungen in den weißen Ländern sind, gerade in diesem Zeitraum und dieser Darstellung, Gesetze über die Rezeption von kleinen Gruppen durch große und die Rolle bedeutender Einzelner dabei nahezu ablesen; wie ja überhaupt in Dubnows »Weltgeschichte des jüdischen Volkes« – zehn Bände, von denen vier bereits (ebenda) vorliegen – zu einem Paradigma der Gruppengeschichte geraten wird. Schade, daß der Blick, mit dem Dubnow diese Dinge ansieht, ein geschult historischer Blick, unsere Fragestellung nicht schon vorwegnahm! Hier folgen wir unserer Aufgabe besser, indem wir sagen: der Differenzaffekt zwischen den Farbigen und den Weißen wird entsprechend der maßlos größeren Gruppierung und Gliederung der beiden Gruppen in absehbarer Zeit eine solche Eminenz erlangen, auf der ganzen Erde wie heute schon in Amerika, daß daneben alle innerweißen Spaltungen zu Krähwinkeleien herabsinken müssen. Wofern sich nicht, dank der entscheidenden Jahrzehnte, die jetzt kommen, die Juden auf die Seite der Farbigen schlagen müssen, wohin sie der Gerechtigkeit der Sache nach gehören, wird die Bedeutung antisemitischer Probleme in hundert Jahren nicht mehr klar verstanden werden; und diese Abhandlung hätte schon jetzt ihren Wert dahin, wenn sie nicht, indem sie zur Auflösung des Antisemitismus das ihre beiträgt und damit sowohl den Juden als auch den vom Antisemitismus geschüttelten Gruppen auf der Gegenseite dient, zu gleicher Zeit und mit voller Absicht den Schlüssel böte zur Behandlung auch jener riesigen Affektmassen, die heute noch im Zustande einer Art von Passivität, morgen schon, wenn die Entwicklung der farbigen Völker so weiterschreitet, zu den schärfsten

Auseinandersetzungen, zu Affektgewittern im wahren Sinne des Wortes führen müssen. Nicht mehr und nicht minder als die Frage des Imperialismus, der gesamten Kolonialpolitik und der Befriedung Europas ist mit diesem Blicke berührt. Und leider nur berührt und leider auch nur berührbar in einem Traktat, der sich mit Antisemitismus – und sei er noch so symbolisch gefaßt – begnügen muß.

Europa hat ganz einfach heute und morgen noch die Wahl, ob es das Eintreten neuer affektgetränkter Kriegervölker in seine waffenmüde Welt fahrlässig und narrenhaft erzwingen will. Will es das tun, so braucht es nur den affektbesessenen Weißen zu gestatten, die imperialistische Ausbeutung der Arbeitskraft und des Bodens auf den farbigen Kontinenten weiterzubetreiben. Europa darf abrüsten nur, wenn es zu gleicher Zeit den schwarzen und gelben Menschen, die es mittels der Waffen unter seine Botmäßigkeit gebracht hat, freie Entfaltung in ihrem eigenen Lande zubilligt – wenn es sich dazu entschließt, die Farbenlinie – Colourline – auszuradieren. Dies muß den politisch geschulten Europäern auf jedem Wege eingehämmert werden. Europa geht unter, wenn es nicht groß genug ist, sich zu seinem eigenen Ideal zu bekennen, auch wo es sich um die Negerstämme Afrikas und die braunen Kinder Asiens handelt. Es gibt weder eine gelbe noch eine schwarze Gefahr. Dagegen gibt es eine weiße Gefahr jener gierigen Ausbeuter, die in wenigen Jahrhunderten mittels ihrer überlegenen Waffentechnik aus den freien Völkern der farbigen Welt Hörige gemacht haben. Mit dem Weltkrieg ward der Bann der Bewunderung und Furcht gebrochen, den diese naturnäheren Menschen vor den weißen Technikern befiel. Man kann innerhalb Europas die Flinte nur hinlegen, wenn man sich dazu entschließt, einen Arbeiter – gleichgültig welcher Farbe – oder einen Gebildeten – gleichgültig welcher Farbe – als das aufzunehmen, was er wirklich ist. Tut man dies nicht, entwürdigt man durch Rechtlosigkeit die gebildeten Klassen der farbigen Menschen, staut man Massen des Gruppenaffektes auf überall dort, wo der Weiße seinen Fuß hinsetzt, so darf man unter keinen Umständen von Pazifismus und einer Befriedung Europas, von einer Überwindung des militaristischen Zeitalters auch nur reden. Das bedeutet nicht die Aufgabe weißer Arbeit in den farbigen Ländern, aber es bedeutet das Aufgeben weißen Hochmuts, weißer Ausplünderung und weißer Selbstanbetung. Es bedeutet den Abbau des Differenz- und Zentralitätsaffektes auf der ganzen Linie und die Überwindung imperialistischer Politik durch sozialistische. An diesem Punkte muß auch der Bürgerlichste unter den Lesern dieses Buches einsehen, daß die Politik der Sowjets, wenn sie Sozialismus zur Überwindung der Farbenschrankenaffekte führt, die einzig konsequente unter den kontinentalen Leitlinien ist. Die andere Konsequenz ziehen jene englischen Geister, die innerhalb des britischen Imperialismus an einer ununterbrochenen Milderung, einer wirklich großen Zivilisierung des Weißen dem Farbigen gegenüber in außerordentlicher Besonnenheit arbeiten. Es wird eines Tages der Augenblick kommen, wo sich die Politik der Sowjets und die der englischen Liberalen und Arbeiterführer in wesentlichen Punkten decken und ergänzen wird. Dann werden gewisse Politiker unter Christen und Juden ihren Mund vor Verwunderung nicht wieder schließen können.

6.

Wir sagten vor dieser Abschweifung, die doch gar sehr zu unserem Thema gehört, daß, was sich eine Generation auf dem Wege über Individuen mühsam erarbeitet, in der Folge der Generationen zu Eigenschaften des Gruppen-Ichs wird. Aber dies ist nicht die einzige Bahn zur Befreiung der Gruppenseele von diesen krisenhaften Affekten. Eine andere zu kennzeichnen bleibt uns jetzt noch übrig: von ihr hat – freilich unter ganz anderen Aspekten – Friedrich Nietzsche in jenem Buche, das wir schon einmal zitierten, in der »Geburt der Tragödie« gehandelt, ohne es zu wissen: von der Funktion der Kunst zur Abfuhr von Gruppenaffekten – der Kunst, besonders der Dichtung, besonders des Dramas.

Es hieße leider eine ganze Ästhetik in nuce entwerfen, wenn von der soziologischen Funktion der Kunst hier die Rede sein sollte. Über diese Dinge zum ersten Male, wenn auch unter wesentlich philosophischeren, d. h. erkenntnistheoretischeren Aspekten, als wir sie uns gestatten dürfen, geschrieben zu haben, ist Conrad Fiedlers entscheidendes Verdienst. Selbstverständlich hat Kunst im Leben der Gruppe einen anderen Bedeutungskreis als den des Unterhaltens, Spielens und der Fantasielust erlauchter oder stupider zahlender Individuen. Selbstverständlich denkt über Kunst wie ein Milchmann, wer solche Meinungen seinen Kunstanschauungen zugrunde legt. Über die idealbildende Macht der griechischen Plastik, über die magische, gruppenumsichversammelnde Einheitlichkeit ägyptischer Königsstatuen an dieser Stelle zu handeln erübrigt sich, da unser Thema uns überhaupt nicht lange bei diesem Punkte verweilen lassen will. Aber da es heute noch Dramen gibt, da heute noch unter öffentlicher Anteilnahme Theater gespielt wird, und da noch heute Romane in breiter Masse auf Leserschaften wirken, muß wenigstens von der soziologischen Funktion des Dramas und von der eigentlichen politischen Bedeutung des Lesens gesprochen werden. Denn Drama und Roman dienen beide der Abfuhr von Gruppenaffekten. Sie, wie vielleicht auch Rundfunk, Film und Sport, gehören zu den großen seelenbildenden Mächten, die überpersönlich und ununterbrochen Gruppenwirkungen hervorbringen.

In den Thesen meines Kleist-Essays, Seite 83f., »Lessing, Kleist, Büchner« habe ich die merkwürdige Verbindung zwischen großer Kunstform und politischen Epochen angedeutet. Heute und hier, von der anderen Seite zum gleichen Thema kommend, wird schon klarer, warum die großen Epochen des Dramas in Hellas, England, Spanien und Frankreich mit ihrer bestimmten Struktur zusammenfallen mit den großen Epochen politischer Hochspannungen. Das Drama hat, wie mir scheint, die Funktion, die Spannungen innerhalb einer Gemeinschaft erträglich zu gestalten, die geballten Leidenschaften innerhalb einer Gruppe oder zwischen zwei Gruppen unschädlich zu machen, zu vergeistigen, in symbolische Katastrophen abströmen zu lassen statt in wirkliche. Dies, scheint mir, sah der große Soziologe Aristoteles, als er die katharsis ton pathematon, die Reinigung der Leidenschaften in den Mittelpunkt seiner Betrachtung des Dramas stellte. Nicht Einzelne werden betroffen, sondern Gruppen. Dort, wo sich Publikum und politisch Vollberechtigte deckten, wie in Hel-

las, im Frankreich des 17. Jahrhunderts, im England des späten
16., im Spanien Calderons, vollzog sich als politische Beeinflussung, Milderung der Gruppenaffekte, was sich uns – und gar unseren Philologen – als ästhetische Wirkung auf eine hoch kunst-
begeisterte Kennerschaft darstellte. Niemals hat es von Gruppe zu
Gruppe andere Entladungen gegeben als affekthafte. Niemals hat
ein Publikum einem großen Dichter zugejubelt um der Schönheit seiner Verse und der Tiefe seiner Gestalten willen. Aber immer und noch heute wirft sich der Erfolg, d. h. der Dank großer
Gruppen für ihren Sprecher, in der Richtung ihrer Erlösung
vom Affekt. Daß Shylock ein Jude, Othello ein Farbiger, Richard
ein Buckliger, Hamlet ein Spintisierer, Romeo und Julia Vertreter feindlicher Familien und ihre Opfer waren, daß die Kämpfe
der Greise und der Jugend und der Jugend und der Greise, der
Könige als Gruppenvertreter gegeneinander, der hilflosen und
zarten Frauen innerhalb einer brutalen, mißtrauischen, jähzor-
nigen und vorschnellen Männerwelt Shakespeare zu der wun-
derbaren Tatsache seines Ruhms geführt haben, dafür gibt es für
mich keinen Zweifel. Gruppen und nicht Einzelne: das bedeutet
auch die immer wieder erhobene und immer wieder unverstan-
dene Forderung nach dem Typischen einer Fabel, eines Charakters, eines Helden. Daß Schillers Helden so blaß gerieten und
sich nicht halten, liegt nicht daran, daß Schillers Ingenium für
große Gestaltung nicht ausgereicht hätte, sondern daran, daß seine
Zeit ihm den Blick auf die wirklichen Gruppengewitter verstellte,
die sich in seinen Dramen hätten entladen müssen, wie sie sich
in seinen Jugenddramen entluden, um ihn an die Seite Shakespeares zu stellen. Denn die Erhabenheit seiner Seele und die
genialische Kraft seines Verstandes wurde auf diese Weise von der
erfüllten Form abgespalten, so daß die Person Schiller groß und
makellos hinter den verfallenden Theaterstücken sichtbar wird,
während die Person Shakespeare in seinen Dramen vollständig
enthalten zu sein scheint. Ebenso der einzigartige Fall des »Homburg« bei Kleist, der »Minna« bei Lessing, des »Wozzeck« bei
Büchner. In allen drei Fällen erschließt sich die wirkliche Grup-
pengeladenheit einem Dichter, der auf sie warten mußte, um in
die Dauer treten zu dürfen.

7.

Aus der Gruppenbedeutung des Dramas, aus der breiten Fläche, mit der die Affekte aufeinanderstoßen, erklärt sich auch das Kultische des Theaters: es wird erst durch sie verständlich und nötig. Erst als Vertretung von Gruppenschicksalen wird die Darbietung eines Exempels feierlich auf erhöhter Bühne den Blicken ausgesetzt, sinnvoll und über Jahrtausende hin beständig. Der Vorhang, der sich wie vor einem Heiligtum öffnet, der Mensch, der seinen ganzen Körper in Bewegung und seine ganze Seele in der Sprache aus der Sphäre des Privaten in die der Öffentlichkeit hineinstellt, der Schauspieler und seine große, bannende Kraft strömen nur daher. Und daher auch konstituiert sich das Drama als »große Form« entgegen der kleinen Form des Theaterstücks, der Novelle, in seiner Verwandtschaft zum Epos und zum Roman, über die wir später noch uns kurz vernehmen lassen müssen.

Nicht Problemstücke also, intellektuelle Diskussionen, sondern Entladung von Gruppenleidenschaften verlangt das Drama, um sie im Publikum hervorzurufen: um sie im Publikum zu vergeistigen – im Publikum, das selber symbolisch für die Öffentlichkeit, für das ganze Volk, die eigene Gruppe, anwesend ist. Daher die innere Begründetheit der Theaterkritik in ihrer Breite, verglichen mit der kümmerlichen Rolle literarischer Kritik im Ganzen, soweit die Zeitungen als Maßstab in Betracht kommen. Daher aber auch die gespannte Leidenschaft des Publikums als Gruppe gegen die Spieler und den Dichter als Gruppe. Die körperliche Wildheit des Beifalls erklärt sich nicht aus ästhetischem Verhalten. Man schlägt nicht die Hände zusammen, wenn man ein schönes Bild oder ein großes Gedicht in sich aufnimmt; aber man tobt mit Händen und Füßen, um dem Gruppenaffekt, der einen besetzt hält, Auslösung zu verschaffen, man pfeift, heult, trampelt und wirft mit Gegenständen oder ohrfeigt sich, wenn Gruppenaffekte feindseliger Art entfesselt werden. Und danach hat man die große Erleichterung, die einen abgelaufenen Affekt kennzeichnet. Diese unbefangene Hingabe an den Affekt, sein Heraufkommen und seinen Ablauf röhrt heute am ungehemmtesten bei Sportdarbietungen, Autorennen, Ring- und Boxkämpfen, Sechstagerennen, Wettläufen – weil wir in eine unterdramatische Epoche zurückgefallen sind. Wir müssen erst wieder dafür sorgen, daß die Leidenschaften der Welt in den Gebilden der dramatischen Dichter zu spüren sind. Dann brauchen wir uns nicht um das Weiterleben des Theaters und um den Anteil der Menge an der Dichtung zu scheren. Wo ihre Sache abgehandelt wird, da steht die Menge zur Gruppe verschmolzen auch treu hinter den Wortführern. Heute ist die Gruppe in Aktion nicht im Theater, sondern in den Arenen zu sehen, wie zur Zeit der römischen Kaiser. Was dort tobt, das ist der Mensch als Horde. Dies ist unser heutiges Niveau. Die gleiche Intensität affekthaft weitergetrieben führt zu Pogrom und Krieg.

8.

Der Dichter, der ein wirkliches Bedürfnis von Gruppen ist, setzt diese Heftigkeit ein für erhabene Werte und für vergeistigende Auslösungen. Tut er dies nicht, so erstickt er an seiner eignen Nichtigkeit und fällt ab in jene gleichgültige und langweilige Absurdität, die man literarischen Betrieb oder Geschäftstheater nennt. Die Darbietung großer Personen, die Trauer um ihren Untergang, die Vergegenwärtigung des Schicksals, das Gelächter über das Alberne und Kleinliche des Gewöhnlichseins, die groteske Unterlegenheit des Gruppenmenschen gegen den Verstand, das ist die Thematik des Trauerspiels und der Komödie. Sie beide haben politische Funktionen, oder sie existieren nicht. Indem es die Furcht vor dem Exzesse und das Mitleid mit seinen Opfern einer Gruppe vor Augen führt, wird das Drama zum Organ der politischen Erziehung und der Dichter einer der großen Umschalter von Gruppenaffekten in ihre höheren Ableitungen und Veredelungen.

Und das gleiche gilt heute vom Roman, der seine Gemeinde, sein Publikum unter den Lesenden sich schafft. Indem er an einer klaren Fabel ein allgemeingültiges Schicksal, das Schicksal eines Gruppenvertreters auf große Weise zur Anschauung bringt, leistet er seinen Dienst an der Gruppe, sei es der Sprachgemeinschaft,

sei es einer Klasse. Alle großen Romanerfolge, alle nachhaltigen
Romanwirkungen datieren aus dieser Sphäre. Damit ist über Gut
und Schlecht des Werkes noch nichts entschieden. Die affektgetränkten Gestaltungen De Costers im Ulenspiegel sind in dieser
Sphäre ebenso gefaßt wie die affektgetränkten Schildereien eines
Sir John Retcliffe, unter welchem Pseudonym sich ein kleiner
alldeutscher Redakteur namens Gödsche wohl sein ließ. Was dem
Gebilde Dauer gibt, das ist allein die dichterische Kraft, wesentliche Gruppierungen, dauernde Sammelparolen der Menschheit
umfassend, eindringlich und in gefühlhaft nachlebbarer Sprachwelt ausgeprägt zu haben. Wenn heute Romane Lion Feuchtwangers, ein »Jud Süß«, eine »Häßliche Herzogin« trotz der außerordentlichen Strenge ihres Baus und der keineswegs einladenden
einfachen Thematik und Sprachwelt auf Massen von Lesern bestimmend wirken, so liegt das, wie ähnliche Erfolge Max Brods
(Tycho Brahe, Rëubeni) daran, daß in ihren Werken sich Grup-
penschicksale widergespiegelt finden, wie sie sich widergespiegelt fanden in »Buddenbrooks«, in der »Jungen Renate Fuchs«,
in »Freund Hein« oder »Professor Unrat«. Welche Gruppen sich
um einen Dichter scharen, welchen er zur Lösung ihrer Lebens-
aufgaben verhilft, das hat mit der Größe seiner Person auf ganz
bestimmte Weise zu tun. »Werthers Leiden« umkreiste die Erde
dank der ungeheuren Dynamik des jungen Goethe ebensosehr
wie Voltaires, Anatole Frances oder Bernard Shaws Dichtungen
ihre Kraft aus der allgemein verbindlichen Bezauberung durch
menschliche Weisheit empfingen. Damit erklärt sich, warum
wirklich der Menschheit Würde in die Hand der Dichter gegeben ist. Und damit erledigen sich wohl auch die lustigen Be-
klemmungen, mit der versprengte Individuen das Ende der Kunst
prophezeien. Solange Gruppen zu ihrer Befriedung das Organ
»Dichter« brauchen, solange werden sie es haben. Sooft sich in
der Folge der Kulturen Gruppenkämpfe und Leidenschaften in
der symbolischen Arena der Bühnen abzeichnen werden, solange
werden Dramatiker Schicksalswallungen dichten und Theater sie
nach dem Tode der Verfasser spielen. Die vier entscheidenden
Gebilde des deutschen Dramas: Faust, Prinz von Homburg, Wozzeck, Erdgeist berechtigen jedenfalls, einen solchen Satz in All-

gemeinheit aufzustellen. Ein Theatergeschäft hat es daneben immer gegeben; nur schade, daß nur die fleißigsten Historiker die Namen der damals aktuellen Verfasser uns noch retten können.

Zu diesen Mächten: Vererbung individuell erarbeiteter Erfahrungen, Kunst und Religion, tritt als vierte dann die Macht der Wissenschaft, deren aufklärende, aufklärerische, gruppenbefreiende Macht, allgemein bekannt und von niemandem bestritten, hier nicht näher geschildert zu werden braucht, da sie als die Auswirkung des menschlichen Verstandes durch jeden Satz dieses Buches waltet und es, wenn es irgendeinen Wert hat, bekräftigt und trägt.

7. Buch

Differenzaffekt als Nationalismus

Mogli verachtete und haßte sie, weil sie nicht rochen wie das freie Wolfsvolk, weil sie nicht in Höhlen wohnten, und vor allem, weil sie Haare zwischen ihren Zehen hatten, wo doch er und seine Freunde glattfüßig waren.

Kipling, Rothund, Zweites Djungelbuch.

I.

Denn wirklich bleibt, nachdem wir alles Spezifische abgetrennt haben, Antisemitismus als allgemeiner Differenzaffekt übrig, als jene Gefühlsgruppe, die wir beschrieben haben, und mit der jedes Lebendige das Auftauchen von fremdem Sein wahrnimmt: indem es sich auf den Kern seiner Horde und seines Wesens zurückzieht und die Grenze der anderen Horden und des anderen Wesens so weit als möglich von sich weg zu schieben sucht, in jedem Sinne. Zu diesem Punkt wird es unerläßlich, eine Unterstreichung zu machen. Hoffentlich hat man bemerkt, daß hier Antisemitismus nicht wehleidig aufgefaßt wird, auch nicht willkürlich, auch nicht willfährig der Idee irgendeiner Politik oder dem Willen irgendeiner Partei. Darum muß konstatiert werden, daß die Zone von Härte, die der Antisemitismus um die Juden schafft, abgesehen von allem, was sie sonst noch wirkt und ist, auch einen Teil jener Lebensatmosphäre darstellt, jener Härte, Strenge, kampftollen Anspannung, die das Leben selber um seine Gebilde legt, um zunächst einmal eine grobe Auslese zu erzwingen. Es ist der Kampf ums Dasein der jüdischen Gruppe und der Kampf ums Dasein gegen die jüdische Gruppe, der in gewisser Weise dem Differenzaffekt seine robuste Stoßkraft gibt. Nicht als ob dieser Kampf »Aller« gegen »Alle« nicht auch ohne Antisemitismus auskäme und ihn nötig hätte, sich darzustellen. Allein es bleibt dabei, daß auch in diesem Kampfe, nach den Gesetzen des geringsten Widerstandes, die Völker ihren Daseinskampf gegen die Juden in der Form des Antisemitismus erleben – Daseinskampf hier in dem Sinne gebraucht, in dem auch räuberische große Bäume, zum Beispiel Buchen, gegen jedes Pflanzenwesen kämpfen, das sich in ihrer Nähe ansiedeln will, stark oder schwach, groß oder klein, viel Nahrung oder wenig konsumierend. Dieser biologische Untergrund, die Kampfstimmung des Lebens, sollte vor allem verstanden werden. Nicht, damit man sie unterstreiche und übertreibe, sondern damit man sie weder vergeblich beklage noch auch unterlasse, im richtigen Maße und mit den richtigen Mitteln gegen sie zu wirken.

Gegen sie wirken, und nicht sie verdrängen. Verdrängung vergiftet den Verdränger, das zu Verdrängende und denjenigen schließlich, der der Anlaß zur Verdrängung wurde. Es ist also klar, daß die Arbeit gegen diese rückhaltlose und bequemste Form des Kampfes ums Dasein nicht durch Gegenaffekte, vielmehr auf einer ganz anderen Basis angelegt werden muß. Wie arbeitet man gegen Affekte, – denn darum handelt es sich ja –? Wenn überhaupt Gruppenaffekte existieren, und wir sind jetzt wohl nicht mehr allein überzeugt davon, muß die Arbeit an ihnen unter genau denselben Gesetzen stehen und geschehen, unter denen die Arbeit an allen anderen Affekten geschieht. Der Mensch ist sehr gewohnt, Affekte zu modellieren; alle Erziehung besteht in nichts anderem. Es ist charakteristisch für den kindlichen oder den kindlich gebliebenen, den infantilen Menschen, daß er sich seinen »Leidenschaften«, vielmehr den aus seinem Unterbewußten dringenden dumpfen Stößen und Impulsen, rückhaltlos überläßt. Der infantile Mensch ist auf dieses sein »Temperament« womöglich noch stolz und weiß nicht, wie sehr er sich selber dabei zum Narren hält; wogegen der erzogene Mensch an dem Gleichmaß erkannt wird, in welches er seine Affekte zu bringen verstand, und das ihm an Gesicht, Haltung und Geste abzulesen ist. Alle Ideale aller kultivierten Völker, zu allen Zeiten, stellten der Jugend und den Barbarenvölkern den mit seinen Affekten fertiggewordenen Mann zum Vorbild hin, und in allen Klassen aller Völker galt und gilt dieser Gentleman-Typ in Abschattierungen und Abwandlungen als das, was man aus sich machen sollte. Gentle-man, der sanfte Mann, die Kombination von Männlichkeit und innerer Gelassenheit – nicht ein temperamentloser Idiot, wie zappelige Idioten meinen, – wird von diesem Ideal gefordert, das von Arabern und Spaniern, Juden und Indianern, Briten und Skandinaviern in immer neuen Wandlungen, auf immer gleiche Weise innerlich angeschaut und von den Dichtern und Künstlern nach außen projiziert wird. Dieses Idealbild, dem die Griechenvölker wie die Römer nachhingen, zeigte den Mann mit starken machtvollen Empfindungen, aber geregelten, gebändigten, in Formen gezwungenen Trieben, den Mann, der sein Leben an die Befriedigung einer Leidenschaft setzen konnte – ob sie nun den Frauen oder der Macht im Staate oder irgendeinem anderen berauschenden Ziele galt, der Zerstörung von Nebenbuhlern und der Blutrache an den Feinden des Geschlechts oder der Bezwingung der Erde durch wirtschaftliche oder gedankliche Mittel –, der aber seine Macht zu allererst auf sich selber ausgedehnt hatte, und dem es unerträglich dünkte, daß aus ihm nach gleichsam fremdem Belieben Triebe vorstoßen sollten, wie gellende Schreie oder wie ein langes Winseln, ohne daß er imstande sein sollte, diese laut heulenden Mäuler zu erdrosseln. Erziehung der Einzelseele, des einsamen Menschen, als Reinigung der Affekte, als ihr Einbau ins Gebild des wachen Ichs und als sein Aufbau zum Herrn dieser heißen großen Kräfte, das ist ein Ideal, dem wir in chinesischen Schriften und assyrischen oder ägyptischen Statuen schon am Anfang der uns bekannten Geschichte begegnen (welcher »Anfang« ja bereits mit Großstadtkulturen einzusetzen scheint). Erziehung der Völker dagegen, Gruppenerziehung, Umbildung von Gruppenleidenschaften zum Aufbau eines sich selbst beherrschenden Gruppen-Ichs, dies steht auf einem anderen, einem neuen Blatte – und genau darum handelt es sich bei der Bezwingung oder vielmehr der Reinigung auch der Antisemitismusaffekte.

2.

Daß diese Affekte, genau wie alle anderen, in der menschlichen Seele bildbar sind, daß diese kraftvollen und glänzenden Ausbrüche menschlicher Urkraft sehr wohl unschädlich gemacht werden können, ohne daß die Seele daran verarmt, und indem sie vielmehr dadurch bereichert wird, das beweist das genetische Zusammenwachsen sämtlicher Völker Europas. Es gibt keines von ihnen, das nicht aus einzelnen Stämmen zur Einheit zusammengetreten wäre – aus Stämmen, zwischen denen der Differenzaffekt ebenso ungehindert tobte, wie er zwischen den Völkern Europas vor dem Kriege sprungbereit lauerte und während des Krieges leidenschaftlich sich auslebte. Die Kämpfe der Schotten mit den Engländern erfüllten noch das 18. Jahrhundert, die der Briten mit den Iren sind erst eben zur Ruhe gekommen, die der Preußen mit den deutschen Stämmen waren noch gestern aktuelle Geschichte; beim Zerfall des Kaisertums, 1918, konnte der wackere Mann, der heute bayerischer Ministerpräsident ist, ohne Erfolg zwar, aber doch recht laut, die Trennung Bayerns vom Reiche voraussagen. Auch Italien, zusammengesetzt aus Menschengruppen so verschieden etwa wie die des deutschen Reiches, erlebt erst jetzt eigentlich den Rausch seiner Einigkeit, der im Fascismus brennt, und es hat der ganzen Anstrengung der Männer des Konvents und des Direktoriums bedurft, um während der Revolution, die eine wirkliche Revolution war, die ausbrechenden Differenzaffekte französischer Stämme gegen einander zur Ruhe zu bringen. Das Beispiel »Rußland von heute« ist zu augenfällig, als daß man es noch ausdrücklich erwähnen müßte; aber Spaniens Grundproblem z. B., nämlich, die Katalanen bei der Masse des Reichs zu halten, zeigt auch hier die alten Leidenschaften lebendig am Werke. Wir, Generationen zwischen 1880 und 1890, denen die Gegebenheiten der politischen Gegenwart, wie wir sie auf der Schule erlernten, Selbstverständlichkeiten waren, müssen erst wieder den Blick bekommen für die Rechtmäßigkeit von innerhalb der großen Volksverbände spielenden Sondergruppen. Alle diese einheitlichen Völker, deren komplizierter Aufbau von unserer rohen Skizze gar nicht berührt wird, sind trotz des leidenschaftlichen Abstoßungswillens ihrer Teile gegeneinander so sehr Einheiten geworden, daß es dem ungeübten Blick scheinen möchte, wir übersteigerten die natürlichen Verhältnisse, wenn wir den Triebhaushalt dieser Völker mit so heftigen Spannungen wie Antisemitismus zusammenbringen. Aber dennoch ist die Abneigung z. B. der deutschen Stämme gegeneinander jahrhundertelang ebenso heftig gewesen wie die Abneigung des Antisemiten gegen den Juden; dennoch ist diese Abneigung überwunden worden, so sehr, daß dem Gefüge des Deutschen Reiches selbst die zerschmetternde Überraschung durch das Eingeständnis der längst erlittenen und maskierten Niederlage nichts anhaben konnte, und dennoch ist diese Einheit erzeugt worden, ohne an der Verschiedenheit der einzelnen innerdeutschen Typen auch nur zu rühren: noch immer ist der Sachse ebenso sächsisch, der Bayer ebenso bayerisch, der Pommer ebenso pommerisch wie vor 900 Jahren. Was wegfiel, was aufgesogen, umgesetzt, hinaufentwickelt wurde, war der Affekt, der das Bemerken des Andersseins der Anderen begleitete.

Damit nun ist für die Erziehung der Gruppen, die Reinigung der Leidenschaften Entscheidendes gegeben. Wir halten an dem Punkte, an dem wir eine Weile lang, ohne mißverstanden zu werden, für den Differenzaffekt ein anderes Wort setzen können, das Wort Nationalismus. Nationalismus bezeichnet uns den Differenzaffekt zwischen den Völkern, der heute noch frei wirken kann, wie er im 18. Jahrhundert und noch im 19. frei zwischen den Stämmen wirken konnte. Wir werden Gelegenheit nehmen, über Nationalismus, das, was ihn sonst noch konstituiert, einiges herauszuarbeiten. Hier brauchen wir zunächst einmal die Feststellung, daß die Grundkraft, die dem Zusammenleben der Völker das Irrationale gibt, diese unberechenbaren Ausbrüche gegenseitiger Abneigung, der im Nationalismus wesentlich mitspielende Differenzaffekt ist. Über kein Sonderproblem der Menschheitsgeschichte ist von den Meistern des menschlichen Verstandes so viel und so irrigerweise gelacht und gespottet worden wie über das Verhältnis menschlicher Gruppen zu einander, z. B. das der Völker oder der Religionen, wobei wir erklärend unterstreichen wollen, daß es sich niemals um Massen handelt, sondern um menschliche Gruppen. Die Masse kristallisiert zur Gruppe durch ein verbindendes Erlebnis, durch einen gemeinsamen Glauben oder eine gemeinsame Abstammung oder eine gemeinsame Begeisterung, Furcht, Schuld, Tracht, Nahrung. Und diese Gruppen, seien es Sekten, Religionen oder Völker, sollten, wenn man Aristophanes hört oder Swift, Voltaire oder Anatole France, in ihrer Bewegung durch die Geschichte nichts anderes begehen als einen Exzeß von Dummheit nach dem anderen? Wie sollte sich derart abgründige Widergeistigkeit mit den hinreißenden Kulturen vertragen oder vereinbaren lassen, die auf Erden schon geblüht haben und noch blühen werden, und die doch von ebendenselben Menschengesellschaften ermöglicht wurden, geschaffen zugleich und ererbt, hingenommen und gefördert? Und gleichwohl sieht der gütige und verachtende Blick der großen Menschenkritiker wirklich überall Dinge, die er nicht anders deuten kann, denn als Excesse von Dummheit. Der Grund dieses Widerspruchs liegt darin, daß weder Anatole France noch Swift Gelegenheit nahmen, zu bemerken, daß sich Gruppenseelen nur mit dem Seelenleben kleiner Kinder, niemals oder nur sehr selten mit den Seelen erwachsener Männer und Weiber vergleichen lassen. Man kann die Seele Chinas, Indiens oder Judäas vielleicht mit der heranwachsender junger Menschen parallelisieren; aber auch hier wird man weiterkommen, wenn man in breitester Allgemeinheit den Satz aufstellt, daß die Gruppenseele wahrscheinlich das Unbearbeiteteste ist, was innerhalb der geistigen Natur überhaupt existiert – hat man sie doch selber noch nicht einmal begonnen zu bemerken.

3.

Politisch gesehen ist die wirkende politische Einheit auf der Erde nicht das Ich, sondern die Gruppe, trete sie nun als Gemeinde, als Sekte, als Familie, Stamm oder Horde auf. Hordenseele, Gruppenseele ist das Kraftreservoir und der Grundkeim jeden politischen Wachstums, nicht das einzelne Ich, aus welchem die Gruppe, unpolitisch gesehen, sich erst konstituiert. Daher ist die Weisheit bemerkenswert, mit der alle Religion sich in allen ihren Offenbarungen und Dokumenten an Menschengruppen wendet – an Gruppen, nicht an Einzelne. Der Einzelne dient immer nur als Dolmetsch, der das Göttliche der Gruppe – Volk, Gemeinde, Jüngerschar, Stadtschaft – zu überbringen auserlesen ward. Das Zusammenleben der Menschen auf der Erde herzustellen ist Aufgabe des Gruppen-Ich und seiner Erziehung; eine unter den Sinngebungen und Grundkräften des Religiösen liegt in dieser Entfaltung der Gruppenseele. Man hat nun die religiösen Kräfte bei dieser Bildungsarbeit nicht nur ganz allein gelassen, man hat sie nicht nur durch nichts unterstützt, man hat ihnen nicht nur keine weitere pädagogische und didaktische Seelenkraft zugesellt, sondern man hat in der Entwicklung jeder Religion den unbeschreiblich verhängnisvollen Fehler erlaubt, sie alsbald ausschließlich als intimste Aufgabe der Einzel-, der Ich-Seele zu entwickeln, indem man den Dolmetsch für den Empfänger ansah, das religiös leitende Werkzeug für die Zielstation selbst. Daß mit dieser Vertiefung, wie man es nannte und empfand, der Religion ihre gruppenbildende, Gruppen höher bildende Kraft von Mal zu Mal mehr entzogen wurde, lehrt die Geschichte der Religionen, die als ein ununterbrochenes Abblühen von Religionen aufgefaßt werden muß, eines Abblühens vor der Frucht. Noch niemals hat sich, dabei zu beharren, eine religiöse Botschaft in großer Epoche an einen Einzelnen (Moses, Samuel, Jona, Jeremia, Jesus, Buddha, Paulus) anders gerichtet, denn als göttlicher Auftrag an eine Gemeinde. Das Ziel jeder Offenbarung war nicht der Empfänger dieser Offenbarung, sondern über ihn hinausdrängend meinte die Offenbarung immer entweder ein Volk oder eine Sekte, eine Gemeinde, eine Apostelschar, und erst als Teil und Seelenmolekül der Gruppenseele wandte sie sich an den Einzelnen. So bekommen Worte wie Religio (Bindung), Gemeinde, ecclesia für uns neuen Sinn und bestätigende Bedeutung. Der Einzelne wird durch die Dolmetsche förmlich und feierlich in die Gruppe hineingeknetet; im Erleben des Göttlichen, wie offenbar schon in allen Mysterienkulten (Eleusis, Mithras), geschieht die Sprengung der Kruste um das Einzel-Ich, nicht nur für die Dauer der Vergottung und Erhobenheit sondern nachwirkend, Disposition bildend, auf lange hin berechnet, auch für den Dauerzustand, den man Alltag oder Leben nennt. Die Menschen bekamen für einander ein neues Organ, und die Vertiefung des Religiösen in die menschliche Seele hinein hat zu gleicher Zeit mit der Genialisierung des Ich auch einen Verfall wesentlichster pädagogischer Gruppen-Kräfte zu bedeuten. Im bloßen Mythos von der Verkündung der zehn Gebote vom Berg herunter an ein ganzes Volk von Hunderttausenden, die zu einer Einheit verschmolzen im Empfang dieser göttlichen Grunddiktate, liegt mehr als nur eine Bestätigung einer Hypothese.

Da nun die Horde – biologisch gesprochen – die Gruppe – soziologisch gesprochen – die Einheit jeden politischen Aufbaues
ist (da ja politisches Geschehen erst möglich ist durch das Zu-
sammenfassen und Zusammenschmelzen einzelner Monaden zu
einem überpersönlichen Ich, welches allein politisch handeln
kann), und als mit dem Erlöschen der pädagogischen Bildner-
kraft des Religiösen keine andere Macht geistiger Art auf dieses
politische Horden-Ich mehr einwirkte, darf in vollem Ernste
behauptet werden, daß die Gruppen-Iche auf der Erde ebenso
unerzogen und verlassen dastehen, wie kleine Kinder dastünden,
ein- oder anderthalbjährig, die ihre Eltern verloren und keine
neuen Erzieher gefunden haben, und nun, sich selbst überlassen,
ihre kleinen Personen und noch ganz ungezügelten und unge-
lehrten Triebe durch die wilde Welt bringen müssen. Der Mensch
ist, wenn man ihn so sieht, weder dumm noch boshaft, der
Mensch ist vielmehr unbedingt guten Willens, wie ein kleines
Kind weder dumm noch boshaft, sondern unbedingt besten Willens ist, dem Leben zu gehorchen, die Welt zu erforschen, sein
Ich zu bewähren. Nur fehlt den Gruppenwesen, wie jenen verlassenen kleinen Kindern, die bildende Hilfe; sie sind völlig unerzogen, ungereift und ungereinigt mit allem angeboren Edlen
und allem angeboren Gemeinen wartend auf die weise Hand,
die sie leite. Wie jene Kinder, von denen der Chronist berichtet,
daß der große zweite Friedrich, der sizilisch-deutsche, der Staufe,
sie ohne Sprache auf einer Insel aufwachsen ließ, um zu erfahren,
ob sie von selber sprechen können würden, und die natürlich
stumm blieben, so lange niemand ihnen das Sprechen erweckte,
warten noch heute die Gruppen-Iche auf das erweckende und
lösende Wort. Sie entwickeln sich nicht von selbst. Nichts entwickelt sich von selbst, was auf Erziehung angewiesen ist. Die
·Masse der Bewohner irgendeiner kleinen Stadt, auf die nur das
stagnierende Kirchliche und das allgemeine Bildungsideal ein-
wirkt, die Starnberger, Blomberger oder Teltower sind heute,
das Technische beiseite, noch fast die gleichen Menschen, die sie
etwa zu Zeiten der Römer waren. Denn die technischen Künste
der Menschen, vorausgesetzt, was ich glaube, daß sie überhaupt
eine seelenbildende Wirkung haben, arbeiten viel zu kurze Zeit

erst an der Seele, um sich schon bemerkbar zu machen; dafür aber haben diese Gruppen-Iche auch noch keine ihrer Fähigkeiten zur Entwicklung verloren; und wenn eine Begeisterung oder Erschütterung sie durchwaltet, vermochten sie 1914 und vermögen sie 1949 noch genau so über sich hinaus zu empfinden und zu handeln, wie in den Epochen, die man heroische nennt.

4.

Aus seiner von Religion unberührten biologischen Leidenschaftlichkeit bekommt der moderne Nationalismus sein überzeugtes Heidentum. Während des Krieges auf allen Seiten noch christlich verbrämt, hat er in der maskenabreißenden Enge und Überhitztheit der deutschen Nachkriegsjahre längst diese Rücksicht vor der offiziellen Religion verlernt. Er ist heidnisch wotanistisch, die Nation als Selbstzweck tritt an die Stelle des Göttlichen und Geistigen, Gut und Böse wird geregelt nach dem, was die eigne Nation im Augenblick gerade bedarf, wobei Nation nach den geistigen Wunschkräften der jeweiligen Nationalistenpartei verstanden werden muß. Gut ist, was jeweils den Affekten der nationalistisch Aufgeregten wohltut, schlecht, böse, hassenswert das, was ihren nach Streichelung und Liebkosung äußerst bedürftigen Trieben und Seelen zuwider ist. Aus diesem gierigen Kindersinn teilen sie die Menschen dann ein in lebensberechtigte und lebensunberechtigte, und wenn niemand mehr da ist, der sie zügelt, vollstrecken sie Todesurteile an allen, denen sie das Leben absprechen. Nach dieser Formel schließt sich die Struktur nicht nur jener ungarischen Patrioten, in deren Namen der Vizepräsident der ungarischen Nationalversammlung anläßlich seiner Verteidigungsrede im denkwürdigen Frankenfälscherprozeß (der, wenn er zur Reinigung europäischer Luft hätte führen dürfen, den Halsbandprozeß im Schatten des französischen Königtums an Wichtigkeit weit übertroffen hätte) sehr hörenswerte Bekenntnisse der Überwindung christlicher Ethik durch den heidnischen Nationalismus zu Protokoll gab; sondern alle Fememorde, Rathenau-, Landauer-, Luxemburgmorde, alle faschistischen Terrorakte und Matteottimorde, die ganze europäische Nachkriegspsyche erschließt sich durch sie. Das ist in seinen letzten Folgen der rein von Affekt getragene Nationalismus, der nicht imstande ist, andere Iche neben der eigenen Gruppe zu dulden, wenn sie sich ihm nicht dadurch einprägen, daß sie mit noch härterer Faust zuzuschlagen verstehn als er selbst.

Und doch ist der Nationalismus dieser Form nicht der einzig mögliche. Diese Form, welche nämlich ihre Grenzen so weit als möglich zu spannen versucht und, wie gesagt, erst Halt macht an dem mit gleicher Ausbreitungswut sich entgegenstemmenden Nachbar-Ich, heißt, modern gesprochen, die imperialistische. Imperialistischer Nationalismus zieht seine Kraft nicht allein aus dem Differenzaffekt, sondern um so stärker aus dem Erlebnis seiner eigenen Zentralität: da die eigene Art Mittelpunkt und höchster Wert der Erde ist, hat sie auch das Recht, andere Völker damit zu überwältigen und sich, zum Heile der Welt, so weit als möglich Macht zu suchen. Setzen wir in diesem Satz statt Welt »Menschheit«, so finden wir, selbst in dieser Form des imperialistischen Herrsch- und Verwaltungswillens, das Heil der Menschheit als wertgebende, rechtgebende Vorstellung. Selbst diese Form des Nationalismus noch bedarf zu ihrer intellektuellen Rechtfertigung der Menschheit. Selbst noch in dieser Form ist Menschheit der dem Volke übergeordnete Begriff. Ohne davon zu wissen, ohne es zu wollen, kann auch diese Art von Denken nicht an der Erkenntnis vorbei, daß »Volk« unter keinen Umständen letzter Wert ist, daß es zu seiner Rechtfertigung des übervolkhaften Gebildes der Menschheit bedarf. Und selbst wenn dieses Bedürfen im Bewußtsein des imperialistischen Nationalismus nur eine Vorspiegelung, Scheinvorstellung und vorgenommene Maske wäre, so gilt gerade hier, daß Heuchelei immer noch eine Verbeugung des Lasters vor der Tugend, eine Anerkennung derjenigen Tugend bedeutet, die zu erheucheln das Laster nicht umhin kann.

5.

Denn wenn Nationalismus hier auf heuchlerische Art das Wohl einer Menschheit zu pflegen vorspiegelt, die anschaulich vor sich zu sehen ihm völlig unmöglich ist, so bleibt es doch dabei, daß in der Tat und in Wirklichkeit jedes Volk seinen Wert von der Menschheit empfängt, und daß seine besondere Art und Form erst von der Menschheit her gesehen sinnvoll wirkt. Wie die einzelnen Stämme dieses Volkes durch ihr Zusammentreten zum Volk in ihren stammestümlichen Besonderheiten gerechtfertigt werden, dadurch daß sie einander ergänzen, sich in ihrer Abschattierung von einander abheben, sich durch ihr Miteinander erst gegenseitig notwendig machen, so daß die Verschlossenheit der Friesen erst durch die andersartige Verschlossenheit des Oberbayern richtig beleuchtet und ins Relief gesetzt wird, und die Aufgeräumtheit des Rheinländers erst durch die grüblerische Härte des schwäbischen Sektierers Vollwert und richtigen Ort im deutschen Gesamt-Ich bekommt, genau so werden die Individualitäten der Völker erst in ihrem Werte und in ihrer Notwendigkeit richtig erkannt, wenn sie sub specie humanitatis in ein Ganzes verschmelzen. Der Gang der Kultur auf der Erde lehrt bei der Entwickelung jedes einzelnen kulturellen Gutes und Wertes diese Zusammenarbeit, dies Ineinandergeflochtensein an einer Fülle von Beispielen, und je höher die Werte sind, die man betrachtet, um so unablösbarer werden sie vom Zusammenarbeiten der Nationen. Wie das deutsche Drama der modernen Zeit nicht zustande gekommen wäre, wenn es nicht von dem Lausitzer Lessing inauguriert, von dem Rheinfranken Goethe und dem Kurländer Lenz zur Höhe getragen, von dem Schwaben Schiller großartig-rednerisch umgebildet, schließlich nun dem Märker Kleist, dem Rheinhessen Büchner und dem Dithmarsen Hebbel Gelegenheit gegeben hätte, ihre mächtigen Seelen auszuleben, um dann von dem Schlesier Hauptmann mit der Enge und Fülle menschlichen Gemütes begnadet zu werden, dem Niedersachsen Wedekind die Härte, Lächerlichkeit und Tragik menschlicher Schicksalsverläufe zu empfangen und schließlich bei dem jüdischen Sachsen Sternheim jene durchsichtige Klar-

heit und geschlossene Formung zurückzufinden, mit der es bei
Lessing begann, so, genau so hatte das europäische Drama ein Auf
und Ab durchzumachen, bis es überhaupt in die Hände der Deutschen gelangte: entstanden in den hohen Mysterienspielen der
Deutschen und Franzosen, mit einem Schlage zur großartigsten
Formhöhe entwickelt bei den Spaniern, als Oper tönend und
licht wiedergeboren bei den Italienern, in die Reinheit und geniale Typik umgesetzt, die es zur europäischen Allgemeinheit befähigte, wiederum von den Franzosen, war es schließlich reif, den
großen Erschütterer Shakespeare zu ertragen und der Menschheit weiter zu geben, den inzwischen die britische Eigenent-
wicklung, in einer Schar Gleichstrebender grade ansteigend zur
höchsten Höhe menschlichen Gestaltens, hervorgebracht hatte,
und der der wahre Vater deutscher Dramatik geworden ist, um
über Deutschland auch Frankreich (Hernani), die Skandinavier
und die Russen dramatisch furchtbar zu machen. Und wie die
dramatische Form von Volk zu Volk gehen mußte, von jedem
bereichert und alle bereichernd, so ging von Volk zu Volk das
Tafelbild, die Novelle, der Sonatensatz in seine drei selbständigen
Umgeburten als Sonate · Quartett und Sinfonie, die Motette, das
Sonett, der Roman. Was man einst Kosmopolitismus hieß, dieses
kettenhafte Einanderzureichen der großen Kulturgüter: politischer
und künstlerischer Formen, philosophischer Gedanken und Ge-
dankenbauten, wissenschaftlicher Entdeckungen und Welterklä-
rungen, technischer Güter und ethischer Vermenschlichungen
des Lebens auf der Erde, all jener begeisternden Werte, die die
Völker einander schenken, indem sie gleichzeitig von allen be-
schenkt werden, das ist, im Geistigen vorgebildet, jene Symbiose
der Völker, die Menschheit, von der aus jedes Volk erst in seinem
Eigenwerte und seinem Rechte aufleuchtend gesehen werden
kann.

6.

Um sich durchzusetzen nach den Gesetzen des Rücklaufs und
langsamen Wachstums, die auf der Erde allgemein zu herrschen
scheinen, bedarf diese Menschheit sicherlich der Vorformen und

wahrscheinlich der Zwischenstufen, deren eine die paneuropäi-
sche Union ist, die der junge Graf Coudenhove, der konsequente
Sohn eines bedeutenden Vaters, anstrebt, und die als Völkerbund
schon heute beweist, daß auch durch den Krieg, sei die augenblickliche Institution auch noch so gebrechlich, die Menschheit
einen Ruck vorwärts getan hat. Nun erst, durch das Zusammentreten und das Zusammensein der Völker, bekommt es Sinn,
eine politische Nation zu sein, um beitragen zu können zum allgemeinen Gut das, was man besonders kann, hat und ist. Nur unter dieser Perspektive ist es verständig und verständlich, wenn man
das eigene Sein zum Gegenstand ausdrücklicher, programmati-
scher Pflege macht, jenseits der naiven Freude am Selbstsein, die
ja von jedem Lebendigen unabtrennbar ist und nicht erst gutge-
sprochen zu werden braucht.

Diese Pflege hat sich rechtmäßigerweise zunächst lediglich auf
die Bedingungen zu erstrecken, die dem eigenen Sein Dauer
verbürgen. Dauer im Räumlichen und im Zeitlichen sind einem
Volke dann verbürgt, wenn es Art und Lebensgesetz auf eigenem
Boden in einer eigenen Gemeinschaftssphäre darleben kann.
Daher gibt es, und jetzt sieht man klar die Unterschiede, eine
zweite Form des Nationalismus, den nichtimperialistischen Nationalismus aller jener Menschengruppen, die durch politische
Geschenke in diesen Grundbedingungen ihrer Existenz ver-
kürzt waren oder wurden. Dies ist ein Nationalismus, der nicht
beschuldigt werden kann, fremdes Sein zu vergewaltigen, sondern der lediglich darauf ausgeht, eigenes Sein sicherzustellen.
Es ist klar, daß auf der Erde reinliche Scheidungen dieser Art nur
selten vorkommen mögen, daß die Formen dieser geistigen Gebilde fluktuieren; dennoch bleiben Grundunterschiede. So beschaffen war der Nationalismus der Deutschen bis zur Reichsgründung (dies wird bei Auseinandersetzung der Deutschen mit
der preußischen Junkerkaste noch eine Rolle spielen); so der Nationalismus der Italiener, dessen letzter Rest zur Parteinahme Italiens gegen Österreich führte; dieser berechtigte Nationalismus
spaltete Österreich auf, Tschechen, Polen und Südslawen Raum
zu geben gegen die übermäßigen Ansprüche der Deutschen und
Magyaren, wie er das russische Zartum vernichten half; dies ist

die Form, die, bis zu einer sinnvollen, wahrhaft minderheitsrecht-
lichen Regelung, der Nationalismus deutscher Minderheiten in
Böhmen, Polen und Italien werden muß. Dies führte zur Gründung der irischen Republik; dies ist die Rechtfertigung des jüdischen Nationalismus.

7.

Nirgendwo auf der Erde, nach der ungerechten Aufteilung des
früheren Ansiedlungsrayons unter Übergehung der jüdischen
Massen, haben die Juden heute die Garantie ihres besonderen
jüdischen Volkswesens, ihrer ihnen eigentümlichen Volksgestalt.
Zu den noch unaufgestellten Gesetzen menschlichen Zusammen-
menlebens gehört die erfahrungsmäßige Tatsache, daß nach Gesetzen des Austausches jede Minderheit von jeder Mehrheit in
ihrem Wesen verändert wird. Wie sich zwei Flüssigkeiten durch
eine poröse Wand in ihrer gegenseitigen Spannung und Dichte
einander angleichen, so verändern sich Minderheiten unter der
machtvollen Vorhandenheit sie umschließender Mehrheiten in
ihrem Wesen zwangsläufig, unwiderstehlich, mit der unbeding-
ten Sachlichkeit natürlicher Ereignisse. Es gibt heute nur noch
Reste rein-jüdischen Seins, als Folge dieser großen furchtbaren
Konservenbüchse, in die das Jüdische durch die Dekrete der Zaren eingepfercht wurde – jenes Territorium des verarmten polnischen Staates besiedelnd, wo sie in voller kultureller Autonomie,
in einer fast rein-jüdischen Wirtschaftlichkeit und in ihrem lebendigen, unangefochten das harte Leben formenden Glauben
den Ansturm des modernen Europa erlitten und bestanden. Daß
dieses große jüdische Gemeinwesen sich auf die Dauer dem heil-
samen, befreienden und bereichernden Angleichen an das neu-
gewordene demokratische Europa nicht hätte verschließen können und dürfen, steht außer Frage. Die Kämpfe zwischen dem
Alten und Neuen waren lebensgefährlich nur, weil sie mit dem
Aufgeben des Alten das verfrühte scharenweise Einfärben und
Weggezogenwerden jüdischer Individuen durch die nichtjüdische Welt begünstigten, ja zur selbstverständlichen Folge hatten.
So sehr dieser Vorgang die allgemeine Kultur mit jüdischen Indi-

vidualleistungen, schöpferischen wie auch fälschenden, bereicherte, so sehr verarmte dadurch das jüdische Zentrum. Aber
dank der in ihm wohnenden zentripetalen Kräfte und dank des
künstlichen Abschlusses von der Außenwelt durch eine un-
menschliche, aber in ihren Folgen für die Juden, im großen gesehen, die Gefahr retardierende Gesetzgebung, blieb eine jüdische
Massensiedlung bestehen, von der aus sich alle jüdischen Be-
wohnerschaften der Erde mit Judentum immer wieder anreicher-
ten. Man kann sagen, daß im 19. Jahrhundert, um einen symbolischen Ort zu nennen, Wilna das jüdische Zentrum auf der Erde
war, und daß von Wilna aus ununterbrochen das in Deutschland,
Rußland, Amerika, Frankreich, im Kapland oder in Wien vom
Judentum Abbröckelnde ersetzt wurde – nicht nur im Sinne von
Religiosität und Traditionalismus, sondern ebensosehr im Sinne
der nationalen Energie, d. h. im Hinblick auf die Dauer, auf das
Jüdisch-Bleiben der einzelnen Judensiedelungen. Denn das Gefährdete war nicht etwa die Zahl der Juden auf der Erde, die im
Gegenteil mit besseren Existenzbedingungen beständig wuchs,
gefährdet war und ist nur das Jüdische im Juden, jener Prozent-
satz echtquellender, originaler, schöpfungsmächtiger Besonderheit, die durch ihre charakteristische Eigenfarbe Juden von Franzosen, Chinesen oder Amerikanern unterscheidet. Und auf der
Bewahrung dieser Eigenfarbe, das sahen wir ja, liegt vom Standpunkt der Menschheit und des Volkstums aller Nachdruck und
Wert. Ist doch der schöpferische und befruchtende Beitrag, den
die Völker der allgemeinen menschlichen Kultur geben, national gebunden. Nicht aus einer europäischen Substanz, die
sich vielleicht bildet, die sich aber volklos nur ebensowenig wie
eine stammfreie deutsche oder britische Substanz denken läßt,
sondern aus der spezifisch jüdischen Erbmasse kam ja jenes
Schöpfertum, das in der überraschenden Blüte, zu welcher die
Emanzipation den Juden im 19. Jahrhundert verholfen hat, plötzlich ausbrach; ohne daß wir im Mindesten leugnen wollen, wie
intensiv die jeweilig befruchtende und ausweitend beglückende
Kraft der europäischen Kulturatmosphäre die Juden zu ihrer
heutigen Produktivität miterregte, wie die erlauchten Namen
jüdischer Geistiger und Schöpfer in allen Ländern darzutun er-

lauben. Aber ebenso selbstverständlich bleibt doch, daß, so wenig
man vom Werden des Genius heute auch wisse, die überindividuelle, tiefer als in die Zone des einzelnen Ichs hineingreifende
Wurzel volksgebundener Schöpferkraft es ist, die zu dieser Blüte
allererst befähigt. So wie deutsche Musiker aus ihrem Deutschtum her, französische Maler von ihrem Franzosentum Kraft und
Begabung ziehen, so ziehen die jüdischen Denker, Künstler und
Musiker, Dichter, Erfinder und Staatsmänner ihre schöpferische
Substanz aus dem Jüdischen. Dies ist eine einfache Konstatierung. Nun denn: um der Menschheit solche Diener weiter
schenken zu können, muß die Wurzel lebensfähig bleiben, die allein zur Schenkung reich genug macht. Durch die Entwickelung, die vom Kriegsende ihren Anfang nahm, ist diese Lebendigkeit in Frage gestellt.

8.

Jene Garantie jüdischer Beständigkeit, die im Ansiedelungsrayon
sehr wider Willen des Zaren-Pharao und seiner Ratgeber bestand, ist nicht mehr länger vorhanden. Statt einer einheitlichen
Judenheit, die trotz stamm-ähnlicher Unterscheidungen zwischen Riga und Odessa und zwischen Sosnowice und Minsk ein
zu gemeinsamem Erlebnis und zu gemeinsamer Hilfeleistung
verfügbares Ganzes spannte, so daß der Jude in Kalisch zitterte,
wenn der Jude in Kischinew getroffen wurde, erstrecken sich
jetzt, durch Landesgrenzen voneinander geschieden, sechs oder
sieben einzelne Judenheiten, die finnische, lettische, litauische,
polnische, ukrainische, russische, rumänische. Eingebettet in neu
geschaffenen Nationalstaaten sind sie der assimilierenden Kraft
dieser neuen befreiten Völkerschaften hilflos ausgesetzt, deren
Nationalismus in statu nascendi besonders verdauungskräftig ist.
Dazu kommt in Sowjet-Rußland die werbende Kraft der neuen
kommunistischen Religion, die bestimmten religiösen Grundkräften in der Seele des Juden außerordentlich entspricht. Dazu
tritt ferner die furchtbare Desorientiertheit, die das Hereinbre-
chen des 20. Jahrhunderts in Gestalt der okkupierenden Heere in
das unvorbereitete 19. Jahrhundert hineintrug, in welchem 1914

die jüdischen Massen fast unangetastet lebten. Dazu wirkt weiter das fürchterliche Elend, entfesselt durch das Verhängnis, mit dem der Ost-Krieg zwischen Dünaburg und Rumänien quer durch Polen und Galizien, Podolien und Wolhynien sich überall auf dem Gebiet jüdischer Massensiedlung abspielte, wodurch zehntausende jüdischer Häuser zerstört, hunderttausende von Juden dem entwurzelnden Dasein des Flüchtlings und Evakuierten ausgeliefert wurden. Dazu häuft sich die Last des Krieges als Bürgerkrieg und als russisch-polnischer Krieg noch drei Jahre nach dem Aufhören der europäischen Feindseligkeiten, und die fürchterlichen Kleinkriege der bewaffneten Horden gegen die unbewaffneten jüdischen Reste, die als Pogrome in den Schwarzbüchern des jüdischen Schicksals eingezeichnet sind und in denen mindestens 60 000 Juden ihr Leben verloren, und ein Vielfaches von dieser Zahl an Menschen aus ihrer Bahn geworfen wurde. Worauf dann, was in diesem Zusammenhange erst sein volles schreckliches Licht erhält, der Verfall der deutschen (Ober-Ost-Geld), polnischen und österreichischen Währung und die bis ins Unerträgliche gesteigerte wirtschaftliche Krise zu erwähnen wäre, die als Folge der Kriegszerstörung und der gestörten Weltwirtschaft bei den Schwächsten, den Juden des Ostens, vor allem Polens, die katastrophalsten Formen annahm, gezeichnet durch die Kurve der Selbstmorde, der Auswanderungen, durch das Sinken der Lebenshaltung und das Ansteigen der Tuberkulosenziffer. Während die Schädigungen durch den Krieg in breitester Weise auf jüdisches Eigentum trafen, hat man nirgendwo davon gehört, daß die den Leidenden zugebilligten Entschädigungen in unparteiischer Weise wie Nichtjuden auch Juden wirklich zugeteilt worden wären.

9.

Und nun komme noch, um die Bedrängung des jüdischen Elements im Juden zu vollenden, der Faktor Amerika zur Sprache – Amerika, das nach der Aufspaltung und wirtschaftlichen Zerschmetterung des östlichen Judentums die einzige jüdische Massensiedlung auf der Erde hat. Nun weiß man, und man sieht

es heute selbst in Filmen dargestellt, welch eine fanatisch assimilie-
rende Potenz dieses kraftgeschwellte Gebilde in seiner tollen quir-
lenden Wachheit und Kapitalistik entfesselt; wie es, das eines Tages sicher zu einer außerordentlichen Schöpferrolle bestimmte,
heut noch, bei der Grundlegung seiner Existenz, nur auf primitive Triebe und Fähigkeiten des Menschen zu wirken imstande
ist, und dabei mit seinen Zielen, der Züchtung des Amerikaners,
die volkhaften Gebundenheiten der in ihm lebenden nationalen
Siedlungen aufzulösen weiß. Während die Zahl der Juden drü-
ben anschwillt, verlieren sie an jüdischem Wesen, Geist und Son-
dersein von einer Generation zur anderen, beinahe von heute
auf morgen. Die Söhne von Einwanderern unterscheiden sich
von ihren Vätern bereits in jedem Sinne als wären sie Urenkel.
So lebensnötig die Umformung der amerikanischen Judenheit
zu »Amerika« hin in materieller Beziehung für das Judentum auf
der Erde auch sei, so wenig sind die Juden dort imstande, der allgemeinen Amerikanisierung irgendeinen Halt entgegenzusetzen,
weil, wie hier schon bemerkt wurde, diese Angleichung mit der
Kraft natürlichen Gefälles sich vollzieht. Wäre das Jüdische auf
der Erde nur von Amerika garantiert, so wäre es binnen 30 oder
60 Jahren nichts weiter als eine jüdisch-historische Art von an-
gelsächsischem Protestantismus, getragen von Amerikanern, die
sich von anderen Amerikanern kaum wesentlich noch unterscheiden könnten. Und das wahrhaft Schauerliche der jüdischen
Situation kommt nun zur Ausprägung erst, wenn man erklären
muß, daß die Absperrung Amerikas gegen Neueinwanderung von
östlichen Juden der weitaus härteste Schlag ist, der die Juden dieser Zeit getroffen hat. Man bedenke wohl: wir sagen das sehen-
den Auges. Wir sagen das, indem wir wissen, daß das Jüdische im
Juden von Amerika intensiver bedroht und aufgeschmolzen wird
als von allen anderen Geistigkeiten und Ungeistigkeiten auf der
Erde. Und gleichwohl verlangte die Erhaltung der nackten Existenz von Hunderttausenden von Juden eigentlich ihre sofortige
Überführung in jenen Schmelzkessel. Aber der Weg dahin ist
durch Gesetz verschlossen. Amerika ist vorderhand damit beschäftigt, seine Bestandteile aufzulösen und einzufärben. Und um
des Lebensstandards des einzelnen Arbeiters willen waren es ge-

rade die amerikanischen Gewerkschaften, zusammengesetzt aus Abkömmlingen ehemaliger Einwanderer, welche den Neu-Einwanderern Zuzug und Rettung aus der giftigen, verhungerten Atmosphäre des europäischen Ostens unmöglich machten.

10.

Daß dieses Verschließen Amerikas zeitlich ungefähr zusammenfällt mit dem Eröffnen Palästinas, gehört zu den providentiellen Ereignissen, an denen die jüdische Geschichte nicht ganz arm ist. Diese Öffnung Palästinas war ein Werk, das sich die jüdisch-nationale Wiederbelebung, der politische Zionismus, von seinem Beginn an zum Ziel gesetzt hatte, und das damit in die Phase der Erfüllung zu treten begann. Dieser Zionismus proklamierte, seit Jahrhunderten erstmalig, das Volksein der Juden, und forderte die Errichtung einer nationalen Heimstätte in Palästina für alle diejenigen Juden, die die Dauer des Jüdischen vor allem bejahten. Damit war er von allem Anfang an die Reorganisation des Jüdischen im Juden. Es ist wahr, daß er seinen Anstoß durch die vorletzte Phase des aktuellen europäischen Nationalismus bekommen, daß sein Begründer Theodor Herzl ohne die antisemitischen Erlebnisse seiner Studentenzeit und des Dreyfus-Prozesses wahrscheinlich immer ein Wiener Feuilletonist und verborgner Privatmann geblieben wäre. Aber mehr als Anstoß, mehr als Erschütterung des Gefäßes gab der Differenzaffekt weder damals noch anderswann; daß die jüdische Flüssigkeit kristallisierte, zusammenschoß, lag ausschließlich an ihrem Sättigungsgrad mit latentem Drang zur Umkehr ins Jüdische: Moses Heß, Leon Pinsker, Nathan Birnbaum, Achad Ha'am hatten ihre Wirkung getan … Zionismus ist für denjenigen, der mit dem jüdischen Wesen so verbunden ist, daß ihm seine Erhaltung Selbstverständlichkeit und prinzipielle Grundlage ward, eine so einfache Tatsache, daß es ihm geradezu schwer fällt, sie richtig darzustellen. Sie bedarf ihm keiner Gründe. Zionismus ist die Tendenz, die Lage der Juden auf der Erde zu normalisieren. Indem er ein Zusammenleben von Juden mit Juden einrichtet, welches den ganzen

Ablauf und die ganze Gesichertheit normaler menschlicher Schichtungsverhältnisse hat, so daß auch die Kämpfe zwischen den Klassen und alle Reibungen des wirtschaftlichen Weltapparates sich unter Juden abspielen, nicht zwischen den vom Differenzaffekt gegeneinander erhitzten Juden und Nicht-Juden, gibt er dem jüdischen Leben auf der Erde Gelegenheit, wie früher unter abnormen Verhältnissen (nämlich abgesperrt vom Boden) im Ansiedelungsrayon, nun unter intensiver seelischer und arbeitender Näherung an ihn, die menschlichen Lebensgesetze auf jüdisch darzutun. Er belebte die literarisch und kultisch bewahrte hebräische Sprache und machte sie zur Verkehrssprache von 150 000 Juden, zugleich aber ließ er von diesem Zentrum des lebenden Hebräisch zahllose Adern ausgehen, die einer heranwachsenden jüdischen Generation diese uralt-gewaltige Trägerin des Geistes wieder neu zuführten. Er gab überall auf der Erde zehntausenden von Juden ein seelisches Rückgrat und einen Weg, ihre Verbundenheit mit dem Jüdischen auf moderne und allgemein verständliche Weise neu zu empfinden und zu befestigen; er schuf das Judentum der ganzen Erde um, indem er ihm in der Form nationaler Begeisterung jüdisches Sein und Wesen zu einer begehrenswerten und erhebenden Seelentatsache hohen Ranges emporwertete. Er bot der ganzen Judenheit neue Kampfparolen, für und wider ihn streitend ergossen sich in die ängstlich stagnante Atmosphäre Ströme belebenden Feuers. Er zwang die Juden, die ihm angehörten, zu großen ökonomischen Leistungen und setzte ihnen damit ein überindividuelles Wertziel dieser Arbeit: da andererseits das Erreichte weit hinter dem Notwendigen zurückblieb, verhinderte er einen allzu großen Stolz auf das, was man bereits zu leisten wußte. Seine Losung körperlicher Ertüchtigung allein, mit der er zahllose jüdische Menschen der modernen neu-humanistischen Wiedergewinnung des Körpers anschloß, würde genügen, um ihn mit unsterblichen Ehren unter den jüdischen Bewegungen bestehen zu lassen: er bewies den Juden und der nichtjüdischen Welt, daß kein noch so lang andauerndes Ghetto imstande gewesen war, Sportsgeist und sportliche Fähigkeiten unter den Juden auszutilgen; zugleich gewährleistete er der jüdischen Ertüchtigung einen ruhigen und na türlichen Geist des Wettkampfes, unberührt durch die Roheiten des Differenzaffekts, dadurch, daß er diesen jüdischen Sport in jüdischen Verbänden geschehen lehrte. Indem er eine jüdische Jugendbewegung inaugurierte, teils innerhalb des zionistischen Nachwuchses, teils davon angeregt als Wettbewerbsgründungen außerhalb seiner, tat er der Judaisierung des Nachwuchses einen entscheidenden Dienst. Zugleich erneuerte er bei den Juden selbst, und zwar in den Sprachen, in welchen sie selber lebten, das Interesse, die tätige Anteilnahme und dauernde Hinwendung zur jüdischen Geisteswelt: an allen Phasen antiker und mittelalterlicher jüdischer Dichtung und Mythenliteratur und an den religiösen Dokumenten ununterbrochen wirksamer jüdischer Weltdeutung und Lebensformung erneuerte er den Anteil derer, die es anging, verbreitete ihn durch ausgezeichnete Übersetzungen und enthüllte den Literaturen und Sprachwelten, in die diese Dinge erstmalig hineingeboren wurden, einen Teil der ihnen so naheliegenden und doch so verborgenen Seelenwelt Judas. Mit den Übersetzungswerken Bin Gorions-Berdiczewskys, Martin Bubers, Jakob Fromers (Talmud), Franz Rosenzweigs und dem Geschichtswerk von Dubnow, mit einer Fülle von Sammlungen jüdischen Volksgutes in kleineren Schriften und Übersetzungen der großen hebräisch und jüdisch schreibenden Dichter und Schriftsteller Perez, Bialik, Schnëur, Mendele, Scholem Alechem und Scholem Asch, mit einer Neubelebung der jüdischen Bühne durch die »Wilnaer« und die Habima in Moskau, mit der Reaktivierung jüdischen Musiklebens in den großen Städten des Kontinents tat die neue, eine wirkliche Renaissance jüdischen Geistesempfindens sich dem erstaunten Europa kund. Zahllose Einzeljuden, in den Künsten und Wissenschaften ihrer Staatsvölker eingebettet, erfuhren an ihrem Bewußtsein die große Verwandlung. Der Not einer unter dem Anprall des Differenzaffekts wehrlos aufwachsenden Kindergeneration setzte er ein Ziel: die jüdische Schule, welche den hebräisch-jüdischen Kindergarten abzulösen berufen war. Und das größte Wunder vollbrachte er in einer Veränderung der Empfindung: zahllosen versprengten Juden und Familien begann das Jüdische nicht mehr unfein zu sein. Die Scham über das eigene Wesen, die verruchteste Wirkung der Differenzaffekte, wurde erst zum Stolz darauf pervertiert und wird allmählich von einem natürlich gelassenen Leben mit ihm, d. h. mit sich selbst, abgelöst.

Der nichtjüdischen Welt gegenüber normalisierte der Zionismus die Lage der Juden besonders, als es ihm gelang, die Judenfrage an die in Versailles 1918 zu lösenden Probleme zu löten. Die Lösungen dort geschahen allgemein territorial, man gab aus dem Erbe der drei zerstörten Kaiserreiche, Rußlands, Österreichs und der Türkei, deren früheren Völkern das Land zurück, auf das sie Anspruch machten, und fügte aus dem Bestande der deutschen Grenzmarken, gelegentlich allzu freigebig, das dazu Passende hinzu. Uns kann an diesem Vorgang nur das Prinzip interessieren: es war das einer geographischen Lösung des Völkerproblems auf Grund territorialer Ansprüche. Wäre in diesem Augenblick auf der Welt nicht diese zionistische Bewegung gewesen, die auch für das jüdische Volk einen territorialen Anspruch meldete, nämlich den auf Palästina, so hätte sich, dank des angewandten Lösungsprinzips, die jüdische Frage einer Regelung auch bei dieser Gelegenheit entzogen, wie sie bei den großen Friedensschlüssen von Wien 1815 und Münster-Osnabrück sich dank des angewandten Lösungsprinzips einer Erörterung entzog. Dieses Mal aber standen jüdische Unterhändler nicht nur mit der idealen Forderung: Gleichberechtigung! vor den Mächtigen der Welt, noch auch der religiöser Anerkennung, sondern mit klaren, geographisch abmeßbaren Ansprüchen auf die Gewährung eines Landes für eine bestimmte Menschenart, die darauf historisch und gefühlsmäßig Anspruch machte und hatte. Dadurch zu allererst konnte schon während des Krieges jene Deklaration erlassen werden, die den Namen des damaligen englischen Ministers und ausgezeichneten philosophischen Schriftstellers, Lord Arthur Balfours, zur Unsterblichkeit bestimmt hat. Von der Balfour-Deklaration ab datieren die Juden als Gruppe ein neues Lebensgefühl, und sie wissen, daß sie es nebst den Schriftstellern Theodor Herzl, Max Nordau, Nathan Birnbaum, Uscher Günzburg-Achad Ha'am, Martin Buber und Jakob Klatzkin besonders dem Schriftsteller Nachum Sokolow und »einem Juden aus Pinsk«, späterem Professor der Chemie in Manchester, dem Staatsmann

Dr. Chajîm Weizmann zu verdanken haben – keinem Millionär,
keinem General, keinem Kaufmann.

Bei seinem Auftauchen unter den europäischen Geistestatsa-
chen beging der Zionismus schwere Selbsttäuschungen und Irrtümer, die sich in ihrer politischen Wirkung, wie alle Dinge des
wirklichen Lebens, zugleich als Hemmungen und auch als För-
derungen auswirkten, bald mehr das eine, bald mehr das andere
hervorkehrend. Der erste dieser Irrgänge war, daß der Zionismus sich romantisch konzipierte; daß er die jüdische Abart des
europäischen Nationalismus darstellte, die eine idealisierte, vom
Zentralitätsaffekt getragene Vergeistigung des Differenzaffekts
war und nichts anderes. Davon legen vor allem anderen die Tagebücher Herzls beredtes Zeugnis ab. Dieser Mensch, der unter
den Juden bereits zum Mythos wird, bekam durch ihn Gelegenheit, die Größe seines Wesens zu entfalten, welche sonst ganz
verborgen geblieben wäre. Als Erwiderung auf die nationalistische Leidenschaft von damals gebar 1895 seine empfindliche
und erschütterte Seele in Flucht aus der Wirklichkeit einen großen, Wochen anhaltenden Tagtraum von der Wiedererrichtung
normalen Lebens für die Judenheit. Diesen Tagtraum erlebte er,
da er Schriftsteller war, als Konżeption zu einem Werke; und da
in ihr alle Affekte seines Wesens mitschwangen, Vergeltung alles
Leids, das er durch sein Judentum erlitten, der erschütternde
Drang, vor den Völkern Europas den Juden nicht mehr entehrt
zu sehen – den Juden, den er, ganz wie den Ehrbegriff, unter
dem Diktat des feindseligen Differenzaffekts der Anderen hinzu-
nehmen gezwungen war – da mitschwang die ausweitende,
rauschhafte Lust am Umgestalten der Wirklichkeit durch die
Phantasie, welche sich nicht an die gesetzgebenden Fakten der
Wirklichkeit selber zu halten braucht, und sich als Staatskunst
empfindet, wenn sie gegebene Entwicklungslinien des Realen
geistig zu Ende zieht, und der leidenschaftliche Protest gegen
den Zustand der Juden, wie er ihn aus eigenem Leben nur zu gut
kannte – da, wie gesagt, diese Konzeption, die Rückverpflanzung
der Judenheit nach dem türkischen Palästina, unter so triebhaften Erschütterungen vor sich ging, hielt er sie für eine geniale
Inspiration und sich für das begnadete Gefäß einer Verkündigung,

die zu tun anderen oblag, solchen, die auf seinen Ruf hin aufstehn sollten. Als auf die Veröffentlichung dieser Schrift »Der Judenstaat« Juden aller Länder mit der brennenden Aufforderung antworteten, der Verfasser selber solle das Geschriebene aus der Welt des Schreibens in die der Wirklichkeit, des gültigen Alltags übersetzen, stand dieser Mann, Theodor Herzl, nach einem Augenblick fassungslosen Staunens von seinem Schreibtisch auf und ging an diese Verwirklichung seines Traums. Daß er damit in seine Tragödie hineinmarschierte, daß Mal um Mal die von ihm vorgeschlagenen Wege nicht vom Gesetz des wirklich Vorhandenen diktiert, sondern von der intellektuellen Schau oder vom Einfall gar allein vorgezeichnet waren, mußte ihn zwangsläufig von Enttäuschung zu Enttäuschung führen. Er begriff weder das langsame Tempo zwischen fleischgebundenen Menschen, noch gar die eingefugte Verklammerung der Staatenwelt, die ein Auslösen Palästinas aus ihr nicht litt. Aber mit der großartigen Treue eines wirklichen Führers blieb er bei seiner dornenvollen, stets scheiternden, stets durchkreuzten Sache, die ihm dafür Unsterblichkeit schenkte. Seit mehreren Jahrhunderten war wiederum ein Antlitz, das Bild eines jüdischen Menschen symbolhaft über die Judenheit der Welt erhoben worden. Das Gesicht dieses edlen, vom Geist und vom Leiden gezeichneten, von innerer Noblesse verschönten Menschen, typisch umrahmt von seinem schwarzen langen Barte, war das erste Führerantlitz seit Sabbattai Zwi, unter welchem sich die jüdische Welt in Parteien gliederte, und das der nichtjüdischen die Existenz eines Judenvolkes einheitlich kundgab, mit seinen Ansprüchen, seinen Verpflichtungen, seiner aktuellen Ohnmacht und seiner auf längere Zeiträume wirkenden, aus der Vergeistigung der Erde quellenden Macht.

Denn trotz aller im Wege der Sache und in seinem Weg liegenden Enttäuschungen, die ihn früh aufrieben und töteten, war der Mann, der so schön und königlich an die Spitze einer jüdischen Bewegung trat, ein wirklicher, die Entwicklungslinien des Geschickes vorauswissender Prophet, dem nur die Kenntnis und Handhabung der Realität fehlte, um auch ein Staatsmann zu sein. Daß alle Einwanderungsländer sich den Juden verschließen könnten, sah er damals: heute ist es verwirklicht; daß nur der

Konsensus der Mächte den Juden – er nannte es den Charter – in einer Staatsakte Sicherheit in Palästina verleihen könnte, machte er zur Grundlage aller seiner Anstrengungen: wir haben ihn heute, nicht, wie Herzl glaubte, als das Produkt der Zustimmung einzelner Fürsten, sondern als das Mandat des Völkerbundes, übertragen an Groß-Britannien. Daß nur modernste Methoden, von Nichtjuden geschaffen, von Juden erlernt, die Kolonisation des Landes gewährleisten würden, war im Technischen wie im Sozialen seine Überzeugung; und abermals zeigt die Realität, daß er richtig sah, wenn sie sich gleich nicht seinen Formen anbequemte: die gemeinwirtschaftliche Siedlungsform mit ihren amerikanischen Maschinen und die Elektrifizierung Palästinas wie auch seine Erschließung durch das Auto und den jüdischen Straßenbau beweisen das. Und daß sich von den leicht entflammbaren Kleinbürgern und Armen aus auch die wohlhabenden und selbst die reichen Juden dem Aufbau Palästinas nicht entziehen würden, nicht würden entziehen dürfen, auch das beginnt sich einzustellen. Demgegenüber wirkt geringfügig, historisch bedingt und beinahe liebenswert, was an kuriosen Einzelheiten an seinem Plane veraltet ist. In ihnen allen hat sein großer Kritiker, der Gewissenhafte des Geistes Achad Ha'am richtig gesehen und Recht behalten. Palästina kann die Judenfrage nicht lösen in dem Sinne etwa, daß es der Zerstreuung der Juden unter die Völker durch Aufsaugung aller jüdischen Gruppen ein Ende machte. Dagegen kann es den Charakter dieser jüdischen Besiedelung der Erde vollkommen ändern, indem es zum Mittelpunkt einer geistig und gefühlsmäßig wirkenden, in diese Siedlung hineinzubildenden Struktur wird. Daß die Rückkehr größerer Massen von Juden, als Palästina sie fassen kann, ins Mittelmeerbecken und Kleinasien Prinzip der jüdischen Wanderbewegung wird, ändert an dieser Tatsache nichts, obwohl sie die jüdische Position in Palästina sehr verstärken wird. Aber als geistiges Zentrum, als kultureller Vorort könnte Palästina in einem, dem allein schöpferischen Sinne, bereits der ganzen Menschheit sichtbar werden. Immer drohender und immer überzeugender legt sich der Menschheit als Problem die Aufgabe auf, neue zeugende, menschenwürdige Formen der Wirtschaft und Güterver-

teilung, der gemeinsamen Arbeit, des menschlichen Zusammenlebens, eines gereinigten und vergeistigten Alltags zu schaffen.
Nach dem Zeugnis aller Besucher und nach der Kenntnis aller
Sachverständigen entwickelt sich in Palästina ein System solch
neuer Formen auf der triebüberwindenden Empfindungsbasis
heutiger Menschen, nämlich der der Freiwilligkeit und der un-
erzwungenen Zustimmung zur kommunistischen Gemeinwirt-
schaft. Eine sympathieerfüllte Demokratie des Miteinander-Ar-
beitens, der Überwindung des Geldes, ist schon heute, nach
kaum achtjähriger Besiedlung Palästinas, durch zionistische Jugend in unerhörtem Maße verwirklicht. Und wollte jemand einwenden, diese ganze ökonomische Struktur entstehe auf der Basis eines beständigen Geldzustroms aus den Kreisen der bürgerlichen Judenheit, so antwortet ihm, gut jüdisch und gut richtig,
die Gegenfrage, ob denn schon jemals ein Land kolonisiert worden sei, ohne daß darin Kapital investiert wurde. Hier aber wird
Kapital sozialistisch investiert ...

Einen einzigen Faktor dieses werdenden Palästina sah Theodor
Herzl überhaupt nicht, weil er die Wirklichkeit nicht sah: das
arabische Menschenelement im Lande selbst und die Wichtigkeit, die Palästina für die arabische Welt hat, und die wiederum
eine eminente Wichtigkeit der arabischen Welt für Palästina beweist.

II.

Die Schwierigkeit des Zusammenlebens von Juden und Arabern
in Palästina wird auf tendenziöse Weise aufgebauscht, vor allem
von Juden, denen aus Angst um ihre eigne Sicherheit sinnloser-
weise eine Störung dieses Zusammenlebens am Herzen liegt. Dabei hat man zwischen gelegentlichen und dauernden Schwierigkeiten dieser Art zu unterscheiden. Die vorübergehenden entstanden aus der Nachkriegswelt und klangen mit ihr ab; nomadische
Beduinen und landbesitzende Effendis in der Hauptsache verur-
sachten sie. Mit den dauernden, welche allein erwähnenswert
und in diesem Zusammenhange nennenswürdig sind, ist der Differenzaffekt gemeint, der zwischen den beiden Völkern im Lande

waltet. Wenn in folgenden Abschnitten diejenigen Kräfte entwik-
kelt werden, die zur Überwindung unseres Affektpaares führen,
wenn prinzipiell und ausführlich von der Abreaktion und Herabzüchtung, der Auflösung und Abtragung dieses Affektpaars
gesprochen wird, werden sich Gelegenheiten ergeben, auch die
arabisch-jüdische Problematik mitzubehandeln. Hier sei nur
verwiesen auf die eindrucksvolle Tatsache, daß, während das gesamte Randgebiet des Mittelmeeres, nämlich Marokko, Ägypten, Arabien und Syrien den heftigsten politischen und militärischen Entzündungen ausgesetzt war, Palästina von einer Truppenmacht von 250 Soldaten und 1000 eingeborenen Polizisten,
d. h. von gar keiner Truppenmacht geschützt und beherrscht
wurde, sondern aus sich selbst in friedlicher fortschreitender Zi-
vilisationsarbeit begriffen war, Ruhe im Lande, trotzdem mo-
natlich zwischen 2000 und 3000 Juden daselbst einwanderten.
Ohne die Feindseligkeit aus der Gefolgschaft der christlichen
Kirchen oder vielmehr gewisser ihrer Träger und Kreise ließe
sich die Entwickelung Palästinas beinahe sicher prophezeien.
Aber über diese Grundwurzel des dauernd reizbaren Differenzaffekts haben wir bereits gesprochen. Palästina wird derjenige
Ort sein, an dem sich unmittelbar, und zwar hemmend oder be-
schwingend, beweisen wird, ob das Christentum – das von heid-
nischem Nationalismus in seiner seelischen Wirklichkeit bedrohte
Christentum, imstande sein wird, die Selbstprüfung und Selbst-
überwindung zu leisten, von der wir vorhin ausführlich zu reden
gezwungen waren.

In der sogenannten Araberfrage nun tritt, und deshalb entwik-
kelten wir hier ihre zionistischen Voraussetzungen, das Problem
des modernen Nationalismus, d. h. das Problem des Differenzaffekts von Volk zu Volk in einer Form auf, die darum so lehrreich
ist, weil sie im jüdischen Menschen selbst, getragen von jüdischen Gruppen, die beiden Formen des Nationalismus darstellt,
von denen wir hier zu reden hatten.

Wir zeigten, wie der moderne Nationalismus imperialistisch
ist, d. h. unter dem Diktat des Zentralitätsgefühls das eigene Sein
als bestes Sein ausbreiten will auch über Menschengruppen und
Landstrecken, die aus eigenem Rechte und nach ihrem eigenen

Gesetze sich dieser Vergewaltigung erwehren. Wir zeigten weiter, daß es einen Nationalismus berechtigterer Art gibt, den einer Stammeseinheit, die ihre natürlichen Minimalrechte und Bedingungen zu sichern trachtet, aber nach der Befriedigung dieser Bedürfnisse an ihrer eigenen Grenze halt macht. Wir zeigten auch, daß dieser Nationalismus unterm Blicke der Menschheit um der Formenfülle des Daseins willen, ein innerlich rechtmäßiger Nationalismus ist, dem der imperialistische als eine triebhafte, durch nichts zu rechtfertigende Übersteigerung und Entartung gegenübersteht. Es fragt sich nun, wie man dieses triebhaft wuchernde Gebilde an solcher Ausartung verhindern könnte – steht es doch unter dem Gesetz, unter dem alle Leidenschaft steht, nämlich im Ablauf immer heftiger, unhemmbarer und verzehrender zu werden. Wie kann man den Zorn eines Zornigen einhalten? Wie dem nationalen Affekt natürliche Schranken setzen?

12.

Das Problem der Züchtung, das Grundproblem seelischer Entwicklung, nämlich die Formung und plastische Reinigung von Trieben innerhalb der menschlichen Seele, ist hiermit berührt. Der einzelne Mensch hätte sich niemals aus der primitiven tierischen und kindhaften Stufe seiner früheren Existenz zu seinem heutigen, mindestens in Ansehung von Naturbeherrschung und Vernunftdenken reifen geistigen Alter entwickelt, wenn es nicht von vornherein gelungen wäre, seine Triebe, die wilden, hin und her reißenden Mächte in seiner Seele, ihm so zu beleuchten, daß er sie als beschämend, als gestaltungsnötig, -würdig und -fähig empfand. Vielleicht ist dies die folgenvollste, aber auch die rätselhafteste seelische Bewegung innerhalb der Frühgeschichte der Menschen gewesen. Es ist kaum zu begreifen – und Sigmund Freud hat hier seine kühnste Hypothese eingesetzt – wie in dieses naive Wesen Mensch jener Fond von schlechtem Gewissen gekommen ist, der ihm allein diese innere Reinigungsnotwendigkeit und -lust einprägte. Aber wie dem nun sei, um nicht ins Unendliche zu schweifen, so daß man auch im Endlichen nicht nach

allen Seiten gehen kann – der Differenzaffekt und der Zentralitätsaffekt sind bildbar. Beweis dafür ist die rege Verschiebung und
schweifende Veränderung, die wir ihm, was Ziele anlangt, was
Modi anlangt, haben nachweisen können. Die ganze, allerdings
beträchtliche Schwierigkeit wird vielleicht darin liegen, den Menschen von heute, der in Bezug auf innere Technik, auf Handhabung seiner seelischen Kräfte weit hinter die antike Welt zurückgefallen ist, mit der Notwendigkeit auch die Möglichkeit
solcher Um- und Höherzüchtung des Affektlebens von Gruppe
zu Gruppe nachzuweisen; d. h. ihm gewissermaßen Handgriffe
für die Mächte seiner Seele zu schaffen. Wir können, da wir von
etwas Gefordertem sprechen, uns hier damit begnügen, nur zu
skizzieren und Ziele nur anzudeuten, da es einer eigenen Abhandlung bedürfte, und noch dazu einer, die über phänomenal
fast unerforschte Dinge handelt, hier ausführlich zu sein. Aber wir
glauben, wesentliche Setzungen im folgenden suchen zu können.

Da im Nationalismus die beiden brüderlichen Affekte, der
Zentralitäts- und der Differenzwahn, am naivsten tätig sind, sind
sie hier auch am leichtesten faßbar und überwindbar, und zwar
erstens von überlegeneren Werten her. Die führenden Geister der
Nationen scheiden durch ihre nationale Kritik das zu pflegende
Volksgut vom Schlimmen auch in bezug auf die Affekte. In solchen Genien zu allererst kommen die Volks-Iche zur Selbstbe-
sinnung, und nach dem großartigsten und konsequentesten Falle,
den das Schrifttum der Menschheit kennt, dem Falle der jüdischen Propheten (Nebi'im) nämlich, nennen wir diese Form des
Nationalismus den prophetischen Nationalismus. In ihm ver-
schmilzt der Zentralitätsaffekt mit den in Wahrheit und vor den
Gesetzen einer absoluten Ethik pflegenswerten Charakterseiten
eines Volkswesens. In ihm richtet sich die Leidenschaft der Abstoßung und des Wegschiebens, der Differenzaffekt, auf die un-
edle und niederträchtige Komponente innerhalb des eigenen
Volkes. In brennender Liebe, leidenschaftlicher Scham, empörtem
Zorn und schärfster Verachtung rufen sie um sich eine Gruppe
zusammen von solchen Einzelnen, die nicht das für gut heißen,
was im eigenen Volke bemerkbar ist, sondern die im eigenen Volke
das verbinden, was gut ist – gut vor dem sittlichen Grundempfin-

den der Menschen, das sich an der Menschheit und an ihrem
großen Gesetzgeber, dem Göttlichen, reguliert. Diese Träger
eines so geformten Zentralgefühls stoßen von sich ab das zu Entwertende, moralisch oder besser ethisch gesehen; nicht aber nennen sie alles entwertet und schlecht, was sie aus Gründen vitaler
Art, als außerhalb des eigenen Volkstums stehend, entwerten müssen oder wollen. Dieser prophetische Nationalismus hat aber nun
unter den Juden nur seine breiteste Ausprägung, seine gehäuf-
teste Anwendung gefunden; hier liegt der ungeheure Fall vor,
daß ausnahmslos, durch das gesamte jüdische Schrifttum vom
Buch der Richter an bis zu den spätesten Büchern, das Fünf-
Buch Mose inbegriffen, von einem Volke als nationale Leistung
gefordert wird, sich dem göttlichen Diktate bedingungslos zu
unterwerfen, dies Volk aber in seiner ganzen Geschichte die Anstrengung immer und immer wieder zu leisten unternimmt, die
von ihm gefordert wird. Nur die rasende Dummheit, die vom
Differenzaffekt mit Böswilligkeit geschlagene anti-jüdische Blickart vermochte zu übersehen, daß es in der westlichen Geschichte
für diesen Gigantenkampf der formenden Kräfte eines Volkes,
unter der Zustimmung dieses Volkes, mit seiner trägen Materie
überhaupt keine Parallele gibt. Nicht als ob nur die jüdischen
Propheten, in breitestem Sinne gesprochen, diese erziehende
Leidenschaft für ihr Volk gehabt hätten; dann wäre der Fall der
Herabzüchtung des Differenzaffekts oder auch seiner Empor-
züchtung, wie man will, hoffnungslos. Vielmehr ist, ausgesprochen oder unausgesprochen, die Haltung der führenden Geister
fast aller Nationen zu ihren Völkern genau der der Propheten
gleich: Platon und vorher Sokrates und noch vorher die griechischen Tragiker hatten zum griechischen Volke genau dasselbe
Verhältnis kritischer Liebe, das etwa Tacitus beweist, wenn er den
Römern in der Germania das Bild eines Volkes malt, wie sie es
nicht sind, und nicht anders stehen die großen englischen Dichter und Schriftsteller, Shakespeare, Byron oder Shelley zu ihren
Angelsachsen oder etwa Voltaire und Rabelais, Mirabeau oder
Flaubert zu ihren Franzosen, nur daß die Dichter durch Gestaltung kritisieren; dadurch nämlich, daß sie entweder lächerliche
oder furchteinflößend getreue Durchleuchtungen der Realität

oder strafende Standbilder des gesollten Seins vor ihm aufrichten. Der Fall Aristophanes, der Fall Shakespeare sind wohl die größten unter den Beispielen dieser Art.

Eigentümlich, aber prinzipiell ganz genau so, liegt der Fall bei den deutschen Dichtern. Sie alle trieben leidenschaftliche Auslese unter den Eigenschaften der Deutschen, sie alle trachteten stets nach dem idealen Menschenbilde nicht nur für sich allein, sondern immer auch für ihr Volk. Aber Fürstenabsolutismus, Kleinstaaterei verschleiern diesen Tatbestand. Die Zeit der großen Deutschen zwischen Lessing und Nietzsche ist so die Epoche, wo man unter Überspringung des Volkes die Menschheit aus Einzelnen aufzubauen gedachte. Dadurch ward sie zum Areopag eines engen Kreises erleuchteter Geister, unterhalb dessen die Herdenmassen der Völker hintaumeln zu müssen verurteilt schienen. Daß damit alle Bestrebungen züchterischer Art von vornherein zur Ohnmacht verdammt waren, weil sie der nährenden Lebensgrundlage, der blutdurchpulsten Wirklichkeit entbehrten, ward auch den Großen offenbar. Sie hielten es für eine unablösbare und notwendige Gegebenheit tragischer Art, und damit schufen sie sie dazu; während es zum Beispiel den Engländern, die den Irrglauben solcher Fatalisten niemals teilten, infolgedessen gelang, das Niveau ihres Volkstums zu jener eindrucksvollen Höhe politischer Reife emporzuzüchten, die das Nachkriegs-England vor den Augen Europas bewährt hat. Infolge dieses Irrtums nun, und weil es damals politisch nur Sachsen, Schwaben, Weimaraner, Preußen, Badenser usw. gab, dichteten die Deutschen gewissermaßen unmittelbar in eine kosmopolitische Seinslage hinein. Sie wandten sich an Menschen, indem sie, die Lausitzer, Frankfurter, Schwaben waren, den Deutschen einfach übersprangen. Damit entwarfen sie große Gestalten – den heroischen Umriß haben Schillers und Lessings Personen, Jean Pauls, Goethes, Kleists, Stifters, Hebbels gemein – aber der Aufruf zum Nachleben, die Aufforderung: »Werdet wie diese, denn sie sind aus Eurem Fleisch und Blut, aus Eurem Fühlen und Geist«, und dann wiederum der Ausruf: »Werdet nicht wie jene, denn sie spiegeln Euch die Gemeinheit, in der Ihr es Euch wohl sein laßt!« geht von Gestalten nicht aus, die von vornherein nicht als deutscher Tyrann sondern als spanischer, nicht als deutsche Heuchlerin sondern als englische, nicht als deutscher Freiheitskämpfer sondern als schweizerischer, nicht als deutscher Grande sondern als belgischer, nicht als deutscher Dorfrichter sondern als niederländischer auftreten. Man halte diese Unterscheidungen nicht für belanglos. In der Zone, wo die beiden polaren Affekte spielen, genügen Gewichte, die vor der Vernunft und dem Urteil als unwesentlich sich sofort darstellen, um Wirkungen gewünschter Art zu verhindern und unerwünschter Art hervorzubringen. Daraus ergab sich die paradoxe Tatsache, daß die Kritik am Deutschen von seinen großen Geistern nur im Fall Heinrich von Kleists und Büchners gestalthaft geschah; alle anderen Genien, vor allem Goethe, aber auch Jean Pauls und Hölderlins großartiges Zürnen nicht ausgenommen, blieben wirkungslos, weil sie ihre oft sausend treffende Kritik nur in beiläufiger Rede, sei es als Einschiebungen in größere Zusammenhänge – wie die berühmte Strafrede gegen die Deutschen im Hyperion –, sei es als Anmerkungen, Gelegenheitsgedichte oder in Briefen ausdrückten. Wie geschickt haben die Interpreten sofort die großartige nationale Reinigungstat des Xenien-Almanachs als »Literaturfehde« unschädlich gemacht! Zwei Fälle ausgenommen, haben die Deutschen noch nicht einmal gemerkt, daß ihre »Klassiker« von ihnen nicht durchaus beglückt seien. Der eine, Nietzsche, der auf unmißverständliche Art davon ausgenommen ist, wurde erst durch Verschweigen, dann als Verrückter, schließlich im Kriege durch bestimmte Umdeutungen seiner idiotisch popularisierten Schlagworte (Blonde Bestie, Übermensch) auf lange hin außer Gefecht gesetzt – wenn nicht seine anti-demokratische und anti-soziale Haltung, die pures aristokratisches Rokoko ist, ihn ohnehin nach einer affektiven, das Niveau schädigenden Seite hin festgelegt hätte. Der andere, Heine, ein wirklicher Kritiker und leidenschaftlicher Liebhaber deutschen Wesens, hat ohnehin keine Wirkung: ihn macht der Differenzaffekt von jeher unschädlich, denn er ist Jude. Trotzdem käme ein ungeheuer eindrucksvolles Material zusammen, wenn man die strafenden und die zärtlichen Aussprüche, Gedichte und Teilstellen aus den Werken der großen Deutschen zu einem Prophetenbuche für sie zusammenstellte. Von Walter von der Vogelweide, über Hutten, Luther, Grimmelshausen, über Klopstock, Lessing, Herder zu Kant, Novalis, Hölderlin, Goethe, Schiller und Keller, Fichte, Claudius, Büchner, Schopenhauer und Nietzsche bis zu den heute noch Wirkenden, etwa George, Heinrich Mann, Friedrich Wilhelm Förster, Florens Christian Rang, Scheler, Pannwitz, Wynecken, Fuhrmann käme in Lob und Tadel, als Zuckerbrot und Peitsche ein Evangelium kritischer Liebe zustande, mit dem eine Zielsetzung und Sonderung im Sinne der Reinigung und Vergeistigung der Leidenschaften Ungeheures auszurichten vermöchte. Und um nun noch einmal die einzigartige Haltung der Juden ihren Affekten gegenüber zu erkennen, nehme man einmal an, dieses züchtigende und beißende, tröstende und mahnende Deutsch-Evangelium werde für zwei Jahrtausende das Fundament deutscher Selbstgestaltung; es beherrsche das Lebensgefühl des gesamten Volkes, es sei seine einzige Brücke zum Absoluten. Es werde je und je in Tat umgesetzt oder mindestens als umzusetzen bedingungslos anerkannt. Erst von dieser Hypothese aus, welcher kein europäisches Volk gewachsen wäre, kann man recht erkennen, was für ein geblendetes, leichtfertiges, rein affektives Wort aus dem Munde Aller kommt, die die Juden als störrisches, widergeistiges Sein entwerten. Die Deutschen, gerade die lautesten, haben überhaupt und ausschließlich nur solchen Schriftstellern zugehört, die wie der vollkommen affektblinde, vom Zentralitätsaffekt seines Wahlvolks vermummte H. St. Chamberlain ihren Instinkten und ihrem Auserwähltheitswahn geschmeichelt haben. Wer einem ganzen Volke einreden will, es habe sich nach den Grundsätzen des Aristokratismus zu verhalten, nicht nach ethisch Gesolltem, sondern nach vital eingeborenem Sein sich hinzuzüchten, der ist von vornherein dieses Erfolges sicher: eines Rauschweges von Hochgefühlen, mündend in die Katastrophe.

13.

Was für eine Funktion die Führer der Gruppen, die führenden Geister der Völker also haben und ausüben, ist wiederum, in der Sphäre der Vernunft formuliert, in seiner Tragweite als Tat kaum

zu würdigen. Sie fixieren das Volk an seine e i g e n e Angelegenheit, an die nämlich, die niemand für es besorgen kann: arbeite an dir selbst, sagen sie ihm. Werde so groß, wie du von deiner Seele her nur irgend kannst. Legitimiere die physische Macht
deiner zusammengeballten Kräfte durch den verantwortungsvollen Einsatz deines Lebens: Wahrer der Gerechtigkeit, Fürsprach
der Güte, Beschützer der Schwachen, Träger des menschlichen
Anstands zu sein. Und wer dir einreden will, du seist, so wie du
heute bist, gut genug für das Pack der andern Gruppen um dich,
den steinige.

Beinahe jedes Wort dieses Satzes wird von der Realität der
Gruppen heute widerlegt. So naiv einleuchtend und selbstverständlich diese Forderungen klingen, es gibt, Einzelne beiseite,
in Europa kein Volk, das ihnen nicht beständig und mit dem besten Gewissen zuwiderhandelte. Anstatt die Schwachen zu be-
schützen, wird ihre Ausplünderung, zum Beispiel in der deutschen Inflation, immer aber bei Kämpfen von Arbeitkäufern
und -verkäufern, zur Maxime des öffentlichen Wohls erhoben.
(Kurioserweise muß man noch heute jene Falschmünzer des
Wortgebrauchs ablehnen, gegen die sich schon Marx und Engels
verwahrten und in der der soziale Differenzaffekt schon pocht:
diejenigen nämlich Arbeitgeber zu nennen, die nur die Gelegenheit zur Arbeit Anderer geben, und diejenigen als Arbeit-
nehmer von vornherein in einen passiven Zustand herunterzu-
würdigen, die dem gesamten Menschengeschlechte geben, was
an Arbeit in ihm geleistet wird. Es wird sich also besser und ehr-
licher schicken, von Arbeitkäufern und -verkäufern zu reden.)
Keinem Volke wird heute in Wahrheit aufgegeben, seine Macht
durch sein Wesen zu legitimieren, umgekehrt erklärt man ihm:
die Vortrefflichkeit seines Wesens legitimiere jeden Machtan-
spruch – wenn auch nicht überall so naiv und so rhetorisch be-
rauschend wie etwa in Ungarn oder in Italien. Nirgendwo, wenn
nicht in Kreisen der Jugendbewegung, wird das eigne Volk gezwungen, einzusehen, daß es an sich arbeiten müsse, wenn es seine
Stellung unter den sittlichen Mächten der Welt einnehmen wolle;
und überhaupt werden nirgendwo diejenigen zur Rechenschaft
gezogen, die ihrem Volke schmeicheln, obwohl sie doch erklär-

termaßen dadurch erst eine Atmosphäre schaffen, in der die Affekte immer schwieriger in den Schranken der Vernunft gehalten werden können. Wer heute einem Volk die Wahrheit sagt, ist so verfemt, wie Romain Rolland während des Krieges war oder Friedrich Wilhelm Förster im heutigen Nachkriegs-Deutschland es ist. Und zwar bringt der Zentralitätsaffekt und sein kindisches und albernes Beständig-gestreichelt-und-beweihräuchert-werden-Wollen die Vereinsamung dieser streng Liebenden und ihre Ohnmacht dadurch zustande, daß er behauptet, der Kritiker stände im Solde oder in der Hörigkeit des fremden Differenzaffekts, er schmeichle dem Zentralitätswahn einer feindlichen Gruppe. (Thomas Mann gegen Heinrich Mann auf den denkwürdigsten Seiten eines immer wieder aufgelegten und infolgedessen immer wieder aufrechterhaltenen Denkmals affektiven Denkens.)

14.

Nur sogenannte Realpolitiker werden leugnen, daß die unablässige Einwirkung großer Führer die Zielsetzung der Affekte verändern könnte; nur Menschen veralteter Seelenkunde werden widersprechen, wenn hier behauptet wird, Zielsetzung in unserem Sinne geschehe zugleich mit der Reinigung, der Sublimierung dieser Affekte selbst. Wem es gelingt, einen Zornmütigen zornig zu machen gegen seine eigenen Schwächen, der hat ihm das beste Werkzeug zur Ausrottung dieser Schwächen und zur Überwindung dieses Zornes selbst in die Hand gegeben. Ja, Affekte sind zu lenken, ihre Fixierung ist aufzulösen, sie selber der Reinigung zugänglich: durch so erschütternd einfach zu benennende, so erschütternd schwer zu verwirklichende Mittel wie: Eingeständnis der Affekte, Aussprechen des in ihnen verdrängt sich Meldenden. Wie die Furcht vor Gespenstern in einzelnen Menschen und ganzen Gruppen zum Abklingen gebracht werden kann oder zur Abreaktion dadurch, daß man dem Einzelnen oder den Gruppen zum Bewußtsein bringt und zum Erlebnis macht, wovor sie sich eigentlich fürchten: nämlich vor den Mächten der Natur um sie und in ihnen, so kann das Zerstö-

rende und Vergiftende des Zentralitätsaffekts und des Differenzaffekts aufgehellt werden durch das Eingeständnis, daß ihre Ursache die Furcht ist vor einander und das Verlangen nach einander.
Darum vor allem dringen sie darauf, daß jedes Einzelne in seinen
Grenzen beobachtbar, überwachbar bleibt. Und da die Juden
überall in den Grenzen der Anderen ausgestreut wohnen, ist die
Furcht vor ihnen mit der Macht eines unvernünftigen Triebes
eine ewig wache Quelle des Differenzaffekts. Aber Völker verlangen auch nach einander. Unterhalb der Furcht, verdrängt und in
dieser Furcht bemerkbar, zittert eine Liebesbegierde von dem
einen zum anderen, von jedem zu allen. Sie verlangen nach einander, weil sie einander ergänzen, weil jedes einzelne die Einseitigkeit seines Seins wieder gutgemacht und ins Rechte gerichtet
sieht durch das Vorhandensein und die Verschiedenheit der anderen. Und darum, weil jedes in der Angst um seine eigene Existenz, in der Furcht, das eigene Sein aufzugeben und mit dem anderen zu verschmelzen im Taumel einer hochzeitlichen Vereinigung, nicht erzogen wurde zum Selbstgefühl, nämlich zu der
Erkenntnis, daß Völker, wenn sie in einer größeren Einheit aufgehen, ebensowenig ihr Ich verlieren wie die Stämme des einzelnen Volkes ihr Ich verloren, als sie sich unter Aufgabe des Stamm-
daseins zur größeren Einheit zusammenschlossen – wagt sich diese
Liebe der Völker zu einander ans Licht des Erlebten nur in dem
rauschhaften Glücksgefühl, das sie begeisternd hebt, wenn auf
großen internationalen Tagungen oder Wettbewerben ganz beliebiger Art die Vertreter der Völker zu einem ganz bestimmten
Ziel einheitlich sich verbünden. Dann berühren in der Form von
Schriftstellergruppen oder Tagungen von Fußballern, Leichtath-
leten oder Sozialisten, ja selbst von Militaristen die Völker sich –
mit dem Glück und der Schüchternheit und dem Rausch der
überwundenen Schüchternheit, mit denen große, unbeholfene
Tiere einander Zärtlichkeiten erweisen; und es wird eine Aufgabe
des Völkerbundes werden, eine neutrale Zone zu schaffen, einen
europäischen Bund zunächst, in dem die Völker einander ohne
Angst, d. h. ohne Hemmung begegnen und sich aneinander be-
rauschen können. Dieser Rausch, nach innen gewandt wie nach
außen, hat als pädagogische Folge die Erziehung zur Demokratie.

15.

Denn: der rauschhafte und verdrängte Trieb, der Völker zu ein-
ander treibt, die Lust des sich Erkennens, sich Ergänzens, sich
Verbindens, das ist die Urwurzel der Demokratie in der Seele der
Gruppen und Einzelnen. Eigene Schwäche, das begrenzte eigene
Sein heilen durch Anerkennung und Unterstützung, die das andere mit sich bringt, das Kraftgefühl und die Freude, die in solchen Aufschmelzungen der beschränkten Gruppen zu größerer
Einheit kenntlich wird – das allein gibt dem demokratischen
Ideal jene ungeheure Werbekraft, Wärme und Sieghaftigkeit,
die es zur Überwindung des aristokratischen beflügelte. Demokratie, die Erlösung der Gruppen von dem starren Diktat des
Zentralitätswahns, das Glück, sein eigenes Ich zu empfinden
und zu bewähren im Dienste an einer größeren Einheit, nämlich
dem Volke, nämlich Europa, nämlich der Menschheit, das allein
befähigte zur Auflösung der Bindungen und Gruppen-Iche der
vordemokratischen Zeit, ob das nun historische Stämme, aristokratisch geordnete Clanschaften, Zünfte oder Berufsstände waren. Die Anerkennung fremden Seins als Wertträger und Wert-
haft-Sein hat zur Folge die elementare Zubilligung passiver und
aktiver Grundrechte an wie immer geartete Gruppen jenseits
des eigenen Gruppen-Ichs. Das und dergleichen gibt dem Ideal
der Demokratie die Stoßkraft, die sich in ihren Taten, zuletzt in
der Überwindung der großen, verkappt autokrativ regierten Kaiserreiche östlich vom Rhein kundgab. Ohne die aktive gefühls-
hafte Demokratie des englischen Volkes wäre unter dem großartigen Stoß der Mittelmächte das englische Imperium auseinander-
gefallen, ebenso wie das französische Reich seinen anfänglichen
Niederlagen erlegen wäre. In der Demokratie des Gefühls liegt
jenes Element der Überwindung affektiver Gruppenbindungen,
das den Völkern das Gefühl der Freiheit gibt. Frei sein bedeutet,
die Grenzen des Gruppen-Ichs nicht mehr als starre Abwehrbe-
festigungen sondern als verbrüdernde Berührungen gewahr werden. Was an jeder Autokratie, sie sei noch so gut verkappt oder
noch so modern begründet, in Italien oder in Moskau als Element des Überwundenwerden-Müssens kenntlich wird, ist die

unabänderliche Tatsache, daß jegliche Autorität getragen wird vom Zentralitätsaffekt: aus dem Gefühl, Mitte der Welt, höchster Typ des Menschengeschlechts oder einer Zeitentwickelung zu sein, leitet sie das Recht her, zu befehlen oder zu vernichten statt zu überzeugen. Wer aber unterdrückt, der unterdrückt sich selbst. Wer nur durch Befehle sich Halt züchtet, sammelt in sich durch die Verdrängungskräfte den Explosivstoff, der ihn stürzt. Es ist den Menschen gesetzt, und durch den Lauf seiner Entwickelung wird dies bekräftigt, mit seiner Seele sinnvoll umzugehen. Jegliche Autokratie, jegliche Diktatur verdummt, d. h. sie schlägt den Unterjochten mit jener Lähmung, die jede Angst – dies ihre Definition – als allgemeinste Hemmung des Lebensgefühls über ihn stülpt. Wie der Rekrut innerhalb des militärischen Systems, das seine menschlichen Werte verheert statt sie zu schonen oder zu züchten, zehnmal dümmer ist als derselbe Mensch vor seiner Einziehung, ist auch der unter Autokratie (Diktatur) gestellte Mensch dazu verurteilt, sein Bestes nie geben zu können. Das liegt daran, daß es gar nicht mehr derselbe lockere, leichtgliedrige, tätiggescheite Mensch war, der da, in eine schlechtsitzende Uniform eingepreßt, die Stirn unter der komischsten Kopfbedeckung verborgen, die Menschen überhaupt ausgesonnen haben, der Feldmütze oder Pickelhaube, zu unnatürlichen Verrichtungen seines Körpers dressiert wurde, ebensowenig wie der legere, witzige und fröhliche Italiener von einst es ist, der heute als Schwarzhemd paradiert. Nur die affektive triebgebundene Ich-Sucht sogenannter führender Klassen oder führender Gruppen kann sich über die verheerende, weil hemmende Wirkung ihrer eigenen schrankenlosen Befehlsgelüste im Falle der Diktatur so täuschen, daß sie annehmen kann, durch Diktatur einen Reifezustand herbeizuführen, der sie selbst überflüssig macht. Es hat bisher in der Geschichte der Menschheit nur eine Form der Diktaturüberwindung und der Reifung der Völker unter ihr gegeben: das war der politische Mord oder das Revolutionstribunal, welches aus den Hälsen der herrschenden Klassen unterm Fallbeil oder aus ihren Herzen vor den Flintenläufen mit ihrem Blute auch die Reife der Befreiten ans Licht der Welt treten ließ. Wer Diktatur will, muß sich darüber klar sein, daß er damit den explosiven öffentlichen Mord der Revolution, als ewig eingesetzten Gegenschlag gegen das Autoritätsprinzip der Völker, befördert und heraufholt. Diktatur erzeugt Affektgeladenheit, Diktatur erhält dumm, wobei das Wort dumm genau genommen werde, als den Zustand der unentwickelten, noch eingewickelten Verstandeskräfte, nicht etwa als mangelnde Vorhandenheit von Verstandeskräften überhaupt. Nur dumpfe Menschen werden zu Mördern – dumpf auch dann, nämlich als Werkzeuge ihres Gruppen-Ichs, wenn sie, wie etwa Friedrich Adler oder die russischen Terroristen, ihre Tat in höchster intellektueller Bewußtheit vollzogen haben.

Nur Demokratie befreit die Leidenschaften der Völker auf friedlichem Wege. Genau der Rausch, der die Stämme eines Volkes erfaßt, wenn sie ihre Einheit, ihr Aufschmelzen im Volke erleben – und sei die Basis des Erlebnisses noch so künstlich oder irrtumsvoll hergerichtet (1870, Echterdingen 1908, 1914) – wobei wir für die Stämme des Volkes ebenso seine sozialen Klassen und Gruppierungen setzen können, weil diese Dinge eben nicht an blutmäßigen Bindungen, sondern an Gruppenbindungen überhaupt haften – genau dieser Rausch erfaßt die Völker oder auch die Klassen quer durch die Völker, wenn sie ihre Gruppen-Iche in einer erlebten Freiheit zusammenbrennen lassen können, in einer echten, selbstverständlich auch im Wirtschaftlichen ausgedrückten Demokratie. Man nehme den Völkern die Organe der Demokratie, ihre Parlamente, wobei nicht etwa behauptet werde, daß die heutige Art parlamentarischer Zusammensetzung durch heutige Parteien eine dauernde Bedingung des Parlamentarischen überhaupt wäre; man nehme den Völkern jene Organe, in denen die Leidenschaft der Gruppen gegeneinander Bewußtsein, klares Wort, affektgetragene und damit affektüberwindende Rede werden kann; aber man nehme sie ihnen nur, wenn man will und zu erzeugen vor hat, daß diese Affekte sich auf anderem, körperlich tätlichem, blutigem Wege Ventile schaffen. Noch immer ist Bürgerkrieg und Kugel- oder Hiebwechsel die Folge des aufgehobenen Redewechsels geworden. Wobei man, um gegen das heutige Gerede, die Krise des Parlamentarismus betreffend (sofern man den Verfall dieser politischen Form,

dieses politischen Organs selber meint, nicht aber nur Wahlme-
thoden und Menschen) eine ein für alle mal entscheidende Ein-
rede zu machen, dies nicht vergesse: alle heutigen Völker Europas,
mit Ausnahme des etwas verschonteren England, sind doch der
wichtigsten, im politisch-wirtschaftlichen Leben schöpferischen
Kernschicht der Männer, welche heute zwischen 30 und 40 Jahren stünden, beraubt worden! So gleichgültig dies auch Monar-
chisten sei: von den zehn Millionen Toten, die Europa einschließlich Rußlands fehlen, wäre fast jeder einzelne heute in jener
Epoche seines Lebens, wo ihn noch die Entschlußkraft der Jugend
befeuerte, er aber schon in der Lebensreife des Erfahrenen, im
tätigen Leben Erprobten, in der Reichweite des Mannes stünde.
Was unserem Zustande das Siegel aufdrückt, ist die Tatsache
eines politischen und allgemein kulturellen Konflikts zwischen
einer durchaus ungereiften, rein affekthaften und getriebenen
Junggeneration und einem überalterten Geschlecht von Männern jenseits der Fünfzig, welche normaliter die Führung an Jüngere hätten abtreten müssen – wenn diese jüngeren nur da wären, wenn sie von ihren Altersgenossen als Exponenten ihres
Weltgefühls und Selbstbewußtseins den durch sie verjüngten
Parteien als Führer aufgenötigt werden könnten. Sie düngen
aber seit einem Jahrzehnt den Acker, was ja wichtiger ist. Da England, wie gesagt, geringer gelitten hat, zeigt sich in England diese
Krise in ihrer mildesten Form, wobei man noch einsehn wolle,
daß in England Sport die Männer unvergleichlich viel länger
jung erhält als auf dem Kontinent. Aber nur in Faschingszeiten
lasse man sich bei Gelegenheit durch Interessenten von rechts
oder halb rechts beweisen, daß die Menschheit unmündig geworden sei und der Leitung bedürfe, der väterlichen Hand aus-
gerechnet jener menschlichen Typen, die mit dem nationalen
und sozialen Differenzaffekt die Geschicke der Gruppen lenken
wollen, und die durch ihren vierjährigen Krieg mit allen anderen mörderischen Infantilismen auch den der mangelnden Selbst-
leitung heraufgeführt haben. Da Diktatur verdummt, ist es kein
Wunder, wenn heutzutage dumme Köpfe nach ihr schreien – als
sei die heutige Lebensphase nicht gerade die Folge der unver-
hüllten Kriegs- und Generaldiktatur! Diktaturmenschen sind sol-

che, die, mit Nietzsche zu reden, eine »corroborierende Diät notwendig hätten«; ebenso wie man anämischen Fleischfeinden
den Salat wegnehmen müßte, müßte man ihnen das Treiben in
ihren diktatorisch berauschten Bünden wegnehmen und ihnen
ein Leben unter freiheitsfähigen Menschen als Medizin verord-
nen, und sollte man sie zu diesem Ende sogar unter Angehörige
des »Feindbundes« oder selbst unter Juden pflanzen.

16.

Zu allererst aber müßte man ihnen, in allem Ernste gesagt, jenes
Erziehungsmittel entreißen, das als allerstärkste affektladende
Macht noch heute in den deutschen Kulturstaaten seinen Rohr-
stock schwingt, die Prügelstrafe in den Schulen und daheim. Wer
geprügelt worden ist, ist haßgeladen, zu Vergeltung gereizt, will
wiederprügeln, ziellos-zielbereit. Die Existenz der Eltern und der
erziehenden Hausangestellten (die Dienstmädchen als entscheidende Faktoren der Menschheitsentwickelung) vertreten gerade
hinreichend das Autoritätsprinzip im Leben der kleinen heranwachsenden Generationen. Daß überdies noch ein plumper,
fremder, schlecht riechender, meist lächerlicher Erwachsener wagen darf, sie körperlich zu züchtigen, wenn ihre Fähigkeit, zu begreifen, oder die seine, sie zu fesseln, versagt, entwirft den jungen
Menschen ein Bild von der Welt, aus der die dumme rohe Gewalt nicht mehr hinwegzudenken ist. Eine jämmerliche Pädagogik, die seit dreihundert Jahren europäischer Erziehungskul-
tur noch immer nicht begreift, daß der erwachsene Mensch, sofern er nur in seinem Selbst halbwegs ruht, gesunden Kindern
oder gar Kleinkindern gegenüber außer seiner riesigen Erscheinung und machtvollen Erfahrenheit nur noch ein bißchen kame-
radschaftlicher Freiheit braucht, um von der Schar seiner Zöglinge
verehrt zu werden. Ich zweifle nicht daran, daß alle Riesen der
Märchen und alle ihre Zauberer und Hexen zunächst nichts sind
als Erwachsene, gesehen aus der Kinderperspektive. Das Kind,
darüber frage man Maria Montessori, jenes große römische M,
welches wir lieber als das M Mussolinis vor das geistige Italien

schreiben, das Kind hat als beherrschende Leidenschaft den Drang, zu lernen. Es muß die Welt bewältigen, wie ein kleiner Hund oder kleiner Wolf die ihm zugeordnete Umwelt bewältigen lernen muß. Jeder, der ihm dazu verhilft, hat bei ihm Autorität, und wenn seine Aufmerksamkeit oder seine kleinen Triebe nach Lust und Sensation von der Person des übermittelnden Großen nicht mehr in Schach gehalten werden können, so wäre zu allererst der Lehrer zu wechseln, nicht aber das Kind zu züchtigen. Noch hat außer Leonhard Frank kein Dichter zu schildern unternommen, was die Schläge in der Seele jedes durchschnittlichen Kindes anrichten. Die Lust am Unterjochtwerden oder die Aufsässigkeit gegen diese Qual erzeugen immer weiter Generationen, welche aus Geprügelten zu Prügelnden, aus affektiven Sklaven oder Rebellen zu versklavenden und rebellierenden Affektträgern werden. Früher war Rußlands Sinnbild die Knute; demnächst werden wir auf neuen Wartburgfesten Rohrstöcke von Volksschülern verbrannt sehn. Unterm Blick der Affektbefreiung kommender Generationen muß also das Züchtigungsrecht in der Schule beseitigt, und das Strafrecht dem Cäsarenwahnsinn ehemaliger Lehrer, Seminaristen, Präparanden und Studienassessoren weggenommen werden. Vielleicht ist für Westeuropäer der Nachdruck, der innerhalb dieser Untersuchung auf diesen beiläufigen Punkt gelegt wird, unverständlich. Aber für Westeuropäer und Briten ist ja sehr viel unverständlich, was in Preußen-Deutschland normal ist, so auch der prügelnde Lehrer. Reife Menschen werden vorschlagen, aus guten Gründen, das Prügeln in der Schule vom Parlament verbieten zu lassen. Aber hart und unzweideutig zeigt sich, daß rechts von sozialdemokratischen Abgeordneten und demokratischen alles, was in Deutschland bürgerlich heißt, ruhig weiter verprügelt zu werden wünscht. Wohl damit es die Junker- und Beamtenlust am Herrenspielen nicht verlerne.

17.

Was man gegen die Juden auch sage: aus diesen Tatsachen haben sie gelernt. Das Schulwerk der Juden in Palästina, hebräisch und voll freiheitlicher Selbstbestimmung, unterwirft sich gern und dienend den Rechten der menschlichen Seele im Kinde. Und damit ist, sollte man meinen, dem Weiterwüten des Differenzaffekts zum wenigsten unter den Juden ein Ziel gesetzt. Aber an diesem Punkte sieht man, wie wenig in der Erziehung von Gemeinwesen mit der Beeinflussung nur einer oder zweier Generationen getan ist. Die Juden in Palästina wachsen als ein freies, starknackiges, körperlich und geistig gut geratenes Geschlecht heran. Infolgedessen vergessen ganze Gruppen von ihnen blitzartig, daß sie einmal unterdrückt worden sind, oder besser, statt dessen regiert sie noch immer die frühere Unterdrücktheit, nur umgeschlagen ins Gegenteil, als Herrschsucht gegenüber anderen. Um nicht ungerecht zu sein, muß man hinzusetzen, daß kein Geschlecht der Welt von einer Generation auf die andere es fertigbrachte, dem Differenzaffekt, der sie so lange zerdrosch, in eine wirkliche Freiheit zu entrinnen. Und um eine gute Sache nicht zu kompromittieren, muß man weiterhin sagen, daß innerhalb der heut heranwachsenden Generation bereits leidenschaftlich entgiftende Kräfte der Selbstkontrolle am Werke sind. Aber dennoch bleibt die Konstatierung den Juden nicht erspart, daß auch ihr Nationalismus heute noch eine ungeheuer affektive Komponente hat und Differenz- und Zentralitätsaffekt im schönsten Blühen zeigt: in der Haltung der bürgerlichen Jugend und eines Teiles der Arbeiterjugend den Arabern gegenüber.

Die sogenannte Araberfrage scheint den Juden geradezu zu ihrer Fortgestaltung geschenkt worden zu sein. Um schnellstens zu überwinden, was der Differenzaffekt der anderen in ihnen an Lust zur Tyrannei gezüchtet haben könnte, um in einem Tempo, welches allein ihrer würdig ist, die Reife der Freiheit wirklich zu erlangen, bedürfen sie eines Anlasses zur schärfsten Selbstzügelung in nationaler Beziehung. Mit der Existenz einer breiten arabischen Majorität in Palästina und durch den kulturellen Zustand dieser Majorität selbst ist er ihnen gegeben. Es muß eines

Juden unwürdig werden, den Araber neben ihm als »Native« anzusehen. Ein Jude in den abgelegten Kleidern des vom guten
Briten längst überwundenen Jingo oder in den jämmerlich
schiefgetretenen Juchtenstiefeln des russischen Autokratismus
muß unter ihnen als bekämpfenswerte und verlachenswerte Verkörperung jenes Judentyps angestaunt werden, der vom Diktat
Europas in seiner innersten Seele nicht loskommt. Daß Juden,
die noch im Städtel ihrer eigenen talmudischen Kultur lebten,
ohne sie an den Gradmessern des alleinseligmachenden Wasser-
klosetts, Telefons, Autos und Zeitungsbetriebes messen zu können, heut in Palästina der arabischen Kultur gegenüber mit den
gleichen zivilisatorischen Maßstäben auftreten können, das gehört zu den Komödienfiguren, deren sich das jüdische Theater
bald bemächtigen sollte. Es ist freilich sehr schwer, wenn man im
Kampfe steht, nicht Grenzen zu verletzen. Dennoch bleibt es
den Juden als Aufgabe zugemessen, denjenigen Typus des Gruppengefühls auch heute zu bewähren, den sie geschaffen haben,
prophetischen, kritischen Nationalismus und keinen anderen.
Niemand wird das Ringen um die natürlichen Grundlagen, welche Juden brauchen, um sich als normale Gruppe darzuleben,
beeinträchtigen wollen oder verunglimpfen. Der Drang nach
Siedlungsland, nach dem Aufbau einer autonomen Wirtschaft,
nach der Festigung der eigenen Sprache und des eigenen kulturellen Stufenbaues kann durch nichts entwertet werden. Er, und
er allein, ist imstande, einen giftlosen Nationalismus zu begründen, der sich bewußt bleibt, daß die Entwicklung Palästinas
durch die Entwicklung der arabischen Menschen in ihm gefördert wird und nicht durch ihre Unterdrückung. Die politische
Haltung zum eigenen Volke, um das Errungene zu wahren, verlangt das vor allem anderen; elementarer selbst als der jüdische
Drang nach Gerechtigkeit ruft danach der Wille zur sicheren
Begründung des eigenen Lebens; denn Sicherheit, das lehrt die
Geschichte Preußens nicht erst seit Bismarck, gibt den Funda-
menten eines Staates nicht die Unterdrückung einer Volksklasse
(Drei-Klassen-Wahlrecht) oder einer Menschenart (Polenfrage),
sondern lediglich das Vertrauen in die Reife der Lebensgenossen
und eine beständige Haltung, die ihnen Vertrauen erlaubt.

18.

Damit ergibt sich für die jüdischen Nationalen unmittelbar und einsichtig eine zweite Forderung: sie haben einzusehen, daß alle ihre Aufgaben in Palästina und überall parallel gehen zu den Aufgaben der Völker. Der Zionismus hat seine Kräfte sub specie »Vereinigte Staaten der Erde« zu entfalten. Keinerlei Rückfall in die ewige Versuchung der weißen Menschen, den militaristischen Unterdrückungswahn und den reaktionären Drang zur Knechtung der Geister unter eine abgelebte Kulturform, sei es selbst die eigene der Thora oder die neue des rabiaten Atheïsmus, ist ihm gestattet. Und mit ihm muß sich, wenigstens der Aufgabe nach, die gesamte Judenheit en bloc vereinigen zur Normalisierung der jüdischen Gestalt: denn en bloc ist sie dem Differenzaffekt der anderen ausgesetzt. Damit erweisen sich für den Einsichtigen aus allen Lagern diejenigen Kräfte als Selbstzerfleischung, die noch heute versuchen, die Juden in ihrer eigenen Normalisierung zu hemmen, indem sie mit längst überwundenen Begriffen einer militaristisch angesehenen Vaterländerei die bürgerlichen Instinkte in ihm einzuschüchtern versuchen.

Dies wird ihnen heute nur allzu leicht. Die jüdische Bourgeoisie ist heute, in einer Zeit des Übergangs und der Klassenumschichtungen, zunächst und zu allererst Bourgeoisie und erst nachher jüdisch. Und bürgerlich der sozialen Schichtung nach erweist sich fast das gesamte jüdische Volk auf der ganzen Erde. Infolgedessen sind in der anbrechenden Zeit sozialer Umschichtung, des Aufstieges der Arbeiterklassen, die selbstbewahrenden Instinkte nur allzu mächtig, die den Juden zur konservativen Orientierung überreden wollen. Sehr wohl zittert in ihm nach das Instinkt gewordene Wissen von all jenen, ins Ghetto einbrechenden Massen der niedrig gehaltenen arbeitenden Schichten, wenn der Differenzaffekt, zur Ablenkung anderer Erregungen aufgestachelt, sie in Mord und Plünderung gegen die Juden warf. Zudem ist die geruhige und reibungslose Abwicklung des Waren- und Geldaustausches, die große erdumspannende Organisation der Güterverteilung auf der Erde angewiesen auf eine möglichst langsame Umschichtung der Menschen. Daher würde man, wenn man die Massen aller Juden heute politisch abwägen könnte, die Mehrheit auch dieses Volkes im Lager menschenfreundlich, demokratisch empfindenden Evolutionsbürgertums finden. Und dennoch müssen die Juden einsehen, daß sie in ihrem Kampfe gegen den Differenzaffekt um das Gefühl der menschlichen Freiheit für jedes ihrer Volksglieder, zum linken Block der Menschheit gehören und nirgendwo anders hin. Sie haben ihr orientierendes Gefühl regeln zu lassen nicht nach dem engeren Gruppen-Ich ihrer bürgerlichen Kaste, sondern nach dem umfassenden Gruppen-Ich ihrer gesamten Schicksalsverbundenheit. Um der vergangenen Leiden der Ahnen willen, um der sicheren Befreiung der ungeborenen Geschlechter willen, um der Treue zum eigenen Geiste willen haben sie mit anderen Getretenen, da sie die Farbigen unter den Weißen sind, also mit den Farbigen, die Aufgabe ihrer Gruppe im Befreiungskampf der Menschheit als tapfere Soldaten des linken Flügels zu suchen.

19.

So haben sie auch die Verpflichtung anzuerkennen, jede ihrer Positionen unter den Völkern zu halten. Es darf, dies geht vor allem an eine bestimmte irrige Auslegung des jüdischen Nationalismus, nirgendwo der Abbruch und die Auflösung einer jüdischen Position gepredigt werden, weder einer politischen noch einer wirtschaftlichen noch gar einer geistigen. Niemand hat das Recht, auch nur zu wünschen, die Emanzipation der Juden sollte irgendwo rückgängig gemacht werden. Niemand auch darf mit einer Entwurzelungstheorie das durchaus instinktsichere Gefühl schwächen, mit welchem die Juden ihren schöpferischen und nützlichen Anteil an der Weltzivilisation verteidigen; niemand sollte fürchten, starke Individuen könnten dadurch zur Selbstpreisgabe verführt werden. Es mag schwer sein, jüdische Dinge zu durchdenken, ohne in Gedankengänge zu verfallen, die der Differenzaffekt der Anderen den Juden suggeriert. Trotzdem ist es unumgänglich notwendig. Der Aufbau Palästinas, die Rettung des Jüdischen im Juden, die Neugestaltung eines jüdischen

Volkstums steht nirgendwo in einem verständigen oder gefühls-
mäßigen Gesetz zur leidenschaftlichen Mitarbeit am Schicksal
der Völker. Nur wer das Zusammenleben der Völker auf der
Erde, wie das Zusammenleben der Klassen und Gruppen innerhalb der Staaten, unter dem Diktat des Differenzaffekts sieht, kann
zu Behauptungen des Gegenteils verführt werden. Zuletzt ist
dies nichts weiter als eine Anwendung mathematisch-logischer
Denkgesetze auf biologische Gegebenheiten. Es ist wahr: ein Satz
kann nur richtig oder falsch sein, ein Sachverhalt bestehen oder
nicht bestehen, ein Dreieck nur spitzwinklig, rechtwinklig oder
stumpfwinklig sein. Aber eine Pflanze kann blau blühen, auch
violett oder rot, ein Säugetier im Wasser, auf dem Lande und
selbst in der Luft leben, ein und dieselbe Tiergattung als Dackel
kurze krumme Beine, als Windhund lange und gerade, als Bern-
hardiner schwere und stämmige haben. Die Lebensgesetze lebendiger vielgestaltiger Gruppenwesen lassen sich nur dann unter
logische Gesichtspunkte pressen, wenn man ein Interesse daran
hat, sie falsch zu schematisieren. Und was eine Bewegung, wie
die heraufkommende zionistische, in den Tagen ihres Durch-
bruchs sehr wohl brauchte, um guten Instinkts nach Stendhalschem Rezept ihren Eintritt in die Gesellschaft durch ein Duell
zu machen: die heftig übertreibende, sich selbst nach den Ana-
logien des europäischen Nationalismus mißverstehende, antisemitisch infizierte Trennungsparole: »Wir sind Fremde hier, wir
gehören nicht hierher, wir wollen mit Stumpf und Stiel nach Palästina« – und damit alles gegen sich mobilisierte, was an phili-
strösen, ängstlichen, leisetreterischen Kräften im Judentum vorhanden war, zugleich aber auch alle zur Selbstrettung noch fähigen jugendlichen Kräfte um sich versammelte: das braucht heute,
wo der Zionismus sich im Denken der Juden wie der Völker
vollkommen durchgesetzt hat, nicht mehr aufrecht erhalten zu
werden. Der Satz: »Wir sind ein Volk – ein Volk«, ist heute eine
Selbstverständlichkeit geworden; weil nämlich »Volk sein« heute
unter ganz andere Vorzeichen getreten ist als in der Zeit der
großen Kaiserreiche.

Die Juden haben also jede ihrer staatsbürgerlichen, kulturellen
und wirtschaftlichen Positionen unter den Völkern zu behaupten.

Sie haben sogar noch mehr zu tun: sie haben die Emanzipation noch weiter zu treiben und zu vollenden. Unter der Perspektive des heranbrechenden 19. und des soeben vollendeten 18. Jahrhunderts ward ihnen die Emanzipation, d. h. das freie bürgerliche Lebensrecht auf der Erde zu teil, nicht als Gruppe, nicht als jüdisches Volk, sondern als Einzelne, als jüdische Bürger. Man emanzipierte sie nicht wegen ihres Judentums, sondern trotz seiner. Weil man großmütig zugab, auch Juden seien nützliche, kulturfähige Menschen, beschloß man, darüber hinwegzusehen, daß sie eben Juden waren. Inzwischen setzte man auf die Emanzipation den Preis der Entjudung, indem man dadurch neue schwere entwürdigende Konflikte in die jüdische Seele hineintrug. Je charaktervoller, je wertbewußter der einzelne Jude gegen diese Entwürdigung aufstand, um so tiefer zerriß ihn dann sein Wille zur schöpferischen Mitarbeit in den Kulturen, die er liebte; um so mehr auch entstellte dieser Kampf zwischen Charakter und Befähigung seine Seele. Ein Mensch wie Walter Rathenau, wertvoll, verletzlich und aristokratisch wie nur irgendeiner, kann nur unter diesem Zwiespalt richtig gesehen werden. Je intensiver das Kulturverlangen der Familien die Abtrennung der Heranwachsenden vom Judentum vollzogen hatte, um so verheerender meldete sich später der Zwiespalt in den Einzelnen. Darum hat gerade die jüdische Renaissancebewegung die Pflicht, diesem Zwiespalt ein Ende zu machen. Das Welt- und Wertgefühl jeder einzelnen Gruppe unter den Judenheiten der Erde muß gesteigert werden, so sehr, daß es die Vollendung der Emanzipation, die Abtragung des Differenzaffekts, die gleichberechtigte Anerkennung der Juden als Juden innerhalb jedes Staates und Volkstums zur Durchsetzung bringt. Der Wettbewerb unter den Gruppen innerhalb eines Staates um die Gestaltung des Gemeinschaftsschicksals und der gemeinschaftlichen Kultur kann nur gewinnen, nämlich vergeistigt werden, wenn er lediglich durch schöpferische Leistung, durch den friedlichen Wettbewerb der Begabungen, nicht mehr mit den Entwertungen des Differenzaffekts geführt wird. Ein gesittetes Europa müßte es sich zum point d'honneur machen, gerade die charaktervollen unter den Juden zur Mitarbeit auch in nichtjüdischen Zusammenhängen heranzuziehen. Und je weiter man sich den Vereinigten Staaten Europas nähert, um so weniger wird man gegen die Praktizierung dieses in der Theorie so einfachen Sachverhaltes etwas einwenden können, auch wenn ganze Gruppen von Juden, aus denen bedauernswürdigerweise der Differenzaffekt der Anderen Stimme geworden tönt, sich dagegen verwahren sollten. Der jüdisch national gerichtete Jude gleicht einem Menschen, der bei sich zu Hause Ordnung geschaffen hat, bevor er sich in weiteren Zusammenhängen erprobt.

20.

Und so hätten die Juden eigentlich eine Aufgabe, die ihnen schwerer werden würde als jede andere: von den Völkern Reparationen zu fordern, Wiedergutmachung all des entsetzlichen Unheils, das an ihnen im Namen der Gesittung verbrochen worden ist. Wir haben die Entstellungen, Verwirrungen und Zerstörungen geschildert, die der Differenzaffekt in der Seele der Juden angerichtet hat und noch anrichtet. Wir haben noch nicht die Aufmerksamkeit auf die Tatsache gelenkt, daß für diese Verachtung, Verächtlichmachung einer friedlichen und arbeitenden Art Menschen niemals auch nur der leiseste Versuch einer Ehrlichsprechung unternommen wurde. Was möglicherweise an Schädigung ins Leben der Völker von Juden getragen worden ist, kommt neben der radikalen, von vernünftigem Denken überhaupt nicht zu begreifenden, nur unterm Gesichtspunkt der wütenden Affekte verständlichen Zerstörung aller Kulturen zu allen Zeiten nicht in Betracht, die von den kriegführenden Ideologien und ihren Trägern verübt wurde. Und dennoch gibt es noch heute eine breite Schicht von Menschen, die den Juden zur Rechenschaft zieht für jede geringfügige Beeinträchtigung der Kultur durch Juden, während sie die Zerstörungen heroisiert, die von den Heeren und ihren Führern angerichtet werden. Ja, wenn man nur einmal versuchte, im Wirtschaftlichen verbleibend, all das aufzurechnen, was von den Kreuzzügen an bis zu den Kriegsverwüstungen im jüdischen Osten an jüdischen Gütern geraubt und vernichtet wurde, wenn man all die von Juden erpreßten Riesensummen zusammenzählte, mit denen sie sich in der christlichen und moslemitischen Welt die Zubilligung der äußersten Lebensnotwendigkeit sicherten, wenn man all den Raub überschlüge, den Grafen und Bischöfe, Könige und Päpste, Generäle und Staatsmänner von Juden erpreßten, käme eine Summe zustande, deren Bruchteil genügte, der jüdischen Not auf der Erde ein Ende zu machen. Und dennoch gibt es noch heute Juden – Juden, von Nicht-Juden zu schweigen – die am liebsten die bescheidenen Beträge sperren möchten, die als freiwillige Beiträge von den Juden der Erde zum Aufbau Palästinas als Keren hajessod und Keren kajemeth, als Aufbau- und Landfonds, dem zionistischen Schöpferwillen zur Verfügung gestellt werden. Dagegen haben die Juden zu erklären: wer immer die Entwicklung der Erde zu einer wirklichen Weltwirtschaft bejaht, und wer die Rolle der Juden in der Wirtschaftsgeschichte der Erde unvoreingenommen prüft, muß zugeben, daß sie an der Entwicklung der produktiven Kräfte, selbst nur wirtschaftlich gesprochen, einen Anteil haben, den man nicht anders als positiv werten kann. Die zum Kapitalismus treibenden Tendenzen wirken sich aus ganz unabhängig von Herkunft und Gruppierung ihrer Träger. Indischer und chinesischer Kapitalismus ist nicht weniger kapitalistisch als europäischer oder amerikanischer, auch ohne Mitwirkung von Juden. Dagegen ist der Jammer, das Elend und die unvorstellbare wirtschaftliche Not riesiger Judenmassen im Osten und in Amerika eine nicht zu leugnende Wirklichkeit, und ebenso unbestreitbar ist der grenzenlose Raub an jüdischem Vermögen durch den vom Differenzaffekt durchtränkten militärischen und autokratischen Geist innerhalb der jüdischen Geschichte bis zum heutigen Tage. Da die Juden der ganzen Erde vom Differenzaffekt zur Gemeinbürgschaft gezwungen werden, ist es nicht mehr als billig, wenn die Völker der Erde zur Gemeinbürgschaft zusammentreten, um dem jüdischen Volke Wiedergutmachung zu gewähren. Sie wäre zu gewähren erstens durch die moralische Wiedergutmachung einer feierlichen Ehrlichsprechung der Juden, indem in einem wirklichen Völkerbunde die Delegierten des jüdischen Volkes ehrenvoll eingeführt würden. Sie wäre zweitens wirtschaftlich durchzusetzen durch eine öffentliche Reparationsanleihe des Völkerbundes für die grundlegende Arbeit der jüdischen Wiedereinpflanzung in Palästina. Selbst wenn diese Anleihe im wesentlichen von Juden aufgebracht werden sollte, müßten die Regierungen sie ihren Parlamenten zur Debatte und Genehmigung vorlegen, um wiederum mit ihr den Völkern vorzuführen, daß die Zeit abgelaufen ist, in der das jüdische Element auf der Erde vom Differenzaffekt allein seinen Stempel empfangen durfte.

Es ist nämlich wahr, daß in Palästina die Produktivierung des jüdischen Menschen unter dem Einsatz eines ungeheuren nationalen Opferwillens der Arbeiter und der Bürgerschaft erfolgt. Aber kein Volk hat das Recht und keine Menschheit, diesen Opferwillen zu verlangen und Kolonisation zu treiben mit einem Minimum pekuniärer Sicherheiten, das ohne den kolonisierenden Idealismus das Werk längst zum Scheitern gebracht hätte. Die übermenschliche Anspannung, welche heute mit der Aufbringung von Mitteln verbunden ist, die das Budget Palästinas von Vierteljahr zu Vierteljahr hinfristen, ist ebenso unverträglich mit dem Wert aufrechter Juden wie die Unsicherheit des Lebens der Kolonien, Siedlungen und Arbeiterschaften und das stets mangelnde Budget für Lehrer und Beamte. Selbstverständlich soll damit nicht verlangt werden, daß die jüdische Kolonisation unter den bequemen Gesichtspunkten eines philantropischen Unterstützungswesens von statten gehe. Die Anspannung der eigenen Kräfte ist für die Judenheit eine Tatsache unendlich heilsamer und regenerierender Art. Dennoch aber darf man von der Opferwilligkeit der kolonisierenden Menschen nicht jenen Gebrauch machen, den der Zionismus heute von ihnen verlangen muß, notgedrungen, mit zusammengebissenen Zähnen. Es muß ein Ende absehbar sein dieses Wohnens in Zelten und Baracken, einer Lebenshaltung, die gerade mit knapper Not lange Zeiten am Hunger vorbeizulavieren vermag. Da Palästina zu den verheertesten Ländern der Erde gehört, entwaldet und verkarstet durch den Raubbau, den nicht-jüdische Generationen von Römerzeiten an dort trieben, sind besondere Investierungen notwendig, um das wirklich produktive Element des Aufbaus zu entfalten; das Niveau, von dem aus der Aufbau Palästinas beginnt,

liegt tiefer als das ähnlicher Siedlungen in jungfräulichem Urwald
oder ungepflügter Steppe. Daher Hilfeleistung zur Aufbringung
von Geldmitteln, z. B. durch den Völkerbund, nicht von der Hand
zu weisen wäre, zumal das Budget von Palästina eine ordnungsmä-
ßige Verwaltung dieser menschheitlichen Hypothek auf das jüdische Haus gewährleistet.

21.

Hier, wo das werdende Palästina kurz zu streifen war, und wir
gerade im Gegensatz der bürgerlichen zur sozialistischen Sphäre
verweilen, ein Wort über einen Gegenstand, der mit dem jüdischen Experiment oft zusammen genannt wird, an sich in diesem
Buche nur beiläufiger Erwähnung zugänglich, aber als Musterbeispiel für die Wirkungen des Differenzaffekts doch nicht zu
verschweigen, nämlich auf das Haß-Verhältnis der bürgerlichen
Welt zu Sowjet-Rußland. Schon darum ist hier der Ort dafür,
weil die zionistische Idee und Tat heute nirgendwo so aktiv kriti-
siert wird als in diesem Lande, in dem Kritik von »bourgeoisen«
Ideen gleichbedeutend mit Verfolgung ist – nicht etwa von Russen gegen Juden, sondern von Juden gegen Juden. Vorauszu-
schicken ist, daß zu allen Zeiten, seit Herodot, Platons Atlantis
und der Ultima Thule, Menschen über die Dinge, die sie nur
vom Hörensagen kannten, sich Meinungen gebildet und sie weiter verbreitet haben. Je nach Begabung geschah diese Verbreitung in der Form von Klatsch, Geschwätz, Lügenmärchen, wissenschaftlicher Legende oder in der Form großer Dichtungen,
Epen, (Odyssee, Artuskreis) und Prosaromane (Sindbad der Seefahrer, Herzog Ernst). Aber da es im Wesen der Dinge liegt, daß
nur das Geformte, Kunstgewordene dauernd zu Menschen spricht,
ist uns das ganze Dictum ehemaliger Meinungsmacherei bis auf
geringe Spuren vorenthalten worden. Es war der modernen
Schnellpresse vorbehalten, diesen Wust von Gerüchten in Form
öffentlicher Meinungen gerinnen zu lassen, so daß affektives
Denken, d. h. aus der Gefühls- und Leidenschaftsseite der Menschen hervorgetriebene Meinungen, nicht nur ungeheure Verbreitung, sondern auch eine dauernd nachkontrollierbare Fest-

gehaltenheit bekommen haben. Es stimmt zum Sein der Menschen, daß sie, da sie eitel sind, nur glauben, was ihnen als Gedanken und Gedankengespinst, also als Vernunft vorgetragen wird; aber ebenso, da sie eine Tierart sind, daß ihnen wirklich von Vernunft und Vernunftgebrauch erzeugte Gedanken aufs tiefste unsympathisch widerstreben und erst ungeheuer nachträglich und in verwässerten Dosen annehmbar zu scheinen beginnen. Der Mensch bedarf unaufhörlich der Täuschung, als sei er von einer Wahrheit überzeugt; aber um wirklich überzeugt zu sein, bedarf er der Meinungen und Vorurteile, die aus den Tiefen der Herden- und Gruppenaffekte herausgestoßen und von ihnen verewigt werden. So ist zu verstehen, daß noch heute (1926) in den breitesten Massen der Nichtjuden die Existenz von Ritualmorden, die es nie gegeben hat, geglaubt, d. h. vor der Vernunft in Erwägung gezogen, als möglich hingestellt werden; so auch, mutatis mutandis, was alles in Zeitungen über Sowjet-Rußland zusammengefabelt worden ist. Es kommt hier nicht darauf an, über Rußland und seine große Veränderung zu reden, ebenso wenig wie uns als Gegenstand in diesem Buche die Judenfrage interessiert hat. Unser Gegenstand ist der Differenzaffekt, und wir glauben es keinen Augenblick vergessen zu haben. Aber der Differenzaffekt als Meinungsmacher, und die Feigheit vor den Trägern des Differenzaffekts als Verbreiter dieser Meinungen, das ist das zwischen 1917 und 1927 betrachtenswerteste Schauspiel für Historiker geistiger Verwirrungen. Es hat leider in Deutschland, wie ich fürchte, keinen Kulturhistoriker gegeben, der die Plakate gesammelt hätte, mit denen gegen die Ideen der russischen Revolution die deutschen Kleinbürger – und wie hoch hinauf reicht dieser kleine Bürger hierzulande, wo er als Junker oder Beamter die Ministersessel ausfüllt – in Grausen gesetzt worden sind. Man erinnert sich dieser Schädelpyramiden hoffentlich, der blutigen Fratze eines Teufels, der Trotzki sein sollte (»Mister Trotzki ist bei weitem der erste literarische Kritiker Europas«, urteilt Bernard Shaw), der mit dem Messer zwischen den Zähnen in Blut watete, man hat hoffentlich noch nicht die Lenin-Bilder vergessen, die aus den Phantasien deutscher Greuelzeichner entsprangen, man weiß hoffentlich noch, was über die Tscheka und ähnliche russische Institutionen von denjenigen Leuten erfunden, verbreitet und geglaubt wurde, die vom Einbruch in Belgien bis zu den weiß-gardistischen Mordserien und den Fememorden in Deutschland mit bestem Gewissen und aus nationalen Gründen das Niveau der öffentlichen Moral weit unter das erkrankter Lustmörder herabsenkten. Genau wie zur Zeit der Revolution in Frankreich, deren weiß-gardistische Greuelmärchen noch heute als historische Wahrheiten geglaubt werden, haben der Differenzaffekt und seine Interessenten einen schamlosen Schleier von Lügen um die Erkenntnis der russisch-revolutionären Sachlage gewoben, den zu zerstören bestimmt nie mehr gelingen wird, ebensowenig wie man die Legende vom Martyrium des kleinen Dauphin Capet bei dem blutrünstigen Schuster Simon jemals aus dem Hirn der Gruppengläubigen vertreiben wird. Die Menschheit braucht Gespenster, den Bubu, den Schwarzen Mann, damit sie um so besser in den Händen ihrer Schamanen und Klanhäuptlinge bleibe, und wenn Völker wie Franzosen und Russen dazu übergehen, aus tausendjährigem Unrecht leidenschaftliche Folgerungen zu ziehen, wird es immer Nationen geben, Menschenmengen, die eine titanische Anstrengung zur Selbstbefreiung sich in wohliges Grausen und das Gefühl der eigenen Bravheit umlügen lassen wollen. Dagegen ist kein Kraut gewachsen. Wohl aber nützen wir die Möglichkeit, diesen Fall »Legenden« über Rußland, dessen Zeitgenossen wir sind, auf das Wirken des Differenzaffektes zurückführen zu können. Wir haben an anderer Stelle dargelegt, daß und wieso nördliche Völker jüdischer Sozialisten als Führer bedürfen. Der Anteil der Juden an der russischen Revolution, besonders an der bolschewistischen, war zahlmäßig relativ gering, verglichen mit der Arbeit der Juden in den menschewistischen Parteien; dennoch genügte die vorhandene Zahl jüdischer Führer, um die volle Gewalt zunächst des antisemitischen Differenzaffektes gegen Sowjet-Rußland zu entfesseln, um es in einen Lügennebel von Greuellegenden einzunebeln, in dem man gegenrevolutionäre Heere leicht vorzutreiben hoffte. (Man vergesse an dieser Stelle nicht das Wort Ossendowski.) Der antisemitische Differenzaffekt also machte zunächst einmal den weiß-gardistischen Armeen der

Denikin, Koltschak, Wrangel, Ungern-Sternberg, Petljura leichten Mut. Zu dieser Zeit werden sämtliche Führer der Roten einschließlich Lenins als Juden denunziert. Dann erfolgen die Niederlagen der kapitalistischen Heere und Gruppen durch die Armeen der Sowjet-Union und der russische Gegenstoß gegen Polen. In diesem Augenblick wendet sich der Differenzaffekt aktiv gegen die Juden, und zwar nicht mehr gegen die sowjetrussischen, vor denen man ja hatte flüchten müssen, sondern gegen die wehrlosen, die man überall sonst vorfand – verstärkt nun durch den sozialen Differenzaffekt von Klasse zu Klasse, der zuerst stumm-unverhohlen Antrieb und Ursache gegenrevolutionärer Heereszüge gebildet hatte. Jetzt spielt er im Vordergrund der Motivgruppen, der antijüdische Differenzaffekt benutzt ihn als Mittel. Die Folge ist jene Flut des Blutes und des Grauens der Pogrome in der Ukraine, in Polen und sonst überall im Kriegsgebiet, die zwischen sechzig- und zweihunderttausend Todesopfer gefunden haben, und die im Jahre 1919 bei schweigender Mitschuld Europas vonstatten gehen konnten. In ihrer ersten Phase bedienen sich die beiden Differenzaffekte, der antijüdische und der antiproletarische, zunächst des militärischen Machtmittels, das ihnen ja am nächsten lag, und für welches sie in den Massen entwurzelter Abenteurer Soldaten hinreichend zur Verfügung hatten. Nun, nach der Niederlage, tritt zu den beiden bislang erkennbaren Affekten als dritter der geschlagener Heere gegen die siegreiche feindliche Armee, deren Struktur, nach der Meinung dieser Soldaten, ihr niemals hätte Siege erlauben dürfen. So wie das friderizianische Heer und seine aristokratische Struktur den Sieg der Sansculotten innerlich niemals anerkannte, weil seine junkermäßige Eitelkeit ihm unerträglich erscheinen ließ, von ehemaligen Fleischern oder Sergeanten und einem Massenaufgebot kaum gedrillter Zivilisten, nur aus der Kraft einer neuen Idee heraus, die allerdings Menschen und Menschengruppen in Flammen zu setzen geeignet war, nämlich der der Freiheit, besiegt worden zu sein, war auch deutschen und russischen Kaiseroffizieren ein Sieg der befreiten Arbeiter- und Bauernheere innerlich unhinnehmbar. Dazu kam bei den deutschen Generälen des ehemaligen Ostheers das Gefühl, von Leuten dupiert worden

zu sein, die sie doch als Werkzeug zur russischen Niederlage in
plombierten Waggons selber nach Rußland geschmuggelt hatten. Von ihnen her ergab sich leicht ein Bündnis zu deutschen
Großindustriellen, deren Interesse an der Unsichtbarmachung
des wirklichen Rußland ja durch nichts begründet zu werden
braucht. Ganz ähnlich so lagen die Verhältnisse in Amerika, wo
an die Stelle deutscher Militärs die amerikanischen zu setzen sind,
die den Fernen Osten schon als ihr Operationsgebiet zu finden
hofften. Es ging um die Aufrechterhaltung der Disziplin, d. h. um
die Unsichtbarmachung einer Nation, die zuletzt, statt auf die
Feinde, auf ihre eigenen kriegsverlängernden Führer geschossen
hatte: in solchem Fall sind alle Offiziere der Welt zu einer Gruppe
zusammenzufassen. Aus diesem neuen Medium, das aus dem sozialen (Kapital gegen Proletarier) und dem antisemitischen leicht
auszulösen ist (Befehlende gegen solche, die zum Gehorsam prä-
destiniert sind), floß nun in unermüdlicher Anstrengung, besonders in den ersten Jahren nach dem Frieden von Versailles,
jene Propaganda von Greueln und Grausamkeiten des russischen
Regimes, die noch heute – Sommer 1926 – in Deutschland zum
Kampf um das Verbot des Potemkin-Films führen konnte; einer
Maßnahme, die nur richtig zu würdigen ist, wenn man sie im
Zusammenhang mit allen anderen Anstrengungen zur Wiederaufrichtung des Kadavergehorsams in Europa begreift. (Daß dieser Film, das erste große Kunstwerk des Films überhaupt, eine
erschütternde und hinreißende Manifestation des Geistes gegen
die Gewalt darstellt, kann den Anbetern der Gewalt nur ein Anlaß mehr sein, ihn beseitigen zu wollen.) Zukünftigen deutschen
Historikern des Differenzaffekts und seiner Wirkungen bietet
sich als ein wundervolles Beispiel beim Studium ihres Gegenstandes, wie dieselben Kräfte (Gehilfen Ludendorffs), die zu Beginn und während des Krieges sich in nationaler Greuelpropaganda übten und auszeichneten, nach Kriegsschluß, ohne von
einer sogenannten deutschen Revolution in ihrer Tätigkeit gestört
worden zu sein, zur Fortsetzung dieser gleichen Greuelpropaganda im Dienste anderer Affektgruppen auftreten konnten. Und
es bedarf der Anstrengung aller von geistigen Absichten gelei-
teten Zeitungen, um den ungeheuren Wust der Affektlügen und

Affekterfindungen wieder aufzulösen und die Wahrheit über die Ergebnisse der russischen Umwälzung der Welt zugänglich zu machen; ohne doch verhindern zu können, daß im Grunde, wenn die Affekte wieder offen ins Spiel gesetzt werden, noch heute, und wie ich überzeugt bin, auf lange, das Bolschewisten-Scheusal neben dem Jesuiten, dem Ewigen Juden, dem Vampyr, dem Menschenfresser und ähnlichen Affektprodukten (Angstprodukten) seine Rolle spielen wird. Gerade aus diesen großen Zeitungen wird man eines Tages studieren können, wie von Jahr zu Jahr mit dem Abklingen der Angst vor eigenen Revolutionen die dreifache Wurzel dieser Legendenbildung verdorrt, wie zuerst die Erfindungen der Greuelpropaganda (das Interesse der Gehorsambraucher) verschwinden, wie danach mit dem Tode jeder führenden Persönlichkeit der Sowjets sich der antisemitische Affekt von ihnen zurückzieht – plötzlich sind sie nicht mehr Juden, mit Ausnahme der wenigen, die wirklich Juden sind – und wie zum Schluß innerhalb der dauernden kapitalistischen Krise auch der antiproletarische Gruppenaffekt abwirtschaftet in demselben Maße, wie der revolutionäre Elan, d. h. die Einmischung in Verhältnisse jenseits der Landesgrenzen, von den Trägern des Sowjetsystems selber eingedämmt wird. Wahrscheinlich wird diese außerordentlich kluge und leidenschaftlich der Sache ergebene Politik wissen, warum sie ihre Methode ändert. Dennoch hätte sie niemals mit den Vertretern bourgeoiser Länder in offizielle Bündnis- und Vertragsverhandlungen eintreten dürfen, bevor sie nicht zur Zerstörung der Affektlügen diejenigen gezwungen hätte, die schließlich deren beste Nutznießer sind. Wer sich der Duldung einer solchen affektiven Verdunkelung menschlichen Denkens schuldig macht, wird vor dem Historiker des Differenzaffekts eines Tages nicht ohne Mitschuld an dieser Verdunklung selbst dastehn. Man begibt sich nicht ohne Gefahr in die Zone der imperialistischen Nationalismen, wenn man ihnen Konzessionen machen will.

22.

Sagen wir mit einem Wort, was Nationalismus letzten Endes im Krafthaushalt der Natur, gesehen unter der Perspektive der dynamischen Prozesse zwischen Menschenstämmen, darstellt: er ist eine Gegebenheit, dazu da, belanglos, überwunden zu werden. Mit dieser These ist eine Aufgabe benannt: die eben, Seins-Unterschiede zwischen den Völkern wertfrei, affektfrei zu machen. Es ist sicher, daß zwischen den Völkern eine Stufung der Reife ihres Zustandes spielt, aber es ist ebenso sicher, daß zwischen ihnen kein anderer Unterschied waltet als der etwa zwischen einer unreifen Birne und einer reifen Kirsche, die im Frühsommer zu gleicher Zeit wahrgenommen werden können. Für die Vernunft liegt, und das ist das Paradoxe, in der Formulierung dieser Aufgabe nichts als eine Selbstverständlichkeit. Für das Leben, für die Wirklichkeit, für den praktischen Verlauf der Dinge ist diese Aufgabe so ungeheuerlich, daß man Politiker über sie wohl lachen hören möchte. Und doch wartet sie und ihre Verwirklichung auf der geraden Linie menschlichen Werdens. Daß es Züricher, Berner, Graubündner, daß es Schwaben, Friesen, Märker, daß es Kenter, Waliser oder Schotten auf Erden gibt, ist eine verbürgte, nämlich in ihrem Bestand verbürgte Tatsache. Es wird auch noch in hundert oder zweihundert Jahren Graubündner, Kenter und Schwaben geben: niemand legt darauf irgendwelchen Wert oder bestreitet ihnen den ihren, und niemand prophezeit, daß aus politischen Veränderungen beliebiger Art eine verminderte Basis ihrer Existenzbürgschaft hervorgehen werde. Sie wurden von der Landschaft geformt, und ihre Landschaft formt sie weiter, und Zugezogene sind in der zweiten Generation von Eingeborenen kaum mehr zu scheiden. »Sie sind Schlesier, mein Herr? nun schön; aber was sind Sie noch?« Genau so wertfrei und affektfrei machen muß das kommende Europäertum die Unterschiede zwischen den heutigen Völkern. Das Sein und Bestandhaben von Franzosen, Deutschen oder Tschechen wird nicht sichergestellt durch den Differenzaffekt, mit dem nationale Scheidungen leidenschaftlich empfunden und zu Wertträgern und Kriegsgründen gemacht werden – nur Kriege machen

Völker verschwinden – sondern durch den Prozeß, der sie streit-
frei macht, affektfrei, belanglos; wie etwa innerhalb Deutschlands das Schwabentum in seinem Bestand erst sichergestellt
wurde nach 1866, seitdem keine Gewaltherrschaft irgendeiner
Art, durch militärische Siege aufgerichtet, ihm mehr bedrohlich
werden kann. Was die Völker in ihrem Bestehen gefährdet, was
die Lebensgrundlagen ihrer autonomen Daseinsentfaltung unsicher macht, ist lediglich der Differenzaffekt in seinen Erscheinungsformen bis hinauf zum Kriege, der ja mehrere Male auf Erden und eigentlich unaufhörlich die größten Kulturbildungen
vernichtet und ganze Völker zu Sagen gemacht hat. Wenn man
bei heutigen Ausgrabungen im alten Gebiete von Akkad auf die
Korrespondenzen assyrischer Kaufleute oder Liebender stößt,
die von ziemlich heutigem Weltempfinden zeugen, wenn man
aus dem Gesetzbuch des Hamurapi einen juristisch-ethischen
Charakter abliest, der wie die Gesetzgebung der Juden in wesentlichen Punkten dem heutigen Gebrauch- und Gewohnheits-
recht bei weitem überlegen ist, so ist der Zirkel, welcher diese
4000 Jahre umschließt, in seiner unerhörten und unablässigen
Anstrengung, dieses kulturelle Auf-der-Stelle-treten, wenn man
die Resultate betrachtet, lediglich zu verdanken dem unge-
hemmten Wüten der menschlichen Gruppenleidenschaften, d. h.
der Kriege. Zwei unbezweifelbare Höherentwicklungen sind zu
verzeichnen: die eine in der Richtung der Technik, die andere in
der Richtung der Demokratisierung erhabener Einrichtungen,
so nämlich, daß Rechtsimpulse innerhalb dieser Epochen vom
Eigentum besonders genialer Einzelner oder Kreise zum Gemeingut von Millionenvölkern, ja fast der ganzen Erdbevölkerung
geworden sind. 4000 Jahre aber hätten, ohne von Kriegen in immerwährende Rückstöße und Niederlagen der Kultur verwandelt zu werden, im Höherbauen vielleicht ebensoviel geleistet,
wie sie jetzt den Verbreiterern der kulturellen Basis Erfolg gezei-
tigt haben.

Nationale Scheidungen als Gegebenheit betrachtet, um bearbei-
tet zu werden, enthält als Formel das Geheimnis des politischen
Lebens innerhalb Europas und zwischen den Kontinenten. Erst
durch den entgifteten Wettstreit kann mit der Steigerung des eige-

nen Seins das Nationale für die Menschen fruchtbar gemacht werden. Die Steigerung menschlichen Niveaus als Überwindung des Gruppenaffektes, indem man ihn einbaut in eine höhere Zielsetzung, wird überhaupt erst dort frei und tätig entfaltbar, wo der Wettstreit nicht jeden Augenblick in einen Kampf von Waffen ausarten kann. Nur auf einer sehr primitiven Kulturstufe der Menschen hat der Krieg die Auslese der Besseren bewirkt: dort nämlich, wo es sich um den Unterschied zwischen disziplinierbaren und anarchischen Menschen handelt. Inzwischen sind sämtliche Menschengruppierungen auf Erden einschließlich der Afrikaner diszipliniert, d. h. in ihren besonderen wilden Zentralitäts- und Differenzaffekten von größeren Einheiten aufgenommen worden, so daß dort, wo früher der Aufruhr von Clanschaften, Sippen oder kleinen Sonderstämmen die Aufgaben der Gesamtheit dauernd unterbrach und gefährdete, sei es bei Friedenswerken, sei es im Kriege, aus dem Aufruhr der Wettstreit in der gleichen Richtung heraufbeschworen und veredelt wurde. Auf genau diese Tendenz verweist die Auflösung des nationalen Gruppenaffektes die heutigen Europäer. Sprechen wir hier vom Nationalen, so möchten wir nicht nur wörtlich verstanden werden. Dasselbe gilt für die Entgiftung des sozialen Differenzaffekts von Klasse zu Klasse, von Arbeitsart zu Arbeitsart, von Erzeugergruppe zu Erzeugergruppe, von Erzeuger- zu Verbraucherschaft. Wenn es der Demokratie gelingt – wenn Europa schon zu jener bestimmten, der Demokratie würdigen und fähigen Empfindungskraft heraufgestiegen ist – diesen Kampf in einen leidenschaftlich-geistigen Wettstreit aufzulösen, gleichgültig wie, werden neue Kriegskatastrophen verhindert werden. Wenn nicht, waten wir in eine Aera von Klassenkampf und Klassenkriegen, durchschichtet mit nationalen Motiven und Verursachungen, ein, um die uns keine rohere Epoche der Menschheitsgeschichte zu beneiden braucht.

Der Leser, der bis hierher bejahend oder kritisch folgte, weiß von selbst, daß hier das werdende Afrika- und das kreißende Chinaproblem mitgemeint sind. Der Nationalismus ausgebeuteter Kolonialvölker stellt Europa vor diese mächtigste aber auch heilsamste seiner Aufgaben. Grandios hebt sich der Differenzaffekt

»farbig-weiß« und »ausgebeutet-autonom« in den Zenith unserer Zeit, und keine Phrasenmauer vermag dem Blick, der sich
entschließt, mit uns zu sehen, die Lage der Dinge und des Rechtes zu verschließen. Wie der Verfasser dieses Buches zu diesen
Aufgaben votiert, braucht er nach allem nicht mehr zu zerglie-
dern – er sprach eindeutig genug. Aber er wünschte sehr, und an
dieser Stelle darf er es wohl sagen, von der Vergeblichkeit des
Gedruckten eine übertriebene Meinung zu hegen. Dieser Schein-
werfer, leuchtend in die Affektwelt politischer Kompliziertheit,
sollte, indem er erhellt, doch auch schon heilen. Licht heilt. Wenigstens spricht die Tatsache, daß dieses Buch nicht nur geschrieben, sondern auch gedruckt ward, für diesen Glauben und gegen die eigene Skepsis ... Auf lange hin haben die Menschen
auch das Sinnvolle zu wollen versucht ...

23.

Und wiederum müssen wir bedauernd der Verheidnischung des
Christentums gedenken. In der Mitte der christlichen Ideologie
aller Völker steht das Opfer. In der Mitte der Politik aller christlichen Völker steht ebenfalls das Opfer. Nur daß das erste jenes
Opfer ist, das man bringt, das zweite jenes, das man verlangt. Mit
geradezu grotesker, nur von der Psychologie der Gruppenaffekte
her verständlicher Hartnäckigkeit fordern heute bestimmte Klas-
senkreise, die sich christlich nennen und empfinden, von unge-
zählten Millionen anderer Menschen der Angestellten- und Ar-
beiterschicht das Opfer hoffnungsloser Resignation für sich und
ihre Kinder. Indem sie sich hartnäckig weigern, von ihren Vor-
rechten auch nur das Geringste ohne Zwang herzugeben, indem
sie jeden Vergleich zwischen ihrer Lebenshaltung und der der
Arbeitenden mit echter – um so törichterer – Entrüstung verzeichnen, beweisen sie, daß der heidnische Opfergedanke, der die
stumme Unterwerfung des Opfertiers unter sein Geschick darstellt, den christlichen der Selbsthingabe und des freiwilligen
Verzichts restlos aufgesogen hat.
Und doch ist die Menschheit, die harmonische Menschheit,

eine Aufgabe und ein Ziel würdig der Anstrengungen großer Generationen: kein Bekränzchen, keine harmlos-idiotische Verbrüderung schwatzender Narren – wie die affektgetränkten Unternehmerverbände und ihre Lohnschreiber sie heute darzustellen belieben – sondern ein freudiger Arbeitsverband zur Entbindung ungeheurer menschlicher Kräfte und zur Verteilung der Lebensnotwendigkeiten nach einem gerechteren Schlüssel als er heut regiert. Längst ist bewiesen und durch unbeendbare wirtschaftliche Krisen ins Empfinden aller Einsichtigen gehämmert, daß die Verflechtung menschlicher Arbeit und des Güteraustausches die Lösung der wichtigsten, geistig-seelischen und praktischen Probleme des Lebens auf der Erde den nationalen Sonderzonen längst entrückt hat. Die Menschheit allein kann die Menschenfrage lösen, sie, die das Ziel der Völker, ihr Sinn und ihre Entschuldigung ist. Und mit der Logik von Ursache und Wirkung mündet die Frage der Entgiftung des Lebens zwischen den Völkern in die Probleme des Sozialismus. Nur das vom Differenzaffekt noch ganz und gar regierte Empfinden, das sich selbst zentralitätshaft als aristokratisches mißversteht, kann heute antisozialistisch sein. Es ist gut, daß unsere Zeit, die so harthörig gegen alle vernünftigen und befreienden Tendenzen der Verfriedlichung Europas verstieß, bis sie den Krieg am eigenen Leibe grausam zu schmecken bekam – es ist gut, daß diese Epoche und nicht eine frühere oder spätere auch die letzte verzweifelte Anstrengung des Aristokratismus im Sinne des Führerwahns solcher, die sich selbst als auserwählt erklären, erleben d. h. entlarven kann. Denn, wie es scheint, kann nicht einmal die Militärdiktatur oder die Parteiherrschaft (Spanien, Italien) der sozialen Vorwände, der sozialistischen Ideologie mehr entraten. Das ist eine große Sache. Es öffnet Aussicht auf die Abreaktion des Differenzaffekts ohne den wirklichen revolutionären Klassenkrieg, der zwei Menschheiten gegeneinander führen würde, nämlich die Internationale der Arbeiter gegen die der Machthaber. Da die Reservoire des Gruppenaffekts in der menschlichen Natur außerordentlich reich sind, werden sich immer Söldnerheere finden, um für die Machthaber, von deren Zentralitätsaffekt besessen, den Krieg gegen die schwer organisierbare, an Führern arme, gegen sich selbst wütende

Arbeitermenschheit zu führen. Daß eine, der sogenannten Völkerwanderung würdige Kulturverwüstung die Folge ist, können wir von unseren heutigen Kriegswaffen als Point d'honneur erwarten. In den Kriegen der Völkerwanderung ging dank ihrer Dauer für Europa der gesamte Schatz technischer Kenntnisse der Antike verloren – vom Straßenbau bis zur Glasmacherei, die sich, wie man weiß, nur in den Lagunen Venedigs auf ihrer antiken Höhe erhielt. Verloren ging die ganze Weisheit des Altertums, die Blüte der Künste von tausend Jahren, die Hochzüchtung zivilisierter Menschen, fast die ganze antike Dichtung. Was nach einem relativ kurzen Kriege zwischen den Klassen heute noch an Kulturwerten und Zivilisationsgütern übrigbleiben würde, kann niemand voraussagen. Darum wird von der Einsicht der Einsichtigen unter den Gruppen über kurz oder lang einmal der Bestand der europäisch-amerikanischen Zivilisation abhängen, abhängen auch von dem Grade der Abgebautheit der Differenzaffekte zwischen ihnen.

Die Juden jedenfalls werden genau so in zwei Lager zerrissen sein wie alle anderen Menschengruppen. Der jüdische Arbeiter wird gegen den jüdischen Kapitalisten mit ganz derselben Radikalität zu Felde ziehen wie der britische gegen den britischen oder der Russe gegen den Russen. Je weniger kranke infantile Gruppen unter den Völkern ihre affektgetränkten Parolen zur Geltung bringen können, je intensiver reife erwachsene Gruppen – Briten, Franzosen, Inder, Juden, Russen, Skandinavier – bestimmenden Einfluß auch auf andere Völker ausüben dürfen, desto sicherer werden wenigstens die zerschmetterndsten Verheerungen vermieden werden. Darum müssen Völker, wenn deren Politik noch ganz unterm Gesichtspunkt der Affekte steht – nicht was die theoretischen Anstrengungen der Regierungen anlangt, sondern den realen politischen Kräften nach, die Bünden und Massenballungen mächtigen Zulauf in entscheidenden Momenten sichern – von innen her immer wieder auf die entgiftete Vernunft jener durch Einsicht starken, der Allgemeinheit fruchtbaren Führerpersonen verwiesen werden, deren Kritik und Liebe allein den Zustand der Reife und Gesundheit fördert. Heute noch sieht z. B. in Deutschland die Masse der Bürger erstaunt auf, wenn

sich kommunistische Jugend in herzhafter Tapferkeit bei Un-
glücksfällen für Leidende einsetzt, gleichgültig zu welcher Partei
sie gehören, wie auch breite Kreise der Arbeiterschaft fast ungläubig wahrnehmen, daß auch von jenseits der Klassenmauer
für sie menschliche Kameradschaft empfunden und bewiesen
wird. Völker, in denen die Achtung vor dem Menschen und seiner
Gesinnung noch gering, das Vermögen der Einfühlung in eine
andere Gruppe noch schwach entwickelt, die Blendung durch
Zentralitäts- und Differenzaffekt noch allein mächtig ist, Völker
dieser Art eignen sich zur Führung in menschlichen Aufgaben
noch sehr wenig. Dort allein ist solche Eignung, wo wie in England während des ersten Generalstreiks zwischen Streikposten
und Polizisten faires Fußballspiel, zwischen Streikenden und
streikbrechenden Studenten faire Diskussionsabende möglich
waren. Achtung vor fremdem Sein – das zeichnet Reife. Und die
Unreifen, die großen Verächter, müßten dergleichen selber einsehen, wenn ihnen der Gruppenaffekt nicht schon für diese primitive Tatsache der Selbsterkenntnis die Augen verschlösse. Affekt
macht unfähig zur Achtung, noch unfähiger zur Gerechtigkeit.
Gerechtigkeit aber ist das Urwort zur Bändigung der Affekte.

24.

Und so wäre die Menschheit gleichsam eingeschlossen in einen
Zirkel, aus dem sie nicht entweichen kann? Wenn sie gerechter
werden müßte, um affektfreier zu sein, und affektfreier, um gerechter zu werden? Ewig dazu verurteilt, Caliban zu bleiben, der
aus der Furcht, der Angst und der Revolte niemals entlassen
wird und nur die Herren wechselt, ohne selber jemals frei zu
werden? So stünde es, wenn Logik allein die geistigen Dinge beherrschte. Aber das vom Leben Bestimmte, und damit auch die
Triebe des Menschen, unterstehn anderem Gesetz. Logische An-
tinomien fruchten nichts dort, wo ihr Entweder-Oder beständig
durch die ruckhaften Entscheidungen geistig-vitaler Kräfte in
den Gruppen und Einzelnen zunichte gemacht wird. Da der
Mensch ein vielfältiges Wesen ist, da auch Caliban ein vielfältiges

Wesen ist, das durch die Stadien der Unreife zum Stadium der Reife geführt wird durch die Entelechie und das Spiel der Kräfte in ihm, und durch die Macht der versittlichenden Einsicht, wenn die Triebe ihren tödlichen Kreiselgang allzu schmerzhaft erwiesen, bricht immer wieder unerwartet, aber sinnvoll, nicht willkürlich und nicht ungesetzlich das Gruppenwesen aus der niederen Stufe in die höhere auf. Der Caliban des Tempest, Shakespeares herrliches Phantom, der Trieb, oder besser, der vom Trieb Getriebene, ist in seiner Einseitigkeit ein Dichtererzeugnis und in seiner Hoffnungslosigkeit das Kind einer nur irdischen Phantasie. Sicher ist, daß in der Entfaltung der menschlichen Gruppen ein Element waltet, das den Menschen an die schöpferischen Geheimnisse anschließt, ohne die es kein Universum, keine Erde, keine atembare Luft, keinen denkenden Menschengeist gäbe. Irdisch allein ist die Besessenheit der Triebe, unirdisch bestimmt aber die Entfaltung des Lebens. Was William Shakespeare, der größte unter den Dichtern, als Caliban sah, da er lebte, hätte er von einer höheren Stufe aus als Puppe sehen können, der sich vielleicht, wenn die Stunde gekommen ist, ein Ariel entschwingt: aus dem treibenden Trieb der beflügelnde Eros der Phantasie, aus dem brodelnden Chaos von Angst, Furcht, Haß, Verachtung, Ichsucht und Liebesbegier zwischen den Völkern oder Gruppen der schöpferische Eros einer einmütigen Geleitetheit zu den großen göttlichen Aufgaben und Zielen, deren sich der Mensch auf Erden wenigstens im Geiste immer wieder fähig zeigte, und deren er in der Tat fähig ist, wenn er die Schranke zu übersteigen vermag, den Kreis, in den der Trieb ihn sperren will. Die Entscheidung, die es gilt, die Liebesentscheidung und Geistesentscheidung zwischen den Völkern und Gruppen überhaupt ist ein Akt der Triebbefreiung: ein Akt, der aus der freiwilligen begnadeten Hinwendung der Menschheit zu ihrer gemeinsamen Aufgabe besteht und in nichts anderem, der unbedingt ist und großartig und zukunftsträchtig wie die freie Erlösertat eines genialen Menschen, nur daß jeder Einzelne berufen ist, am Kommen dieses Reiches mitzuwirken. Die Affektbefreiung des Ichs, die Lösung des Gruppentriebes in jeder einzelnen Seele, die Stärkung und berauschende Bereicherung der

majestätischen Vernunft und die Durchsetzung des triebgebun-
denen Lebens zwischen den Gruppen mit ihr, die Achtung vor
fremdem Sein und die Gabe des Hineinfühlens in fremdes Sein,
nicht zuletzt aber die Hilfstat am Leidenden und die Stärkung jeder Hilfstat Anderer an Anderen – die innere Reife und menschliche Würde jedes einzelnen Menschen beschleunigt das Kommen jener Epoche, in der nicht die Unterschiede zwischen den
Menschen verschwunden sein werden, wohl aber die Leidenschaften zwischen ihnen sich aufgelöst und neu verflochten haben werden zu dem würdigen Ziele des großen menschlichen
Wettkampfes um die Versittlichung des Lebens.

Denn eins ist sicher, die Erde ward an die Völker nur in Erb-
pacht gegeben. Kein einziges hat an sie oder an den Teil von ihr,
auf dem es sitzt, die Rechte, die der Verfertiger an seinem Gegenstand hat oder der Käufer an den seinen. In dem Mythos der von
Gott oder den Göttern geschaffenen Erde liegt als menschliches
Grundempfinden ein für allemal beschlossen ihre Entrückung
aus der menschlichen Willkür. Kein Volk war so wahnsinnig oder
so stumpf, zu dichten, daß ein Mensch die Erde geschaffen habe.
Jedes Volk empfand mit seiner bewußtseinhaften Spiegelung der
schöpferischen Geheimnisse, in seiner Erkenntnis vom Göttlichen, daß die Erde als Ganzes durch das Geheimnis des Schöpferischen, das sie Jahr für Jahr neu bewährt, wie durch ihre ungeheuerliche Dimension der Willkür jeglicher Monade entrückt
sein müsse. Da die Völker mit ihren Ländern nur beliehen sind,
hatten sie immer, und selbst noch in ihrer heutigen Verheert-
heit, das dumpfe Empfinden, daß sie keinem Geschöpf, keinem
menschlichen Geschöpf das Leben auf ihr streitig machen dürften. Erst der moderne Nationalismus und seine militaristisch-
politische Ausprägung war imstande, die Achtung vor anderem
Sein in seiner Mitte zu kündigen. Es wird, und der Weg der Kultur weist zu diesem Ziel, je intensiver die Entgiftung zwischen
den Gruppen fortschreitet, immer belangloser werden, welcher
von diesen der einzelne Mensch oder die siedelnde Gruppe angehört, die sich in irgendeinem Lande inmitten irgendeines anderen Volkes erzeugend und arbeitend bewegt. Ist heute noch
der Fremde politisch in einer Sonderhaltung dadurch, daß er an

den wahlhaften Entscheidungen seines eigenen Volkes ebensowenig teilhaben kann wie an der des Wohnlandes, wenn er nicht
als eigene Gruppe in diesen Organismus eingegliedert ist, so
wird sich vielleicht, wie im Wirtschaftlichen schon jetzt, auch im
Politischen eine Lösung dieser offenbar entrechtenden Vereinzelung finden können, wenn sich die Völker der Erde organisa-
torisch verbünden. Überhaupt ist nicht abzusehen, welche Erleichterung und Entlastung von Problemen, die uns heute noch
als unauflösbare Widersprüche zu Bewußtsein kommen, mit einer Verwirklichung übernationaler Organisation eintreten kann.
Die Erde als Gegenstand gegenübergestellt einer Menschheit als
schöpferischer Person – gibt es einen größeren Ausblick, um mit
ihm aus einer Untersuchung entlassen zu werden, die den ge-
duldigen Leser durch so viele Verwirrungen und Unergründlich-
keiten menschlicher Triebwelt führte? Wir lieben den Menschen
und das Leben auf der Erde, und wir glauben nicht an den Tod
und an den großen Unsinn, den die Triebe zur dauernden Einrichtung machen wollen. Damit ist das ganze Geheimnis gesagt,
das uns bis hierher führte, und hoffentlich noch viel weiter führen wird im Denken und Hoffen, im Sein und in der zeugenden
und leitenden Gestaltung der kurzen Jahre, die jedem Einzelnen
zugemessen sind. Und da wir in einsamen Nächten zitternd unsre
Endlichkeit empfinden, bleibt jeder Generation beständig, als
machten wir ein Testament, nur die Wendung hin zu denen, die
nach uns kommen, zur Jugend.

8. Buch

Antisemitismus und deutsche Jugend

> Die Jugend ist die ewige Glückschance der Menschheit.
>
> *Buber, Reden.*

1.

Im Grunde steht man heut ratlos, an welche Jugend der Deutschen man sich mit diesen Worten zu wenden habe: man sieht
das Gegenüber nicht, mit dem darüber zu reden wäre. Denn die
nichtantisemitische bürgerliche Jugend, die es zum Glück noch
gibt, und unter der, aus Knaben-, Friedens- und Kriegskamerad-
schaft her man Freunde und Gleichstrebende fand, bedarf dieser
Untersuchungen nicht, die sozialistische vorläufig wohl noch
weniger, und in der antisemitischen ist die vulgärste und affektblinde, zu der zu reden man sich vergeblich seines Niveaus be-
gäbe, so vorn an, daß auf Verständigung hoffen simpel wäre. Das
Problem des jugendlichen Antisemitismus aber bleibt in seiner
Realität denkwürdig – und man schafft sich den Ausweg, indem
man an den Modus des von uns aristokratisch benannten Antisemitismus anknüpft, sich eine Jugend denkt, die ihn in sich vor-
findet und bejaht, und zu ihr gewendet mitteilt, was man sieht –
einmal annehmend, sie habe Dasein und wolle an keinem klar
gedachten und redlich zur Sache geredeten Wort eines Juden
vorübergehen – was auch Parteischriftsteller an Warnungen davor aufbrächten.

2.

Man erwarte nicht, daß hier der Jugend das Recht zu leidenschaftlicher politischer Orientierung bestritten werde; denn da
ungehemmter und nahezu triebhafter Einsatz des ganzen Menschen ins Verfechten der angenommenen Ideen zum Wesen der
Jugend gehört, ist ihr auch mit Grund zugesprochen, ganz zu sein,
was sie sein will. Was aber will die antisemitische Jugend sein?
Antisemitisch schlechthin und als Selbstzweck? Allermeist ist sie
es nur als Mitphänomen; sein, und in wesentlichem Sinne sein

will sie deutschnational. Verwerfen darf und muß sie, aber nur aus der Position heraus; aus dem bejahten und gesetzten Ideal folgt die Verwerfung des Gegenteils, das sie im Juden verkörpert findet, im Demokraten, im Sozialisten, im Anbahner internationaler Verständigungen und Verbindungen, Gesinnungen und Aktionen. Das sind positive Ziele und Werte; ihnen entgegen werden andere positive Werte gestellt. Entnehmen wir sie nicht irgendwelcher Literatur; lassen wir uns vielmehr auf die Stimmungen ein, die in weiter dunkler Ausdehnung die Brust jener jungen Deutschen erfüllen mögen, deren Sein sich in Stunden des Aufschwungs mit innerster Art und Geistigkeit des Volkes decken möchte, das sie gebar und bildete; erraten und deuten wir ihre pulsenden Sehnsüchte und Ahnungen; tauchen wir unter die Oberfläche eines Denkens, das von jener Zentralitäts-Ideologie verunstaltet wurde, die in einen Vers gefaßt aussagte, an deutschem Wesen werde die Welt genesen. Daß sie es nötig habe, zu genesen, sieht jeder; ob aber diese Ideologie nicht eine der Ursachen ihrer Verunstaltung ist, nicht vielmehr von denselben Ursachen hervorgetrieben, die zum heutigen Zustand führten: von Machtwahn, Differenzaffekt und dem Mangel an Blick für fremde Werte – müssen wir jetzt drauf noch eingehen. Mag immer der imperialistische und kapitalistische Geist die ahnungslosen Jugenden aller Völker in den Krieg getrieben haben: daß diese Jugenden begeistert gingen, daß sie wirklich den Ideologien folgten, die man ihnen voranführte, das ist keine Frage. Niemals ist das Feuer und die selbstpreisgebende Leidenschaft der Jugend dieser irdischen Westwelt furchtbarer gemißbraucht worden; niemals haben Greise – die Väter – ihre Söhne vergeblicher geschlachtet und, selbst belogene Lügner, furchtbarer belogen. Sprechen wir zu dieser tragisch getäuschten und enttäuschten Jugend, zu unseren Kameraden von 1914 bis 18, die nun unsere Gegner sind: reden wir zu ihnen von ihren eigensten, den deutschen Dingen, wie wir zur jüdischen Jugend von den jüdischen Dingen reden – nicht geringeren Ernstes und Geistes.

3.

Wir hören, daß sie zu den Quellen des deutschen Wesens hinab-
steigen und aus deutschen Impulsen, Fähigkeiten und Idealen das
gegenwärtige Leben nationalisieren will: und wer da sieht, daß im
Grunde seit dem Dreißigjährigen Kriege das deutsche Wesen,
wie es etwa musikalisch erfahrbar ist – gespeist von Italien und den
Niederlanden und doch von göttlicher Autonomie – nicht mehr
staatsgestaltend gewirkt, wie stets fremde Formgesetze das in sich
unsichere und von vierzig lokalfürstlichen Politiken, von sieben
bis zehn Stämmen tiefster Verschiedenheit zerteilte Deutschtum
im Wachsen störten, wie Preußentum seine Versklavung, französische und englische Kulturübermacht und die immer neu ge-
suchte hellenisch-römische Klassizität ein verfrühtes Europäertum
ohne den Vorgang deutscher Festigung in diesen Geist hinein-
bildeten; wer sich auf die zur Volkstümlichkeit vorbestimmten
Gestalten deutscher Prägung und ihre Isolierung besinnt, die mit
Claudius beginnt und mit Stehr in die Gegenwart mündet – wer
einen Anblick dieser Sachlage hat, wird diesen Antrieb verstehen
und gutheißen. Warnen nur wird er vor der Grenzverletzung, als
könne man nationale Kultur machen, machen wie man einen
Verein für Heimatkultur gründet; als könne man aus der Gegenwart willkürlich Tendenzen sondern, die einen für »völkisch«,
die anderen für »unvölkisch« erklärend; als könne man evident
und täuschungsfrei scheiden, was aus der heutigen Malerei, Literatur und Musik, ob nun von Juden oder von Nichtjuden stam-
mend, deutsch sei und was jüdisch oder international. Deutsches
ist nicht, es wird. Jede große Gestalt erweitert, erhöht oder erniedrigt das Wesen der Nation, und die Vokabel »undeutsch« ist
stets die Vokabel eines Fehlurteils gewesen, das nach dreißig Jahren niemand vertreten haben wollte. Und ebenso falsch ist das
auszeichnende Prädikat »deutsch« als wertendes Wort. Nie sind
einzelne Werte nationale Charakteristika; vielleicht ist es nach
Jahrhunderten einem Urteiler möglich, die Systeme von Vorzugs-
gesetzen, die Moralen, unter nationale Kategorien zu bringen;
heute, unwissend in allen Dingen des geistigen Gebietes wie man
sich bekennen muß, heißt urteilen einfach sich übereilen.

4.

Und was also bleibt der Jugend übrig, die ihr Volkstum liebt und stärken will? Merken wir zunächst einen kleinen Unterschied an zwischen der deutschen und, soweit sie uns bekannt, der ausländischen, etwa der englischen, russischen oder italienischen bürgerlichen Jugend. Diese Ausländer lieben das Volk und gehen aus, ihm zu helfen; wo sie sich gerade befinden, in den Straßen der Großstädte, in den Industrievierteln eröffnen die englischen Studenten ihre settlements. Sie scheiden nicht zwischen Volk und Volk; sie vertrauen den bauenden, bildenden, zwingenden Kräften des Geistes, das heißt des Lebens; sie bejahen das Volk als Ganzes und im jetzigen Stadium seines Daseins: denn sie sind national. Ein Boden das heißt eine Heimat, eine Sprache das heißt ein Geist, eine Arbeit das heißt ein Sinn: so lauten ihre Voraussetzungen. Sie wollen horchen, wie das Volk ist, nicht mit einer hochmütigen und phantastischen Romantik nach der Ideologie der bürgerlichen Kategorien ihm vorschreiben, wie es zu sein habe: und darum sind sie national. Hier werden nicht Entartungen vergottet oder Fakta angebetet, sondern in der Form heutiger Lebensstimmungen werden die dauernden, unverlöschbaren, in den paar Jahrhunderten seit Einführung der Leibeigenschaft kaum modifizierten Impulse und Lebensordnungen des niederen Volkes gesucht und verstanden – ganz einfach, weil in diesen Ländern die Achtung vor dem Menschen, und dem konnationalen Menschen zuerst, größer ist als in Deutschland, wo man den Übermenschen dem Volke gegenüber instinktiv darstellt, oder auch das niedere Volk als untermenschlich einschätzt … Man hat in Deutschlands Jugend, vom überwundenen Jingotum die Kleider erbend, den imperialistischen Nationalismus gelernt; den demokratischen aber, der in England seit Owen eine Tradition ist, hat man in der Schule des Lebens noch nicht »gehabt« – oder man hätte sich, nicht nur in Schlagworten sondern ganz lebendig, der großen unterirdischen deutschen revolutionären Tradition erinnern müssen, sie nicht nur als deutsche Einheits-, sondern auch als deutsche Freiheits-Bewegung wiedererkennend. Denn die Grundstimmung, die zur religiös-sozialen Bauernbewegung führte, der damals einzig legitimen Form der Revolution, ist heute in den proletarischen Abkömmlingen dieser alemannischen, fränkischen und thüringischen Bauern noch ebenso lebendig; sie hat genau die gleichen Ziele und genau den gleichen religiösen, widerkirchlichen Unterton, und ist keinen Augenblick unradikaler gewesen als diejenige des norddeutschen Großstadtproletariats. Aber die bürgerliche Jugend bezieht ihre Menschenkenntnis aus der Zeitung und einer dieser ebenbürtigen Makulatur; daher hält sie das sozialistische Volk für verführt, nämlich für saudumm – für Mannschaft einfach, der mit vaterländischem Unterricht aufgeholfen werden muß. Sie zieht das »Volk« vor, welches ihren romantisch-reaktionären Volkslieder- und Volkstumneigungen zu entsprechen scheint; zieht das ideologisch und professoral gesiebte und destillierte Volkstum vor und wirft den Rest zum Pöbel. Das deutsche Volk sei von jeher konservativ? Ganz recht; deshalb auch hat es seine auf soziale und menschliche Gerechtigkeit leidenschaftlich verweisenden Instinkte ebensowohl konserviert wie seine Trachten, Lieder, Sitten und seine Loyalität gegen seine Herren, die seine tiefe und rührende Gefolgentreue nicht müde wurden, zu Kastenzwecken zu mißbrauchen. Der preußische Junker war und ist noch heute, öfter als der Parteibonze zugibt, ein guter Herr; das System der wirtschaftlichen Knechtung aber, das kapitalistische System, ist der kälteste, frechste und roheste Tyrann, den es auf Erden je gegeben hat, und da es, wie für jeden Denkenden bewiesen, in der Bodensperrung durch den Großgrundbesitz verwurzelt ist, steht auch der menschlich redlichste Grundherr auf der widernationalen Seite.

5.

Was also, noch einmal gefragt, soll eine nationale Jugend tun? Zuerst und zuletzt: das Volk sehen lernen; davon später noch ein Wort. Ferner: bei sich mit den ödesten bürgerlichen Vorurteilen aufräumen, deren verhängnisvollstes die Verachtung der körperlichen Arbeit und des körperlich Arbeitenden darstellt. Keine Phrase ist heute widerlich verlogener als die der Achtung vor dem

Mann im schlichten Arbeitskleide. Tatsächlich deklassiert heute die Körperarbeit, dies schmutzige, schwitzende grobe Händewerk – nicht vom Amateurarbeiter, sondern als Beruf, ein Leben lang getan – den Menschen automatisch: er verliert seine Klasse. Beweis: der Kasinogeist, der die Eignung zum Offizier feststellte und der noch heut, heut erst recht, den Teil der öffentlich redenden Bürgerlichkeit beherrscht. Grund: die körperliche Arbeit, die Fabrikarbeit vor allem, aber jede ähnlich betriebene Arbeit (im Baugewerbe z. B.) erdrückt den Menschen wirklich; sie macht ihn schwer, stumpf, übermüdet und entfremdet ihm die geistige Offenheit und Freiheit des Blicks, wenn er nicht von Geburt an auf sie trainiert ist, und selbst dann für alle geistigen Angelegenheiten, die sich nicht unmittelbar auf die Lebenssphäre, die Lebensnöte und ihre Minderung beziehen: geformt durch seine Umwelt ergießt sich die ganze Denkfähigkeit des Arbeitenden in die Probleme der Wirtschaft und der Politik – alles andere, das heißt also alles, was das Leben des Menschen zum Leben macht, wird Randzone des Blickfeldes oder unsichtbar. Wo aber steht geschrieben, daß dies so sein müsse – wenn nicht in den Gesetzen der kapitalistischen Auspulverungstheorie der Arbeitsmöglichkeiten, deren feinste Blüte das Taylorsystem darstellt? Dehmels Wort: »Nur Zeit!« schrie aus dem Kern und Herzen der Lebensstimmung. Aus der Verkürzung der Arbeitszeit folgt die Erhebung des Arbeitenden zur Kultur, und mit ihr wird die normale, nämlich unenthusiastische, der Wesenslage einfach entsprechende Emporwertung der Körperarbeit wieder kommen. Jugend aber, die den nationalen Dingen selbst ins Antlitz zu sehen wünscht, hätte schon jetzt, im Augenblick, durch Disziplin des Herzens, mit dieser Umwertung beginnen dürfen. Vielleicht gibt es dann, 1990, einen deutschen Dichter, der Kellers sonnenleuchtendes Gedicht vom »Fähnlein der Sieben Aufrechten« für neue Verhältnisse schreibt, zur Glorifikation des dann tragenden und schaffenden Typs des niederen Volkes … Aber wer versteht heute Dichtungen richtig zu lesen, geschweige die Kunst, sie in zukünftige, ja nur gegenwärtige Gestalt zu transponieren?

Diese beiden Forderungen an sich stellen und im Willen an

nehmen ist leicht getan. Es handelt sich aber darum: sie zu leben. Nicht in Gesprächen oder Geschreiben annehmen, sondern sie tun, bis sie eingefleischt sind. Damit rührt man im Deutschen an die entscheidende Blöße. Daß Geist gelebt sein will, daß nur gelebter, getaner Geist wirklich Geist ist – dem Volke der Ideen, Systeme und geistigen Arbeiter, welches sich die Regelung des Lebens von Herrschern und Bischöfen hat auferlegen lassen, bevor es Bürgern dies Amt überantwortete, ist Geist heute identisch mit »abstrakt, gedacht, logisch, unwirklich und unpraktikabel«. An der Frage, ob die deutsche Jugend diese Definition und jene Trennung weiter mitmachen wird, entscheidet sich vieles. Vieles auch an der, ob sie versuchen wird, aus der Negation des Undeutschen herauszukommen, indem sie es durch Geschaffenes bekämpft – Geschaffenes, das ohne Programm, Seitenblick und angestrebte Deutschheit entstehen müßte, leidenschaftlicher Ausstrom und Erguß eines aufgerüttelten Seins. Es brauchte auf Tradition nicht zu verzichten, es dürfte sich sehr wohl auf die – noch ganz ungeschriebne – deutsche Historie nicht der Schlachten aber der geistigen Taten gründen – und wenn eine deutsche Jugend dann noch Kraft, Zeit und Lust zu Antisemitismus haben sollte, wollen wir ihn uns gern auch einmal von der andern Seite, der der Judenfrage her, anschauen. Aber dies Ding wird Weile haben.

6.

Die nationale Jugend jedenfalls, welche heute Politik treibt, und zwar antisemitisch fundierte, und diejenige, welche ihren biologischen Ästhetizismus – denselben Ästhetizismus, dessen geistige Spielart sie ihren Antipoden, den jüdischen Literaten, scheltend vorhielt – zu einer selbstvergötternden Ideologie verarbeitet hat, und zwar auch zu antisemitisch fundierter, die Wandervogel-Jugend tut diesen nationalen Forderungen nicht genug. Es genügt aber vom wahrhaft nationalen Ende aus gesehen nicht, sich der Verdienste dieser Bewegung zu erinnern. Befreiung der Jugend zu eigener Lebensform, Befreiung des Naturerlebens und des Eros: so fing es an; den Rest lese man in Blühers Geschichte dieser Jugendrevolution. (Nur daß es eine deutsche, das heißt autonome, nicht unter Geistesgebot stehende Revolution war.) Denn eine Jugend, die zu sich zurückfindet, ist erst halb angelangt: die andere Hälfte des Weges heißt: wohin jetzt mit mir? in wessen Dienst? und wo ist das Große, in das ich münden kann? die gelebte und verkörperte Idee, für die mein Leben in die Schanze geschlagen werde?

In wessen Dienst? Aber die deutsche Jugend sagt heute Dienst und meint Führerschaft, gemäß dem preußisch-deutschen Lexikon »Staatsdiener siehe Volksbefehliger«. Führer wird man in Wahrheit nämlich nur, indem man nicht daran denkt, nicht darauf abzielt, es zu werden, indem man überhaupt auf Möglichkeiten solcher Art seine Aufmerksamkeit nicht lenkt. Schon solche Blickrichtung kann pervertieren, und in bösen Zeiten, unseren Zeiten, muß sie's fast. Hier liegt der objektive Grund zu allerhand deutschen Unfällen – zur Katastrophe 1919–1927 z.B. Es gab eine Jugend, und heute ist sie im Vordergrund der Akademiker, die mit dem steten Blick auf Führerschaft erzogen wurde: sie sollte dem Heere die Offiziere stellen. Sie hat es zwar getan; aber indem sie die Stadien ihrer militärischen Ausbildung »von der Pike an« im steten Bewußtsein durchlief, dies sei nur ein wesentlich transitorischer und Puppenzustand, den sie am Ziel, als blendender Falter, gründlich vergessen dürfe, ja für den sie werde entschädigt werden, verschloß sich ihr von vornherein fixierter Blick für diejenigen Existenzen, deren ganzes militärisches Sein sich als niedere Raupe und passive Puppe abspielte – und auch das Militärische, wie alles Vergängliche, war nur ein Gleichnis und als solches, fürs ganze Leben der Nation, auch dumpf und stark empfunden – für die Mannschaft, fürs Volk. Diese Führer hatten, von individuellen Ausnahmen abgesehn, schon längst niemanden mehr hinter sich, der ihnen, innerlich gemeint, noch folgte, und heute steht man vor dieser Kluft, um sie dem Wühlen von Juden zuzuschreiben. Ja, es ist wohl wahr, daß die studierende, die gebildete Jugend dem Volke Führer geben sollte und kann; aber dieses Führertum entsteht nur durch Vertrauen. Vertrauen aber erwirbt man sich nun einmal nicht schmeichelnd und nach dem Maule redend, sondern durch menschliches Sein und den Geist der Leistung, durch Hingabe ans Allgemeine, durch Dienst am Volke und am öffentlichen Wohl: durch Verzicht, Unterordnung und Demut des Herzens … keinesfalls durch das ungehemmte Bekennen und Betätigen irgendeines Differenzaffekts, durch Nationalismus.

7.

Deutsche Jugend und »fremde« Jugend, Volk hier und da: was wir anerkennen, ist Ergänzung auf Grund von Wesensverschiedenheiten, ohne Entwertung des anderen Seins – ritterliche Abgrenzung der Zonen, klare Erklärung vor allem des gemeinsam Bekämpften: der feigen, flauen, in der erniedrigten Gegenwart behaglich sich ausbreitenden, auf den puren Freß- und Herrscherfolg abzielenden Lebensteilung, der Trennung von unverbindlichen »Idealen« und sehr verbindlichen »praktischen Erfolgen«, der Trennung von schmuckhaft erniedrigtem Geist und sehr wirklich angebeteter Macht, von Kultur und Alltag – der Unschädlichmachung des Göttlichen durch private und öffentliche Realpolitik. Die Völker gehn zugrunde an der Autonomieerklärung des praktischen Erfolges, zu dessen Dekorierung und scharmantem Aufputz kein geistiger Wert zu kostbar – und keiner untauglich ist. Dies ist die Seuche, die die Menschheit heute befallen hat; gegen sie stehn die Leidenschaftlichen und Redlichen aller Völker in gleicher Front. Und man macht sich untauglich zum Kampfe, man verstümmelt sich selbst, wenn man sie auf den Namen irgendeines Volkes tauft, sei es das jüdische, englische, amerikanische: anstatt zuzupacken, wo sie am nächsten und nicht weniger verwüstend zutage liegt: am eigenen Volke. Charity begins at home: man habe diese Nächsten- und Menschenliebe erst in den Augen, dann im Tun, und das Problem der Gegenwart ist nicht nur gestellt, sondern halb gelöst, wenn nur Jugend nicht lassen kann, das auch zu leben, was sie erkannte.

8.

Man kann Zustände nicht reinigen ohne die Menschen zu verändern; und Menschen nicht verändern, ohne sie gesehen zu haben. Gibt es aber in Deutschland etwas Unbekanntes, so ist es der deutsche Mensch. Wohlbekannt ist seine öffentliche Maske, die Angesichter nämlich der politischen Parteien, denen er sich zurechnet: und jede dieser Masken ist starr, falsch, nur scheinhaft gültig. Es handelt sich nicht nur um die bestbekannte und -beschriebene dieser Erstarrungen und Verzerrungen des lebendigen Volks- und Menschentums, die bürgerliche; sie ist seit Nietzsche und Flaubert von Sombart, Scheler, Blüher ingrimmig genug beschrieben worden. Jede Partei stellt heute eine solche dar; was an lebendigen Menschen, an unverfälschtem Leben und redlicher Beseeltheit hinter auch diesem »Bürger« steht, mag einmal übersehen werden, wenn das Bürgerliche hochgradig identisch mit jenem bekämpfenswerten Ungeiste ist, der eben genannt wurde. Wie aber Jugend sich mit den Masken auch der Demokratie, des Sozialismus und Kommunismus begnügen kann, um, ohne näher, genauer, leidenschaftlicher hinzusehen, dagegen in den Kampf zu rücken, das ist schwer begreiflich.

9.

Der atheistische und materialistische Sozialismus marxistischer Prägung, dem falschen Anschein nach auf eine Pleonexie und Machtgier der Armen hinauslaufend, ist heute eine Kirche und Konfession wie jede andere auf der Erde. Er leugnet die geistige Freiheit und göttliche Durchseeltheit des Menschen in »wissenschaftlichem« Determinismus, bekennt sich zum Dogma zwangsläufiger Entwickelung der gesellschaftlichen Zustände aus materialistischen, politisch-wirtschaftlichen Gesetzen, strebt die Beseitigung von Klassen und Klassenherrschaft und die Überwindung nationaler Grenzungen durch die internationale, übervolkhafte Gesellschaft produktiver Menschheit an: und all das durch Veränderung von Zuständen, durch praktische, und zwar politische

Maßnahmen, durch Aktivität von außen: da ihm der Mensch das Produkt aus Natur und Gesellschaft ist, und die Natur des Menschen ihm als Ziel verändernder Beeinflussung entrückt erscheint durch die Zustände der Gesellschaft, geht er auf die Verbesserung der Zustände aus und ist überzeugt, daß die ursprünglich edle Natur des Menschen, sind die depravierenden Umstände erst beseitigt, ans Licht treten und mit weit geringerer Anstrengung erziehender Mittel die Reinigung und Erhöhung des menschlichen Typus erlauben werde. Dieser Glaube steht ergänzend zu dem unseren, der nicht an dieser Stelle bekannt werden muß. Hier aber frage man nach den Wirklichkeiten, wirksam hinter diesen starren Sätzen: sie sind erschütternd und – ganz geistig, nicht nur bei den besten Führern dieser Bewegungen, sondern gerade bei den Folgenden, den Massen, dem niederen Volke. Wieviel Glut der Hoffnung, Reinheit des Willens, Glaube an den Menschen und seinen Geist; wieviel Bereitschaft zum Opfer, welche tiefe Kameradschaft und Brüderlichkeit, welche religiöse Hingabe an die Idee, welcher Mut zum bezeugenden Tode und welche Sehnsucht nach Frieden und Freude durchgärt diese »nach besserem Leben« gierigen Massen! Ja wahrhaft nach besserem Leben – nicht aus dem Sinne des besessenen Bürgers, sondern aus dem jeder guten Jugend geredet: nach edlerem und gerechterem Leben; und gerade dort gärt und wühlt es am heftigsten, wo die Scham und Wortkargheit des nordischen Menschen all das unter der Hornhaut der spottenden und das Herz verleugnenden Volkssprache verbirgt. Der Arbeiter unserer Zeit ist auch in dieser Scham und verulkenden Kargheit der Sohn der großen Stadt; aber die Hilfe, die er dem Bedürftigen leistet, die Kameradschaft, die er tut, bleibt reiner Fluß aus reinem Quell, was auch immer er an Redensarten dazugebe. Um das zu sehen, muß man mit ihm gelebt haben, nicht von oben nach unten, sondern gleich zu gleich, nicht mit den jungen Burschen, sondern vor allem mit den Männern, die das Kernholz jedes Volkes sind. Die bürgerliche Jugend aber begnügt sich, um über die sozialistische Bewegung zu urteilen, mit der Kritik des Programms – jener Masken, von denen genug gesagt wurde. Und das ist verhängnisvoll und falsch bis zur Lebensgefährdung des Volkes – bis zur erledigenden

Verirrung der deutschen Jugend. Nur der Literat und typische Politiker erfreut sich an der Kritik der Programme und hat das Leben widerlegt, wenn er sie intellektuell ad absurdum geführt, ihre Unmöglichkeit nachgewiesen hat: die gestaltenden Wirklichkeiten aber haben andere Namen, Gesichter und Kräfte, und in anderen Zonen als der des Intellekts allein gelingt ihre Anschauung und Bewältigung.

10.

So also steht vor der bürgerlichen deutschen Jugend die Mahnung: zum Volke zu gehen. Das ist so unglaublich schwer zu tun, wie es leicht ist, den Vorsatz zu fassen. Mit dem Besuchen proletarischer Versammlungen ist es weder, noch mit Studienausflügen getan: man muß mit dem Proletariat leben – den ganzen unvorstellbaren Mangel, der seine Atmosphäre ist, die ganze verderbende Härte der Hand- und Fabrikarbeit mit ihm geteilt haben – und auch das ist nicht genug. Das Mißtrauen des Proletariers, das tiefe, ein Jahrhundert alte Mißtrauen gegen und der Spott über alles, was von »oben« kommt, muß überwunden werden, durch Tat und Sein überwunden werden, ehe er dem bürgerlich erwachsenen jungen Menschen auch nur glaubt, daß er es ernst meine oder kein Aushorcher und Verräter sei. Vermutlich ist der italienische und der französische, der russische und selbst der englische Arbeiter leichter zugänglich, sei es, weil der Volkscharakter zu vertrauenderer Heiterkeit neigt, oder weil die Fremdheit zwischen den Klassen nicht so tief fressen konnte, dank klügerer und gerechterer politischer Zustände, aktiver nationaler Verbindung auf beiden Seiten: der deutsche Arbeiter aber und der deutsche Bürger, das sind heute zwei verschiedene Völker und mit dem trennendsten Differenzaffekt beladen, den man heute erleben kann. Das ist die Verschuldung des deutschen Bürgertums, ein Grund zum militärischen Verlust des Kriegs und zu der radikalen Spaltung zwischen den beiden aktiven Teilen des einen und blutgleichen Volkes. Diese Erkenntnisse sind nicht beweisbar, sondern nur zugänglich dem Erlebenden, und sicher hätten sie sich wie den meisten jungen Bürgersöhnen – nicht einem menschlichen Genie wie Landauer – auch mir verschlossen, wenn nicht Zwang und Wahl des Krieges mich als Arbeiter zu Arbeitern, als Armierer zu Armierern geworfen und über zwei Jahre in die Arbeit, die harte und wahllose Hand- und Leibesarbeit gepreßt hätte, bis ich als ein Verwandelter die Front, an der bekanntlich Juden nicht gefunden wurden – unsere Kompanie zählte deren dreizehn – verließ.

II.

Aber um auf die Dinge und Sachverhalte und damit auf den Kern zurückzukommen: zum Volke gehn und sein Leben teilen, ja nur in den Ferien des Studenten davon einen Geschmack bekommen, scheint mir die erste notwendige Betätigung jugendlichen Nationalismus zu sein, die der Rede wert wäre. Dann nämlich würde auch das Programm, diese krasse Ideologie, plötzlich ein anderes Relief zeigen. Man ist durchtränkt vom bürgerlichen Differenzaffekt von Klasse zu Klasse, wenn man auf den Kampf um wirtschaftlichen Aufstieg des Proletariats Worte wie »Ressentiment der Schlechtweggekommenen, Pleonexie, materialistische Machtgier« anwendet; man kennt das Niveau nicht, von dem dieser Aufstieg ausgehen muß – man weiß einfach nichts, weder von dem Nahrungsbedürfnis körperlich Arbeitender in steter Bewegung, noch von der katastrophalen körperlichen und Seelenwirkung der proletarischen Wohnweise; weder von den physiologischen Ursachen des Kino- und Wirtshausverlangens, noch von den seelischen Veränderungen – Einstellung zu Kindern, Tod, Geschlecht, Welt – die aus diesen pesthaften Lebensbedingungen des Großstadtarbeiters sich mit schicksalhafter Unvermeidlichkeit ergeben. Dabei lasse man die Not des Mittelstandes besser beiseite (die mit jener ganz unvergleichbar ist, weil z. B. die Wohnverhältnisse im Durchschnitt turmhoch über jenen der Arbeiter, und die Arbeitsarten ebenso unvergleichlich liegen); denn indem man sich auf sie beruft, hütet man sich vor der inneren Anschauung jener Umstände, die noch immer kein Dichter und kein Film richtig geschildert hat und die trotz allen Besserungsansätzen heute erst recht fortwirken. Mögen Ressentiment, Neid, Haß, Rachsucht und Vergeltungswillen im heutigen Sozialismus unterirdisch und beiläufig ihre Mitwirkung treiben: in den Parteien der Rechten wirken ebensolche und nicht edlere Kräfte mit – und weit heftiger bewegt das Proletariat sozialistisch-kommunistischer Prägung der Wille zum Aufbau einer neuen Erde, gerechter Lebensführung und aller volkhaft wache hilfsfreudige Tatendrang des unverzerrten Menschen, soweit ihn der Irrsinn des mechanistischen neunzehnten Jahrhunderts heil gelassen hat – und das ist weit, weit mehr, als der junge bürgerliche Mensch sich vorstellt.

12.

Den Weg der Programme und Ideologien halten wir für gebrechlich: theoretisch den Zustand der Menschheit, von dem notgedrungen ausgegangen wird, sehr bedenklich die Idee des Menschen, irrig den Weg von Außen nach Innen, verfrüht vor allem die Zielvorstellung an seinem Ende – die sozialistische Idee der entnationalisierten Menschheit; falsch den Weg der Gewalt und ebenso falsch den Zentralismus, der ihn diktiert. Aber soll die willige deutsche Jugend darum die Dinge liegen lassen, heillos wie sie nun einmal liegen, oder dem pseudodemokratischen bürgerlichen Staate, dem Großsiegelbewahrer des wirtschaftlichen Gewaltstaates und der Klasseninstitutionen, des Parlamentarismus bismarckscher oder bethmännischer Weisheit, zum Wiedergeburtshelfer werden? Ich rede hier nicht zu jener Jugend, der man mit der Militärrevolte des Neunten November und ihren Folgen die Karriere verdarb; hier und vor- wie nachher wendet man sich zu der sachlich-allgemein leidenschaftlich aufgewühlten großen deutschen Jugend, gesehen etwa unterm Gleichnis der Freideutschen von 1914, und stellt diese Fragen. Es handelt sich um die Wiederaufrichtung des deutschen Volkes, diese eminent nationale Angelegenheit, um einen rechthaften Nationalismus, der, ohne antisemitisch zu fühlen, sich wirklich einen deutschen Lebensweg und die lebendige Vereinigung mit

echtem Deutschtum sucht, vorwärts zu den Quellen des eigentümlichen Geistes und Wesens, der dieses Wesen ins Volk hin-
einformen will und aus ihm herausholen. Erkannt und vorausgesetzt ist die Verwüstung des Menschen dieser Tage; das Ziel ist
Wiedergeburt der Herzen, Erneuerung des Miteinander-Le-
bens, wie sie seit Achad Ha'am und Martin Buber das strömende
Drängen und Tun der besten jüdischen Jugend Mitteleuropas
gewesen ist. Große Massenvölker, abendländische, unterliegen
dem Gesetz der langsamen Wandlung – nicht von Entwicklung
ist hier die Rede! – der Ansteckung konzentrischer Kreise, der
umfärbenden Macht des lebendigen Beispiels. Vorbereitete
Menschen sind hier Voraussetzung: und vorbereitete Menschen
finden Sie nur in den sozialistischen Bewegungen, in diesen
durchwühlten Herzen, von denen vorhin gesprochen wurde.
Darum verändere ich das Wort eines Reaktionärs ins Gegenteil:
»hüten Sie sich vor links«, sagte Blüher, und »gehen Sie nach
links«, ist der einzige Rat, der Ihnen gegeben werden kann. Sie
bedürfen der Menschen und Ideen des linken geistigen Flügels,
dem Blüher selbst angehört hat. Vorausgesetzt nur, Sie behalten
Ihr Ziel, die Wiedergeburt des deutschen Lebens, unverrückbar
im Herzen: so brauchen Sie zu seiner Erreichung der reinen und
bewegenden Idee echter wirtschaftlicher Demokratie. Sie lächeln
dann über die werthafte Verschiedenheit der Menschentypen
und ihre Abstufungen, wissen von der notwendigen seelischen
Ungleichheit der Menschen, daß sie um gegenseitiger Ergänzung
willen, als Aufgabe, besteht, und erfassen dann auch, daß die
echte, auch wirtschaftliche Demokratie, die Befreiung der Völker von Herrschaft durch Klassen, deren Vorrechte nicht in edlerem Wesen, sondern in usurpierter, politisch-wirtschaftlicher Gewalt begründet sind, und die Befreiung des Bodens und der
Bodenschätze zur unerläßlichen Voraussetzung Ihres Werkes gehören. Beides erreichen Sie entweder durch Gewalt – und damit
ist das Werk erledigt, vernichtet und ganz umsonst getan – oder
durch Erziehung. Und nur Demokratie erzieht. Lesen Sie bei
Heinrich Mann oder Max Weber, Förster oder Preuß, was unter
Demokratie begriffen wird, nämlich nicht das Zerrbild einer heutigen politischen Partei und was immer sie tut und läßt, sondern

die seelenformende Gewalt der Volksbefreiung, die klassenüber-
windende Gewalt der Idee des Volkes. Das Volk in seiner Realität erlebt man heute in Deutschland nicht; eher in Rußland, am
ehesten einst in Italien, bevor die Fascistendiktatur des Agrar-
und Industriekapitals dem Lande die eiserne Maske überstülpte.
Und wer von Ihnen je Italien gesehen und die Menschen erlebt
hat, die Atmosphäre um die »kleinen Leute« dort, Krämer, Arbeiter, Soldaten; wer in Frankreich, in England gewesen ist, weiß,
daß Demokratie die Vorbedingung für jede Reinigung und Erneuerung des Volkes ist. Sie als Deutsche, deren Werk in und an
Deutschland getan werden muß, sind schlechthin gezwungen,
auf Vorhandenem zu beginnen, auf den echten alten Grundmau-
ern des Volkstums, nicht auf den falschen und künstlichen Fun-
damenten jenes bismärckischen Fürstenbaues, der an der Marne
in Trümmer ging, und Sie finden in der deutschen Geschichte von
Thomas Münzer bis zur Paulskirche die großen Spuren deutscher
Demokratie.

13.

Am Organismus eines Volkes gibt es keine lokalen Kuren, die
nicht auf das Ganze sofort Wirkung hätten. Und darum müssen
fortan die Inhalte demokratisch-sozialistischer Ideologie zu den
Ihren werden. Keine Jugend hat das Recht, zu wählen und zu
verwerfen, bevor sie an ihre Tat geht; das Volk zu sondern, oder
gar im Ganzen seinem Schicksal zu überlassen, indes sie sich Einzelne, Freunde, kleine Zirkel Gleichgesinnter zur Grenze ihrer
Wirkung setzt. Lieben Sie Ihr Volk in seiner Entstellung nicht,
sehen Sie im heutigen modernen Städter den metaphysischen
Deutschen nicht, den es ans Licht der Sonne und in die irdische
Luft zu bringen gilt, ihn, der fast überall noch da ist – und wo er's
ist und wo nicht, erfahren Sie erst, schauen Sie überhaupt erst,
wenn Sie an ihm formen – dann wehe Ihnen! Sie wären dem
eunuchischen Konventikelhochmut verfallen, der weder Frucht
noch gar Gestaltung zu tragen vermag. Lieben Sie es aber, wie wir
Juden das unsere lieben, unser entstelltes Volk, so müssen Sie all
das Leiden an Ihr Herz nehmen und es zu heilen beginnen, das

Leiden des Gewaltwahns, der Pleonexie, des Raubes am Neben-
menschen, der gegenseitigen Knechtung, der Sucht, irgendwo
ein ganz kleiner Vorgesetzter zu sein und gern vor ein wenig Höheren gebückt zu stehen, wenn nur noch Niedrigere, noch
Wehrlosere ihrerseits sich vor Ihnen, beglaubigtem Herrscher-
chen, bücken müssen; das Leid des Hungernden, des Frierenden,
des verkommenden Kindes – das furchtbare Leiden der heutigen
Menschen. Daß Sie bei sich beginnen müssen mit der Umformung, das ist selbstverständlich und kaum erwähnbar; aber das
allgemeine Unheil kann nur durch die Beteiligung jedes Einzelnen, jedes Guten an den allgemeinen Versuchen notdürftig
gestillt werden. Und darum müssen Sie, Ihr Sonderziel und
Ihren Sonderweg im Herzen und vor den Augen des Geistes, in
das allgemeine, sehr gefährliche und sehr verwirrende Treiben
der politischen Sphäre eingreifen. Es komme nicht auf das Glück
der Menschheit weder, noch des Volkes an? Sehr wahr. Es kommt
aber darauf an, daß nur um leidenswürdige Dinge auf Erden gelitten wird. Gelitten werde um Werk und Liebe, um Erkenntnis
der Wahrheit und Gottes Gestalt, um den stets zu frühen Tod und
die unmögliche Wiederkehr des Ichs, um die Gebrechlichkeit
des Selbst und des allgemeinen Menschen, um die Weite der
Erde, die wir nicht sehen, und um die Unzugänglichkeit des Alls
im Kleinsten und Sternenweiten; gelitten werde um die Bewältigung der Affekte und die Reinheit der Seele, um alles, was tragisch
und mit Notwendigkeit der heiligen Menschensehnsucht ewige
Ziele und Schranken setzt – nicht gelitten aber werde um Krieg
und Krüppelschaft, Verderb von Kindern und Mangel an Arbeit,
um Hunger, Kälte, Wohnungsnot, Härte und Raub des Menschen am Menschen; nicht gelitten werde um der änderbaren Zustände unseres gesellschaftlichen Hierseins willen. Ihr letztes Ziel,
deutsche Jugend, ist der hohe Mensch, der königliche, priesterliche? Der ist der königliche Mensch, der am weitesten Verantwortlichkeit in sich spürt; der priesterliche er, der am tiefsten bereit ist zu Dienst und Hilfe.

Hüten Sie sich vor rechts.

14.

Denn: eine Jugend die zurückblickt, bevor sie noch ernstlich will, die nicht wagelustig und voll Stolz in das heranwogende Dunkle, Ungeformte und Zukünftige steigt, um es zu Form und heller Gegenwart zu zwingen – solche Jugend, nur Schauen ohne Tat, nur Sehnsucht ohne Angriff, hat ihrem letzten und reinsten Stigma ängstlich entsagt, Bürge des Kommenden und Bringer der Freiheit zu sein. Freiheit und Jugend aber – sind sie nicht das Armrecken des Volkes unter dem schicksalsgewaltigen Gewölbe des Himmels, kettensprengend und nach Werkzeugen für neuen Bau langend?

Ende

Anhang

Antisemitismus als Mittel.

[ohne Datum, vor 1933 (lt. Findbuch: um 1930); 8 Seiten T m. hs. Korr. v. fr. Hd., ein beiliegender Zettel enthält neben Altsignaturen den hs. Zusatz (AZ): »(Caliban-Ergänzg.)«; TG: AZA 942 (Korrekturschicht).]

[Textkorrektur: 337 ihm, dem Sohne > ihn, den Sohn; 339 auf der Erde : in > auf der Erde. In.]

1. Von jeher sind Affekte, und vor allem politische Affekte, als Mittel benutzt worden, um politische Ziele zu erreichen oder in ungeheurer Ausweitung einer Persönlichkeit zur Selbstdarstellung über grosse Länderstrecken zu verhelfen. Sie sind es, die den Drängen eines Alexander erst die ausserordentliche Stosskraft gegeben haben: wie der Differenzaffekt der Makedonen gegen die Hellenen seinem Vater Philipp zur Beherrschung ganz Griechenlands verholfen hatte, schuf ihn, den Sohn, der Differenzaffekt der vereinigten hellenisch-makedonischen Völker gegen die viel höher zivilisierten Perser zu jener Stossgewalt, der das kunstvolle und reife Reich der Achämeniden nicht gewachsen war, so Alexanders des Grossen Namen unter die Sterne entrückend. Seit den Tagen, da makedonische Rosse im Indus getränkt wurden und an der Grenze Zentral-Indiens Reiche einer hellenisch-indischen Mischkultur mit durch den Differenzaffekt und in Auflösung seiner geschaffen wurden, bis zum heutigen Tage und wahrscheinlich noch eine Anzahl von Jahrhunderten weiterhin steht Differenz- und Zentralitätsaffekt als Mittel bereit, um Kräfte anonymerer Art zu multiplizieren und zu potenzieren.

2. Der antisemitische Affekt nun ist durch die ganze uns kenntliche Zeit seines Vorhandenseins hin als Mittel stets gebraucht worden. Wir brauchen nicht zu sagen, dass die Kräfte, die sich seiner bedienten, ihn nicht geschaffen haben; aber ohne sie wäre es nicht zu jener zweckmässigen Kultur des Antisemitismus gekommen, die wir in diesem Buch beschrieben haben, und von der noch weiterhin die Rede sein wird. Dass Antisemitismus zur Ablenkung innerer Schwierigkeiten innerhalb aller Gemeinwesen gedient hat und noch dient, ist allzu bekannt als dass wir dabei lange verweilen müssten. Die Magistrate der freien Städte haben darin mit der polnischen

Schlachta, den rumänischen Machthabern, den deutschen Fürsten, den Kaisern und Päpsten gewetteifert; besonders wirtschaftliche Notlagen, aber auch soziale Spannungen wurden zur Auslösung gebracht, indem man die Affektmenge, die sich hinter ihnen gefahrdrohend staute, durch einen Ausbruch des Differenzaffekts gegen die Juden zur Abfuhr kommen liess. Das letzte Ergebnis der Vorkriegsgeschichte, das nach diesen Regeln entstand, wirkte und ablief, war die Pogrominszenierung nach dem verlorenen russischen Krieg gegen Japan und der durch den Spitzel–Popen Gapon verratenen und zerstörten ersten russischen Revolution, wo durch bewusste Einsetzung pogromistischer Banden unter Mithilfe der zarischen militaristischen Polizei und des Heeres alle dumpf schwelenden Leidenschaften gegen die herrschenden Klassen und Familien im Erschlagen, Ausrauben und Schänden von Juden und Jüdinnen unschädlich gemacht wurden. Dass solche Ventile nur für kurze Zeit und dem ärgsten Ueberdruck abhelfen, ändert nichts an der Tatsache, dass man sich ihrer bediente und weiterhin bedient. Denn der deutsche Nachkriegsantisemitismus, abgesehen von allem, was wir an ihm beobachtet haben, ist ein bewusst gebrauchtes Mittel zur Entlastung der deutschen Gruppenseele geworden, das sich zwischen 1919 und 1923 und darüber hinaus geeignet zeigte, augenblickliche Linderungen der politischen Hochspannung zu schaffen. Je geringer die Spannungen affekthafter Art innerhalb des deutschen Gemeinwesens werden, umso unnötiger zu ihrer Abfuhr wird der Antisemitismus, daher mit der Stabilisierung der Mark die gröbsten Formen des Antisemitismus, und um sie allein handelt es sich, wenn man ihn als Mittel gebrauchen will, von Jahr zu Jahr an Publizität und Macht verloren haben.

3. An dieser uns noch sehr übersichtlichen Situation nun kann man, was immer nur Zeitgenossen möglich ist, einen Blick auf die Kräfte tun, die sich des Antisemitismus und aller ähnlichen Differenzaffekte bedienen, um ihre Ziele dadurch sich zu sichern. Da wir Antisemitismus als einen nationalen Affekt von Menschenart zu Menschenart erkannt haben, wird es einigermassen paradox, festzustellen, dass diese Kräfte keineswegs nationaler Art sind. Es sind wirtschaftliche Machtorganisationen vielmehr, es sind die drei Modi des Kapitalismus, die sich als Puppenspieler und Drahtzieher des Antisemitismus enthüllen.

4. Am klarsten, ganz alt eingesessen, bedient sich seiner das Agrarkapital. Der Besitz an den Produktionsmitteln des Bodens, in der Form landwirtschaftlicher Betriebe, ist ja in seiner patriarchalischen

Form noch heute am besten geeignet, mit naturgegebenen menschlichen Tatsachen Verbindungen einzugehen. Der Stammeshäuptling, der Herr der Horde, der Kern jeder natürlichen Gruppe, ist zugleich auch Besitzer von so viel Grund und Boden als er nur an sich reissen kann, wenn die gemeinschaftsbildenden, auf allgemeine Verteilung gerichteten, (kommunistischen) Grundtriebe jeder Horde erst einmal durch das Prinzip der Herrschaft und des individuellen Besitzers durchlöchert worden ist. Der Grundbesitzer lebt noch heute in einer naiven Häuptlingshaltung, dem Zentralitätswahn ergeben und aus der Tatsache, dass die Menschen die Früchte des Bodens essen müssen, die Ueberlegenheit seiner – oder vielmehr seiner Angestellten – Tätigkeit auskostend. Ihm gegenüber sieht er mehrere gegen ihn arbeitende Kraftgruppen auftauchen. Solange er als herrschende Klasse das Ruder des Staates in Händen hat, in uralter Fortsetzung der Lehnstraditionen ein Monopol auf die Führerstellen des Heeres beansprucht und ausübt, hat sein Gruppenaffekt einen durchaus machtgesättigten, also unaggressiven Charakter. Im Augenblick, wo er aus dieser Machtstellung verdrängt ist, bekommt gerade er durch die primitive Rücksichtlosigkeit im Blutvergiessen eine besondere Gefährlichkeit.

Dadurch unterscheidet sich die Art wie das Agrarkapital vor dem Kriege den Differenzaffekt handhabt von seiner Nachkriegstätigkeit. In beiden Epochen sah das Agrarkapital seine Machtausübung durch drei Faktoren gehemmt: erstens durch das Hypothekenkapital, das im Augenblicke wirtschaftlicher Krisen die Position des Agrarkapitals unterhöhlen konnte und unterhöhlte, zweitens den Händler, der sich mit der Kultur schaffenden Tätigkeit befasst, die Produkte des Bodens dorthin zu bringen, wo sie verzehrt werden konnten: in die grossen Städte, die Gebiete der Industrien, überallhin auf der Erde. In der naiven Geldgier seiner Häuptlinghaftigkeit hätte der produzierende Bodenbesitzer das, was er Zwischengewinn nannte, am liebsten selbst eingesteckt, obwohl er von sich aus viel zu hochmütig war, um seine Erzeugnisse zu Markt bringen zu können; und so häufte sich ein Groll gegen jene andere Gruppe der Vermittler unweigerlich in seiner Seele auf, und drittens durch jenen menschlichen Typus, den es im Gemetzel der Bauernkriege gründlich ausgerottet zu haben glaubte, der durch die französische Revolution, die in erster Linie eine Agrarrevolution war, und der nun zaghaft und immer dreister in sein Gesichtsfeld trat durch die Landarbeiterbewegung. Je weiter das alte Verbundenheitsgefühl des Herrn mit seinen Knechten von der Geldgier und dem Herrschaftsaffekt zerstört wurde, umso tiefer sank die Lebenshaltung der Landarbeiterschaft auf das Niveau des absolutesten Existenzminimums zurück. Nahrung, Wohnung, Arbeitszeit, Schulung, Schonzeit für Schwangere und Kinder, Alterssicherung, all die primitiven Kampfziele der modernen Arbeiterbewegung machten auf dem Lande nur ausserordentlich langsam Fortschritte, weil der landbebauende Mensch den modernen Gedankengängen und ihren Formen durch Mangel an geistiger Geschmeidigkeit lange Zeit fassungslos gegenüberstand. Die Agitatoren des Proletariats, die aus dem patriarchalisch-hörigen Landarbeiter einen klassenbewussten Proletarier zu schaffen unternahmen, waren jener dritte Feind des Grundherrn; sie waren sein schlimmster. Gelang es, die uralten Traditionen des Gemeinbesitzes an Wald, Wasser und Weide in den Nachkommen der deutschen Bauern des sechzehnten Jahrhunderts wieder auszugraben, so war der gesamte Bau einer Herrschaft gefährdet, die sich nach römischem Rechte auf germanischer und slawischer Erde eingerichtet und der mitteleuropäischen Staaten sich hatte bemächtigen können, ohne von Skrupeln, Gewissen und religiösen Verbundenheitserlebnissen gehemmt zu werden.

5. Alle diese drei Gewalten traten dem Agrarkapital im neunzehnten Jahrhundert in der Gestalt des Juden gegenüber. Der Jude repräsentierte das Finanzkapital, er den Handel mit Naturerzeugnissen und die Produktenbörse, er schliesslich den sozialistischen Agitator. Solange im Bewusstsein seiner Untertanen und der Oeffentlichkeit des Staates das Führertum des Agrarkapitals in seiner politischen und militärischen Funktion durch die grössten Niederlagen der Kriegsgeschichte noch nicht Schiffbruch gelitten hatten, tasteten sie alle drei, zwar manchmal hart, an empfindliche Zentren, niemals aber an die Lebensader dieses mächtigen Gebildes. Erst wenn in einem Volke durch die Hammerschläge siegreicher Feinde (in Russland, in Deutschland, in Oesterreich, in der Türkei) bekannt wird, dass Führerqualitäten des Agrarkapitals den modernen Massenmechanismen nicht mehr gewachsen sind, bekommt es diese in Mitteleuropa niemals ernst gefährdete Kaste mit der Angst, die sich gemäss seiner Natur in Wut umsetzt. Dabei stellt sich heraus, dass sein gesellschaftlicher Glanz, sein Ansehen im Staate, weder vom Finanzkapital noch von der Kaufmannsgruppe ernstlich bestritten wird – die sich vielmehr begeistert mit ihm verbünden und seine Lebensform – reiten, jagen, essen und

trinken, Wertordnung, sogar den Körpertypus und die Kleidung – als Vorbild aufnehmen und nachahmen. Die wirkliche Gefahr droht von unten. Von der Masse der bislang blind Folgenden, die ihre Ergebenheitsgefühle treu von unten nach oben blickend an ihre Herren angeschlossen haben, nun aber, weil ihre Herren plötzlich als schlechte Führer entlarvt werden, in ihrer Anhänglichkeit stutzig und irre werden. Dies ist der Augenblick im Jahre 1918 zwischen November und Januar 1919, wo ausnahmslos in allen Formen, als Offizier, als Gutsbesitzer und als Staatsbeamter der Vertreter der Herrenkaste abgedankt hat, nahezu erleichtert, von einer Verantwortung entbunden zu sein, der er, wie er selbst zugibt, schlecht genügt hat. (Die Zeitungen jener Kaste sind in jenen Monaten voll von Dokumenten dieser psychologischen Situation.)

Vorrede zur 2. Aufl[age, 1929]

[8. 5 . 1929; 2 Seiten H AZ auf dem Schmutztitel eines stark bearbeiteten Exemplars der Erstausgabe; Vorwort zu einer für 1930 geplanten 2. überar- beiteten Auflage des »Caliban« im Gustav Kiepenheuer Verlag Berlin; TG: AZA 931 (Korrekturschicht).]

D[er] Anspruch dieses Buches an sich selbst u[nd] an den guten Leser ist nicht damit erfüllt, dass dieser von nun an über Antis[e]m[itismus] sachgemäßer denkt. Wenn er nicht auch aufhört, über andere vom Affekt verzerrte Verhältnisse von Gruppen zu einander einsichtiger dreinzuschauen, ist noch nichts getan. So also, daß sich dieses Buch auf Juden und Nichtjuden bezieht, aber damit auch auf Preußen und Polen, Deutsche und Franzosen, Japaner und Koreaner (und umge- kehrt gelesen, meine Herren Polen, Franzosen, Koreaner), auf Män- ner und Frauen, auf Frauenlieber und Männerlieber, auf Freie und Eingesperrte, auf Zivil und Uniform – und so weiter. Wer seinen Blick an dem für die Leidenschaftsgefälle im Zusammenleben der Men- schen geschärft hat, entdeckt plötzlich, daß und wie sehr Gruppen- haftes den Alltag des modernen Betriebs ausmacht, und bekommt immer wieder zu lachen, wenn Würdenträger der Persönlichkeit Gruppentriebe verlautbaren, indes sie aus eignem Geiste zu reden meinen (z. B. G. Hauptmann über die Kriegsentstehung oder Carl Severing über die Wiedergutmachung der Kriegszerstörungen) … Zum Schluß spa[r]t man durch dieses Buch Zeit – man hört einfach Dutzende von Malen nicht mehr hin, weil immer wieder der Trieb losplärrt, während die Einsicht eines Führers zu reden behauptet.

So ist dies Buch für seinen Verfasser ein gut bewiesenes Buch ge- worden; und für die 3000 Käufer der ersten Auflage wohl auch. Im Sommer 1927 hastig fertig gemacht – hastig, aus Gründen der Lebens- notdurft und rechtlichen Zwanges – war eigentlich bereits ein Jahr später der Verlag genötigt, die Neuauflage anzuregen. Aber inzwischen hatte sich ein großer Produktionsstrom in Gang gesetzt, und dieses Buch hier mußte warten.

Jetzt, in Muße und Ruhe, komme ich endlich dazu, diesem Buche Caliban sein Recht zu tun. Es war schlecht geschrieben – erstens, weil ich damals nicht im Stande war, diesen schwierigen Gedankenstoff besser zu schreiben, aus allerlei körperlich-seelischen Gründen; zweitens, weil mein Anwalt im Kampfe mit einem, inzwischen verschwundenen Verlag das fertige Manuscript brauchte. Drittens aber, weil das Vortragen geistiger Zusammenhänge dank unserer Erziehung in Schule, Hochschule und öffentlichem Leben uns auf falsche Weise leicht gemacht wird – nämlich durch Fremdworte.

Fremdworte dienen besonders gut zur kurzen, münzartigen Verständigung. Wer in Fachkreisen redet, kann sie einfach nicht entbehren. Als Dichter bedarf man ihrer sehr selten – sie tragen nämlich fast nie Anschaulichkeit. Als Verfasser dieses Buches also hatte ich eine mittlere Linie zu halten, die in der ersten Auflage zu Gunsten des Fachlichen, nicht auch des Sachlichen, stark abgedrängt worden ist. Ebenso mußten die langen Sätze des lehrhaften Redners von den kurzen des auf Klarheit drängenden Schriftstellers beseitigt werden.

Das ist eigentlich alles. Das Buch selbst blieb, dem Gehalt und selbst dem Tonfall nach, völlig das alte; aber es ist jetzt wohl erst – ein Buch.

In V[or]reden wie diesen pflegt der Verfasser sonst wohl von den zustimmenden oder mißverstehenden Beurteilungen seines Werkes zu berichten. Dieses hier hat viele einsichtige und selbst leidenschaftlich beglückte und beglückende Lobredner gefunden. Leop[old] v[on] Wiese hat die beiden Grundbegriffe in seine Allg[emeine] Soziol[ogie] einbauen können; vielen einzelnen Menschen hat das Buch geholfen, leichter zu leben. Eine besonders leidenschaftliche Ablehnung dieses Buches wird man im Anzeigenteil des Umschlags abgedruckt finden: nicht, weil ich den ausgezeichneten und ehrlichen Mann, der sie in einer guten Zeitung drucken ließ, damit kränken möchte: sondern weil durch nichts so sehr wie durch sie die Notwendigkeit solcher Bücher bewiesen wird. Und in einem sizilischen Meerdorfe sitzend, wo alle Leute aussehn als seien sie Juden, hat ein solches Urteil selbst des Verfassers sein gutes Gewicht.

bei Palermo, 8. Mai 1929   A. Z.

344

Notwendiges Vorwort zur zweiten Auflage
[1. Fassung, 1960]

[August 1960; 5 Seiten T m. hs. Korr. v. fr. Hd. (IL); 1. Fassung des Vorworts für eine 1960/61 als fotomechanischer Nachdruck im Verlag Joseph Melzer, Köln geplante Neuausgabe; TG: AZA 937 (Korrekturschicht).]

I.

Vor etwa sieben Jahren rührte sich in dem Verfasser die Frage, ob es nicht möglich und notwendig sei, das Buch »Caliban oder Politik und Leidenschaft« neuaufzulegen. Obwohl sich die Welt um und um verändert hatte, tauchten in Teilen des gespaltenen Deutschland wieder Kennzeichen davon auf, daß gewisse herrschende Kreise des Kriegsgeschäftes eine neue antisemitische Welle zur Vorbereitung dessen brauchten, was sie so fröhlich den Ritt nach dem Osten nannten. Genau wie nach dem ersten Weltkrieg konnte es auch diesmal sinnvoll erscheinen, die massenpsychologische Gegebenheit Antisemitismus nüchtern und kühl anzuleuchten, zu untersuchen. Aber nach dem Durchblättern der ersten Seiten dieses 1926 so anständig vom Verlag Kiepenheuer gedruckten Buches »Caliban«, sanken uns Mut und Hände. Schwer atmend erkannten wir, die Welt in der Mitte des 20. Jahrhunderts unterscheide sich von derjenigen seines ersten Jahrzehnts wie Tag und Nacht, in der jene frühen Erkenntnisse gesammelt worden waren. Obwohl schon lange vor 1900 die gesellschaftlichen und Klassenkämpfe ganz Europa aufwühlten, vollzogen sich doch alle öffentlichen Auseinandersetzungen mit so gesittetem Anschein, daß wir Studenten von dem ungeheuerlichen Charakter der Gruppenaffekte unberührt lebten, die ja schon Jahrhunderte hindurch zwischen Menschen verschiedener Hautfarbe den Grundton angegeben hatten – das Timbre jenes Kolonialismus, den ein so warmherziger Beobachter wie Rudyard Kipling »die Bürde des weißen Mannes« taufte. Selbst als dann der erste Weltkrieg, seine Vorspiele auf dem Balkan eingerechnet, die blutdurchtränkte Unterwelt aufdeckte, in der die Auseinandersetzungen sich enthüllten, die öffentlich Kampf um Rohstoffe und Absatzgebiete hießen, blieb für uns heimkehrende Weltkriegssoldaten die Beseitigung mehrerer Kaiserreiche und die Verwandlung ihrer Territorien in demokratische Republiken beruhigend genug, um ausführlich für eine gute Zeitschrift wissenschaftliches Material über Antisemitismus als Gruppenaffekt niederzuschreiben. Was wußte ein deutscher Schriftsteller und utopischer Sozialist aus seinen Zeitungen und Zeitschriften von den Vorgängen, die die Oktoberrevolution 1917 entfesselt hatte! Man war beschäftigt mit der Niederschrift eines Dramas, welches die Verdrängung des Ereignisses Krieg durchbrechen sollte und schließlich auch durchbrochen hat. Aber die Aufsätze über Antisemitismus, noch dazu vermischt mit ahnungslosen Vorstellungen vom Lande Palästina und der arabischen Bevölkerung daselbst, blieben in der Monatsschrift »Der Jude« für akademische Kreise und zionistische Leser niedergelegt, und als sich der Verfasser ihnen wieder zuwandte, um sie in ein Buch zu verwandeln, hatte er zwar als Schriftsteller sein Handgelenk wieder gewonnen, aber nicht sehr viel mehr.

Zwar kam es ihm um 1930, als die erste Auflage des Buches unter den Leuten einige Erörterungen hervorrief, notwendig vor, die reichlich komplizierte Darstellungsart seines Textes so zu vereinfachen, daß er auch gelesen werden konnte von Männern und Frauen, die einen langen Arbeitstag hinter sich hatten. Aber auch dieser Versuch blieb Versuch, und das ganze Problem Caliban versank hinter der Aufgabe, den Großen Krieg der Weißen Männer in einen epischen Zyklus zu verwandeln. Rätselhafte Umstände brachten es mit sich, daß Zeugnisse dieser vergeblichen Umarbeitung sich unter den geretteten Materialien befinden, die 1933 dem Zugriff der Gestapo entgingen.

II.

Und dann brach das Dritte oder Tausendjährige Reich aus und hielt sich zwölf Jahre. Die gleichen Typen und Gruppen von Machthabern, welche seit der Plünderung Mittelamerikas durch Spanier und Portugiesen Völker mit andersfarbiger Haut und eigenen hohen Kulturen niedergetrampelt, ausgeraubt und ausgerottet hatten und die als Holländer, Franzosen und Briten überall Kolonien der Ausbeutung gründeten – diese selben Großgrundbesitzer und Industriellen hißten einen gewissen Adolf Hitler und seine Mitverschworenen in die Macht über das deutsche Volk. Millionen deutscher Mitläufer boten sich als willige Werkzeuge dar, diesmal nicht andersfarbige Menschenmassen auszurotten und bis auf das Gold in ihren Zähnen auszubeuten, sondern sogenannte Andersrassige, nämlich Juden. Daß dabei auch die geistig führenden Schichten nichtjüdischer Bewohner osteuropäischer Staaten ebenso hingeschlachtet wurden, gehört in die öffentlich verkündete, ohne alle Scham zugegebene Ideologie dieses Dritten Reiches, seiner von Friedrich Nietzsche abstammenden »blonden Bestie«. Statt aller anderen ausführlicheren Sammlungen von Dokumenten sei hier nur verwiesen auf Robert Neumanns überaus verdienstvolle Schrift »Ausflüchte des Gewissens« im Verlag für Fortschritt und Zeitgeschehen, Hannover. Alles was wir Zeitgenossen von 1960 an unseren Angehörigen erfuhren, findet sich auf diesen sechzig Seiten festgehalten wie im Reagenzglas eines Chemikers das Serum gegen eine Massenepidemie. Hier studiere man das konzentrierte Gift, dem einige von uns entgangen sind, indes ihm sechs Millionen Juden erlagen. Viermal so viel Opfer schreibe man auf das Konto des vorläufig noch immer nicht ausradierten gesellschaftlichen Mittels Krieg – nach dem klugen General von Clausewitz »die Fortsetzung der Politik mit anderen Mitteln«. Mit anderen Mitteln! Diese haben wir erlebt, diese beschreiben wir anderswo.

III.

Daß wir dennoch dieses Buch »Caliban« neuauflegen, unverändert, vielleicht durch ein Nachwort kommentiert, rechtfertigt sich möglicherweise durch die historische Rolle, die es spielen kann. Es zeigt die harmlose Oberfläche eines friedlichen Gewässers, in dessen Tiefen keine Taucherglocke bisher hinabstieg, all die Lebewesen anleuchtend oder mitbringend, von denen Friedrich Schillers Ballade singt. In diese Tiefen mußte unsere Epoche hinuntersteigen, ohne die Augen wegzuwenden. Was sich Jahrhunderte hindurch an den andersfarbigen Mitmenschen austoben durfte, nennt dieses Buch »Caliban« Vulgärantisemitismus, wenn es sich gegen die als Juden gekennzeichneten Europäer wendet und verrät nicht die mindeste Ahnung davon, daß die schwarze Pest daneben eine verhältnismäßig harmlose Krankheit war. Und doch findet sich fast kein großer Dichter in unseren Literaturen, der nicht Krieg, Pest und Barbarei, Piraterie und Kolonialhandel in seinen Versen aneinandergereiht hätte.

So möge man in diesem Buche »Caliban« trotz der scharfsinnigen Fehlanalysen seines Verfassers die Infusorien und Keime studieren, die unter dem Mikroskop unserer Erfahrungen sich seit dem Ende des zweiten Weltkrieges enthüllten. Was alles daran falsch ist, wird sich dem Leser von 1960 im Verlauf seiner Lektüre selber erhellen. Daß die Verwandlung unserer Gesellschaft in eine mehr oder weniger sozialistische Welt auch zur Reinigung unserer Gruppenaffekte beitragen wird, wagen wir nicht nur zu hoffen – wir arbeiten daran. So kann die Tragödie, welche sich hinter dem Antisemitismus und der Kriegsfreude unserer bürgerlichen Gesellschaft verbirgt, zur Katharsis hepatematon des Aristoteles führen, noch in diesem unserem zwanzigsten Jahrhundert. Dann werden seine Ströme von Blut und Tränen nicht vergeblich ins Meer der Vergangenheit hinabgeströmt sein, und unsere Kinder und Enkel werden uns betrachten, uns Davongekommene, wie jenen Reiter über den Bodensee, der nicht wußte, daß zwischen ihm und dem Abgrund nur das gefrorene Eis eines strengen Winters lag.

Und so wird dies geschrieben auf dem festen Boden jenes gesicherten und gereinigten Teiles der deutschen Erde, der DDR heißt, Deutsche Demokratische Republik. Diesen ständig zu verbessern, forderte der befreundete Dichter Bertolt Brecht in seiner Kinderhymne, dessen wundervoller Aufstieg begann, als die Caliban-Aufsätze erstmals niedergeschrieben wurden. Nicht ohne Rührung denkt man an jenen Teil der eigenen Mannesjahre zurück, da der Plättkeller eines oberbayrischen Landhäuschens dem Verfasser als Arbeitsstätte dienen mußte, in den Jahren der ersten Wohnungslosigkeit, zu Starnberg am Würmsee, 1921.

Aug[ust] 1960

348

Notwendiges Vorwort zur zweiten Auflage
[2. Fassung, 1960]

[20. 9. 1960; 6 Seiten T m. hs. Korr. v. fr. Hd. (IL); 2. Fassung des Vorworts für eine 1960/61 als fotomechanischer Nachdruck im Verlag Joseph Melzer, Köln geplante Neuausgabe; TG: AZA 936 (Korrekturschicht).]

I.

Steuert ein Schriftsteller, der sich nicht einmal seiner Augen zur Arbeit bedienen kann, allmählich auf seinen fünfundsiebzigsten Geburtstag los, so kann sich niemand verwundern darüber, daß er eine Fülle geistigen Gehalts aus seinen Jugendjahren hinter sich gelassen hat, abgeworfen, keines Blickes mehr gewürdigt, gleich dem Laub der schattenden Gartenbäume vom vorigen Jahr. Wer in den ersten Weltkrieg als kulturkonservativer Anhänger Thomas Manns, Max Schelers oder Edmund Husserls zog, entschlossen, Deutschland zu verteidigen, das nach dem Reichskanzler von Bethmann-Hollweg »nicht von Eroberungslust getrieben« wurde, läßt es sich lächelnd gefallen, daß sein inzwischen um fünf Dezennien gereiftes Ich den Kopf schüttelt über den jungen Enthusiasten. Welchen Heerwurm von Irrtümern und scharfsinnigen Fehlanalysen hatte er zu überwinden, dieser junge Germanist und Schriftsteller von 1920, um der zu werden, der sich heute öffentlich von ihnen lossagt. Aber war er der einzige, der eine solche Metamorphose durchzumachen hatte? Zeigt nicht die Geistesgeschichte der letzten Jahrhunderte überall schöpferische Potenzen, die sich später mit dem nur in Teilchen identifizieren konnten, was sie als Jünglinge dachten, veröffentlichten und lebten? Nur wenigen unserer Zeitgenossen war das gradlinige Wachstum vergönnt, das etwa Sigmund Freud und Bernard Shaw vom ersten Auftreten bis zu ihrem Tode zu jenen maßgebenden Gestalten steigerte, die den Weg unserer Epoche in die Zukunft vorzeichneten. Wir anderen haben keine Wahl: wir müssen unsere Irrtümer mit zu dem Gepäck rechnen, das in einer sich verwandelnden Zeit auch ungekrümmten Rücken aufgebürdet wird. Jedermann hat das Recht auf seine Irrtümer, wie der große Lenin gelegentlich bemerkte.

II.

Vor etwa sieben Jahren rührte sich in dem Verfasser die Frage, ob es nicht notwendig sei, das Buch »Caliban oder Politik und Leidenschaft« neuaufzulegen. Obwohl sich die Welt um und um verändert hatte, tauchten in Teilen des gespaltenen Deutschland wieder Kennzeichen davon auf, daß gewisse herrschende Kreise des Kriegsgeschäfts eine neue antisemitische Welle zur Vorbereitung dessen brauchten, was sie so fröhlich Ritt nach dem Osten oder Neuordnung Europas nannten. Genau wie nach dem ersten Weltkrieg konnte es auch diesmal sinnvoll erscheinen, die massenpsychologische Gegebenheit Antisemitismus nüchtern und kühl anzuleuchten, zu untersuchen. Aber nach dem Durchblättern der ersten Seiten dieses 1926 so anständig vom Verlag Kiepenheuer gedruckten Buches sanken uns Mut und Hände. Schwer atmend erkannten wir, die Welt in der Mitte des 20. Jahrhunderts unterscheide sich von derjenigen seines ersten Jahrzehnts wie Tag und Nacht, in der jene frühen Meinungen erarbeitet wurden. Obwohl schon lange vor 1900 die gesellschaftlichen und Klassenkämpfe ganz Europa aufwühlten, vollzogen sich doch alle öffentlichen Auseinandersetzungen mit so gesittetem Anschein, daß wir Studenten von dem ungeheuerlichen Charakter der Gruppenaffekte unberührt lebten, die ja schon Jahrhunderte hindurch zwischen Menschen verschiedener Hautfarbe den Grundton angegeben hatten – das Timbre jenes Kolonialismus, den ein so warmherziger Beobachter wie Rudyard Kipling »die Bürde des weißen Mannes« taufte. Selbst als dann die Jahre 1914–18, ihre Vorspiele auf dem Balkan eingerechnet, die blutdurchtränkte Unterwelt aufdeckten, in der die Auseinandersetzungen sich enthüllten, die Kampf um Rohstoffe und Absatzgebiete hießen, blieb für uns heimkehrende Weltkriegssoldaten die Beseitigung mehrerer Kaiserreiche und die Verwandlung ihrer Territorien in demokratische Republiken beruhigend genug, um ausführlich für eine gute Zeitschrift wissenschaftliches Material über »Antisemitismus als Gruppenaffekt« niederzuschreiben. Was wußte ein deutscher Schriftsteller und utopischer Sozialist aus seinen Zeitungen und Zeitschriften von den Vorgängen, die die Oktoberrevolution 1917 entfesselt hatten! Man war beschäftigt mit der Niederschrift eines Dramas, welches die Verdrängung des Ereignisses Krieg durchbrechen sollte und schließlich als Roman »Der Streit um den Sergeanten Grischa« auch durchbrochen hat. Aber die Aufsätze über Antisemitismus, noch dazu durchtränkt von erfahrungslosen Vorstellungen über Zionismus, das Land Palästina und seine arabischen Bevölkerungsschichten, blieben in der Monatsschrift »Der Jude« für akademische Kreise und zionistische Leser niedergelegt. Als sich der Verfasser ihnen wieder zuwandte, um sie in ein Buch zu verwandeln, hatte er zwar als Schriftsteller sein Handgelenk wiedergewonnen, aber nicht sehr viel mehr. Zwar kam es ihm um 1930, da die erste Auflage des Buches unter den Lesern einige Erörterungen hervorrief, notwendig vor, d[as] reichlich komplizierte Gefüge seines Textes so zu vereinfachen, daß er auch gelesen werden konnte von Männern und Frauen, die einen langen Arbeitstag hinter sich hatten. Aber auch dieser Versuch blieb Versuch, und das ganze Problem Caliban versank hinter der Aufgabe, den Großen Krieg der Weißen Männer in einem epischen Zyklus zu durchleuchten.

III.

Und dann brach das Dritte oder Tausendjährige Reich aus und hielt sich zwölf Jahre. Die gleichen Typen und Gruppen von Machthabern, welche einst als spanische und portug[iesische] Plünderer Mittel- und Südamerikas Völker mit andersfarbiger Haut und eigenen hohen Kulturen niedergetrampelt, ausgeraubt und ausgerottet hatten und die später als Holländer, Franzosen und Briten überall Kolonien der Ausbeutung gründeten – diese selben Großgrundbesitzer und Industriellen hißten vorgestern einen gewissen Adolf Hitler und seine mitverschworenen Reichstagsbrandstifter in die Macht über das deutsche Volk. Millionen deutscher Mitläufer boten sich als willige Werkzeuge dar, diesmal nicht andersfarbige Menschenmassen auszurotten und bis auf das Gold in ihren Zähnen auszubeuten, sondern sogenannte Andersrassige, nämlich Juden. Daß dabei auch die geistig führenden Schichten nichtjüdischer Bewohner osteuropäischer Staaten ebenso hingeschlachtet wurden, gehört in die öffentlich verkündete, ohne alle Scham zugegebene Ideologie dieses Dritten Reiches, seiner von dem Grafen Artur Gobineau und dem Pastorensohn Friedrich Nietzsche abstammenden »blonden Bestie«. Statt umfangreicherer Sammlungen von Dokumenten sei hier nur verwiesen auf Robert Neumanns verdienstvolle Schrift »Ausflüchte des Gewissens«, – alles was wir Zeitgenossen an unseren Angehörigen erfuhren, findet sich auf diesen sechzig Seiten festgehalten wie im Reagenzglas des Chemikers das Serum gegen eine Massenepidemie. Hier studiere man das konzentrierte Gift, dem einige von uns entgangen sind, indes ihm sechs Millionen Juden erlagen. Im ganzen fünfzig Millionen Opfer schreibe man auf das Konto des vorläufig noch immer nicht ausradierten gesellschaftlichen Mittels Krieg in seiner schauerlichen Erscheinungsform zu unseren Zeiten. – Nach dem klugen General von Clausewitz vor 150 Jahren hieß das »die Fortsetzung der Politik mit anderen Mitteln«. Mit anderen Mitteln! Diese haben wir erlebt, diese beschreiben wir anderswo.

IV.

Daß wir dennoch dieses Buch »Caliban« neuauflegen, unverändert, nur durch ein Vorwort kommentiert, rechtfertigt sich möglicherweise durch die historische Rolle, die es spielen kann. Es zeigt die harmlose Oberfläche eines friedlichen Gewässers, in dessen Tiefen keine Taucherglocke bisher hinabstieg, all die Lebewesen anleuchtend oder mitbringend, von denen Friedrich Schillers Ballade singt. In diese Tiefen mußte unsere Epoche hinuntersteigen, ohne die Augen wegzuwenden. Was sich Jahrhunderte hindurch an den andersfarbigen Mitmenschen austoben durfte, nennt unser Buch »Caliban« Vulgärantisemitismus, wenn es sich gegen die als Juden gekennzeichneten Europäer wendet und verrät nicht die mindeste Ahnung davon, daß die schwarze Pest daneben eine verhältnismäßig harmlose Krankheit war. Und doch findet sich fast kein großer Dichter in unseren Literaturen, der nicht Krieg, Pest und Barbarei, Piraterie und Kolonialhandel in seinen Versen aneinandergereiht hätte.

So möge man in diesem Buche »Caliban« trotz aller seiner Mängel die Infusorien und Keime studieren, die unter dem Mikroskop unserer Erfahrungen sich seit dem Ende des zweiten Weltkrieges enthüllten. Was an unseren Thesen falsch ist, wird sich dem Leser von 1960 im Verlauf seiner Lektüre selber erhellen. Daß die Verwandlung unserer Gesellschaft in eine sozialistische Welt auch zur Reinigung aller Gruppenaffekte beitragen wird, wagen wir nicht nur zu hoffen – wir arbeiten daran. So kann die Tragödie, welche sich hinter Antisemitismus und Kriegsfreude unserer bürgerlichen Gesellschaft verbirgt, zur Katharsis hepatematon des Aristoteles führen, noch in diesem zwanzigsten Jahrhundert. Dann werden seine Ströme von Blut

und Tränen nicht vergeblich ins Meer der Vergangenheit hinabge-
flossen sein, und Kinder und Enkel werden uns Davongekommene
betrachten, wie jenen Reiter über den Bodensee, der nicht wußte,
daß zwischen ihm und dem Abgrund nur das gefrorene Wasser eines
strengen Winters lag.

Nicht ohne Rührung denkt man an jenen Teil der eigenen Mannesjahre zurück, da der Plättkeller eines oberbayrischen Landhäuschens
dem Verfasser als Arbeitszimmer dienen mußte, in den Jahren der ersten Wohnungslosigkeit, zu Starnberg am Würmsee, 1921.

Berlin-Niederschönhausen, am 20. Sept[ember] 1960

[Vorwort. 5. Fassung, 1965]

[15. 11. 1965; 2 Seiten T m. hs. Korr. v. fr. Hd. (IL); hs. Zusatz (IL): »5. Fassung«, Notiz am Schluß (Korrekturschicht): »ins endgültige Vorwort aufgegangen«; Vorwort für eine beabsichtigte Taschenbuchausgabe in der Bundesrepublik; TG: AZA 933 (Grundschicht).]

Vorwort

habent sua fata libelli
(aus einem spätrömischen Gedicht)

Der Leser wird mir glauben, daß dieses Buch 1927 im Verlag Kiepenheuer Potsdam vortrefflich gedruckt erschienen ist. Damals kam es mir darauf an, die Ansprüche zu verringern, die Thema und Behandlung dem Aufnehmen der Gedankengänge erschwerten. Eine Umarbeitung begann und wurde nach einigen Wochen eingestellt, da ich damals schon mit eigener Hand außerstande gewesen wäre, die Korrekturen anzubringen, die mir meine damalige fremdwortfeindliche literarische Kurve eingab. So blieb denn das Material dieses Buches in elf Heften der Buberschen Zeitschrift »Der Jude« niedergelegt und konnte, wie man mir berichtete, von einem Jüngling als Material für seine Doktordissertation gestohlen werden. Als ich im Jahre 27 zwei angesehenen Prager Schriftstellern die Absicht kundtat, das Schiedsgericht des Verbandes Deutscher Schriftsteller in Berlin mit diesem Diebstahl zu befassen, beschworen sie mich, davon abzusehen: sie waren überzeugte Zionisten, Nationaljuden also wie der Dissertationsverfasser und warnten mich davor, dem damals stark anschwellenden deutschen Antisemitismus durch diesen Schiedsgerichtsspruch literarisches Material zu liefern.

So ist also die heute vorliegende Fassung dieses »Caliban« bis auf ganz geringe Kürzungen der gleiche Text, den die Kiepenheuersche Ausgabe von 1927 vorlegte. Daß der Verfasser in den vierzig Jahren, die inzwischen verflossen sind, aufs erheblichste gereift ist, hat auf den Text dieser Abhandlung über den Gruppenaffekt keinerlei Einfluß gehabt – aus den Bibliotheken unserer akademischen Institute ließe sich zu Zwecken des Vergleichs leicht jederzeit ein Exemplar der Kiepenheuerschen Ausgabe heranziehen. Nur in Sachen der Diktatur geistiger Gesinnungen, der ich damals scharf widersprach, müßte ich heute den Text verändern; da es sich nur um Zeilen handelt, hielt ich es für richtig davon abzusehen.

So gehe nun das Buch »Caliban oder Politik und Leidenschaft« aufs neue zu deutschen Lesern. Ich, heute bald achtzigjährig, kann dem jungen Schriftsteller von damals nur beifällig zunicken: brav gemacht, junger Mann. Und so läßt sich dem literarischen Nachwuchs von heute nur raten, die Niederschrift wichtiger Gedankengänge nicht Jahrzehnte lang in einer Zeitschrift liegen zu lassen, sondern sie alsbald in Buchform denjenigen vorzulegen, die zu ihrer Prüfung berufen sind.

15. 11. [19]65

Notwendiges Vorwort zur zweiten Auflage
[6. Fassung, 1965]

[Anfang Dezember 1965; 5 Seiten t m. hs. Korr. v. fr. Hd. (IL); letzte Über-arbeitung des Vorworts zum »Caliban« für eine beabsichtigte Taschenbuchaus-gabe in der Bundesrepublik; TG: AZA 932.]

I.

Vor etwa einem Jahrzehnt rührte sich in dem Verfasser die Frage, ob es nicht möglich und notwendig sei, das Buch »Caliban oder Politik und Leidenschaft« neuaufzulegen. Obwohl sich die Welt um und um verändert hatte, tauchten in Teilen des gespaltenen Deutschland wieder Kennzeichen davon auf, daß gewisse herrschende Kreise des Kriegsgeschäfts eine neue antisemitische Welle zur Vorbereitung dessen brauchten, was sie so fröhlich den Ritt nach dem Osten nann-ten. Genau wie nach dem ersten Weltkrieg konnte es auch diesmal sinnvoll erscheinen, die massenpsychologische Gegebenheit Antise-mitismus nüchtern und kühl anzuleuchten, zu untersuchen. Aber nach dem Durchblättern der ersten Seiten dieses 1926 so anständig vom Verlag Kiepenheuer gedruckten Buches »Caliban« sanken uns Mut und Hände. Schwer- atmend erkannten wir, die Welt in der Mitte des 20. Jahrhunderts unterscheide sich von derjenigen seines ersten Jahrzehnts wie Tag und Nacht, in jene frühen Erkennt-nisse gesammelt worden waren. Obwohl schon lange vor 1900 die gesellschaftlichen und Klassenkämpfe ganz Europa aufwühlten, voll-zogen sich doch alle öffentlichen Auseinandersetzungen mit so ge-sittetem Anschein, daß wir Studenten von dem ungeheuerlichen Charakter der Gruppenaffekte unberührt lebten, die ja schon Jahr-hunderte hindurch zwischen Menschen verschiedener Hautfarbe den Grundton angegeben hatten – das Timbre jenes Kolonialismus, den ein so warmherziger Beobachter wie Rudyard Kipling »die Bürde des weißen Mannes« taufte. Selbst als dann der erste Welt-krieg, seine Vorspiele auf dem Balkan eingerechnet, die blutdurch-tränkte Unterwelt aufdeckte, in der die Auseinandersetzungen sich enthüllten, die öffentlich Kampf um Rohstoffe und Absatzgebiete

hießen, blieb für uns heimkehrende Weltkriegssoldaten die Beseitigung mehrerer Kaiserreiche und die Verwandlung ihrer Territorien
in demokratische Republiken beruhigend genug, um ausführlich für
eine gute Zeitschrift wissenschaftliches Material über Antisemitismus als Gruppenaffekt niederzuschreiben. Was wußte ein deutscher
Schriftsteller und utopischer Sozialist aus seinen Zeitungen und
Zeitschriften von den Vorgängen, die die Oktoberrevolution 1917
entfesselt hatte! Man war beschäftigt mit der Niederschrift eines Dramas, welches die Verdrängung des Ereignisses Krieg durchbrechen
sollte und schließlich auch durchbrochen hat. Aber die Aufsätze über
Antisemitismus, noch dazu vermischt mit ahnungslosen Vorstellungen vom Lande Palästina und der arabischen Bevölkerung daselbst,
blieben in der Monatsschrift »Der Jude« für akademische Kreise und
zionistische Leser niedergelegt. Daß ein Dissertations-begieriger junger Student aus Leiden sie als willkommenes Material für eine Studie
über Antisemitismus als Gruppenaffekt benutzte, hätte ich eigentlich vom Schutzverband Deutscher Schriftsteller öffentlich rügen
lassen müssen. Aber mit dem Hinweis auf den deutschen Antisemitismus von 1925 vermochten Max Brod und Felix Weltsch, diese
Absicht in mir verdunsten zu lassen. Als ich mich jenen Aufsätzen
wieder zuwandte, um sie in ein Buch zu verwandeln, hatte ich zwar
als Schriftsteller mein Handgelenk wieder gewonnen, aber nicht sehr
viel mehr. Zwar kam es mir um 1930, als die erste Auflage des Buches unter den Leuten einige Erörterungen hervorrief, notwendig
vor, die reichlich komplizierte Darstellungsart des Textes so zu vereinfachen, daß er auch gelesen werden konnte von Männern und
Frauen, die einen langen Arbeitstag hinter sich hatten. Aber auch dieser Versuch blieb Versuch, und das ganze Problem Caliban versank
hinter der Aufgabe, den Großen Krieg der weißen Männer in einen
epischen Zyklus zu verwandeln. Rätselhafte Umstände brachten es
mit sich, daß Zeugnisse dieser vergeblichen Umarbeitung sich unter
den geretteten Materialien befinden, die 1933 dem Zugriff der Gestapo entgingen.

II.

Und dann brach das Dritte oder Tausendjährige Reich aus und hielt
sich zwölf Jahre. Die gleichen Typen und Gruppen von Machthabern, welche seit der Plünderung Mittelamerikas durch Spanier und

Portugiesen Völker mit andersfarbiger Haut und eigenen hohen Kulturen niedergetrampelt, ausgeraubt und ausgerottet hatten und die als Holländer, Franzosen und Briten überall Kolonien der Ausbeutung gründeten – diese selben Großgrundbesitzer und Industriellen hißten einen gewissen Adolf Hitler und seine Mitverschworenen in die Macht über das deutsche Volk. Millionen deutscher Mitläufer boten sich als willige Werkzeuge dar, diesmal nicht andersfarbige Menschenmassen auszurotten und bis auf das Gold in ihren Zähnen auszubeuten, sondern sogenannte Andersrassige, nämlich Juden. Daß dabei auch die geistig führenden Schichten nichtjüdischer Bewohner osteuropäischer Staaten ebenso hingeschlachtet wurden, gehört in die öffentlich verkündete, ohne alle Scham zugegebene Ideologie dieses Dritten Reiches, seiner von Friedrich Nietzsche abstammenden »blonden Bestie«. Statt aller anderen ausführlicheren Sammlungen von Dokumenten sei hier nur verwiesen auf Robert Neumanns überaus verdienstvolle Schrift »Ausflüchte des Gewissens« im Verlag für Fortschritt und Zeitgeschehen, Hannover. Alles was wir Zeitgenossen von 1965 an unseren Angehörigen erfuhren, findet sich auf diesen sechzig Seiten festgehalten wie im Reagenzglas eines Chemikers das Serum gegen eine Massenepidemie. Hier studiere man das konzentrierte Gift, dem einige von uns entgangen sind, indes ihm sechs Millionen Juden erlagen. Viermal soviel Opfer schreibe man auf das Konto des vorläufig immer noch nicht ausradierten gesellschaftlichen Mittels Krieg – nach dem klugen General von Clausewitz »die Fortsetzung der Politik mit anderen Mitteln«. Mit anderen Mitteln! Diese haben wir erlebt, diese beschreiben wir anderswo.

III.

Daß wir dennoch dieses Buch »Caliban« neuauflegen, fast unverändert, rechtfertigt sich möglicherweise durch die historische Rolle, die es spielen kann. Es zeigt die harmlose Oberfläche eines friedlichen Gewässers, in dessen Tiefen keine Taucherglocke bisher hinabstieg, all die Lebewesen anleuchtend oder mitbringend, von denen Friedrich Schillers Ballade singt. In diese Tiefen mußte unsere Epoche hinuntersteigen, ohne die Augen wegzuwenden. Was sich Jahrhunderte hindurch an andersfarbigen Mitmenschen austoben durfte, nennt dieses Buch »Caliban« Vulgärantisemitismus, wenn es sich gegen die als Juden gekennzeichneten Europäer wendet und verrät nicht die mindeste Ahnung davon, daß die schwarze Pest daneben eine verhältnismäßig harmlose Krankheit war. Und doch findet sich fast kein großer Dichter in unseren Literaturen, der nicht Krieg, Pest und Barbarei, Piraterie und Kolonialhandel in seinen Versen aneinandergereiht hätte.

So möge man in diesem Buche »Caliban oder Politik und Leidenschaft« die Infusorien und Keime studieren, die unter dem Mikroskop unserer Erfahrungen sich seit dem Ende des zweiten Weltkrieges enthüllten. Daß die Verwandlung unserer Gesellschaft in eine mehr oder weniger sozialistische Welt auch zur Reinigung unserer Gruppenaffekte beitragen wird, wagen wir nicht nur zu hoffen – wir arbeiten daran. So kann die Tragödie, welche sich hinter dem Antisemitismus und der Kriegsfreude unserer bürgerlichen Gesellschaft verbirgt, zur Katharsis hepatematon des Aristoteles führen, noch in diesem unserem zwanzigsten Jahrhundert. Dann werden seine Ströme von Blut und Tränen nicht vergeblich ins Meer der Vergangenheit hinabgeströmt sein, und unsere Kinder und Enkel werden uns betrachten, uns Davongekommene, wie jenen Reiter über den Bodensee, der nicht wußte, daß zwischen ihm und dem Abgrund nur das gefrorene Wasser eines strengen Winters lag.

So gehe nun das Buch »Caliban oder Politik und Leidenschaft« aufs neue zu deutschen Lesern. Ich, heute bald achtzigjährig, kann dem jungen Schriftsteller von damals nur beifällig zunicken: brav gemacht, junger Mann! Nicht ohne Rührung denkt man an jenen Teil der eigenen Mannesjahre zurück, da der Plättkeller eines oberbayrischen Landhäuschens dem Verfasser als Arbeitsstätte dienen mußte, in den Jahren der ersten Wohnungslosigkeit, zu Starnberg am Würmsee, 1921.

Berlin-Niederschönhausen, Anfang Dezember 1965

Anmerkungen

7 *Die Wut des neunzehnten Jahrhunderts ... erblickt* – Arnold Zweig
zitiert vermutlich aus dem Gedächtnis. In der Übersetzung
durch Hedwig Lachmann und Gustav Landauer lautet die
Stelle im Vorwort von Oscar Wildes »Das Bildnis des Dorian
Gray« (Leipzig 1909): »Das Mißfallen des neunzehnten Jahrhunderts am Realismus ist die Wut Calibans, der sein eigenes
Gesicht im Spiegel sieht.«

Über die Küchenschaben – Nach den Angaben in »Grzimeks
Tierleben« scheint der Usus, die Küchenschaben nach unbe-
liebten Nachbarn zu benennen, in ganz Mitteleuropa verbreitet gewesen zu sein.

Juden und Heiden hinaus! ... so geh ich vorbey – Das Gedicht entstammt Goethes Nachlaß und gehört zum Umkreis der »Vene-
zianischen Epigramme«. Die Weimarer Ausgabe von 1910
(Bd. 5.2, S. 379), aus der Zweig das Gedicht vermutlich kannte
und der alle späteren Goethe-Editionen folgten, bietet allerdings in der ersten Zeile die Lesart: »so duldet der christliche
Schwärmer«.

9 *»Gestanden sei zu gutem Beginne ... von jedem Lebenden fordern.«* –
Dieses Selbstzitat entspricht – bis auf geringfügige stilistische
Änderungen – der Präambel zur Aufsatzserie »Der heutige
deutsche Antisemitismus«. In: Der Jude. Berlin 5 (1920) 2, S. 65.

10 *Juli 1920 ... in Bayern* – Zweig ließ sich gegen Ende 1919 in
Starnberg (Hintere Mühlbergstraße) nieder und blieb dort, bis er
im September 1923, von den Ausschreitungen der Nazi-Bewe-
gung zunehmend bedroht, nach Berlin übersiedelte.

in vier mäßigen Aufsätzen – A. Zweig: Der heutige deutsche An-
tisemitismus. Vier Aufsätze. In: Der Jude. Berlin 5 (1920/21) 2,
S. 65–76; 3, S. 129–139; 4, S. 193–204; 5/6, S. 264–280; 7,
S. 373–388; 8/9, S. 451–459; 10, S. 557–565; 11, S. 621–633.
Die Aufsatzreihe trägt die Zwischentitel: Antisemitismus als
deutsche Angelegenheit, Antisemitismus als jüdische Angele-

genheit (A. Antisemitismus als Phänomen, B. Bewertungen,
C. Der jüdische Anteil).

10 *Martin Buber stimmte ihr* ... *bei* – Durch seine Schriften zur Re-
ligionsphilosophie, seine Übersetzung der Bibel (mit Franz Rosenzweig) und seine Vermittlung des chassidischen Denkens
für die deutschsprachige Welt zählt Martin Buber zu den ein-
flußreichsten jüdischen Denkern des 20. Jhs. Innerhalb der zionistischen Bewegung setzte er sich für die Priorität der geistigen
Erneuerung ein und gründete 1916 zu diesem Zweck die Zeitschrift »Der Jude«. Persönliche Kontakte zwischen Zweig und
Buber bestanden seit 1912 (vgl. auch Anm. zu S. 159).

12 *Stephano gleich* – Anspielung auf 2. Akt, 2. Szene von Shakespeares »Der Sturm«, wo der betrunkene Kellner Stephano Caliban und den Spaßmacher Trinculo entdeckt, die vor aufzie-
hendem Gewitter unter dem gleichen Mantel Schutz gesucht
hatten.

meinen Universitätsjahren – Zweig studierte zwischen 1907 und
1914 Germanistik, moderne Sprachen, Philosophie, Psychologie, Kunstgeschichte und Nationalökonomie an den Universitäten Breslau, München, Berlin, Göttingen und Rostock.

15 *Weltkriegssoldat* ... *ab 1915* – Zweig wurde am 24. April 1915 als
Armierungssoldat einberufen.

den Bartels gelesen – Die »Geschichte der deutschen Literatur«
von Adolf Bartels (2 Bde., Leipzig 1901–1902) versteht sich als
eine auf der Grundlage völkischen Denkens wertende Litera-
turgeschichte. Auf die Kritik durch führende Literaturwissenschaftler der Jahrhundertwende reagierte Bartels mit einer zunehmend antijüdischen Polemik, vor allem in der Zeitschrift
»Der Kunstwart«. Einen vorläufigen Höhepunkt in Bartels'
kulturpolitischer Laufbahn bildete sein Buch »Heinrich Heine.
Auch ein Denkmal« (Dresden 1906), in dem er wiederum mit
antisemitischen Argumenten und in diffamierender Absicht
gegen die Errichtung eines Heine-Denkmals in Hamburg Stellung nahm. Bartels zählte nach dem Ersten Weltkrieg zu den
maßgeblichen Organisatoren der völkischen Bewegung und
stand bei den Nationalsozialisten in hohen Ehren.

Ressentiment der Schlechtweggekommenen – Max Scheler, bei dem
Zweig 1911/12 studierte und dessen Gedanken er stark verpflichtet war, hatte sich in seinem Aufsatz »Das Ressentiment

im Aufbau der Moralen« des Nietzscheschen Ressentiment-
Begriffs bedient, um das politische Verhalten der unteren Klassen psychologisch zu begründen (vgl. Max Scheler, Gesammelte Werke, Bd. 3. Bern 1955, S. 42−46).

17 *»Das habe ich getan« … gibt das Gedächtnis nach* − Friedrich
Nietzsche, Jenseits von Gut und Böse. Vorspiel einer Philoso-
phie der Zukunft (1886), Viertes Hauptstück: Sprüche und
Zwischenspiele, 68.

19 *Bethmann-Hollweg, Erzberger, Liebknecht* − Theobald von Bethmann Hollweg, Reichskanzler und preußischer Ministerpräsident vom Juli 1909 bis Juli 1917, wurde von der Obersten Heeresleitung (Hindenburg und Ludendorff) aus Anlaß der
Reichstagsdebatte zum Verständigungsfrieden zum Rücktritt
gezwungen. − Matthias Erzberger, Zentrumspolitiker, arbeitete
maßgeblich im Interfraktionellen Ausschuß des Reichstags,
führte die deutsche Delegation, die im November 1918 die Waf-
fenstillstandsbedingungen der westlichen Alliierten ent-
gegennahm, und setzte sich seit 1919 für die Annahme des Versailler Friedens ein. Am 26. August 1921 wurde er von zwei Offizieren der Marine erschossen. − Karl Liebknecht gründete
mit Rosa Luxemburg den Spartakusbund, aus dem 1919 die
KPD hervorging. Beim Spartakusaufstand in Berlin im Januar
1919 wurden Liebknecht und Luxemburg von Regierungssol-
daten ermordet.
Verständigungsfrieden − Im Juli 1917 legte der Interfraktionelle
Ausschuß des Reichstags, in dem die vier Mehrheitsparteien −
Nationalliberale, Fortschrittspartei, SPD und Zentrum − vertreten waren, eine Friedensresolution vor, die einen Frieden des
Ausgleichs und der Verständigung ohne Annexionen forderte;
die Resolution wurde aber von der Obersten Heeresleitung
und von alldeutschen Kreisen, deren Zielsetzung nach wie vor
annexionistisch blieb, schärfstens bekämpft.
Rathenau und Severing − Walther Rathenau, Präsident der AEG,
ab 1915 maßgeblich an der Organisation der deutschen Roh-
materialzufuhr im Ersten Weltkrieg beteiligt; setzte sich in der
Nachkriegszeit für internationale Verständigung ein; Reichs-
minister für Wiederaufbau im Kabinett Wirth 1921, ab Februar
1922 Außenminister, als Jude starker antisemitischer Agitation
ausgesetzt; wurde am 24. Juni 1922 ermordet. − Carl Severing,

preußischer Innenminister, wurde zum vorrangigen Ziel völkischer Angriffe, nachdem die preußische Regierung im Sommer 1922 den antisemitischen Schutz- und Trutzbund aufgelöst
hatte.

19 *Ruhr-Einbruch* – Ende 1922 nahm Frankreich die Verzögerung
einiger deutscher Reparationslieferungen zum Anlaß, das Ruhrgebiet militärisch zu besetzen, offiziell um sich »produktiver
Pfänder« zu versichern, aber auch in der Hoffnung, die Abspaltung des Rheinlandes und der Ruhr vom Reich zu fördern.
Der Einmarsch löste in Deutschland eine nationalistische
Empörungswelle aus, die von der Reichsregierung durch die
Aufforderung zum passiven Widerstand legitimiert wurde.
Genua und Cannes – Im Januar bzw. April 1922 fanden in Cannes und Genua Wirtschaftsverhandlungen zwischen Deutschland und den anderen europäischen Nationen statt, die jedoch für
die finanzielle und wirtschaftliche Nachkriegssituation Deutschlands ergebnislos blieben. Bei Gelegenheit der Konferenz in
Genua, auf der deutsche und sowjetrussische Regierungsvertreter erstmalig zusammen an Verhandlungen mit den westlichen
Alliierten teilnahmen, wurde in Rapallo ein Freundschaftsvertrag
zwischen Deutschland und Sowjet-Rußland abgeschlossen.
Locarno und Thoiry – Auf der Außenministerkonferenz in Locarno (Tessin) wurde im Oktober 1925 ein Sicherheitspakt vereinbart, in dem Deutschland sich zur Anerkennung seiner
westlichen Grenzen, wie sie im Versailler Vertrag festgelegt
worden waren, und zur Entmilitarisierung des Rheinlandes
verpflichtete. Die Vereinbarungen von Locarno erleichterten
Deutschland den Beitritt zum Völkerbund, wurden aber von
der DNVP zum Anlaß genommen, aus der Regierung Luther
auszutreten. – Nach der Aufnahme Deutschlands in den Völkerbund im September 1926 trafen sich die deutschen und französischen Außenminister, Stresemann und Briand, im französischen Dorf Thoiry (Jura) zu Diskussionen über eine engere
deutsch-französische Zusammenarbeit.
die Alldeutschen – Der 1891 auf Drängen von Alfred Hugenberg
gegründete Allgemeine Deutsche Verband – ab 1894 als Alldeutscher Verband bekannt – beförderte vorrangig eine aktive Kolonial- und Flottenpolitik und die territoriale Erweiterung
Deutschlands. Unter der Führung von Heinrich Claß ab 1908

orientierte sich der Verband eindeutig auf antisemitische Ziele
und übte vor und in dem Ersten Weltkrieg einen starken Einfluß auf die Gestaltung der deutschen Weltpolitik bzw. Kriegsziele aus.

19 *»Weltsieger Alljudaan«* – In der Aufsatzserie 1920/21 weist
Zweig an dieser Stelle auf das Flugblatt »Betrug am deutschen
Volke« von Hans Freiherr von Liebig, München: Lehmann,
o. J. (zirka 1919) hin. Als »ordnenden Maßstab für die Gegner-
schaft der deutschen Volksbelange« wird in diesem Flugblatt die
Vorstellung einer »Weltmacht Alljudaan« betrachtet, wie sie im
Januarheft der Zeitschrift »Deutschlands Erneuerung« propa-
giert worden war; solcher »Weltmacht«, die in Deutschland so-
wohl in großkapitalistischer als auch in besitzloser Form vertre-
ten sei, würden alle Politiker und Intellektuellen, die sich den
Forderungen der Alldeutschen entgegengesetzt hätten – vom
Radikalsozialismus über Erzberger bis hin zu den Reichskanz-
lern Bülow und Bethmann Hollweg –, Folgschaft leisten. (Der
Jude 5, 2. S. 66).

Fritsch, Bartels, Reventlow – Theodor Fritsch, Verfasser des »An-
tisemitenkatechismus« (1887), Herausgeber der Zeitschrift »Der
Hammer«, gab 1921 eine deutsche Fassung der »Protokolle der
Weisen von Zion« heraus (vgl. dritte Anm. zu S. 26). – Graf
Ernst von Reventlow, führendes Mitglied des völkischen Blocks
im Reichstag, förderte das völkische Denken auch durch seine
Zeitschrift »Der Reichswart«. – Zu Bartels vgl. zweite Anm. zu
S. 15.

im Jahre 1917 ... eine Konferenz abhielten – Diese Konferenz, auf
der die Verbreitung von Material beraten wurde, das mit besonderem Bezug auf den Weltkrieg das Judentum belasten
sollte, fand bereits Ende 1915 statt; an ihr waren u. a. der Verleger von »Deutschlands Erneuerung« Hofrat Lehmann und der
Generalsekretär der Deutschvölkischen Partei Johannes Henningsen beteiligt. Da das geheime Treffen durch die Veröffentlichung eines vertraulichen Briefes von Henningsen 1917 im
»Berliner Tageblatt«, in der »Jüdischen Rundschau« (Jg. 22,
S. 389) und in anderen Organen bekannt wurde (vgl. Egmont
Zechlin, Die deutsche Politik und die Juden im Ersten Weltkrieg. Göttingen 1969, S. 521), ist es denkbar, daß Zweig sich
daran als ein Ereignis des Jahres 1917 erinnerte.

20 *Tripolis, Marokko, Albanien* – Anspielung auf die weltpolitischen Entwicklungen, die in den Ersten Weltkrieg mündeten. Seit 1905 versuchte die deutsche Regierung die englisch-französische Entente unter Druck zu setzen, indem sie ostentativ gegen das französische Eindringen in Marokko protestierte. 1911 nahm Deutschland die Entsendung französischer Truppen nach Marokko zum Anlaß, mit dem berühmten »Panthersprung nach Agadir« wieder stark aufzutreten. Diese Politik hatte eher eine Stärkung der Entente zur Folge. 1911 trat auch Italien, das seit 1882 mit Deutschland und Österreich einen defensiv konzipierten Dreibund bildete, offensiv auf, indem es in Libyen einen Kolonialkrieg gegen die Türkei führte. Anläßlich des Balkankrieges 1912/13 schließlich suchte der österreichische Außenminister Berchtold der Stärkung Serbiens dadurch zu begegnen, daß er sich für die Unabhängigkeit Albaniens einsetzte. Als Berchtold im Oktober 1913 ultimativ die Entfernung von serbischen Truppen aus Albanien forderte, wurde er von Wilhelm II. unterstützt; der Vorfall wurde im nachhinein als Vorspiel der Julikrise von 1914 interpretiert, die zum Ausbruch des Ersten Weltkriegs führte.

Bagdadbahn – Das Projekt einer Eisenbahnverbindung zwischen Berlin und Bagdad wurde in den Jahren vor dem Ersten Weltkrieg von der kaiserlichen Regierung gefördert, weil es Deutschland den Zugang zu den Ölfeldern Iraks sichern und außerdem die Türkei gegen Rußland stärken sollte. Der Bau begann 1903 auf Grund eines 1900 abgeschlossenen Handelsvertrags mit der Türkei, die der Deutschen Bank die Erwerbung türkischer Eisenbahnkonzessionen ermöglichte. Das Projekt blieb jedoch bis kurz vor Ausbruch des Ersten Weltkriegs – als England schließlich einwilligte – Gegenstand der internationalen Diplomatie, weil sowohl England als auch Rußland ihre Interessen in Indien bzw. Nordpersien dadurch beeinträchtigt sahen.

die Sünden Österreichs in Venetien und der Lombardei – Nach den napoleonischen Kriegen wurden die Lombardei, Mailand und das gesamte Territorium der einstigen Republik Venetien dem Habsburger Reich zugeteilt und als »Königreich Lombardo-Venetien« zusammengefaßt. Dieses Arrangement brachte der Region unleugbare wirtschaftliche Vorteile, aber im politischen Bereich wurde jede Unabhängigkeitsbestrebung – vor allem in den Jahren um 1820 und in der Zeit nach der Julirevolution von 1830 – mit scharfen repressiven Maßnahmen bekämpft. 1848 wurde die Revolution in Lombardo-Venetien vom österreichischen Gouverneur und Feldmarschall Radetzky, der anschließlich bis 1856 das Königreich unter Belagerungszustand hielt, brutal niedergeschlagen.

21 *Bismarcks Verfassung* – Wesentlich an der Verfassung, die Bismarck dem Norddeutschen Bund ab 1867, dem Deutschen Reich ab 1871 verschrieb, war, daß die Gesetzgebung entweder vom Kabinett oder vom Bundesrat, bei dem der Kanzler ebenfalls den Vorsitz hatte, ausging. Bei Reichstagswahlen vor 1918 waren zwar alle männlichen Staatsbürger, die das Alter von 25 erreicht hatten, gleichmäßig wahlberechtigt, und dem Parlament stand es frei, Gesetzesvorlagen zu ändern oder abzulehnen; im Falle einer schweren Meinungsverschiedenheit mit der Regierung war die vorgesehene Folge jedoch nicht der Rücktritt eines Ministers, sondern die Auflösung des Parlaments und Neuwahlen.

22 *verantwortlich für Krieg und Niederlage* – Rechtliche Grundlage für die Forderungen, die die westlichen Alliierten im Versailler Vertrag an Deutschland stellten, war die in Artikel 231 des Vertrags aufgestellte Annahme deutscher Kriegsschuld. Zweig nimmt Bezug auf die dadurch ausgelösten innerdeutschen Kontroversen um die politische Führung Deutschlands vor und in dem Krieg. *Man legt ihnen Aktenstücke vor* – Mit der Veröffentlichung von deutschen Geheimdokumenten, die sich auf die Kriegsursachen bezogen, ging die revolutionäre Regierung unter Kurt Eisner in Bayern voran, weil sie durch Wahrhaftigkeit dem Vertrauensverhältnis zwischen den Völkern zu dienen hoffte. Die Herausgabe der offiziellen »Deutschen Dokumente zum Kriegsausbruch« Ende 1919 unterlag mehr tagespolitischen Erwägungen, die mit den Verhandlungen um den Versailler Vertrag zusammenhingen. *Brest-Litowsk ... und Bukarest* – Am 15. Dezember 1917 wurde in Brest-Litowsk der Waffenstillstand zwischen Deutschland und Sowjet-Rußland vereinbart. Nach lange hingezogenen Verhandlungen wurden den Russen am 3. März 1918 in Brest-Litowsk Friedensbedingungen diktiert, nach denen das Baltikum, Finnland, der Kaukasus und die Ukraine vom russischen Reich

abgespalten wurden. Anschließend wurden Rumänien am 7. Mai 1918 in Bukarest ähnlich harte Konzessionen abgerungen.

22 *das Versagen hoher Führer … an Marne, Yser, vor Verdun und wieder an der Marne* – Nachdem die deutsche Armee 1914 gemäß dem Schlieffenplan durch Belgien und Nordfrankreich vorgerückt war in der Hoffnung, Paris zu umkreisen und ein schnelles Ende des Krieges an der Westfront herbeizuführen, wurde sie im September hinter die Flüsse Marne und Aisne zurückgedrängt. Daraufhin wurde Hellmuth von Moltke als Generalstabschef durch Erich von Falkenhayn ersetzt. – An der Yser, nördlich von Ypres, wurde der deutsche Versuch, die französischen und britischen Armeen nördlich zu umfassen, im Oktober 1914 schließlich zurückgeschlagen. – Bei Verdun erprobte Falkenhayn 1916 seine Zermürbungsstrategie, die die Franzosen zwingen sollte, alle Kräfte aufzubieten, um die als Nationalsymbol verstandene Festung Verdun vor den schwersten Angriffen zu verteidigen: das Ergebnis waren fast so hohe deutsche wie französische Verluste und Verständnislosigkeit unter den Beteiligten, weil die Einnahme der Festung nicht zu Falkenhayns Kampfzielen zählte. Ende August 1916 wurde die Oberste Heeresleitung Paul von Hindenburg und Erich Ludendorff anvertraut. – Die Marne war im Juli 1918 wiederum der Schauplatz von Ludendorffs letztem Versuch, nach Paris vorzudringen, der innerhalb von zwei Tagen zurückgeschlagen wurde. Jeder dieser militärischen Rückschläge wurde im nachhinein zum Anlaß von heftiger Kritik an der strategischen Führung.

die Überschätzung der U-Bootwaffe, die groteske Unterschätzung Amerikas – Deutschland erklärte den uneingeschränkten U-Boot-krieg am 1. Februar 1917. Zu den Folgen dieses Schrittes zählte der Kriegseintritt der USA am 2. April 1917 und somit der Einsatz amerikanischer Truppen an der Westfront im Laufe der Jahre 1917 und 1918.

die von Sieg-Erkämpfern verhinderten Friedensmöglichkeiten 1915 und 1917 – Im Frühjahr 1915 besuchte der Berater des US-Präsidenten Wilson, Edward Mandell House (Colonel House), inoffiziell London, Paris und Berlin im Bemühen, eine Grundlage für Friedensverhandlungen zwischen den europäischen Nationen zu finden. Im Laufe des Jahres schlug der damalige Generalstabschef von Falkenhayn auch mehrmals vor, angesichts der verheerenden Niederlagen, die die russische Armee erlitten hatte, Rußland einen Sonderfrieden anzubieten; Kanzler Bethmann Hollweg weigerte sich jedoch, direkt mit den Russen zu verhandeln, weil er fürchtete, das könnte von England und Frankreich als Schwächezeichen gedeutet werden. – Zweig denkt aber wahrscheinlich auch an die Kampagne des Alldeutschen Verbands, die die deutsche öffentliche Meinung für ehrgeizige expansionistische Kriegsziele gewinnen sollte und im Juni 1915 mit der sogenannten Seeberg-Adresse ihren Höhepunkt erreichte (vgl. auch zweite Anm. zu S. 19).

23 *Verdrängung* – Zweig weist hier zwar implizit auf die Verwendung des Begriffs »Verdrängung« bei Freud – spätestens in der »Traumdeutung« (1900) – hin, sein eigener Gebrauch des Wortes an späteren Stellen in »Caliban« zeigt aber noch eher Verwandtschaft mit der Argumentation von Max Scheler in seinem Aufsatz »Das Ressentiment im Aufbau der Moralen« (vgl. dritte Anm. zu S. 15).

24 *Nationalschuld* – Die Inflation, die sich 1922/23 in Deutschland katastrophal zuspitzte, wurde zunächst durch die Maßnahmen vorangetrieben, die die Reichsregierung zur Finanzierung des Krieges gewählt hatte: die Erhöhung des zirkulierenden Geldvolumens, die bei der herrschenden Knappheit von Konsumgütern zwangsläufig zu Preissteigerungen führte, und die Erhebung von Kriegsanleihen, die nach dem »Endsieg« – d. h. in der Hoffnung auf Reparationen der Kriegsgegner – verzinst zurückgezahlt werden sollten.

26 *Den Jesuiten Sue'scher Prägung* – Der französische Romanschriftsteller Eugène Sue gehört zu den frühen Exponenten des Fortsetzungsromans und wurde vor allem durch den Roman »Les mystères de Paris« (Die Geheimnisse von Paris, 1842/43) berühmt. Zweig denkt wohl eher an Sues ebenfalls bekannten Roman »Le juif errant« (Der ewige Jude, 1844/45), in dem Mitglieder des Jesuitenordens die Erben des im 17. Jahrhundert als Protestant verfolgten und angeblich vom ewigen Juden abstammenden Marius de Rennepont um ihre Erbschaft betrügen bzw. umbringen lassen.

»Weltsieger Alljudaan« – Vgl. achte Anm. zu S. 19.

»die Geheimnisse der Weisen von Zion« – Auch: »Die Protokolle der Weisen von Zion«. Phantasie von der jüdischen Weltver-

schwörung, die von antisemitischen Organisationen als authentisches Dokument ausgegeben wurde. Der Text entstand gegen Ende des 19. Jhs. in Rußland und fand nach dem Ersten Weltkrieg in mehreren Ausgaben in Deutschland Verbreitung.

26 *ein Sir John Redcliffe, ein deutschnationaler Gödsche* – Hermann Gödsche schrieb mehrere Sensationsromane unter dem Pseudonym Sir John Retcliffe. Sein Roman »Biarritz« (1868) enthält eine Szene, in der Vertreter der zwölf Stämme Israels sich auf dem Jüdischen Friedhof zu Prag versammeln und dem Teufel Bericht erstatten über alle Übel, die sie im vergangenen Jahrhundert über die europäische Menschheit gebracht haben. Der Text wurde zur Grundlage von diversen antisemitischen Hetzschriften, die im späten 19. Jh. in Rußland und Deutschland zirkulierten (vgl. Norman Cohn, Die Protokolle der Weisen von Zion. Der Mythos von der jüdischen Weltverschwörung, Köln/Berlin 1969). Daß Zweig die beiden Namen in verschiedener Schreibung anführt, läßt sich auf Varianten in den zeitgenössischen Quellen zurückführen.

27 *Morde in Serienart* – In den am Ende des Ersten Weltkrieges gebildeten illegalen »vaterländischen« Verbänden, die für eine Reihe von politischen Mordtaten verantwortlich waren, entwickelte sich auch eine Selbstjustiz, die »Verräter« durch Mord beseitigte. Daß Näheres über das Treiben dieser Organisationen der breiteren Öffentlichkeit bekannt wurde, ist vor allem dem Buch von Carl Mertens »Verschwörer und Fememörder« (Charlottenburg 1926) zu verdanken.

28 *Stehr* – Es mag verwundern, daß Zweig an dieser Stelle neben Klopstock den Namen des heute vergessenen Schriftstellers Hermann Stehr setzt, aber um 1920 hielt er Stehr tatsächlich für einen großen und repräsentativen deutschen Dichter. In seiner Rezension von Stehrs Roman »Der Heiligenhof« (1918) sprach Zweig von der religiösen und seelenbauenden Kraft, die von diesem Werk ausgehe, und sah darin einen Wegweiser zur »Erneuerung lebendiger Deutschheit« (in: Die Weltbühne 15, 1919, 33, S. 159–167).

Pädagogen von Pestalozzi bis … F. W. Förster – Johann Heinrich Pestalozzi, von Rousseau beeinflußt, suchte die allgemeine Emporbildung der Kräfte des Menschen zu einem Sichverstehen auf das eigene Können zu fördern. Er bekämpfte das Pri-

vateigentum und den Staat als Ursachen der »Verwilderung«
und »Entwürdigung« des Volkes. – Gustav Adolph Wyneken,
maßgeblicher Führer der deutschen Jugendbewegung vor dem
Ersten Weltkrieg, förderte sowohl in der Praxis als auch in der
Theorie die Erotisierung pädagogischer Beziehungen. Zweig
protestierte Ende 1918, als Wyneken nach kurzer Tätigkeit im
preußischen Kultusministerium wegen seiner kontroversen
Ansichten entlassen wurde (vgl.: A. Zweig, Wyneken. In: Die
Weltbühne 14, 1918, 52, S. 596–598). – Friedrich Wilhelm
Foerster, Professor für Pädagogik in München 1914–1920, sah
die Aufgabe des Erziehers in der Unterstützung des einzelnen
auf dem Weg der Selbsterkenntnis, der Charakterbildung und
der Willenserziehung und nahm in seinem ethisch rigorosen
Werk entschieden Stellung gegen die Trennung von Recht und
Macht und für den Pazifismus.

28 *deutschen Kolonisatoren im Osten* – Im 12. und 13. Jh. wurden die
Gebiete östlich der Elbe bis ins Baltikum und in die Ukraine
hinein unter deutsche Herrschaft bzw. deutsche Rechtsnormen gebracht.

30 *(nicht im Taylor-Sinne!)* – Der Name des amerikanischen Ingeni-
eurs Frederick Winslow Taylor wurde in den ersten Jahrzehnten des 20. Jhs. sprichwörtlich mit einer Vorstellung von Be-
triebsführung verbunden, bei der alle menschlichen Leistungen zu einem möglichst effizienten Betriebsablauf beitragen
sollten.
Kapitalistische Wirtschaft ersetzt Krieg – Anspielung auf die Argumente des britischen Publizisten Norman Angell, dessen Buch
»The Great Illusion« (Die falsche Rechnung, 1909) in den Jahren vor dem Ersten Weltkrieg große Verbreitung fand. Zweig
weist in seinem Aufsatz »Kriegsromane« ausdrücklich auf das
Buch Angells hin (in: Die Weltbühne 25, 1929, 16, S. 598).

31 *»Willen zur Macht«* – Zweig versucht hier der Plakatierung von
Nietzsches Leitgedanken durch die politische Rechte entgegenzuwirken, die mit der Veröffentlichung von Schriften aus
seinem Nachlaß begonnen hatte; vgl. Friedrich Nietzsche, Der
Wille zur Macht. Versuch einer Umwertung aller Werte. Hg.
von Peter Gast und Elisabeth Förster-Nietzsche, Leipzig 1906.
Macht ist die Niederlage des Siegers – Die Aufsatzserie von 1920/21
enthält an dieser Stelle einen ausdrücklichen Hinweis auf Hein-

rich Manns Aufsatzsammlung »Macht und Mensch« (1919), in der ein ähnlicher Standpunkt vertreten wird. (Der Jude 5, 2. S. 74)

32 *was sich 1806 und 1807 zutrug* – Nachdem das preußische Heer am 14. Oktober 1806 bei Jena und Auerstädt von Napoleon besiegt worden war, konnte Preußen nur eine passive Rolle bei den darauf folgenden Kriegshandlungen zwischen Frankreich und Rußland spielen. Nach Napoleons Sieg über die Russen bei Friedland wurde Preußen am 9. Juli 1807 durch den Vertrag von Tilsit gezwungen, alle seine Territorien westlich der Elbe und den Großteil seiner polnischen Länder abzutreten.

Kleist antwortete preußisch – Vermutlich ist »Die Hermannsschlacht« (1808) gemeint, in der Kleist dem legendären Kampf Hermanns des Cheruskers gegen die Römer Anklänge an die Situation Preußens und Österreichs unter napoleonischer Herrschaft abgewinnt.

Tölpelhans und Einer der auszieht um das Fürchten zu lernen – Anspielung auf ein Märchen von Hans Christian Andersen und eines aus der Sammlung der Brüder Grimm.

»Preuße« – In Zusammenhang mit dem Aufstieg Preußens als militärische Macht im Laufe des 19. Jhs. fand das Wort »Preuße« als umgangssprachliche Bezeichnung für Soldat weite Verbreitung.

35 *Prospero . . . Sprache* – W. Shakespeare, Der Sturm. 1. Akt, 2. Szene. – Zweig zitiert hier weder die Übersetzung Schlegel/Tieck noch die von Dingelstedt. Auch die in seiner Nachlaßbibliothek als Arbeitsmaterial zu »Caliban« befindliche Reclam-Ausgabe des »Sturm« (NB az 1238) wurde nicht benutzt. In späteren Shakespeare-Ausgaben wird der Prospero-Text (der Folio-Ausgabe folgend) Miranda zugesprochen.

37 *Différence engendre haine* – Bei Pascal konnte das Wort nicht ermittelt werden, es wird jedoch bei Nietzsche in »Jenseits von Gut und Böse« 263 ohne Quellenangabe verwendet. Zweig korrigiert um 1930 die Verfasserangabe zu »Stendhal« (AZA 931, gedruckte Seite 41).

38 *Dem Antisemiten ist Stefan George ein Jude* – Die Vermutung, daß George eigentlich ein Jude sei, kam zunächst 1901 in einer antisemitischen Zeitung auf; sie wurde von Adolf Bartels in der 3./4. Auflage seiner »Geschichte der deutschen Literatur« (1905), Bd. 2, S. 525 und von Max Geissler in seinem »Führer durch die

deutsche Literatur des zwanzigsten Jahrhunderts« (1913), S. 148
wiederholt. Die Behauptung findet sich auch seit 1919 immer
wieder bei Bartels.

39 *tingiert* – Von tingere (lat.) färben.

   J. C. Smuts … Vertreter der Buren – Jan Christiaan Smuts hatte als
   Bürger der britischen Kapkolonie 1899–1902 gegen die Buren
   gekämpft; im Ersten Weltkrieg führte er Feldzüge gegen die
   Deutschen in Südwestafrika und Tanganjika und saß als Mitglied im Kriegskabinett des britischen Weltreichs. Nach dem
   Krieg nahm er als Premierminister von Südafrika an den Verhandlungen in Versailles teil und setzte sich für die Gründung
   des Völkerbunds ein. – In seinem Aufsatz »Smuts und San Remo«
   lobte Zweig die pragmatische Weisheit des Staatsmannes Smuts
   und wies darauf hin, daß Smuts in einer in »Der Jude« nachge-
   druckten Rede sich als Vertreter der »germanischen Rasse« bezeichnet zugleich aber die Juden Südafrikas als gleichberechtigte Mitbürger mit eigenen kulturellen Belangen angesehen
   hatte (in: Die Weltbühne 16, 1920, 24, S. 677–683).

   nicht Böses sondern Schlechtes – Die Unterscheidung basiert auf
   Nietzsches Differenzierung zwischen »Herren-Moral« und »Skla-
   ven-Moral«; vgl. Friedrich Nietzsche, Jenseits von Gut und Böse
   (1886), 9. Hauptstück: was ist vornehm, 260.

40 *Daher sieht er Germanen … in diesen Völkern* – Die angeführten
   Beispiele verweisen auf die Behauptungen Houston Stewart
   Chamberlains in »Die Grundlagen des 19. Jahrhunderts« (Mün-
   chen 1899).

41 *wie Nietzsche festnagelte* – Vgl. Friedrich Nietzsche, Der Fall
   Wagner. Ein Musikanten-Problem (1888), 10: »was w i r H a l -
   k y o n i e r bei Wagnern vermissen – la gaya scienza; die leichten Füsse; Witz, Feuer, Anmuth […]«

   Rolle des Juden im Grimmschen Hausmärchen – Außer im Märchen »Der Jude im Dorn« – zu dem Zweig 1936 in »Die neue
   Weltbühne« eigens einen Kommentar schrieb – wird der Jude
   auch in »Ein guter Handel« und in »Die klare Sonne bringt's an
   den Tag« als ein Geprellter dargestellt.

42 *»üblen Perser«* – Vermutlich eine metonymische Bezeichnung für
   »Juden«, die Zweig in einer antisemitischen Schrift gefunden hatte.

42 *Ein Verachtender, der … Werte weiß* – Vgl. Friedrich Nietzsche,
   Also sprach Zarathustra (1883–1885), Vorrede 4: »Ich liebe die

grossen Verachtenden, weil sie die grossen Verehrenden sind und Pfeile der Sehnsucht« nach dem andern Ufer.«

43 *Reklamebild ... von Franz Stassen* – Franz Stassen, der zwischen den Weltkriegen in Berlin tätig war, war vor allem für seine Illustrationen zu Opern Richard Wagners bekannt und arbeitete zwischen 1906 und 1931 an einer Bildserie zum »Ring des Nibelungen«.

Judenhaß, der sich ... schämt – Hier und im folgenden Abschnitt finden sich starke Anklänge an Nietzsches »Zur Genealogie der Moral« (1887) (insbes. III, 14), sowie an Schelers »Das Ressentiment im Aufbau der Moralen« (insbes. in: Scheler, Ges. Werke 3, S. 66–68).

44 *(bei Shakespeare ... Timon)* – Im zweiten Teil von Shakespeares »König Heinrich der Sechste« entwickelt sich zwischen der Königin Margaretha und Richard Herzog von York, der selber Anspruch auf den Thron erhebt, eine tiefe Feindschaft, die erst im dritten Teil durch Kriegshandel und den Tod Richards beendet wird; Lord Clifford erweist sich dabei als treuer Anhänger des Königs und unerbittlicher Gegner Richards. – Der stolze römische General Coriolanus im gleichnamigen Stück von Shakespeare verschmäht die Unterstützung der Plebejer, die er braucht, um Konsul zu werden, und führt seine Armee gegen Rom. – Der Jude Shylock in »Der Kaufmann von Venedig« ist als eine vom Haß auf alle Christen getriebene Figur gezeichnet. – Den legendären Menschenhasser Timon von Athen zeichnet Shakespeare im gleichnamigen Stück.

45 *zur Zeit der Kreuzzüge* – An dieser Stelle der Aufsatzserie von 1920/21 empfiehlt Zweig dem jüdischen Leser folgende Lektüre: Edom, Berichte aus den Kreuzzügen. Berlin 1919. (Der Jude 5, 3. S. 135)

Scheußlichkeit polnisch-ukrainisch-magyarischer Militaristen – Nach der bolschewistischen Revolution in Rußland wurde der gewalttätige Antisemitismus von gegenrevolutionären Kräften in Polen, der Ukraine und Ungarn zur Ableitung von antikapitalistischen Impulsen bewußt geschürt. Zweig wies in seinem Aufsatz »Schweigen« darauf hin (in: Freie Zionistische Blätter 1, 1921, 1, S. 56–64).

49 *»Différence engendre haine«* – Vgl. Anm. zu S. 37.

50 *Am deutschen Wesen sollte die Welt genesen* – Anspielung auf das häufig – und zumeist sinnverstellend – zitierte Gedicht »Deutsch-

lands Beruf« (1861) von Emanuel Geibel, das mit den Zeilen endet: »Und es mag am deutschen Wesen/Einmal noch die Welt genesen.«

52 *Garde und Linie* – »Garde« bezieht sich hier auf die zum persönlichen Schutz des Monarchen abkommandierte, mit farbenprächtigen Uniformen ausgestattete Elitetruppe im Gegensatz zur im Kampfgebiet eingesetzten »Linie«.

54 *Ich-einzig-Wahn, wie Spitteler ihn ... nannte* – Vielleicht eine Anspielung auf folgenden Passus aus Carl Spittelers autobiographischer Schrift »Meine frühesten Erlebnisse« (1914): »Ein chronischer Zustand von Visionen und Inspirationen führte dann schließlich unvermeidlich zu einer Exaltation des Ich. Wohlverstanden nicht des privaten Ich, man kann dabei der demütigste, bescheidenste aller Menschen bleiben, sondern jenes tiefern Ich, das sich in Verbindung mit etwas Überirdischem fühlt. Das ist die psychologische Erklärung der Religionsstifter, die, indem sie ›Gott‹ predigen, nicht umhin können, zugleich ihr eigenes Ich, das den Gott in sich spürt, zu verkündigen. Ein ähnliches exaltiertes Ich-Gefühl, aus ähnlichen Gründen, erlitt ich zum ersten Mal im Sommer 1862.«

»homo ousios« und »homoi ousios« – Auf dem 1. Konzil von Nizäa, das im Jahre 325 von Kaiser Konstantin einberufen wurde, wurde das Nizänum, das erste offizielle christliche Glaubensbekenntnis, vereinbart. Um die Lehren des Arius zu bekämpfen, die Christus die volle Göttlichkeit absprachen, einigte man sich dabei auf die Formulierung, nach der der Gottessohn »homoousios« (griech. – wesensgleich mit dem Vater) sei. Die Anhänger von Origenes zogen bei dieser Auseinandersetzung die Formulierung »homoiousios« (griech. – von ähnlichem Wesen) vor, die in ihren Augen die Möglichkeit feinerer Differenzierung bei der Auffassung der Gottheit bot.

Wahabi – Abd al-Wahab gründete eine streng puritanische Bewegung des Islam, nach deren Grundsätzen sich die herrschende Doktrin in Saudi-Arabien bis heute richtet. Seine Anhänger, die Wahabi, führten seit dem späten 18. Jh. den Widerstand gegen die türkische Herrschaft in Arabien. Zweig denkt vermutlich an die Situation am Ende des Ersten Weltkriegs, als die Wahabi unter der Führung Ibn Sauds die Obermacht auf der arabischen Halbinsel erkämpften.

54 *in den Waldenser-Kriegen* – Waldenser heißen die Anhänger von Petrus Waldes, der im Jahre 1170 zu apostolischer Armut bekehrte, die Bibel in die Volkssprache übersetzen ließ und 1184 exkommuniziert wurde. Die Bewegung war bis ins 16. Jh. hinein der ständigen Verfolgung ausgesetzt.

55 *Hugenbergdienern* – Alfred Hugenberg war Mitbegründer des Alldeutschen Verbandes und entschiedener Gegner der parlamentarischen Demokratie. Durch sein Presseimperium gewann er in und nach dem Ersten Weltkrieg zunehmenden Einfluß über die öffentliche Meinung in Deutschland.

58 *zoon politikon* – (griech.) politisches Tier, der Mensch als soziales, politisches Wesen. Vgl. Aristoteles, Politika III, 6.

bandar-log – So heißt in Kiplings Dschungelbüchern das Affenvolk, das sich über alle anderen Tierarten erhaben fühlt, aber außerstande ist, irgendein Vorhaben sinnvoll durchzuführen. Das nachfolgende Zitat entstammt dem 2. Kapitel der Dschungelbücher I: »Kaas Jagd«.

die Meerkatzen-Szene im »Faust« – In der Szene »Hexenküche« im ersten Teil von Goethes »Faust« führen die Meerkatzen unter Anspielungen auf die Zerbrechlichkeit der Menschenwelt eitle Späße auf und lassen den brodelnden Kessel, auf den sie aufpassen sollten, überlaufen.

ahmt den Kandidaten Jobs nach – Im 1784 erstmals veröffentlichten komischen Heldengedicht von Karl Arnold Kortum, »Leben, Meinungen und Thaten von Hieronymus Jobs dem Kandidaten«, ist es eigentlich der Examinand Jobs selber, der in Teil 1, Kapitel 19 mit seinen wunderlichen Antworten Anlaß zu allgemeinem Kopfschütteln gibt.

60 *Pseudobiologen* – Bereits Heinrich Graf Coudenhove-Kalergi hatte in »Das Wesen des Antisemitismus«, auf das Zweig an späteren Stellen in »Caliban« hinweist, dem Rassenantisemitismus, wie er sich in der zweiten Hälfte des 19. Jhs. entwickelt hatte, entgegengehalten, daß körperliche Merkmale nachweislich keine zuverlässige Grundlage für die Einteilung der Menschheit in Rassen bieten.

61 *»Er sei … ein Montague.«* – Das anscheinend von Zweig erfundene Wort entspricht der Haltung der Capulets im ersten Akt von Shakespeares »Romeo und Julia«.

63 *Wilhelm Fließ, Hans Driesch … Gesetze aufzustellen* – Die Aufsatzserie von 1920/21 enthält an dieser Stelle einen ausdrücklichen

Hinweis auf Wilhelm Fließ' »Der Ablauf des Lebens« (Jena 1906)
(Der Jude 5, 3. S. 139). Fließ stellte die These auf, daß alle Geschehnisse im organischen Bereich gewissen zeitlichen Regel-
mäßigkeiten unterständen. – Hans Driesch wurde nach der
Jahrhundertwende mit Schriften wie »Der Vitalismus als Geschichte und als Lehre« (1905) und »Philosophie des Organischen« (1908) zum führenden Theoretiker des Vitalismus. Er
lehrte, daß nicht nur die körperliche Entwicklung des Menschen, sondern auch sein Handeln als ein biologisches, durch
die angesammelte Erfahrung des Individuums bedingtes Phänomen zu verstehen sei.

65 *Bergsons klassische Studie Le Rire* – Henri Bergson entwickelte in
»Le Rire« (1900) die These, daß das Lachen ein sozialer Ab-
wehrmechanismus sei, der es dem Menschen ermögliche, sich
plötzlich veränderten Umständen oder Verhaltensregeln bzw.
eintretenden Vorkommnissen anzupassen.

70 *im Auslande (Hebbel) ihre Erniedrigung fühlten* – Daß Zweig aus-
gerechnet Friedrich Hebbel an dieser Stelle als Beispiel anführt,
hängt vielleicht mit der persönlichen Misere zusammen, die
Hebbel 1843 – 1844 in Paris und Rom erfuhr und in seinen Ta-
gebüchern festhielt. Anerkennung als Dramatiker erlebte er
erst, als er sich ab 1845 in Wien niederließ.

71 *Italien … nur als historisches Dokument gleichsam lebte* – Die italienischen Kleinstaaten hatten sich seit der Spätrenaissance besonders durch die Gründung von Akademien als Förderer von
Kultur und Wissenschaft hervorgetan, wurden jedoch im Laufe
des 17. Jhs. nicht zuletzt durch die Auswirkungen des Dreißigjährigen Krieges in eine schwere Wirtschaftskrise gebracht mit
der Folge, daß sie bis in die napoleonische Zeit politisch und
ökonomisch zurückblieben.

72 *Spinoza … politischen Ausstoßung* – Spinoza entstammte einer
Marranenfamilie, die aus Spanien über Portugal nach Holland
gekommen war, und besuchte die jüdische Gemeindeschule in
Amsterdam. Er wurde 1656 von der jüdischen Gemeinde mit
dem Bann belegt, weil seine Lehre von Gott als in allen Dingen
immanent wirksame Ursache sowohl vom jüdischen als auch
vom christlichen Standpunkt aus als ketzerisch galt.

73 *Bialik, Perez* – Chajim Nachman Bialik gilt als der anerkannteste,
hebräisch schreibende jüdische Dichter der ersten Hälfte des

20. Jhs. Nach intensivem Talmud-Studium entwickelte er ab dem Alter von 14 Jahren ein starkes Interesse für die Haskala (Aufklärung). Von Offizieren Denikins verfolgt, verließ er 1921 Rußland, hielt sich vorübergehend in Deutschland auf und ging 1924 nach Palästina. – Jizchak Leib Perez stand zunächst unter dem Einfluß der Haskala und schrieb polnisch und hebräisch. Nachdem er sich eine Zeitlang in seiner Geburtsstadt Samoszcz (Kreis Lublin) als Anwalt betätigt hatte, studierte er das Volksleben, engagierte sich sozialistisch und entwickelte starkes Interesse für den Chassidismus. Seit den späten 1880er Jahren trat er als aktiver Verteidiger der jiddischen Sprache und Kultur hervor.

73 *Zedaka* – Auch: Zedoko (hebr.) pflichtmäßige Wohltätigkeit im Sinne der sozialen Gerechtigkeit. Vgl. 5. Mose 15, 7 ff.

Landauer ... Eisner – Arnold Zweig stand in den ersten Nachkriegsjahren stark unter dem Einfluß des idealistischen Sozialisten und philosophischen Anarchisten Gustav Landauer; 1918/19 Bildungsminister in der Regierung Kurt Eisners, wurde Landauer bei der Niederkämpfung der Münchner Räterepublik am 2. Mai 1919 von gegenrevolutionären Truppen ermordet. – Kurt Eisner, Mitbegründer der USPD, führte ab November 1918 die revolutionäre Regierung in Bayern; er wurde am 21. Februar 1919 von einem gegenrevolutionären Aktivisten auf der Straße erschossen.

74 *Leviné, »russische« Sozialisten* – Als »die Russen« wurden die drei Führer der bolschewistischen Fraktion in München zur Zeit der Räterepublik bezeichnet: Eugen Leviné, Max Levien und Towja Axelrod. Der in St. Petersburg geborene Leviné war russisch-jüdischer Abstammung, hatte in Deutschland studiert und war zur deutschen Armee einberufen worden. 1919 wurde er von Paul Levi als Oberhaupt der KPD in Bayern eingesetzt; bei der Niederkämpfung der Räterepublik im Mai 1919 wurde er standrechtlich erschossen.

76 *Träger der abstrakt-kapitalistischen Wirtschaftsgesinnung* – An dieser Stelle der Aufsatzserie von 1920/21 fügt Zweig in Klammern hinzu: »wie Sombart überzeugend dargetan hat«. In einer Fußnote weist er auf Werner Sombarts »Die Juden und das Wirtschaftsleben« (Leipzig 1911) hin, distanziert sich aber gleichzeitig von Sombarts Ansichten mit den Worten: »Daß mir Sombarts Ableitung des kapitalistischen Geistes aus Religion und

Ursprungsland der Juden falsch scheint, sei hier nur ange-
merkt.« (Der Jude 5, 4. S. 202.)

80 *Renan ... Lehre von der Unfruchtbarkeit* – Wie Coudenhove ausführt, hatte Ernest Renan in seiner »Histoire générale et système comparé des langues sémitiques« die Grundlage für den
Rassenantisemitismus geschaffen, indem er die Unterschiede
zwischen Semiten und Ariern – sehr zu Ungunsten der Semiten – anthropologisch zu fixieren versuchte. Coudenhove refe-
riert auch die späteren kulturgeschichtlichen Entdeckungen,
auf Grund derer die hochzivilisierten assyrischen und babylonischen Reiche als Leistungen der »semitischen Völkergruppe«
erkannt wurden (vgl. Heinrich Graf Coudenhove, Das Wesen
des Antisemitismus. Berlin 1901, S. 56–72).

81 *Coudenhove S. 79 ff.* – Coudenhove befaßt sich auf den Seiten 79
bis 82 seines Buches mit der hohen Stellung von Frauen in der
altarabischen Gesellschaft und Poesie (vgl. Anm. zu S. 80).

83 *Nietzsche hätte zu lachen gehabt* – Zu Nietzsches Konzeption des
»freien Geistes« vgl. »Menschliches, Allzumenschliches« Vorrede 3;
auch »Jenseits von Gut und Böse« 2. Hauptstück. Nietzsche di-
stanzierte sich z. B. in »Nietzsche contra Wagner« (Nachlaß
1889) ausdrücklich vom Antisemitismus: »seitdem Wagner in
Deutschland war, condescendirte er Schritt für Schritt zu Allem, was ich verachte – selbst zum Antisemitismus ...« (Wie ich
von Wagner loskam, 1). Zweig erinnert sich wohl auch an das
Motto zu »Der Fall Wagner«: »ridendo dicere severum« (Ernst-
haftes lachend zu sagen).

84 *cum amore et hilaritate* – (lat.) Mit Liebe und Heiterkeit.

85 *Diskussionen zwischen 1830 und 1848/49* – Ab 1830 stellten konservative Kräfte die Geltung des preußischen Emanzipationsediktes
von 1812 wieder in Frage. Die rechtliche Situation der Juden
wurde durch die Lehre des »christlichen Staates« untergraben. Im
Gegenzug vermochte der revolutionäre Liberalismus 1848 das
Prinzip der jüdischen Gleichberechtigung durchzusetzen.
Die Formel schuf Renan – Vgl. Anm. zu S. 80.
Wirtschaftsprogramm – von Juden formuliert – Im Februar 1849
legte der Volkswirtschaftliche Ausschuß des Frankfurter Parlaments, in dem u. a. der Berliner Jude Moritz Veit maßgeblich
mitarbeitete, ein Programm vor, das die Gewerbefreiheit fördern sollte.

85 *Tivoliprogramm* – Das 1892 von der Deutschkonservativen Partei beschlossene Programm wurde nach dem Tagungsort, der Berliner Tivoli-Brauerei, benannt und galt bis 1918. Hauptpunkte waren die Betonung des »Wehrgedankens«, wirtschaftlicher Protektionismus für Landwirtschaft und Industrie und Betonung der »christlichen« Werte mit deutlich antijüdischer Akzentsetzung.

»königlich preußischen Hofhistoriographen« – Vgl. Friedrich Nietzsche, Ecce homo (Nachlaß 1888/89), Der Fall Wagner 2: »Es giebt eine reichsdeutsche Geschichtsschreibung, es giebt, fürchte ich, selbst eine antisemitische, – es giebt eine H o f - Geschichtsschreibung und Herr von Treitschke schämt sich nicht ...«

86 *Denkwürdigkeit jenes 25. August 1920* – Am 24. August 1920 fand in der Berliner Philharmonie eine Veranstaltung gegen die Relativitätstheorie statt, bei der antisemitische Hetzschriften verteilt wurden.

Theodor Lessing ... zu glossieren gewagt hatte – In den Monaten nach der Wahl des Feldmarschalls Hindenburg zum Reichspräsidenten 1925 war Lessing, der im »Prager Tagblatt« vom 25. April 1925 ein entlarvendes Charakterbild von Hindenburg veröffentlicht hatte, einer massiven Einschüchterungskampagne ausgesetzt, die von völkischen Kreisen ausging und auf Lessings Absetzung von seinem Lehramt an der Technischen Hochschule Hannover zielte.

88 *(Tscheka)* – Politische Polizei des bolschewistischen Rußland 1917–1922.

Grausamkeit des Schächtens – Die rituelle Schlachtmethode im Judentum, die das völlige Ausbluten des geschlachteten Tieres zum Ziel hat, wurde in der antisemitischen Propaganda häufig als Greueltat dargestellt.

die »Greuel der Rätezeit« – Am 30. April 1919, vor der Niederschlagung der Münchner Räterepublik, wurden Geiseln, die von Rotarmisten im Münchner Luitpoldgymnasium gefangen gehalten wurden, brutal ermordet. Das Ereignis gab Anlaß zu grellen Gerüchten unter den gegenrevolutionären Kräften.

in Ungarn und Rußland – Vgl. zweite Anm. zu S. 45.

in der Soldateska Denikins und Petljuras, Horthys und Wrangels – Gemeint sind die gegenrevolutionären Armeen des Zeitraums 1918–1920. Denikin führte in diesen Jahren eine Freiwilligenarmee gegen die bolschewistische Regierung in Rußland,

Wrangel wurde im April 1920 sein Nachfolger. Horthy organisierte 1919 den militärischen Widerstand gegen die ungarische Räterepublik. Petljura kämpfte als Vorsitzender des Direktoriums der Ukrainischen Nationalrepublik (ab Februar 1919) mit polnischer Hilfe gegen die russischen Bolschewiki. Unter Petljuras Verantwortung kam es zu besonders schweren Pogromen in der Ukraine.

90 *Judenzählung 1916* – Die im Oktober 1916 vom preußischen Kriegsministerium angeordnete statistische Überprüfung der Anzahl von Juden in den verschiedenen Dienstbereichen des Heeres erregte sofort den Verdacht einer diskriminierenden Absicht. Arnold Zweig reagierte darauf mit einer zornigen Satire unter dem Titel »Judenzählung vor Verdun« (in: Jüdische Rundschau 21, 1916, 51, S. 424–425).
Verdunschlacht – Vgl. vierte Anm. zu S. 22.

91 *Werte bilden* – In der Aufsatzserie von 1920/21 weist Zweig ausdrücklich auf die ethischen Wertschemata Max Schelers hin als unerläßliche intellektuelle Orientierungspunkte für die eigenen Ausführungen. (Der Jude 5, 5/6. S. 277) Vgl. auch dritte Anm. zu S. 15.
antisemitisches Flugblatt ... von 1808 – Nicht ermittelt.
Wildenbruch, Schönherr, Löns, Dahn, Bloem, Lienhard – Ernst von Wildenbruch schrieb um die Jahrhundertwende patriotische Lieder, Balladen und Dramen in Anlehnung an Schiller. – Der Österreicher Karl Schönherr schrieb Gedichte und Geschichtsdramen in Tiroler Mundart, die zur Heroisierung und völkischen Romantisierung neigten. – Felix Dahn war Autor von volkstümlich-historischen Balladen, Schauspielen und Romanen, von denen insbes. »Ein Kampf um Rom« (1876–1878) sehr erfolgreich war. – Walter Bloems Romane aus der Welt des national gesinnten Bürgertums wurden um die Zeit des Ersten Weltkriegs ebenfalls viel gelesen. – Friedrich Lienhard war um die Jahrhundertwende ein führender Gegner des Naturalismus und Vorkämpfer der Heimatkunst, deren führendster Dichter mit seiner Heide- und Liebeslyrik, seinen Balladen und Romanzen Hermann Löns war.

92 *»Kaspar Hauser«* – Zweig verweist auf den 1908 erschienenen Roman »Caspar Hauser oder die Trägheit des Herzens« von Jakob Wassermann.

92 *Hebbels Nibelungen ... Gyges* – Friedrich Hebbel, Die Nibelungen (1862); Gyges und sein Ring (1856).
   Bilder von Thoma ... vorgezogen sehen – Hans Thoma war v. a. für seine bäuerlichen Figurenbilder und stimmungsvollen Landschaften bekannt. Max Liebermann hingegen war der bedeutendste Vertreter des deutschen Impressionismus. Der Norweger Edvard Munch, der Impulse des französischen Impressionismus und Symbolismus verarbeitete, gilt als Wegbereiter des deutschen Expressionismus. Die Kontroverse, die die Ausstellung von Munchs Bildern 1892 in Berlin hervorrief, führte zur Gründung der Berliner Sezession, der Liebermann vorstand.

94 *»Gesinnung«* – In der Aufsatzserie von 1920/21 merkt Zweig in einer Fußnote am Ende des Absatzes an: »Der Ausdruck ›Gesinnung‹ ist hier unzutreffend; Antisemitismus kann keine Gesinnung werden, wohl aber eine jener gesinnungsähnlichen Strebungen, von denen Alexander Pfänder in einer eindringlichen Studie ›Zur Psychologie der Gesinnungen‹ (Husserl, Jahrbuch I. Band, Teil 1, Halle 1913), S. 325 ff., besonders auf S. 350 ff. handelt.« (Der Jude 5, 5/6. S. 276.)

95 *Einem ganzen Flügel der protestantischen Bibelkritik* – Die protestantische Theologie, im Gegensatz zur katholischen, gründete ihre Glaubenssätze auf die Bibel und wetteiferte deshalb mit den Juden in der Exegese des Alten Testaments. Auf die ausgesprochen antijüdische Einstellung der deutschen Theologen Johannes Andreas Eisenmenger und Johann Christoph Wagenseil im 18. Jh. weist der englische Hebraist Travers Herford in seinem Buch über die Pharisäer hin, auf das Zweig im selben Absatz hinweist; vgl. auch G. F. Moore, Christian Writers on Judaism, Harvard Theological Review XIV (Juli 1921), S. 197–254.
   von Ed. Reuß, Wünsche u. a. abzusehen – Eduard Reuß übte von Straßburg aus als historisch-kritischer Exeget starken Einfluß auf die Lutheraner in Frankreich aus und stand in enger geistiger Verbindung mit der deutschen liberalen Theologie. – August Wünsche trat besonders als Übersetzer der Midraschim und der haggadischen Teile der Talmude hervor.
   der englische cant – Mit »Cant« bezeichnet man im Englischen eine mechanisch wiederholte Phraseologie, hinter der keine echte Emotion bzw. Überzeugung steht. Zweig spielt auf Max Schelers Schrift »Der Genius des Krieges und der Deutsche

Krieg« (Leipzig 1915) an, die im Anhang eine Betrachtung »Zur Psychologie des englischen Ethos und des cant« enthält. In der Aufsatzserie von 1920/21 erscheint dieser Satz in einer Fußnote, die mit den Worten fortfährt: »leider auch bei Max Scheler, dem außergewöhnlich erfahrenen und erleuchteten Darsteller und Systematiker des Gebiets der Werte, ohne dessen Schriften (›Der Formalismus in der Ethik und die materiale Wertethik‹, Halle 1912 und 1914, ›Abhandlungen und Aufsätze‹, Leipzig 1915) diese Arbeit nicht hätte geschrieben werden können.« (Der Jude 5, 5/6. S. 277)

96 *Jaques de Lacretelles prachtvollem »Silbermann«* – »Silbermann« (Paris 1922), der bekannteste Roman von Jacques de Lacretelles, erzählt von den Interessen und Enttäuschungen, die einen einsamen Protestanten mit einem begabten jungen Juden verbinden. Der Roman erschien 1924 übersetzt von W. Rode im Verlag E. P. Tal, Wien.

die Bemühungen … Ben Gorions, Fromers – Josef ben Gorion (d. i. Micha Josef Berdyczewski) vertrat innerhalb der zionistischen Bewegung die Entwicklung einer weltlichen jüdischen Kultur im Gegensatz zum »geistigen Zionismus« Achad Ha'ams. Als Wissenschaftler beschäftigte er sich mit der jüdischen Frühgeschichte, der Bibelerklärung, den Märchen und Volksgeschichten aus dem nichttalmudischen Schrifttum und der Volkskunde (vgl. Der Born Judas, Leipzig 1916–1923). – Jakob Fromer war Bibliothekar der jüdischen Gemeindebibliothek in Berlin und Verfasser von Schriften zur Geschichte des Judentums und des Talmud. Er gab u. a. eine Auswahl aus dem babylonischen Talmud für Laien heraus.

Chamberlains »Grundlagen« – Houston Stewart Chamberlain, Die Grundlagen des 19. Jahrhunderts. München 1899.

Blühers Juden-Broschüren – Neben dem Pamphlet »Deutsches Reich, Judentum und Sozialismus«, aus dem Zweig im 8. Buch von »Caliban« zitiert und in dem ein relativ positives Bild der jüdischen Nation gezeichnet wird, hat Hans Blüher auch in seiner Schrift »Secessio Judaica« (Berlin 1922) das Verhältnis zwischen Deutschen und Juden behandelt, wo er unmißverständlich die gesellschaftlichen und kulturellen Leistungen deutscher Juden verschmäht und den jüdischen Nationalismus als Vehikel einer historischen Trennung der beiden Völker darstellt.

96 *Nietzsches … späteren Schriften* – Erbittert äußert sich Nietzsche
   zu Deutschland und der deutschen Geistestradition besonders
   in »Götzendämmerung« und »Ecce homo«.
   Weiningers Analyse des Juden – Otto Weininger widmet in seinem
   Buch »Geschlecht und Charakter« (Wien 1903) dem Judentum
   ein eigenes Kapitel, in dem er über »das Jüdische« als »psychische Konstitution« ähnlich abwertende Ansichten entwickelt
   wie sonst über »das Weibliche«.

97 *Französ[ische] Kulturträger* – Joachim Kühn, Französische Kul-
   turträger im Dienste der Völkerverhetzung. Eine Auswahl aus der
   Pariser Kriegsliteratur. Jena 1917.
   Sombarts »Händler und Helden« – Werner Sombart, Händler und
   Helden. Patriotische Besinnungen. München 1915. – In der
   Aufsatzserie von 1920/21 distanziert sich Zweig in einer Fuß-
   note von dieser Publikation Sombarts mit folgenden Worten:
   »Eine Schrift, die jeder lesen muß, der sehen will, wo Sombart
   anbetet und wie und wo er bejaht – eine Entgleisung? wohl,
   aber aufschlußreich wie jede Nebensache und unkontrollierte
   Bewegung. Sombarts sonstige Lebensarbeit bleibt davon natürlich unberührt.« (Der Jude 5, 5/6. S. 278)
   Schelers »Genius des Krieges« – Max Scheler, Der Genius des
   Krieges und der Deutsche Krieg. Leipzig 1915. – Zweig hatte
   das Buch bei seinem Erscheinen mit Begeisterung rezensiert
   (in: Die Schaubühne 11, 1915, 16, S. 368–371).
   Thomas Manns »Bekenntnisse eines Unpolitischen« – In den »Betrachtungen eines Unpolitischen« (1918) hatte Thomas Mann
   versucht, durch ausführliche Kommentierung der deutschen
   Geistestradition seine Auffassung des Ersten Weltkrieges als Verteidigung der deutschen »Kultur« gegen die westliche »Zivilisation« zu begründen.

101 *Romain Rolland, … Georg Brandes, Heinrich Mann, Karl Kraus, Bernard Shaw, Bertrand Russell, Philip Morley* – Romain Rolland
   wandte sich schon vor 1914 gegen den Nationalismus und
   engagierte sich während des Ersten Weltkrieges in der Schweiz
   für Pazifismus und Kosmopolitismus (vgl. Au-dessus de la mêlée,
   1915; dt.: Der freie Geist). – Der Däne Georg Brandes hatte seit
   1888 der Verbreitung von Nietzsches Gedanken entschieden
   nachgeholfen; in zwei Büchern griff er 1916 und 1919 den deutschen und französischen Nationalismus an und widersetzte sich

der These von der einseitigen Schuld Deutschlands am Ersten
Weltkrieg. – Als demokratisch engagierter Schriftsteller übte
Heinrich Mann schon vor 1914 scharfe Kritik am Kaiserreich
und stellte dessen Politik in Aufsätzen und vor allem im Roman
»Der Untertan« (1913/1918) als katastrophenträchtig dar. – Karl
Kraus legte sowohl in seiner Zeitschrift »Die Fackel« als auch in
seinem überdimensionalen Drama »Die letzten Tage der Menschheit« (1918–1926) die während des Krieges in Presse und Öffentlichkeit gehegten Illusionen bloß. – Der engagierte Sozialist George Bernard Shaw stellte bald nach Kriegsbeginn 1914
in einem Pamphlet und in einer anschließenden Reihe von
Reden ähnlich wie Brandes die These von der einseitigen Schuld
Deutschlands am Weltkrieg in Frage und rief zum Verständigungsfrieden auf. – Der kämpferische Pazifist Bertrand Russell
verlor 1916 wegen seiner öffentlich verkündeten Ansichten
seine Anstellung als Dozent am Trinity College, Cambridge, und
mußte 1918 als Kriegsgegner eine sechsmonatige Haftstrafe
verbüßen. – Mit Philip Morley ist vermutlich der altgediente
englische Liberale Viscount John Morley gemeint, der um die
Jahrhundertwende gegen den Burenkrieg opponiert hatte und
beim Kriegseintritt Großbritanniens 1914 seine Regierungsäm-
ter niederlegte.

103 *Wille zur Macht* – Vgl. erste Anm. zu S. 31.

104 *böse in einem Sinn den kein Nietzsche vergolden kann* – Vgl. dritte Anm.
zu S. 39.

Papageno – In einer komischen Szene aus Mozarts »Zauber-
flöte« lassen sich der Vogelfänger Papageno und der Mohr Mo-
nostatos von dem jeweiligen Aussehen des anderen in solche
Angst versetzen, daß sie sich gegenseitig für den Teufel halten.

(am leuchtendsten in den »Acharnern«) – In den »Acharnern« von
Aristophanes macht der Bauer Dikaeopolis einen Privatvertrag
mit den Spartanern, der ihn in die Lage setzt, während Athen
den Verwüstungen des Peloponnesischen Krieges ausgesetzt ist,
für sich ein Luxusleben zu genießen.

Die andere Form … »auf dem Markte« – Das Verhalten gegenüber
dem Fremdling ist im Alten Testament durch zweierlei An-
weisung reguliert. Einerseits soll für ihn bei der rituellen Observanz dieselbe Gesetzgebung gelten wie für das Volk Israel
(z. B. 2. Mose 20, 10: »Da sollst du keine Arbeit tun, … auch

nicht dein Fremdling, der in deiner Stadt lebt«); andererseits wird
der Jude zu Rücksicht gegenüber dem Fremdling angehalten
(3. Mose 19, 33 f.: »Wenn ein Fremdling bei euch wohnt in
eurem Lande, den sollt ihr nicht bedrücken. Er soll bei euch
wohnen wie ein Einheimischer unter euch, und du sollst ihn
lieben wie dich selbst; denn ihr seid auch Fremdlinge gewesen
in Ägyptenland«). – Martin Buber, der allgemein das Wort »Gast«
dem »Fremdling« vorzieht, verwendet in seiner Übersetzung
im ersteren Fall die Formel »in deinen Toren«. Im Neuen Testament wird vor allem im Kontext des Weltgerichts auf das Wohl-
tätigkeitsprinzip angespielt (Matt. 25, 35); die Formel »auf dem
Markte« kommt allerdings in Luthers Übersetzung nur in Zusammenhang mit Christi Tadelung der Pharisäer vor, die sich
u. a. gern auf dem Markte grüßen lassen (Matt. 23, 7; Markus
12, 38; Lukas 11, 43).

107 *deutsch von Buber und Rosenzweig* – Die fünf Bücher der Weisun-
gen. Verdeutscht von Martin Buber gemeinsam mit Franz Rosenzweig. Heidelberg 1926.

110 *Coudenhove S. 180 ff., 412 ff.* – In seinem Buch »Das Wesen des
Antisemitismus« zeigt Heinrich Graf Coudenhove auf den Seiten 180 bis 182, daß sich die Kirchenväter äußerst wenig mit der
Frage des Wuchers beschäftigt hatten, daß alle Vorwürfe gegen
die Juden vor dem 12. Jh. vielmehr eine religiöse Grundlage
hatten, und daß die Antisemiten ihre Beispiele für jüdische Wu-
cherer aus dem Zeitraum seit dem 12. Jh. beziehen; auf den Seiten 412 bis 421 weist er nach, daß christliche Herrscher durch
Maßnahmen, die sich ironischerweise auf das im Alten Testament (z. B. 5. Mose 23, 19 f.) festgehaltene Wucherverbot stütz-
ten, und durch den Ausschluß aus anderen Verdienstmöglich-
keiten die Juden gezwungen hatten, sich aufs Geldgeschäft um-
zustellen. Vgl. Anm. zu S. 80.

111 *wie Werner Sombart nachgewiesen hat* – Anspielung auf Sombarts
»Die Juden und das Wirtschaftsleben« (Leipzig 1911); vgl. Anm.
zu S. 76.

112 *Chassidismus* – Mystisch-religiöse Richtung im Judentum, die
besonders im polnisch-litauischen Raum seit dem 17. Jh. Verbreitung fand.

Zedokoh – Vgl. zweite Anm. zu S. 73.

114 *Awerah* – (hebr.) Sünde, Überschreitung des göttlichen Gesetzes.

116 *Whitechapel* – Stadtteil im Osten von London, wo sich im 19. Jh.
viele jüdische Einwanderer niederließen.

jenseits der Grenze Hunderttausende von Juden ermordet – Vgl.
zweite Anm. zu S. 45.

117 *jener einst propagierte Kongreß der deutschen Juden* – Nachdem es
1918 in den USA zu einem Kongreß aller repräsentativen jüdischen Organisationen gekommen war, versuchten führende
deutsche Zionisten vergeblich, einen vergleichbaren Kongreß
in Deutschland einzuberufen.

118 *Zedokoh* – Vgl. zweite Anm. zu S. 73.

»Gedenket, daß ihr Knechte waret in Ägypten« – Die Erinnerung
an Ägypten wird im Alten Testament wiederholt aufbeschwo-
ren, wo es darum geht, Grundprinzipien des jüdischen Gemein-
schaftslebens zu begründen, u. a. 3. Mose 19, 33 f., 5. Mose 5, 15.

119 *von denen Sombart meinte* – Vermutlich eine Anspielung auf
Sombarts »Händler und Helden« (München 1915); vgl. zweite
Anm. zu S. 97.

120 *Grundsatz unseres Lehrers Hillel* – Hillel, der Gesetzeslehrer und
Begründer der nach ihm benannten Schule, war führender Pharisäer zur Zeit des Königs Herodes. Seine Lehren betonen das
Primat ethischen Handelns, Toleranz und Menschlichkeit. Der
Anbetung der Staatsmacht setzt er das Ideal der Gelehrtenge-
meinschaft entgegen. Das von Zweig zitierte Wort Hillels entstammt dem 2. Teil des Buches »Pirke Aboth« (hebr. – Sprüche
der Väter; vgl. auch Anm. zu S. 142).

»Richtet nicht, auf daß ihr nicht gerichtet werdet« – Matth. 7, 1.

123 *ein loyaler Staatsbürger ... Sperrgesetze gegen die Ostjuden zu verlangen* – Zweigs Polemik richtet sich gegen das assimilatorische
Verhalten der überwiegenden Mehrheit deutscher Juden, das
sich institutionell in der Gründung des Central-Vereins deutscher Staatsbürger jüdischen Glaubens 1893 (vgl. dritte Anm.
zu S. 136) verkörpert hatte. Der Verein suchte sowohl die staats-
bürgerliche Gleichstellung der deutschen Juden zu sichern als
auch die Treue zum deutschen Nationalstaat zu pflegen. Auch
wenn keine repräsentative jüdische Organisation offen gegen
die Einwanderung von Ostjuden opponierte, nahmen viele
deutsche Juden diese Einwanderungswelle als eine Gefährdung
des eigenen sozialen Standes wahr (vgl. Trude Maurer, Ostjuden in Deutschland 1918 – 1933, Hamburg 1986). – In der Auf-

satzserie von 1920/21 verweist Zweig in einer Fußnote auf Arthur Trebitsch' »dumm-infames Buch ›Geist und Judentum‹.« (Der Jude 5, 7. S. 387)

126 *die Tragik dieses Widerspruchs* – In der Aufsatzserie von 1920/21 weist Zweig an dieser Stelle in einer Fußnote auf Schelers Aufsatz »Zum Phänomen des Tragischen« (Abhandlungen und Aufsätze I, Leipzig 1915) hin. (Der Jude 5, 7. S. 451)

127 *Reichsflagge als »Judenfahne«* – Bereits im Oktober 1918 gingen die Führer des Alldeutschen Verbandes und der mit ihm assoziierten Organisationen vorsätzlich daran, die Demokratie und alle mit ihr verbundenen Abzeichen als »jüdisch« zu verpönen (vgl. Werner Jochmann, Gesellschaftskrise und Judenfeindschaft in Deutschland 1870 – 1945, Hamburg 1988, S. 117 ff.).
Göttinger Sieben – Sieben Göttinger Professoren, darunter die Brüder Jakob und Wilhelm Grimm, wurden im November 1837 ihres Amtes enthoben, weil sie gegen die Aufhebung des Staatsgrundgesetzes des Königreichs Hannover von 1833 durch König Ernst August protestiert hatten. Ihre Protestaktion und die Argumente, mit denen sie sie begründeten, gelten als maßgeblicher Beitrag zur Entwicklung des deutschen Liberalismus.
Uhland, Virchow, Konstantin Frantz, Mommsen, Eugen Richter – Es handelt sich um profilierte Vertreter des fortschrittlichen Bürgertums. – Ludwig Uhland nahm als liberal und großdeutsch Gesinnter 1848/49 an der Frankfurter Nationalversammlung und am Stuttgarter Rumpfparlament teil; 1819–1826 und 1833 bis 1838 war er Abgeordneter im württembergischen Landtag und legte 1833 seine Professur in Tübingen nieder, weil ihm die Regierung den Urlaub zur Ausübung seines Mandats verweigerte. – Rudolf Virchow unterbreitete 1848 Vorschläge zu einschneidenden sozialpolitischen Reformen, 1861 begründete er mit Eugen Richter die Fortschrittspartei und war ein führender Gegner Bismarcks im preußischen Verfassungskonflikt der frühen 1860er Jahre. – Konstantin Frantz vertrat um die Zeit der Reichsgründung die Idee eines mitteleuropäischen Staatenbundes unter dem Hause Habsburg, der helfen sollte, das europäische Gleichgewicht zu halten. – Der für seine »Römische Geschichte« bekannte Theodor Mommsen stand 1848 auf der Seite der bürgerlichen Linken und wurde 1850 wegen seiner Kritik an der sächsischen Regierung aus seiner Professur in Leip-

zig entlassen; als Mitglied des preußischen Landtags (1863–1866; 1873–1879) und des Reichstags (1881–1884) war er ein scharfer Gegner Bismarcks sowie des Antisemitismus Treitschkes. – Der Linksliberale und Mitbegründer der Fortschrittspartei Eugen Richter gehörte seit 1867 dem Reichstag und seit 1869 dem preußischen Landtag an; er widersetzte sich ständig der Realpolitik Bismarcks und der Nationalliberalen.

127 *Jacoby, Bamberger, Lasker ... und Nathan* – Johann Jacoby war 1848 Mitglied der Partei der Linken in der Preußischen Nationalversammlung und wurde 1849 in die deutsche Nationalversammlung gewählt; 1872 schloß er sich der Sozialdemokratischen Arbeiterpartei an. – Ludwig Bamberger nahm 1848/49 am pfälzischen Aufstand teil und war 1871–1893 Mitglied des Reichstages, zunächst als Nationalliberaler, ab 1881 als Freisinniger; er war ein Vorkämpfer des Freihandels und stellte sich entschieden gegen Bismarcks Schutzzoll- und Kolonialpolitik. – Eduard Lasker war 1866 Mitbegründer der Nationalliberalen Partei und wurde zum Führer von deren linkem Flügel; nachdem er sich für die von Bismarck betriebene Einigungspolitik eingesetzt hatte, opponierte er ab 1875 gegen die Haltung Bismarcks und der Nationalliberalen Führung gegenüber der Sozialdemokratie. – Paul Nathan hatte enge Beziehungen zu Freisinnigen Abgeordneten, er gab mit Theodor Barth die Zeitschrift »Die Nation« heraus und edierte die Schriften von Ludwig Bamberger; er leitete das Komitee zur Abwehr antisemitischer Angriffe in Berlin, wurde Vorstandsmitglied des Central-Vereins (vgl. dritte Anm. zu S. 136) und trug maßgeblich zum jüdischen Hilfswerk im Ersten Weltkrieg bei. Nathan war auch der Verfasser des Buches »Der Prozeß von Tisza Eszlar. Ein antisemitisches Kulturbild« (1892), das Arnold Zweig als Grundlage zu seinem Drama »Ritualmord in Ungarn« (1914) diente.

129 *der »Jude« Stefan George* – Vgl. Anm. zu S. 38.
(Bartels, Koch, Geißler!) – Zu Bartels, vgl. zweite Anm. zu S. 15. – Max Koch und Friedrich Vogt, Geschichte der deutschen Literatur von den ältesten Zeiten bis zur Gegenwart. Leipzig 1918– 1920. – Max Geißler, Führer durch die deutsche Literatur des zwanzigsten Jahrhunderts. Weimar 1913.

133 *Rosa Luxemburg ... Hugo Haase* – Rosa Luxemburg gründete während des Ersten Weltkrieges mit Karl Liebknecht den Spar-

takusbund, aus dem 1919 die KPD hervorging; beim Spartakusaufstand in Berlin im Januar 1919 wurde sie von Regierungs-
soldaten ermordet. – Hugo Haase war Parteiführer der SPD
1912–1915, schloß sich dann aber als Kriegsgegner der USPD
an; 1919 in die Nationalversammlung gewählt, wurde er im November desselben Jahres durch Geheimverbändler ermordet.

136   *die Zionistische Organisation* – Die moderne jüdische Einwanderung nach Palästina begann 1882 als Folge von Pogromen in
Rußland. Auf dem 1897 von Theodor Herzl einberufenen ersten Zionistischen Kongreß in Basel wurde die organisatori-
sche Grundlage dafür geschaffen, daß die Juden der Welt auf die
Errichtung einer jüdischen Heimstätte hinarbeiten konnten.
die Logen U. O. B. B. – Der Unabhängige Orden Bne Briss (in
Österreich, Polen, der Tschechoslowakei und der englischsprachigen Welt: B'nai Brith, hebr. – »Söhne des Bundes«) wurde
1843 in New York gegründet mit dem Zweck, die jüdischen
Einwanderer zu sammeln, den Makel, der aus jahrhundertelan-
ger Verfolgung entstanden war, zu beseitigen und hohe Mensch-
heitsziele zu fördern, wobei der Gedanke der Menschheit uni-
versal aufgefaßt wurde.
Zentralverein deutscher Staatsbürger – Der Central-Verein deutscher
Staatsbürger jüdischen Glaubens wurde 1893 in Berlin gegründet und verfolgte laut Satzung den Zweck, einerseits die »staats-
bürgerliche und gesellschaftliche Gleichstellung« der deutschen
Juden (u. a. durch Rechtsschutz) zu verteidigen und andererseits sie »in der unbeirrbaren Pflege deutscher Gesinnung zu
bestärken«. Der Verein stand der Idee einer Heimstätte für verfolgte Juden freundlich gegenüber, er widersetzte sich aber jeder jüdisch-nationalen Einstellung.

141   *Pejes* – (jidd.) Ecken; Schläfenlocken der Orthodoxen.

142   *Rabbi Elasar Chisma … in den Pirke Aboth* – Die Pirke Aboth
(auch schlicht: Aboth oder awot) bilden das neunte Traktat der
Ordnung Nesikin in der Mischna und gehören zu den volks-
tümlichsten und bekanntesten judaistischen Texten. Der Titel
wird gemeinhin mit »Sprüche der Väter« übersetzt. Die Äußerung des Rabbi Elasar Chisma, auf die Zweig anspielt, bildet
den 23. Spruch des 3. Teils des Buches.

143   *Was fällt, auch noch zu stoßen* – Vgl. Friedrich Nietzsche, Also
sprach Zarathustra III, Von alten und neuen Tafeln 20: »Oh meine

Brüder, bin ich denn grausam? Aber ich sage: was fällt, das soll man auch noch stossen!«

143 *vorfallender Schatten des guten Europäers* – Anspielung auf Nietzsches Diagnose der europäischen Kulturmischung, vielleicht in Erinnerung an »Die fröhliche Wissenschaft« (1886) 5. Buch, 377: »Es fehlt unter den Europäern von Heute nicht an solchen, die ein Recht haben, sich in einem abhebenden und ehrenden Sinne Heimatlose zu nennen … Wir sind, mit Einem Worte – und es soll unser Ehrenwort sein! – gute Europäer.« Vgl. auch Jenseits von Gut und Böse 241– 243 und 256.

gekreuzt durch zwei Blutströme wie Heinrich Mann – Heinrich Mann nahm die Kreuzung von nordischem und romanischem Blut in der eigenen Familie zur Grundlage des Romans »Zwischen den Rassen« (1907).

144 *graeculi* – Plural zu graeculus (lat.) kleiner Grieche. Beim Aufstieg Roms zur Weltmacht um 200 v. u. Z. wurde es bei aller Anlehnung an die hellenistische Kultur allmählich zur guten Sitte, die Griechen geringzuschätzen. Der abschätzige Gebrauch der Bezeichnung ist z. B. in den Reden Ciceros im 1. Jh. v. u. Z. belegt.

145 *Régence* – Regierungsperiode von Philippe d'Orléans in Frankreich während der Unmündigkeit Ludwigs XV. 1715–1723.

146 *einer ästhetischen Kultur, die den Juden als Volk seit Spanien gefehlt hatte* – Die Juden, die am Ende des 15. Jhs. unter dem Einfluß der Inquisition aus Spanien vertrieben wurden, standen als Kulturträger in hohem Ansehen.

nach Brods Vorgang – Max Brod hatte sich während des Ersten Weltkrieges der zionistischen Bewegung angeschlossen und seine programmatischen Ideen in mehreren Essays dargelegt: vgl. u. a. Brods Essaybände »Im Kampf ums Judentum« und »Sozialismus im Zionismus« (beide: Wien/Berlin 1920).

148 *man sei, was man liebe* – In den anschließenden Bemerkungen ist u. a. eine verdeckte Auseinandersetzung mit Weiningers Kapitel über das Judentum (vgl. sechste Anm. zu S. 96) zu erkennen, in dem der Satz steht: »Wie man im anderen nur liebt, was man gerne ganz sein möchte und doch nie ganz ist, so haßt man im anderen nur, was man nimmer sein will, und doch immer zum Teile noch ist.«

149 *Wiederentdecker Meister Eckeharts* – Vgl. Gustav Landauer, Meister Eckharts Mystische Schriften. Berlin 1903.

150 *Eisenacher Tagung der Burschenschaftler* – Dieser Beschluß wurde auf der Burschenschaftlertagung vom Sommer 1920 debattiert (vgl. Heike Ströle-Bühler, Studentischer Antisemitismus in der Weimarer Republik. Frankfurt a. M. 1991, S. 67).

151 *»Waidhofener Prinzip«* – Gemeint ist der zuerst von dem »Waidhofener Verband der Wehrhaften Vereine Deutscher Studenten in der Ostmark« (Österreich) 1896 aufgestellte Grundsatz, Juden die Satisfaktion mit der Waffe zu verweigern.

152 *Revolverschuß ... Verein »Frohe Garde«* – Maximilian Spaeth gehörte zu den Mitbegründern der Vereinigung »Frohe Garde«. Sein Selbstmord im Dezember 1919 löste in Münchens jüdischen Kreisen große Betroffenheit aus (vgl. Das jüdische Echo. München (1919) 51). Zweig erwähnt diesen Fall in einem Brief an Helene Weyl vom 10. Dezember 1919 (vgl. Zweig/Weyl, Komm ..., S. 170, Anm. S. 410).

153 *(Oberschlesien!)* – Oberschlesien gehörte seit dem Versailler Vertrag von 1919 zu den umstrittenen Grenzgebieten des Reiches. Auf Grund eines Volksentscheids im März 1921 wurde etwa ein Viertel des Gebiets, das eine wertvolle Quelle von Kohle und Zink umfaßte, an Polen abgetreten.
Alfred Adler: »Der nervöse Charakter« – Alfred Adler, Über den nervösen Charakter. Grundzüge einer vergleichenden Individualpsychologie und Psychotherapie. Wiesbaden 1912.

154 *Nietzsche über die Reichsgründung und ihren Geist* – Nietzsches Kritik der Siegesatmosphäre von 1871 in Deutschland äußert sich vor allem am Anfang seines Aufsatzes »David Strauss der Bekenner und Schriftsteller« (1873).

156 *Ihre Repräsentanten ... Brahm und Reinhardt* – Die einschlägigen Einträge in jüdischen Enzyklopädien der Weimarer Zeit bestätigen, daß alle genannten Personen weniger als berühmte Juden sondern vielmehr als Repräsentanten der deutschen Kultur und Geisteswelt ihrer Zeit gesehen wurden. Der Philosoph Hermann Cohen beschäftigte sich allerdings gegen Ende seines Lebens intensiver mit der jüdischen Religion, und verstreute Schriften zu jüdischen Themen und Kulturleistungen finden sich bei Moritz Heimann und Julius Bab, und in den Reiseschilderungen von Alfred Kerr und Alfred Döblin. Jakob Wassermann ist u. a. für seine Analyse des deutsch-jüdischen Spannungsverhältnisses in »Mein Weg als Deutscher und Jude« (1921) bekannt.

156 *Andere Kräfte ... Brod und Feuchtwanger* – Die angeführten Autoren sind durch ihre mehr oder weniger ausgeprägte Beschäftigung
mit einer jüdischen Problematik bekannt. Die Gedichte Else
Lasker-Schülers haben zum Teil religiösen Charakter (vgl. Hebräische Balladen, 1913); Franz Werfel hatte 1926 sein Drama »Paulus und die Juden« veröffentlicht; Richard Beer-Hofmanns
Drama »Jaakobs Traum« war 1918 erschienen, und seine Ge-
dichtesammlung »Schlaflied für Mirjam« (1919) enthält auch
eindeutige Verweise auf die jüdische Religion; Lion Feuchtwanger hatte 1925 in seinem Roman »Jud Süß« das Schicksal
des württembergischen Hofjuden und Finanzrats Joseph Süß
Oppenheimer dargestellt. Max Brod hatte bereits vor dem Ersten Weltkrieg in Erzählwerken (Jüdinnen, 1911; Arnold Beer,
1912) jüdische Themen behandelt.

157 *Nietzsche ... Kaufleuten* – Anspielung auf Nietzsches Bemerkungen »Von der Herkunft der Gelehrten« in »Die fröhliche
Wissenschaft« (1886) 5. Buch, 348: »die Söhne von Registrato-
ren und Büreauschreibern jeder Art [...] zeigen, falls sie Gelehrte werden, eine Vorneigung dafür, ein Problem beinahe damit für gelöst zu halten, dass sie es schematisirt haben. [...] Die
Söhne von protestantischen Geistlichen und Schullehrern erkennt man an der naiven Sicherheit, mit der sie als Gelehrte
ihre Sache schon als bewiesen nehmen, wenn sie von ihnen
eben erst nur herzhaft und mit Wärme vorgebracht worden
ist: sie sind eben gründlich daran gewöhnt, dass man ihnen
g l a u b t , – das gehörte bei ihren Vätern zum ›Handwerk‹!«
wer etwa ... zum Vater einen Handwerker hat – Zweig verweist auf
die eigene Herkunft.

158 *Hofmannsthals Oedipus ... brausen hören* – Zweig spielt auf die
Stelle gegen Ende des ersten Aktes von Hofmannsthals »Oedipus und die Sphinx« an, wo die Stimmen toter Könige Oedipus
als »unsres Blutes Sohn« bezeichnen.

159 *Aufforderung zum tätigen Bekennen jüdischen Volkstums* – Die Aufsatzserie von 1920/21 enthält im folgenden Absatz ein über-
schwengliches Lob auf Martin Bubers programmatische Schrift
»Der heilige Weg« (1919) und auf Gustav Landauers »Aufruf
zum Sozialismus« (1911) sowie ein Bekenntnis zum Primat der
religiösen Ordnung des Lebens über das Materielle. (Der Jude
5, 11. S. 630)

160 *Galuth* – (hebr.) Exil; bezeichnet die Tatsache des Vertrieben-
seins aus Palästina, Diaspora.

162 *vor den ukrainischen Pogromen versagt* – Vgl. zweite Anm. zu S. 45.

167 *Kehillah* – (hebr.) Gemeinde.

»*Rëubeni*« – Der Roman »Rëubeni, Fürst der Juden« (1925) von
Max Brod schildert das Schicksal des messianischen Schwär-
mers David Rëubeni, der im Italien des frühen 16. Jhs. als Prinz
eines souveränen jüdischen Staates auftrat.

168 »*Gojim*« – Plural von Goj (hebr.) Nichtjude.

173 *Hepp-hepp-Geschrei* – Der Spottruf »Hep-hep« kam zur Zeit der
antisemitischen Exzesse von 1819 auf, die von Würzburg ausgingen. Über den eigentlichen Sinn des Rufs ist verschiedent-
lich spekuliert worden, ohne daß es zu irgendeiner schlüssigen
Erklärung gekommen wäre.

Jeschurun – (hebr.) der Rechtschaffene; poetischer Name für Israel
(vgl. 5. Mose 32, 15).

175 *der bestimmte, von Kretschmer beschriebene Profiltypus ... zurückflüchtet* – Vgl. Ernst Kretschmer, Körperbau und Charakter. Untersuchungen zum Konstitutionsproblem und zur Lehre von den
Temperamenten. Berlin 1921, S. 112 f., 191. Kretschmer erstrebt
in seinem Buch allerdings eine Typologie von Geistesverfassun-
gen in Beziehung zum Körperbau; eine Ätiologie von Geistes-
zuständen, wie sie Zweig im Sinne hat, gehört nicht zu seinen
Anliegen.

176 *wie Adler ausgezeichnet nachgewiesen hat* – Vgl. zweite Anm. zu
S. 153.

179 *Dorian Gray-Naturen* – In »Das Bildnis des Dorian Gray« von
Oscar Wilde zeichnet sich das verworfene Leben Dorian Grays
an seinem Bildnis statt an der eigenen Person ab.

Liberalität der nachjosephinischen Ära – Kaiser Joseph II. zählt zu
den großen Förderern der Aufklärung und hinterließ eine Bürokratie, die in dem Sinne als liberal galt, daß sie rationell vor-
ging. Die liberale Politik kam in Österreich erst nach 1860 voll
zum Tragen.

kluges Mädel aus dem galizianischen Ghetto ... Erzherzogin – Die
Opernsängerin Selma Kurz ist im »Jüdischen Lexikon« (Berlin
1929) als 1877 in Galizien geboren angeführt, obwohl sie eigentlich aus Biala (Schlesien) stammte. Sie gelangte in Wien unter
Gustav Mahler als Koloratursopran zu hohem Ruhm.

179 *Budapester Judenjungen ... zu verhandeln* – Theodor Herzl, der aus Budapest stammte, führte solche Verhandlungen im Namen der zionistischen Bewegung.

vom kleinen Mimen bis zum Schloßherrn – Auf der Höhe seines Erfolgs wurde Max Reinhardt zum Schloßherrn von Leopoldskron.

180 *zur Pistole greifen ... befriedigt werden konnte* – Als Musterbeispiel des sich selbst entfremdeten Juden könnte Otto Weininger gemeint sein, der sich nach der Veröffentlichung von »Geschlecht und Charakter« erschoß.

ein »Untam« aus Ottakring – »Untam« ist als Negativbildung zu »taam« (hebr. – Geschmack; in übertragenem Sinne auch: Geschicklichkeit, Verstand) zu verstehen und wird hier offenbar als Ausdruck der Ablehnung gegenüber einem ungeschickten Menschen zitiert. Ottakring gehört zu den äußeren Bezirken Wiens (XVI. Bezirk) und galt um die Jahrhundertwende als Arbeiterviertel; die jüdische Bevölkerung Wiens konzentrierte sich näher der Stadtmitte im I., II. und IX. Bezirk.

von Dahn verkitschte deutsche Vergangenheit – Felix Dahn behandelte in seinen Balladen und Dramen (z. B. Deutsche Treue, 1871; König Roderich, 1875; Markgraf Rüdeger von Bechelaren, 1875) Themen aus der deutschen Geschichte; besonders nach dem Erfolg von »Ein Kampf um Rom« (1876) schrieb er aber auch Romane über die deutsche Frühgeschichte (Odhin's Trost, 1880; Kleine Romane aus der Völkerwanderung, 1882 bis 1901; Skirnir, 1889), die gegen Ende des 19. Jhs. sehr beliebt waren.

181 *romanisch-germanischen Rückwärtswillen des großen George* – Die Beschreibung paßt am ehesten zu Georges Gedichtzyklus »Der siebente Ring« (1907), in dem mehrere Gedichte Gestalten des Mittelalters im Geiste einer Kulturkritik der Gegenwart heraufbeschwören.

182 *Schnitzlers »Weg ins Freie«* – Arthur Schnitzlers Roman »Der Weg ins Freie« (1908) schildert mit psychologischem Feingefühl die für die jüdische Situation der Jahrhundertwende charakteristischen Menschentypen.

183 *Sakrifizium intellektus* – (lat.) Aufopferung des Intellekts.

184 *Zedokoh* – Vgl. zweite Anm. zu S. 73.

186 *mit Breuer unternommenen Studien zur Hysterie* – Sigmund Freud und Josef Breuer, Studien über Hysterie. Leipzig 1895.

189 *zwei Juden der k. u. k. Monarchie ... Herzl und Buber* – Theodor
     Herzl war in Budapest geboren und wirkte in erster Linie als
     Journalist in Wien; Martin Buber entstammte einer galizischen
     Gelehrtenfamilie, war in Wien geboren und gab dort 1901
     Herzls Zeitschrift »Die Welt« heraus.

191 *Harden oder Theodor Wolff ... zur Abkürzung des Krieges zu drän-
     gen* – Maximilian Harden, der Gründer und Herausgeber der
     Zeitschrift »Die Zukunft«, entwickelte sich während des Ersten
     Weltkrieges vom konservativen Monarchisten und Vertreter
     des deutschen Imperialismus zum Pazifisten und Gegner des
     Nationalismus. – Theodor Wolff kämpfte während des Krieges
     als Chefredakteur des liberalen »Berliner Tageblatts« gegen An-
     nexionen und übersteigerten Nationalismus und für die Ein-
     führung des parlamentarischen Systems; er geriet deshalb in
     scharfe Konflikte mit den Militärbehörden.
     Diktatur des Kriegs-Presse-Amts – Mit der Erschaffung des Kriegs-
     presseamts im Oktober 1915 gewann die Oberste Heereslei-
     tung unmittelbare Kontrolle über die Zensur und die Informa-
     tionszufuhr der deutschen Presse. Das Amt lieferte der Presse
     unentgeltlich Material über den Kriegsstand und die politische
     Situation und unterband die Verwendung anderer Auskünfte
     sowie jede freie Meinungsäußerung.

192 *»Wo aber Gefahr ist ...«* – Vgl. die Anfangszeilen von Friedrich
     Hölderlins Gedicht »Patmos« (2. Fassung): »Nah ist/Und schwer
     zu fassen der Gott./Wo aber Gefahr ist, wächst/Das Rettende
     auch.«

197 *Ein Denker ... Kampf der Kräfte* – Friedrich Nietzsche, Jenseits
     von Gut und Böse (1886) 251.

199 *irische Frage ... Ulsterlandes erschien* – Seit dem 16. Jh. wurde in
     den nördlichen Teilen Irlands die katholische Bevölkerung
     nach und nach von schottischen und englischen Siedlern evan-
     gelischen Glaubens zurückgedrängt. Mit der Bildung des Ver-
     einigten Königreichs von Großbritannien und Irland 1801 ver-
     tiefte sich innerhalb Irlands die Kluft zwischen Katholiken und
     Protestanten. Als die britische Regierung 1912 eine Gesetzes-
     novelle zur Selbstregierung Irlands vorlegte, stellten sich die
     Unionisten der nördlichen Provinz Ulster kompromißlos dage-
     gen und bereiteten sich auf den Bürgerkrieg vor. Nachdem es
     1916 zu einem Aufstand irischer Nationalisten gegen die bri-

tische Dominanz gekommen war, wurde 1920 die Trennung von
Nord- und Südirland vereinbart, die 1921 zur Gründung des
Freistaats Irland führte.

200   *Die Analyse hat bewiesen ... einmal mächtig waren* – Vgl. erste
      Anm. zu S. 209.

      Zerstörung ihres Reiches unter Titus und ... Hadrian – Unter Titus
      und seinem Vater Vespasian wurden Galiläa und Judäa 67 – 70
      u. Z. von den Römern erobert und der Tempel zu Jerusalem im
      Jahre 70 zerstört. Der Beschluß Hadrians im Jahre 132, Jerusalem
      durch eine römische Kolonie zu ersetzen, löste die jüdische Re-
      volte unter Bar Kochba aus, die brutal niedergekämpft wurde.

201   *unter den Ostgoten gegen die Byzantiner* – Nachdem die Juden
      Palästinas unter dem Despoten Justinian schweren Verfolgungen
      ausgesetzt waren, kam es im Jahre 529 zu einem jüdischen Auf-
      stand gegen Byzanz, der gleichzeitig mit dem Krieg Justinians
      gegen das um die Adria gelegene Reich der Ostgoten verlief
      (vgl. S. Dubnow, Weltgeschichte des jüdischen Volkes. Bd. 3,
      Berlin 1926, S. 260 ff.).

      unter den Mauren gegen die Kastilianer – In Spanien wurden sowohl
      die Juden als auch die Mauren von dem Beschluß des Lateran-
      konzils 1215 betroffen, der ihnen das Tragen einer sie von den
      Christen unterscheidenden Tracht auferlegte. Die Beziehungen
      zwischen den Juden und den kastilischen Herrschern waren um
      diese Zeit jedoch eher friedlicher Natur, weil die Juden die Ero-
      berung des südlichen Spaniens durch die Kastilianer als Befrei-
      ung von der maurischen Herrschaft begrüßt hatten und weil sie
      für die Kastilianer in ihrem Krieg gegen die Mauren eine wich-
      tige finanzielle Quelle darstellten (vgl. S. Dubnow, Weltge-
      schichte des jüdischen Volkes. Bd. 5, Berlin 1927, S. 75 ff.).

202   *Der Talmud, die Pandekten und der Kanon des Kirchenrechtes ...
      spätrömischen Großstaatepoche* – Der in mehrhundertjähriger
      mündlicher und schriftlicher Überlieferung entstandene Talmud,
      der aus der Mischna (hebr. Gesetzessammlung) und deren ara-
      mäisch verfaßter Kommentierung besteht, wurde um 500 u. Z.
      abgeschlossen. – Die Pandekten sind der zentrale Bestandteil
      des Corpus Iuris Civilis, der mit Gesetzeskraft ausgestatteten
      Sammlung des römischen Rechts, die Kaiser Justinian I. im 6. Jh.
      zusammenstellen ließ, und die in Deutschland eine der Quel-
      len des geltenden Rechts wurde, die teilweise bis zum Inkraft-

treten des BGB (1900) in Kraft blieb. – Die früheste bekannte
(griechische) Sammlung des Kirchenrechts wurde vom Patriar-
chen Johannes Scholasticus ebenfalls im 6. Jh. zusammengestellt.

203 *Das Verbot des Leihens auf Zins* – Vgl. Anm. zu S. 110.

*der Mommsenschen Geschichte oder der Brandesschen Caesarbiogra-
phie* – Theodor Mommsen, Römische Geschichte. Leipzig 1854
bis 1856; Georg Brandes, Caius Julius Caesar. Berlin 1925.

205 *Graeculi* – Vgl. Anm. zu S. 144.

von Achill und Odysseus … auf eignem Wege weiterkam – Zweig
faßt hier einige recht heterogene Strähnen der religiösen und
philosophischen Entwicklung im klassischen Altertum von
Homer im 8. Jh. v. u. Z. bis zu Plotin im 3. Jh. u. Z. zusammen.
Eleusis stand unter den griechischen Staaten wegen der Mysterien, die dort zu Ehren von Demeter zelebriert wurden, an
hervorragender Stelle. Sowohl der Mithraskult, der einen indo-
iranischen Sonnengott zum Gegenstand hatte, als auch die an
einem Erlösungsmythos orientierte Gnostik, die in christlichen
und heidnischen Formen bekannt war, entstanden im 2. Jh. u. Z.

208 *Sklavenaufstand gegen … Gebilde im Himmel* – Zweig dreht hier
mit Scheler den Spieß gegen Nietzsches Kritik der christlich-
jüdischen Moral um; vgl. Max Scheler, Das Ressentiment im
Aufbau der Moralen. In: Ges. Werke 3, S. 102 f.

selbst noch Nietzsche und Anatole France – Bei Nietzsche kommt
das Wort vom Tode Gottes seit »Die fröhliche Wissenschaft«
(1881/82) 3. Buch, 125 leitmotivisch vor. – Anatole France, der
allgemein für seinen skeptischen Blick bekannt war, entwickelte sich spätestens seit der Dreyfus-Affäre der 1890er Jahre
in Frankreich zu einem ausgesprochenen Gegner der katholischen Kirche; sein später Roman »La Révolte des anges« (1914)
ist eine Satire auf das Christentum insgesamt.

*Gott ist die Spiegelung des lebendigen Plasmas in den Bewußtseins-
schichten des Menschen* – Ähnliche Argumente hatte Ernst Haeckel
bereits 1892 in seinem Vortrag »Der Monismus als Band zwischen Religion und Wissenschaft. Glaubensbekenntnisse eines
Naturforschers« vorgelegt.

209 *Die analytische Psychologie … über das Göttliche unterrichten* – Der
Gedanke, daß frühe Erlebnisse unter der Bewußtseinsschwelle
des Einzelmenschen weiterwirken, gehört zu den Kernthesen
der Psychoanalyse. Freud hat sich aber in der Einleitung zu »Mas-

senpsychologie und Ich-Analyse« (1921) entschieden gegen die Vorstellung eines ursprünglichen und unzerlegbaren sozialen Triebes gestellt, die in der englischen Fachliteratur als »herd instinct« oder »group mind« bekannt war. Die Frage der möglichen Vererbung erworbener (Gruppen)eigenschaften hatte Freud seit der Darstellung seiner Thesen zum Ursprung der Religion in »Totem und Tabu« (1913) beschäftigt, sein eindeutigstes Bekenntnis zu dieser Ansicht findet sich aber erst in dem Spätwerk »Der Mann Moses und die monotheistische Religion« (1939). Zweigs Hinweis auf eine Sphäre der Geistigkeit, aus der die göttliche Offenbarung stammen würde, scheint eher den monistischen Vorstellungen Haeckels verwandt zu sein. Als Zweig sich im Dezember 1932 mit der Vorbereitung einer Neuauflage von »Caliban« beschäftigte, deutete er gegenüber Freud an, daß er im Zusammenhang damit »Massenpsychologie und Ich-Analyse« lesen wolle (vgl. Freud – Zweig – Briefwechsel, S. 63).

209 *(Bachofen)* – Johann Jakob Bachofen, Das Mutterrecht. Eine Untersuchung der Gynaikokratie der alten Welt nach ihrer religiösen und rechtlichen Natur. Stuttgart 1861.

210 *Kindeserlebnisse ... Entwicklungsstufe der Art rekapituliert* – Vgl. Sigmund Freud, Totem und Tabu. Teil IV: Die infantile Wiederkehr des Totemismus. Leipzig/Wien 1913.

214 *Bemühungen des Papstes* – Papst Benedikt XV. hatte sich während des Ersten Weltkrieges fortwährend um die Möglichkeit eines Verständigungsfriedens bemüht.

215 *Karl Vogt oder Haeckel* – Beide waren Verfechter des philosophischen Materialismus und der Darwinschen Evolutionstheorie. Ernst Haeckel vertrat auf der Grundlage einer pantheistisch verstandenen »Einheit der Natur« außerdem einen Monismus, der eine Synthese von kausal-mechanischem Materialismus und den berechtigten Anliegen der Religion herstellen sollte (vgl. auch dritte Anm. zu S. 208).

219 *Kwuzoth* – Plural von Kewuzah (hebr.) Gruppe; jüdische Kolonie auf genossenschaftlicher Grundlage.

220 *Tatinju* – (jidd.) Väterchen. Vielleicht als Analogiebildung zu (poln.) »tatunju« einerseits und (hebr.) »awinju« andererseits.

222 *Ahasver* – Traditioneller Name des »ewigen Juden«.

223 *Ein Tier heranzüchten ... Problem vom Menschen?* – Friedrich Nietzsche, Zur Genealogie der Moral (1887) 2. Abhandlung, 1.

225 *das Dionysische* – Bei Nietzsche das Prinzip der rauschhaften Einsicht in die Gebrechlichkeit der menschlichen Erkenntnisformen gegenüber der Natur (vgl. v. a.: Die Geburt der Tragödie 1).

im Kunstwerke mit dem prinzipium individuationis spielend umgehen – Vgl. Friedrich Nietzsche, Die Geburt der Tragödie (1870/71) 1: »im schönen Schein des Kunstwerks ist den Menschen die Möglichkeit geboten, das leidensvolle Verhältnis zwischen Individuum und Welt zu bewältigen.«

226 *ein Geschöpf Ariels* – Ariel verkörpert in Shakespeares »Sturm« das unter der Herrschaft der Vernunft stehende kreative Prinzip, während Caliban das widerwillig dienende rebellische Prinzip vertritt.

nicht im Sinne der Eleaten, sondern ... Bergsons – Die vorsokratische Schule von Elea, deren prominenteste Denker Promenides und Zenon waren, lehrte die Identität von Sein und Denken. Die modernen Philosophen, auf die Zweig verweist, beschäftigten sich hingegen mehr mit dem problematischen Verhältnis zwischen materieller Existenz und erkennendem Denken: die pantheistische Gottesanschauung Spinozas impliziert einen Parallelismus von Körper und Geist. – Edmund Husserl, der Begründer der phänomenologischen Schule, suchte die Werterkenntnis als intuitiven Akt zu erklären. – Henri Bergson sah den Intellekt als eine von den Lebensbedürfnissen des Menschen erzeugte Funktion, die dazu diene, die Welt beherrschbar zu machen.

aus der »Geburt der Tragödie« und den dazugehörigen Schriften – Elisabeth Förster-Nietzsche schreibt in ihrem Vorwort zur Taschen-Ausgabe, Bd. 1 (Leipzig 1906), S. XXXVI: »Die ›Geburt der Tragödie‹ ist eigentlich nur ein Theil des großen Griechenwerkes, das meinem Bruder seit seiner Studentenzeit vorschwebte; aber selbst dieser Theil war viel ausführlicher geplant, worüber der Nachbericht Näheres mittheilt. Die kleinen Schriften in diesem Band: ›Der griechische Staat‹, ›Das griechische Weib‹, ›Über Musik und Wort‹ sind Bruchstücke aus den Vorarbeiten zur ›Geburt der Tragödie‹ und geben uns mit den beiden Schriften der Homerrede und Homers Wettkampf von den weitumfassenden Studien zu seinem Griechenwerk eine Vorstellung.«

226 *zwei Mächtegruppen* – Neben dem Dionysischen benennt Nietzsche in »Die Geburt der Tragödie« auch das Apollinische als formendes Prinzip.

229 *im Stil der »Weisen von Zion«* – Vgl. dritte Anm. zu S. 26.

    Schreiber à la … Dinter – Der radikal antisemitische Agitator Arthur Dinter ist vor allem als Autor des Romans »Die Sünde wider das Blut« (1918) in Erinnerung geblieben.

230 *more geometrico* – (lat.) In geometrischer Art.

231 *Bild der »versetzten Begabungen«* – Gemeint sind wohl die Aphorismen 304–307 Friedrich Nietzsches aus dem Nachlaß 1874, auf die Zweig bereits in seiner frühen Studie »Das Werk und der Betrachter« (1909) verwiesen hatte, insbesondere: »305. Wagner ist ein geborner Schauspieler, aber gleichsam wie Goethe ein Maler ohne Malerhände. […] 306. Wenn Goethe ein versetzter Maler, Schiller ein versetzter Redner ist, so ist Wagner ein versetzter Schauspieler.«

234 *Mendel, De Vries, Weismann* – Gregor Mendel führte Experimente mit der Kreuzung von Pflanzenarten durch, die Hugo de Vries um 1900 als grundlegend für die moderne Genetik bekannt machte. August Weismanns Plasmatheorie gilt heute als Vorläufer der DNS-Theorie.

235 *Geschichte der Judenemanzipation … Paradigma der Gruppengeschichte* – Simon M. Dubnow, Die Neueste Geschichte des jüdischen Volkes. 3 Bde., Berlin 1920–1923; Weltgeschichte des jüdischen Volkes. Von seinen Uranfängen bis zur Gegenwart. 10 Bde., Berlin 1925–1929.

238 *Conrad Fiedlers … Verdienst* – In seiner Kunsttheorie betonte Fiedler den autonomen Charakter des Kunstwerks (Über die Beurteilung von Werken der bildenden Kunst, 1876; Über den Ursprung der künstlerischen Tätigkeit, 1887).

    Thesen meines Kleist-Essays – In dem betreffenden Abschnitt seines Buches »Lessing, Kleist, Büchner« (Potsdam 1925) bestimmt Zweig die soziologische Dimension der dramatischen Form: »Das Drama hat eine zentrale Funktion: es spricht in örtlich-körperlichen Schaustellungen die Haltung des Menschen vor dem Schicksal aus. Diese aber wechselt nach Weltaltern und Kulturkreisen durchaus. […] Wie jede Form ist auch das Drama eine soziale Gestaltung, bedingt von seinem Drängen auf leichteste Nachlebbarkeit […] eines Schicksalsablaufs in seiner Totalität […] durch eine Menge. […] Weil wesentlich auf eine Menge zielend ist das Drama anti-intellektuell gegründet. Es wendet sich an den ganzen Menschen als potentiellen Träger der Menge und an das Verbindende in jedem, nicht an den isolierten und isolierenden Intellekt.« (S. 83 f.) – Der Essay erschien zuerst unter dem Titel »Versuch über Kleist« in: Heinrich von Kleist, Sämtliche Werke, Bd. 1. München 1923, S. V – LVI.

238 *katharsis ton pathematon* – Im 6. Buch der »Poetik« unterbreitet Aristoteles seine Theorie, nach der die Tragödie eine »Reinigung solcher Emotionen« (griech., ton toiouton pathematon katharsis), namentlich der Furcht und des Mitleids, bewirken soll.

242 *Gestaltungen De Costers im Ulenspiegel* – Charles de Coster war 1856 – 1864 Mitherausgeber einer satirischen Zeitschrift »Uylenpiegel« und machte die Figur zusätzlich bekannt durch seinen Roman »La Légende et les aventures heroïques, joyeuses et glorieuses d'Uylenspiegel et de Lamme Gedzak au pays de Flandres et ailleurs« (1868; dt. zuerst 1909).

Schildereien eines Sir John Retcliffe – Vgl. vierte Anm. zu S. 26.

Romane Lion Feuchtwangers – Gemeint sind die Romane »Jud Süß« (München 1925) und »Die häßliche Herzogin Margarete Maultasch« (Berlin 1923).

Erfolge Max Brods – Gemeint sind die Werke »Tycho Brahes Weg zu Gott« (Leipzig 1915) und »Rëubeni, Fürst der Juden« (München 1925).

wie sie sich widerspiegelt fanden in . . . »Professor Unrat« – Es handelt sich um Romane der Jahrhundertwende, in denen ein kritisches Selbstbild der deutschen Gesellschaft geprägt wurde: Thomas Mann, Buddenbrooks (1900); Jakob Wassermann, Die Geschichte der jungen Renate Fuchs (1900); Emil Strauß, Freund Hein (1902); Heinrich Mann, Professor Unrat (1905).

Menschheit Würde in die Hand der Dichter – F. Schiller, Die Künstler (1788), Vers 443.

Faust, Prinz von Homburg, Wozzeck, Erdgeist – Gemeint sind: Johann Wolfgang Goethe, Faust (1808/1831); Heinrich von Kleist, Der Prinz von Homburg (Erstveröffentlichung 1821); Georg Büchner, Woyzeck (Erstveröffentlichung 1879); Frank Wedekind, Erdgeist (1895).

245 *Mogli . . . glattfüßig waren* – Im vorletzten Kapitel des 2. Dschungelbuches bedeutet das Auftauchen eines Rudels schakalähnlicher Wildhunde, die dafür bekannt sind, daß sie nur, wenn sie zahlenmäßig einen eindeutigen Vorteil haben, dann aber unerbittlich angreifen, für Mogli und seine Wolfschar große Gefahr.

250 *heute bayerischer Ministerpräsident* – Bayrischer Ministerpräsident
von 1924 bis 1933 war Heinrich Held von der Bayerischen
Volkspartei.

Männer des Konvents ... zur Ruhe zu bringen – Der Nationalkon-
vent (Convention nationale), der vom September 1792 bis zum
Oktober 1795 Frankreich regierte, bestand vorwiegend aus ent-
schlossenen Revolutionären, die die Monarchie abschafften und
die erste französische Republik gründeten. Das Direktorium bildete nach dem Sturz Robespierres im Oktober 1795 bis zu Napoleons Staatsstreich im November 1799 die oberste Regierungs-
behörde Frankreichs; seine Regierungsperiode war gekennzeichnet durch eine liberale Wirtschaftspolitik und innenpolitisch durch
den Versuch, die Interessen des Besitzbürgertums gegen Jakobi-
ner und Royalisten zu behaupten. Die Durchführung der Revolution auf der Ebene der Kommunen und Regionen war mit
mannigfaltigen Kraftproben mit der Zentralmacht verbunden;
am schwersten war der Konflikt mit der Vendée, die den Nähr-
boden für starke gegenrevolutionäre Kräfte bot.

253 *Eleusis, Mithras* – Vgl. zweite Anm. zu S. 205.

255 *im denkwürdigen Frankenfälscherprozeß* – Ende 1925/Anfang 1926
wurde der Versuch ungarischer Legitimisten, darunter Prinz
Ludwig Windischgrätz, aufgedeckt, durch Fälschung französischer Banknoten die damals ohnehin wankende französische
Währung so zu schwächen, daß Frankreich im Falle einer habs-
burgischen Restauration handlungsunfähig wäre.

Halsbandprozeß – Intrige um die französische Königin Marie-
Antoinette 1784–1786: ein äußerst teures Diamanthalsband
wurde ohne Wissen der Königin in ihrem Namen gekauft und
die einzelnen Edelsteine wurden getrennt weiterverkauft. Der
einflußreiche Kardinal Fürst Louis-René-Édouard de Rohan,
der sich in den Betrug hatte verwickeln lassen, wurde vom
Parlement de Paris freigesprochen, aber trotzdem vom König
verbannt. Der Ruf der französischen Monarchie wurde durch
die Affäre schwer beschädigt.

256 *Matteottimorde* – Giacomo Matteotti wurde 1924 von Fascisten
ermordet.

257 *sub specie humanitatis* – (lat.) unter der Perspektive der Menschheit; in Analogie zu der von Spinoza geprägten Formel: »sub
specie aeternitatis« (lat.) unter der Perspektive der Ewigkeit.

258 *(Hernani)* – Victor Marie Hugo, Hernani oder die kastilische Ehre. Drama 1830.

259 *der junge Graf Coudenhove* – Richard Graf Coudenhove-Kalergi, der Sohn von Heinrich Graf Coudenhove-Kalergi, gründete nach dem Ersten Weltkrieg die Paneuropa-Bewegung, deren Ziel es war, die liberale Gesellschaft Europas vor dem Bolschewismus einerseits und vor der drohenden wirtschaftlichen Dominanz Amerikas andererseits zu schützen. Richard Graf Coudenhove-Kalergi gab nach dem Ersten Weltkrieg auch das Buch seines Vaters »Das Wesen des Antisemitismus« neu heraus (Wien 1925 u. 1929).

Parteinahme Italiens gegen Österreich – Italien erklärte am 23. Mai 1915 den Krieg an Österreich-Ungarn (und am 26. August 1916 an Deutschland).

260 *Gründung der irischen Republik* – Der Freistaat Irland wurde 1921 als unabhängiger Staat innerhalb des britischen Empire anerkannt (vgl. Anm. zu S. 199).

durch die Dekrete der Zaren eingepfercht – Seit den 1790er Jahren, als Katharina II. eine Reihe von Gesetzen erließ, die die Juden vom Handel in den Städten im Inneren Rußland und in den Häfen ausschloß und ihnen Bürgerrechte zunächst nur in Weißrußland zuerkannte, durften sich die Juden Rußlands nur in einem Ansiedlungsrayon niederlassen, der sich vom Schwarzen Meer bis nach Kowno und Witebsk im Norden und Kongreßpolen (nach 1815) im Westen erstreckte. Die Aufenthaltsbedingungen der Juden wurden unter Nikolaus I. (1825 bis 1855) und Alexander III. (1881–1894) verschärft. Erst im April 1917 wurden diese Einschränkungen von der provisorischen Regierung aufgehoben.

262 *Kalisch ... Kischinew* – Kalisch liegt im westlichen Polen, Kischinew ist heute die Hauptstadt von Moldawien. Die beiden Städte sind in der Luftlinie etwa 800 km voneinander entfernt. In Kischinew fand 1903 ein schweres Pogrom statt.

263 *(Ober-Ost-Geld)* – Ober-Ost war im Ersten Weltkrieg die geläufige Bezeichnung des Verwaltungsgebiets, das dem deutschen Oberbefehlshaber auf dem russischen Kriegsschauplatz unterstand. Das Gebiet umfaßte Kurland und die Gouvernements Grodno, Kowno, Wilna und Witebsk sowie einen Teil von Minsk.

264 *Absperrung Amerikas gegen Neueinwanderung* – Nachdem der Zuzug von Juden aus Osteuropa im Jahre 1921 auf fast 120 000 ge-
stiegen war, wurde in den USA eine Einwanderungsquote von
jeweils 3 % der 1910 im Lande wohnenden Menschen aus einem
bestimmten Ursprungsland eingeführt. Diese Maßnahme, die
einen Rückgang der jüdischen Einwanderungsziffer von jährlich 100 000 vor dem Ersten Weltkrieg auf rund 50 000 be-
wirkte, wurde 1924 zusätzlich durch das sogenannte Johnson
Bill verschärft, das eine Quote von 2 % der 1890 in den USA
wohnhaften Angehörigen eines Landes festsetzte und sich auf
die Auswanderungsmöglichkeiten der Ostjuden katastrophal
auswirkte, indem es die jüdische Einwanderung in die USA auf
jährlich rund 10 000 reduzierte.

265 *Eröffnen Palästinas* – Mit der Errichtung der britischen Zivilver-
waltung in Palästina am 1. Juli 1920 begann eine neue jüdische
Einwanderungswelle (die »dritte Alija«).
Theodor Herzl … des Dreyfus-Prozesses –Herzl mußte als junger
Mann wegen des in Österreich herrschenden Antisemitismus
die Absicht aufgeben, die Richterlaufbahn einzuschlagen; 1895
wohnte er in Paris dem Prozeß gegen den als Spion verdächtig-
ten jüdischen Offizier Alfred Dreyfus bei und schrieb unter
dem Einfluß der durch diesen Prozeß offengelegten, in Frankreich herrschenden antisemitischen Atmosphäre noch in Paris
seine programmatische Abhandlung »Der Judenstaat« (vgl. A.
Zweig: Der frühe Herzl [d. i. Rezension zu Leon Kellner,
Theodor Herzls Lehrjahre. Wien 1920]. In: Die Weltbühne 23,
1927, 18, S. 701–704).
Moses Heß, Leon Pinsker, Nathan Birnbaum, Achad Ha'am – Sowohl Moses Heß als auch Leon Pinsker gelten als wichtige Vorläufer der zionistischen Bewegung. Heß war in den 1840er Jahren Mitarbeiter der »Rheinischen Zeitung« und beeinflußte
mit seinem an Hegel orientierten Sozialismus den jungen Karl
Marx (der ihn allerdings im Kommunistischen Manifest als
utopischen Sozialisten ausdrücklich verwarf); die Gedanken seiner Schrift »Rom und Jerusalem. Die letzte Nationalitätenfrage«
(1862) wurden später von Herzl und Achad Ha'am aufgegrif-
fen. – Pinsker, der sich als Arzt in Odessa niedergelassen hatte,
wurde infolge des schweren Pogroms von 1881 zum überzeug-
ten Nationalisten und veröffentlichte 1882 in deutscher Spra-

che sein Pamphlet »Auto-Emanzipation. Ein Mahnruf an seine Stammesgenossen. Von einem russischen Juden«; er berief die Kattowitzer Konferenz von 1884 ein, die zur Gründung der Organisation Hibbat Zion (Liebhaber Zions) mit Hauptquartier in Odessa führte. – Nathan Birnbaum gehörte mit der Zeitschrift »Selbst-Emanzipation«, die er 1884 in Wien gründete, und mit vielen programmatischen Schriften auch zu den Vorkämpfern der zionistischen Idee, wobei er den Zionismus mit anderen modernen Zeitströmungen in Einklang zu bringen versuchte. – Ascher Ginzburg, der sich aus Solidarität mit dem Volke Israel das Pseudonym Achad Ha'am (hebr. – Einer aus dem Volke) zulegte, suchte wie kein anderer Vertreter der zionistischen Idee zwischen jüdischer Geistestradition und den intellektuellen Tendenzen der Moderne zu vermitteln; er verband die rationale Theologie von Moses Maimonides (1135–1205) mit empiristischen Impulsen der Aufklärung zu der Vorstellung eines »geistigen Zionismus«, der die Nation als eine durch Sprache, Religion und Ethik bestimmte organische Einheit betrachtete und der kulturellen Erneuerung des Judentums den Vorrang vor den materiellen Zielen der Kolonisierung Palästinas gab.

267 *hebräisch und jüdisch schreibenden Dichter … Scholem Asch* – Mendele Mocher Sforim und Scholem Alechem galten bereits um die Jahrhundertwende als Klassiker der modernen hebräischen und jiddischen erzählenden Literatur. – Die Gedichte des hebräisch schreibenden Salman Schneür sind durch starke Phantasie, große Sprachgewalt und umstürzlerische Kühnheit gekennzeichnet; eine (hebräische) Gesamtausgabe seines Werks erschien 1923 in Berlin. Der jiddische Novellist und Dramatiker Scholem Asch, dessen gesammelte Romane 1926 in deutscher Übersetzung in Berlin erschienen, ist für die Gestaltungskraft seiner Charakterbilder und Milieuschilderungen bekannt.

die »Wilnaer« und die Habima – Die jiddische Schauspielertruppe in Wilna wurde 1916 gegründet, führte u. a. Stücke von Scholem Asch, Scholem Alechem, Perez und Schneür auf und wurde nach dem Weltkrieg auch in Westeuropa bekannt. Das hebräische Habima-Theater wurde zunächst als Theaterstudio unter der künstlerischen Leitung von Konstantin Stanislawski 1916 in Moskau gegründet; seine Inszenierung von Anskys »Dybuk«

in einer Umdichtung von Bialik wurde zu einem der größten
Theatererfolge Moskaus, und die Habima erregte 1926 auf ihrer Tournee in Westeuropa und Amerika großes Interesse.

268 *Judenfrage an die in Versailles 1918 zu lösenden Probleme zu löten* –
Die Zionistische Organisation legte bei der Versailler Friedens-
konferenz im Februar 1919 eine Denkschrift vor, in der sie eine
jüdische Heimstätte in Palästina, nationale Autonomie für die
jüdische Bevölkerung der Länder jüdischer Massensiedlung
und Gleichberechtigung der Juden in allen Ländern forderte.
Wien 1815 und Münster-Osnabrück – Beim Wiener Kongreß
1815 wurde die politische Neuordnung Europas nach dem Sturz
Napoleons ausgehandelt. Der Westfälische Frieden von 1648,
der den Dreißigjährigen Krieg beendete, wurde auf Grund von
Verhandlungen geschlossen, die Kaiser und Reich in Münster
mit Frankreich und in Osnabrück mit Schweden führten.
Deklaration ... Lord Arthur Balfours – In einem Brief an Lord
Rothschild vom 2. November 1917 erklärte der britische Außen-
minister Arthur James Balfour die Sympathie der britischen
Regierung mit den jüdisch-zionistischen Bestrebungen, eine
nationale Heimstätte in Palästina für das jüdische Volk zu er-
richten. Die Verwirklichung der in diesem Brief implizierten
Absicht wurde mit dem im Juli 1922 vom Völkerbundsrat ge-
nehmigten Palästinamandat an Großbritannien geregelt.
Theodor Herzl ... und Jakob Klatzkin – Zweig verweist hier auf
Männer, die durch ihre Publikationen maßgeblich zum Charakter der zionistischen Bewegung beigetragen hatten. – Herzl setzte
mit seinem Buch »Der Judenstaat« (1896) das programmatische
Ziel; der mit Herzl eng verbundene Nordau war unter Zionisten dafür bekannt, daß er bis zu seinem Tode 1923 auf jedem
Kongreß eine flammende Rede zur aktuellen Situation des Judentums hielt. – Jakob Klatzkin war u. a. Redakteur des zionistischen Zentralorgans »Die Welt« (Wien, 1909–1911), Leiter
des Hauptbüros des Keren kajemeth (Köln, 1915–1918), Mitbegründer des jüdischen Verlags Eschkol und Chefredakteur
der auf 15 Bände geplanten »Encyclopaedia Judaica« (Berlin
1928 ff.), deren Erscheinen allerdings 1934 abgebrochen wurde.
Nachum Sokolow und ... Dr. Chajîm Weizmann – Sokolow, der als
Begründer der modernen hebräischen Journalistik gilt, schloß
sich nach dem ersten Zionistenkongreß 1897 der zionistischen

Bewegung an und wurde zu einem hoch geschätzten Vorsitzenden bei späteren Kongressen. – Der in Pinsk geborene Weizmann, der in der Zwischenkriegszeit Präsident der Zionistischen Organisation war und bei der Gründung des Staates Israel 1948 dessen erster Präsident wurde, lebte seit 1903 in England. Das Zustandekommen der Balfour-Deklaration geht auf seine mit Sokolow zusammen unternommenen Bemühungen bei der britischen Regierung zurück.

269 *Tagebücher Herzls* – Theodor Herzl, Tagebücher 1895–1904. 3 Bde. Berlin 1922–1923.

270 *»Der Judenstaat«* – Theodor Herzl, Der Judenstaat. Versuch einer modernen Lösung der Judenfrage. Leipzig/Wien 1896.

das erste Führerantlitz seit Sabbattai Zwi – Sabbattai Zwi zog in den sechziger Jahren des 17. Jhs. vorübergehend eine starke Gefolgschaft unter den Gemeinden der Diaspora an, als er sich für den Messias erklärte. Seine Erfolge sind einerseits auf seine charismatische Persönlichkeit, andererseits auf die Zeitumstände zurückzuführen: die jüdischen Gemeinden reagierten auf Massaker an Juden, die 1648 in der Ukraine stattgefunden hatten, zudem war die Atmosphäre der Zeit durch revolutionäre Erwartungen geprägt, die mit der symbolischen Interpretation der Jahreszahl 1666 in der christlichen Welt zusammenhingen. Sabbattai Zwi steht hier als historisches Beispiel für den Versuch, religiöse Erwartungen des Judentums auf politischem Wege zu verwirklichen.

271 *Mandat des Völkerbundes* – Das Palästina-Mandat wurde auf der Sitzung des Obersten Rates der alliierten Hauptmächte in San Remo im April 1920 vereinbart und an Großbritannien übertragen.

der Gewissenhafte des Geistes Achad Ha'am – Zweig bedenkt Achad Ha'am als Interpret Nietzsches hier mit einem Epitheton aus »Also sprach Zarathustra« (4. Teil, Der Blutegel): »Ich bin der Gewissenhafte des Geistes, antwortete der Gefragte, und in Dingen des Geistes nimmt es nicht leicht Einer strenger, enger und härter als ich, ausgenommen Der, von dem ich's lernte, Zarathustra selber.«

274 *Sigmund Freud … kühnste Hypothese* – Vgl. Sigmund Freud, Totem und Tabu. Leipzig/Wien 1913.

275 *Nebi'im* – (hebr.) Propheten.

277 *nicht als deutscher Tyrann sondern ... als niederländischer auftreten* –
     Zweig verweist auf den spanischen König Philipp II., den Goethe
     in »Egmont« und Schiller in »Don Carlos« gestalteten, auf die
     englische Königin Elisabeth I. in Schillers »Maria Stuart«, auf
     Schillers »Wilhelm Tell«, auf Egmont im gleichnamigen Stück
     von Goethe und auf den Dorfrichter Adam in »Der zerbro-
     chene Krug« von Kleist.

278 *Strafrede gegen die Deutschen im Hyperion* – Gegen Ende von
     Hölderlins »Hyperion« (1797–1799) wird die deutsche Kultur
     und Gesellschaft der Moderne einem idealisierten Bild des alt-
     griechischen Menschen gegenübergestellt und als barbarisch
     und zerrissen beschrieben.

     Reinigungstat des Xenien-Almanachs – Die in der Manier des la-
     teinischen Dichters Martial geschriebenen satirischen Epi-
     gramme, die Goethe und Schiller 1795–1796 zusammen ver-
     faßten und in Schillers »Musenalmanach« 1797 unter dem Titel
     »Xenien« veröffentlichten, erregten durch ihre scharfe Kritik
     auf zeitgenössische Attitüden großes Aufsehen und heftige Re-
     aktionen.

     Nietzsche ... (Blonde Bestie, Übermensch) – Nietzsche beschwört
     in »Zur Genealogie der Moral« (1887), 1. Abhandlung, 11. Ab-
     schnitt, die »blonde Bestie« als Verkörperung einer raubtierhaf-
     ten Stärke, die eigene moralische Werte durchzusetzen vermag;
     der »Übermensch« bezeichnet ein pädagogisches Ziel, das zu
     den Leitgedanken seiner Schrift »Also sprach Zarathustra«
     (1883–1885) gehört. Nietzsches Gedanken wurden zur Zeit
     des Ersten Weltkriegs sowohl in England und Frankreich als
     auch in Deutschland selbst vielfach mit politischen Positionen
     des deutschen Nationalismus assoziiert (vgl. Steven E. Aschheim,
     The Nietzsche Legacy in Germany 1890–1990. Berkeley und
     Los Angeles 1992, Kap. 5).

279 *etwa George ... Fuhrmann* – Unter den Schriften Stefan Georges
     wurden nach dem Ersten Weltkrieg vor allem noch die Ge-
     dichtzyklen »Der siebente Ring« (1907), der sich in ethischer
     Mission an die Jugend wandte, und »Der Stern des Bundes«
     (1914) mit seinen prophetisch-apokalyptischen Tönen rezi-
     piert. – Heinrich Mann versuchte in diesen Jahren nicht nur
     mit seinen gesellschaftskritischen Romanen, sondern auch als
     Essayist (Macht und Mensch, 1919; Diktatur der Vernunft,

1923) auf die Gestaltung der Weimarer Republik Einfluß auszuüben. – Florens Christian Rang tat sich seit dem Krieg als
Shakespeare-Forscher hervor und wurde als Essayist u. a. von
Hugo von Hofmannsthal geschätzt; er hatte Beziehungen zu
Richard Dehmel, Martin Buber und Gustav Landauer, nach
dem Krieg auch zu Alfons Paquet und Walter Benjamin, und
wandte sich in seiner Schrift »Deutsche Bauhütte. Ein Wort an
uns Deutsche über mögliche Gerechtigkeit gegen Belgien und
Frankreich und zur Philosophie der Politik« (Sannerz 1924) gegen den Nationalismus und die eigene frühere preußisch-konservative Einstellung (vgl. Bernhard Rang, Nachwort. In: F. C.
Rang, Shakespeare der Christ. Eine Deutung der Sonette. Heidelberg 1954). – Rudolf Pannwitz war um die Zeit des Ersten
Weltkriegs mit kulturkritischen Schriften in der Nachfolge
Nietzsches hervorgetreten. – Ernst Fuhrmann veröffentlichte
1923/24 seinen »Versuch einer Geschichte der Germanen«
(Gotha).

279 *der … vom Zentralitätsaffekt seines Wahlvolks vermummte H. St.
Chamberlain* – Houston Stewart Chamberlain kam 1870 im Alter von 14 Jahren nach Deutschland und legte in seiner Schrift
»Die Grundlagen des 19. Jahrhunderts« (1899) Zeugnis von seiner Überzeugung ab, daß alle nennenswerten Kulturleistungen
im europäischen Raum das Werk der germanischen Rasse
seien.

280 *Marx und Engels … Arbeitgeber zu nennen* – Vgl. Karl Marx, Lohnarbeit und Kapital. In: Marx-Engels-Werke, Bd. 6, S. 397–423.

281 *(Thomas Mann … affektiven Denkens.)* – Zweig verweist auf
Thomas Manns »Betrachtungen eines Unpolitischen« (1918),
die im Abschnitt »Der Zivilisationsliterat« eine leidenschaftliche Polemik gegen den Bruder Heinrich Mann enthalten.

284 *Italiener … als Schwarzhemd paradiert* – In Italien herrschten seit
1922 die Faschisten unter der Führung von Benito Mussolini.

285 *Friedrich Adler oder die russischen Terroristen* – Friedrich Adler, österreichischer Sozialist und Sohn von Victor Adler, opponierte im
Ersten Weltkrieg gegen die »sozialpatriotische« Kriegspolitik
der österreichischen Sozialdemokratischen Partei und beging
1916 als Kampfsignal der linken »Internationalisten« den politischen Mord am österreichischen Ministerpräsidenten Graf
Stürgkh. – Nachdem ihre Versuche, unter der breiten Bevölke

rung Interesse für ihre politischen Ziele zu erwecken, fehlge-
schlagen waren, veranstalteten russische Revolutionäre zwischen 1878 und 1881 eine Reihe von Anschlägen auf repräsentative Personen der zaristischen Bürokratie, die in der Ermordung Alexanders II. am 1. März 1881 kulminierte.

285 *Echterdingen 1908* – Im August 1908 erregte der Fernflug des
Zeppelin 4 über Basel, Straßburg, Mannheim, Mainz und Stuttgart in der deutschen Bevölkerung große Begeisterung, die allerdings mit einer Katastrophe endete, als das Luftschiff über Echterdingen in der Nähe von Stuttgart von einer elektrischen Entladung zerstört wurde. Die nationale Euphorie drückte sich aber
weiterhin in der Tatsache aus, daß in Deutschland sechs Millionen Mark zur Unterstützung des Projekts gesammelt wurden.

286 *Kriegs- und Generaldiktatur* – Von Ende August 1916 bis zum
Kriegsende 1918 lag die effektive Macht in Deutschland in den
Händen der Obersten Heeresleitung, Hindenburg und Luden-
dorff.

287 *mit Nietzsche ... »corroborierende Diät notwendig hätten«* – Vgl.
Friedrich Nietzsche, Der Fall Wagner. Ein Musikanten-Problem (1888), 5: »Definition des Vegetariers: ein Wesen, das eine
corroborirende Diät nöthig hat.«
Maria Montessori ... Drang, zu lernen – Maria Montessori inter-
essierte sich besonders für geistig behinderte Kinder und entwickelte ein Erziehungsprogramm für Kinder im Alter zwischen drei und sechs Jahren, das auf freier Bewegung und einer
dem Kind überlassenen weiten Auswahl von Materialien und
Geräten basierte.

288 *Leonhard Frank ... zu schildern* – Zweig verweist auf Franks Roman »Die Räuberbande« (München 1914).

290 *Jingo* – Das englische Wort »jingoism« bezeichnet den Hurrapa-
triotismus, der in den siebziger Jahren des 19. Jhs. anläßlich der
Rivalität zwischen Großbritannien und Rußland aufkam. Es bezieht sich genauer auf ein Varieté-Lied des Jahres 1878, das die
Entscheidung des Premierministers Lord Beaconsfield (d. i.
Disraeli), eine britische Flotte in die Türkei zu schicken, um
dem russischen Vordringen entgegenzuwirken, mit folgenden
Zeilen bedachte: »We don't want to fight, yet by Jingo! if we
do, / We've got the ships, we've got the men, and got the mo-
ney too.«

290 *(Drei-Klassen-Wahlrecht)* – Das am 30. Mai 1849 eingeführte Wahlrecht für das preußische Abgeordnetenhaus bestimmte, daß die Abgeordneten indirekt, d. h. von Wahlmännern gewählt wurden, die ihrerseits von den Urwählern gewählt wurden. Die Urwähler wiederum wurden je nach der Höhe der in ihrem Wahlbezirk aufgebrachten Steuern in drei Klassen eingeteilt; jener Teil der männlichen Bevölkerung, der das obere Drittel der Steuern aufbrachte, wählte ein Drittel der Wahlmänner, usw. Das System, das die gesellschaftliche Oberschicht begünstigte, wurde erst mit der Novemberrevolution 1918 beseitigt.

(Polenfrage) – Die Polen bildeten im 19. Jh. die stärkste nationale Minderheit innerhalb des preußischen Staates. Der militante Reichsnationalismus um die Zeit der Vereinigung Deutschlands 1871, der den absoluten Vorrang der deutschen Sprache durchsetzen wollte, löste zunächst einen unnachgiebigen Widerstand aus, ließ aber in den folgenden Jahren allmählich nach.

292 *im Befreiungskampf der Menschheit* – Eine häufig benutzte Wendung Arnold Zweigs nach einem Wort Heines aus den »Reisebildern« (3. Bd., Kap. XXXI): »Aber ein Schwert sollt ihr mir auf den Sarg legen, denn ich war ein braver Soldat im Befreiungskriege der Menschheit.«

293 *nach Stendhalschem Rezept ... durch ein Duell* – Sowohl in »Le Rouge et le Noir« (1831) als auch in »Lucien Leuwen« (veröffentlicht 1901) von Stendhal wird der Eintritt des Helden in die hohe Gesellschaft direkt oder indirekt durch die Folgen eines Duells erwirkt.

»*Wir sind ein Volk – ein Volk*« – Anspielung auf die Einleitung zu Theodor Herzls »Der Judenstaat« (Leipzig 1896), wo es allerdings heißt: »Ernster wäre der Einwand, daß ich den Antisemiten zu Hilfe komme, wenn ich uns ein Volk, *ein* Volk nenne.«

296 *Beträge sperren möchten ... Keren hajessod und Keren kajemeth* – Auf dem Londoner Zionistenkongreß von 1920 war ein Konflikt entbrannt zwischen dem amerikanischen Zionistenführer Louis Dembitz Brandeis, der für das Primat der ökonomischen Entwicklung Palästinas (unter strenger finanzieller Kontrolle) über die Politik sprach, und Chaim Weizmann, der eine, die diversen europäischen Komponenten der Bewegung verbindende, politische Idee vertrat. Die Kontroverse führte zur Bildung ei-

ner Finanzkompanie, Keren hajessod, die sowohl Investitionen zur wirtschaftlichen Entwicklung als auch die Sammlung von Spenden, die auf karitativer Basis im Rahmen des Keren kajemeth seit 1901 lief, zur Unterstützung der Einwanderung nach Palästina fördern sollte. Irgendein Hinweis darauf, daß eine repräsentative jüdische Organisation gegen solche Spenden bzw. Investitionen opponiert hätte, konnte nicht ermittelt werden. Der Satz ist offenbar als Provokation an die nicht engagierten Juden zu verstehen. Vgl. Anm. zu S. 123.

296 *in einem wirklichen Völkerbunde ... ehrenvoll eingeführt würden* – Der Völkerbund hatte mit seinem Palästinamandat an Großbritannien die rechtliche Grundlage dafür geschaffen, daß die Errichtung einer jüdischen Heimstätte in Palästina protegiert wurde, er hatte damit aber noch nicht die Juden als gleichberechtigte Nation anerkannt.

298 *Platons Atlantis und der Ultima Thule* – Atlantis ist der antike Name einer sagenhaften Insel, die nach Platon »außerhalb der Meeresenge [von Gibraltar?]« liege und »größer als Asien und Libyen zusammen« sei. – Ultima Thule heißt sprichwörtlich das äußerste Land am Nordrand der Welt, seitdem der griechische Geograph und Seefahrer Pytheas von Massilia zwischen 350 und 320 v. u. Z. ein Land beschrieb, das sechs Tagesfahrten nördlich von Britannien liege.

299 *»Mister Trotzki ...«, urteilt Bernard Shaw* – In einem Beitrag von Shaw in Bubers Zeitschrift »Der Jude« standen die Worte: »Trotzki, der der weitaus größte literarische Kritiker Europas ist« (vgl.: Der Jude 9, 1925, Sonderheft 1: Antisemitismus und jüdisches Volkstum, S. 92).
     Tscheka – Vgl. erste Anm. zu S. 88.

300 *Martyrium des kleinen Dauphin Capet* – Der zweite Sohn von Louis XVI. und Marie-Antoinette, Louis-Charles, der seit dem Tod seines älteren Bruders 1789 als Dauphin anerkannt und nach der Exekution seines Vaters 1793 von geflohenen Adligen als König Louis XVII. ausgerufen wurde, wurde unter der Betreuung des Schusters Simon im Temple zu Paris festgehalten, wo er im Juni 1795 an den Folgen von Entbehrungen und mangelnder Hygiene starb. In der Aufsatzserie von 1920/21 weist Zweig ausdrücklich auf »Die französische Revolution 1789 – 1793« von Fürst Peter Krapotkin (deutsch von Gustav Landauer, Leipzig

1909) als »aktuellsten Kommentar zu unserer Gegenwart« hin. (Der Jude 5, 11. S. 626)

300 *Ossendowski* – Ferdynand Antoni Ossendowski war seit der Veröffentlichung seines Buches »Tiere, Menschen und Götter« (1923; zuvor in englischer Sprache unter dem Titel: Beasts, Men and Gods. New York 1922) Gegenstand öffentlicher Kontroversen, weil er der verfälschenden Darstellung und des Plagiats verdächtigt worden war. Das Buch berichtet von den Zuständen in Sibirien und der Mongolei zur Zeit des russischen Bürgerkriegs, an dem Ossendowski auf der Seite des Generals Koltschak gegen die Bolschewiki teilnahm. Da der schwedische Geograph Sven Hedin, der zu den schärfsten Kritikern Ossendowskis zählte, die Ergebnisse seiner Kritik unter dem Titel »Ossendowski und die Wahrheit« (Leipzig 1925) veröffentlicht hatte, konnte Zweig bei seinen Lesern 1927 wohl voraussetzen, daß der Name Ossendowski als sprichwörtlich für die tendenziöse Darstellung der nachrevolutionären Verhältnisse in Rußland verstanden würde.

weiß-gardistischen Armeen – General Koltschak bildete 1917 in Sibirien eine antibolschewistische Armee und ernannte sich im November 1918 zum Reichsverweser; nachdem er 1920 das Kommando an Denikin abgetreten hatte, wurde er von den Bolschewisten gefangen genommen und erschossen. – Ungern-Sternberg führte seit 1918 die antibolschewistische Armee in Transbaikalien; er wurde 1921 ebenfalls von den Bolschewisten gefangen genommen und erschossen.

301 *Pogrome ... im Kriegsgebiet* – Vgl. zweite Anm. zu S. 45.

302 *als Werkzeug ... nach Rußland geschmuggelt* – Die deutsche Oberste Heeresleitung trug insofern zu den revolutionären Entwicklungen in Rußland bei, als sie Lenin, der sich seit Kriegsbeginn in der Schweiz aufgehalten hatte, erlaubte, in versiegeltem Eisenbahnwaggon durch Deutschland nach Schweden zu reisen, von wo aus er im April 1917 nach Rußland zurückkehrte. *Verbot des Potemkin-Films* – Der Film »Panzerkreuzer Potemkin« (1925) von Sergej Eisenstein wurde 1926 in vielen deutschen Städten von der Zensur zeitweilig verboten, nachdem Generaloberst Hans von Seeckt am 15. April 1926 den Soldaten der Wehrmacht den Besuch von Kinos verboten hatte, in denen der Film gezeigt wurde. Das Verbot wurde mit dem Argument

begründet, daß der Film, der eine Meuterei in der russischen Marine 1905 schildert, die Disziplin der Wehrmacht gefährde.

305 *das Schwabentum ... nach 1866* – Für die süddeutschen Staaten, darunter das Großherzogtum Baden und das Königreich Württemberg, bedeuteten die Spannungen zwischen Preußen, Österreich und Frankreich um 1866 eine Gefahr für ihre politische Autonomie und kulturelle Identität. Der anfänglich große Argwohn in Süddeutschland gegenüber Preußen wurde bis zum gemeinsamen Krieg gegen Frankreich 1870/71 einerseits durch militärische Schutz- und Trutzverträge, andererseits durch die Vermeidung einer voreiligen Eingliederung in den Norddeutschen Bund allmählich aufgelöst.

bei heutigen Ausgrabungen ... Kaufleute oder Liebender – Die Bemerkung scheint durch die Entdeckung von Briefen in Kültepe, Kappadokien angeregt zu sein, die zwischen 1916 und 1925 ausgewertet wurden. Der Ort liegt allerdings außerhalb des Gebiets in Mesopotamien, das um 2000 v. u. Z. als das Reich von Akkad bekannt war; der Fund geht auf eine assyrische Handelskolonie aus dem 19. Jh. v. u. Z. zurück.

Gesetzbuch des Hamurapi – Auch: Chammurapi, Hammurabi. Der sechste König der ersten sogenannten amoritischen Dynastie von Babylon (um 2000 v. u. Z.) hatte ein auf einem Doritblock festgehaltenes Gesetz verfaßt, das seit der Entdeckung des Blocks 1901 wegen möglicher Beziehungen zum Pentateuch unter Bibelforschern großes Interesse erregt hatte.

306 *das kreißende Chinaproblem* – In China zerfiel die Zentralgewalt in den Jahren nach der Ausrufung der Republik 1912. Seit 1923 kämpfte die Kuo-min-tang unter der militärischen Leitung Chiang Kai-Sheks im Bündnis mit den Kommunisten und mit Hilfe der UdSSR gegen die nördlichen militärischen Führer, die Kommunisten wurden aber im April 1927 von Chiang Kai-Shek in einer blutigen Aktion ausgeschaltet.

308 *Parteiherrschaft (Spanien, Italien)* – In Spanien gelangte Primo de Rivera 1923 durch einen Militärputsch an die Macht, löste das Parlament auf und regierte durch eine persönliche Diktatur. – In Italien herrschten seit 1922 die Faschisten unter Benito Mussolini.

310 *England während des ersten Generalstreiks* – Der erste Generalstreik in England fand im Mai 1926 statt. Er wurde von einem

schweren Kampf zwischen Bergarbeitern und Eigentümern ausgelöst, aber bereits nach neun Tagen eingestellt, weil die Gewerkschaftsführer einsahen, daß sie die Regierung nicht daran hindern konnten, den Dienstbereich in Betrieb zu erhalten.

311 *Entelechie* – Auf der Idee einer biologisch bestimmten Entelechie, die er »Faktor E« nannte, hatte Hans Driesch seine Theorie der organischen Entwicklung aufgebaut. Vgl. Anm. zu S. 63.

315 *Die Jugend ist die ewige Glückschance der Menschheit* – Der Satz entspricht sinngemäß, aber in vereinfachter Formulierung einem Grundgedanken von Martin Bubers »Rede über Jugend und Religion« (1919; ursprünglich unter dem Titel »Cheruth«; vgl. Martin Buber, Der Jude und sein Judentum, hrsg. von Robert Weltsch. Köln 1963, S. 122 – 143).

318 *an deutschem Wesen werde die Welt genesen* – Vgl. Anm. zu S. 50.

320 *in den Industrievierteln ... settlements* – In vielen Städten Englands und der USA gründeten junge Menschen bürgerlicher Herkunft im späten 19. und frühen 20. Jh. »settlements« (Niederlassungen), wo sie aus sozialem Verantwortungsbewußtsein mit dem Proletariat zusammen lebten und arbeiteten und Bildungsstätten errichteten.

seit Owen eine Tradition – Robert Owen errichtete um 1800 eine Mustersiedlung für die Arbeiter in seiner Baumwollspinnerei und deren Familien und suchte in Großbritannien und in Nordamerika eine Gesellschaftsreform auf der Basis solcher Gemeinschaftssiedlungen zu fördern.

Jingotum – Vgl. erste Anm. zu S. 290.

321 *wie für jeden Denkenden bewiesen* – Diese Stelle war 1921 mit dem Zusatz versehen: »wie für jeden Denkenden Landauer aus dem Geiste, Oppenheimer aus der Wissenschaft her, bewiesen haben«. Zweig hatte 1910 bei dem Soziologen Franz Oppenheimer in Berlin studiert.

322 *Taylorsystem* – Vgl. erste Anm. zu S. 30.

Dehmels Wort: »Nur Zeit!« – Zweig verweist auf das Gedicht »Der Arbeitsmann« von Richard Dehmel, in dem die Schlußzeile »Nur Zeit!« die künftige Erlösung der Arbeiterklasse aus der Not andeutet.

Kellers ... Gedicht vom »Fähnlein der Sieben Aufrechten« – Gottfried Kellers Novelle »Das Fähnlein der Sieben Aufrechten« (Erstveröffentlichung 1860) erzählt von einer Gruppe demokratisch gesinnter Handwerker, die über die politischen Ereignisse des Jahres 1848 hinaus in Freundschaft verbunden bleibt.

323 *Blühers Geschichte dieser Jugendrevolution* – Hans Blüher, Wandervogel. Geschichte einer Jugendbewegung. Charlottenburg 1912.

324 *»Staatsdiener siehe Volksbefehliger«* – In der Aufsatzserie von 1920/21 setzt sich Zweig an dieser Stelle ausführlich mit den Kerngedanken von Hans Blühers Pamphlet »Deutsches Reich, Judentum und Sozialismus« auseinander, das den Text einer im Frühjahr 1919 in Versammlungen der Freideutschen Jugend mehrmals gehaltenen Rede enthält. Zweig merkt dort an, daß sich Blühers Einstellung zum Judentum in dieser Rede deutlich von der Haltung der Antisemiten unterscheide, wirft ihm aber vor, er würde die deutsche Jugend in einer autoritären Geistestradition bestärken. In einer Fußnote nimmt Zweig auch an Blühers Behauptung Anstoß, daß die deutschen Juden »an einer überstarken Tschandala-Produktion« (im Nietzscheschen Sinne) leiden würden. (Der Jude 6, 3. S. 142) Vgl. vierte Anm. zu S. 96.
wie alles Vergängliche ... nur ein Gleichnis – Vgl. Johann Wolfgang Goethe, Faust. 2. Teil, Schlußverse.

326 *Pleonexie* – (griech.) Habsucht.

327 *Dieser Glaube steht ergänzend zu dem unseren* – In der Aufsatzserie von 1920/21 heißt es: »Dieser Glaube steht diametral gegen den unseren.« (Der Jude 6, 3. S. 145)

329 *Front, an der ... Juden nicht gefunden wurden* – Vgl. erste Anm. zu S. 90.
»Ressentiment der Schlechtweggekommenen ... Machtgier« – Zweig nimmt hier wiederum auf Schriften von Max Scheler und Werner Sombart Bezug, auf die er in der Aufsatzserie von 1920/21 ausdrücklich hingewiesen hatte. Das sind in erster Linie Schelers Aufsatz »Das Ressentiment im Aufbau der Moralen« und Sombarts Buch »Das Proletariat« (Frankfurt a. M. 1906). (Der Jude 6, 3, S. 147). – Der Gebrauch des Wortes Pleonexie konnte weder bei Scheler noch bei Sombart nachgewiesen werden, entspricht aber sinngemäß der Auffassung der sozialistischen Revolution, die Sombart im Vorwort zur siebenten Auflage seines Buches »Sozialismus und Soziale Bewegung« (Jena 1919) vertritt: »Wo wir aber nach dem positiven Inhalt der ›Revolution‹ fragen, finden wir nichts als einen schrankenlosen Mammonismus.«

330 *Militärrevolte des Neunten November* – Am 9. November 1918 wurde die Abdankung des Kaisers verkündet. Diesem Ereignis ging die Bildung von Soldatenräten in vielen Bereichen der Armee sowie Fälle von Befehlsverweigerung voraus, von denen der bekannteste der Kieler Matrosen-Aufstand von Ende Oktober 1918 war.

Gleichnis der Freideutschen von 1914 – Die Freideutsche Jugend war eine Richtung der Jugendbewegung, deren Mitglieder sich im »Freideutschen Bekenntnis«, das beim Treffen auf dem Hohen Meißner im Oktober 1913 proklamiert wurde, zum Vorsatz bekannten, »aus eigener Bestimmung vor eigener Verantwortung mit innerer Wahrhaftigkeit ihr Leben [zu] gestalten«.

331 *Darum verändere ich ... angehört hat* – Die Losung »Hütet euch vor Links!« findet sich gegen Ende von Hans Blühers Pamphlet »Deutsches Reich, Judentum und Sozialismus« (Prien 1920). Zweig hatte Blühers Text nachweislich in dieser Fassung gelesen; eine frühere Fassung (München 1919) war vom Autor als verdorben verworfen worden. Zweigs Behauptung, Blüher habe früher dem »linken geistigen Flügel« angehört, bezieht sich wohl auf dessen führende Rolle in der Jugendbewegung der Vorkriegszeit.

bei Heinrich Mann ... oder Preuß ... Demokratie – Hugo Preuß vertrat eine antipositivistische organische Staatslehre und lieferte als Reichsinnenminister (November 1918 bis Juni 1919) einen Verfassungsentwurf, der zur Grundlage der Weimarer Verfassung wurde. – Max Weber, der auch an der Gestaltung der Weimarer Verfassung mitwirkte, vertrat eine liberale Gesellschaftsauffassung, die nach seinem Tode 1920 vor allem auf Grund der beiden Vorträge, die er an der Universität München gehalten hatte (Wissenschaft als Beruf, 1917; Politik als Beruf, 1919), heftig diskutiert wurde.

332 *an der Marne* – Vgl. vierte Anm. zu S. 22.

337 *wie der Differenzaffekt ... in Auflösung seiner geschaffen wurden* – Philipp II. von Makedonien erlangte 339 v. u. Z. die Herrschaft über den griechischen Raum. Sein Nachfolger Alexander III., genannt der Große, eroberte zwischen 334 und 328 v. u. Z. das iranische Reich, das seit 559 v. u. Z. von der Dynastie der Achämeniden beherrscht worden war, und führte seine Armee 327 bis 326 bis zum Indus.

337 *Die Magistrate ... gewetteifert* – Im 13. und 14. Jh. waren die Juden in Mitteleuropa einer ständigen Verfolgung ausgesetzt, die
zunächst durch den innereuropäischen Kreuzzug, zu dem Papst
Innozenz III. 1209 aufrief, vorangetrieben wurde. Sowohl der
Einbruch der Mongolen in Osteuropa im 13. Jh. als auch die
Ausbreitung des »Schwarzen Todes« im 14. Jh. waren mit schweren Judenverfolgungen verbunden. Die Juden unterstanden im
Heiligen Römischen Reich zwar der Protektion des Kaisers,
sie wurden aber gleichzeitig bei Verhandlungen zwischen Kaiser, Feudalfürsten und freien Städten als Objekte des Handels
und der Verpfändung benutzt. Bei der Schlachta handelt es sich
um den Kleinadel Polens, der 1347 unter der Herrschaft Kasi-
mirs des Großen eine Beschränkung des jüdischen Kreditge-
schäftes durchsetzte (vgl. S. Dubnow, Weltgeschichte des jüdischen Volkes Bd. 5,, Berlin 1927). Seit dem 15. Jh. standen auch
die Juden in Rumänien (Moldau) unter gesetzlichem Druck,
zum Christentum zu konvertieren, und wurden von den Herrschern zugunsten der Staatskasse ausgebeutet.

338 *Pogrominszenierung nach dem ... Krieg gegen Japan* – Um die Zeit
des russisch-japanischen Krieges von 1905/06 kam es zu schweren Ausschreitungen gegen die Juden (Kischinew 1903, Homel
1904, Schitomir 1905, Bialystok 1906). Die Bedrohung mit Pogromen wurde zum Teil von den russischen Behörden als be-
rechtigtes Mittel betrachtet, um revolutionäre Kräfte einzuschüchtern. Die Pogrome erreichten im Oktober 1905 nach
der Verkündung der nach der Revolution erlassenen Konstitution ihren Höhepunkt.
Spitzel-Popen Gapon – Georgi Apollonowitsch Gapon gründete
den Verein der russischen Fabrikarbeiter in Petersburg und führte
am 9. Januar 1905 (alten Stils) die Massendemonstration, die
vor dem Winterpalast niedergemetzelt wurde. Gapon flüchtete
ins Ausland, arbeitete dort als Agent der russischen Geheimpo-
lizei, für die er aktive Mitglieder der Sozialrevolutionären Partei
identifizierte. Von einem Parteimitglied denunziert, wurde er
am 28. März 1906 von Revolutionären erhängt.

342 *G. Hauptmann ... Kriegszerstörungen* – Gerhart Hauptmann
hatte, laut einer Notiz in der »Weltbühne« vom Februar 1929, in
einem Interview mit einem dänischen Journalisten erklärt, daß
er Wilhelm II. für unschuldig an der Entstehung des Weltkriegs

halte. – Die Anspielung auf Carl Severing wurde nicht ermittelt.

342 *3000 Käufer der ersten Auflage* – Der Vertrag mit dem Gustav Kiepenheuer Verlag für »Caliban« sah eine erste Auflage von 3000 Exemplaren vor.

Im Sommer 1927 hastig fertig gemacht ... rechtlichen Zwanges – Die Ausarbeitung des Textes fand, wie in der Vorrede richtig angegeben, im Sommer 1926 statt.

343 *Leop[old] v[on] Wiese ... Allg[emeine] Soziol[ogie]* – Leopold von Wiese, System der Allgemeinen Soziologie. 2. Teil, München/Leipzig 1928.

in einem sizilischen Meerdorfe sitzend – Zweig befand sich von Ende April bis Anfang Juni 1929 auf einer Italienreise, auf der auch Teile der »Caliban«-Bearbeitung entstanden.

344 *in Teilen des gespaltenen Deutschland ... Ritt nach dem Osten* – Nach dem Berliner Aufstand vom 17. Juni 1953 kamen Ängste nicht nur im Ostblock, sondern z. B. auch in Frankreich auf, die Stärkung westdeutscher Streitkräfte könnte zur Eroberung der DDR verwendet werden (vgl. Der Spiegel, 8. Juli 1953, S. 13).

»die Bürde des weißen Mannes« – Die Formel entstammt dem Gedicht »The White Man's Burden« (1899) von Rudyard Kipling.

Weltkrieg ... Vorspiele auf dem Balkan – Vgl. erste Anm. zu S. 20.

345 *für eine gute Zeitschrift ... »Der Jude«* – Vgl. zweite Anm. zu S. 10.

Niederschrift eines Dramas – Zweig hatte den Stoff zu seinem Roman »Der Streit um den Sergeanten Grischa« zunächst 1921 in Form eines Dramas behandelt, das aber erst 1930 im Anschluß an den Romanerfolg aufgeführt wurde und dessen Urfassung verschollen ist.

den Großen Krieg ... epischen Zyklus – Zweig verweist auf seinen Zyklus »Der große Krieg der weißen Männer«, der aus folgenden veröffentlichten Romanen besteht: Der Streit um den Sergeanten Grischa, Potsdam 1927; Junge Frau von 1914, Berlin 1931; Erziehung vor Verdun, Amsterdam 1935; Einsetzung eines Königs, Amsterdam 1937; Die Feuerpause, Berlin 1954; Die Zeit ist reif, Berlin 1957.

Materialien ... dem Zugriff der Gestapo entgingen – Zweigs Haus in Berlin-Eichkamp wurde mit seinem Inhalt 1933 beschlagnahmt. Einige Manuskripte hatte seine damalige Sekretärin Lily Of-

fenstadt retten können, bevor sie Ende Juni 1933 zu ihm nach
Südfrankreich reiste.

346 *von Friedrich Nietzsche abstammenden »blonden Bestie«* – Vgl. dritte
Anm. zu S. 278.

Robert Neumanns ... »Ausflüchte des Gewissens« – Robert Neumann, Ausflüchte unseres Gewissens. Dokumente zu Hitlers
»Endlösung der Judenfrage« mit Kommentar und Bilanz der
politischen Situation. Hannover 1960.

»die Fortsetzung der Politik mit anderen Mitteln« – Das häufig so
zitierte Wort von Clausewitz heißt richtig: »Der Krieg ist
nichts als eine Fortsetzung des politischen Verkehrs mit Einmischung anderer Mittel.« (vgl. Karl von Clausewitz, Hinterlas-
sene Werke, Bd. 1. Berlin 1832, S. 640.)

Taucherglocke ... Schillers Ballade – Der Taucher im gleichnamigen Gedicht von Friedrich Schiller berichtet u. a. von den Un-
geheuern, denen er im brodelnden Meereswasser begegnet sei.

347 *Katharsis hepatematon* – Vgl. dritte Anm. zu S. 238.

Bertolt Brecht ... Kinderhymne – Brechts »Kinderhymne« (1950)
betonte im Gegensatz zu den patriotischen Liedern des 19. Jhs.
die Gleichstellung zwischen Nationen.

Arbeitsstätte ... zu Starnberg am Würmsee – Vgl. erste Anm. zu S. 10.

348 *»nicht von Eroberungslust getrieben«* – Theobald von Bethmann
Hollweg beharrte in seinen »Betrachtungen zum Weltkriege«
(Berlin 1919) auf dem Standpunkt, die Zentralmächte hätten
sich im Ersten Weltkrieg gegen die feindlichen Staaten wehren
müssen, von denen sie »eingekreist« und die ihrerseits von »Er-
oberungssucht« getrieben gewesen seien.

350 *Adolf Hitler und seine mitverschworenen Reichstagsbrandstifter* – Die
Zerstörung des Reichstagsgebäudes durch Brandstiftung am
27. Februar 1933 wurde von den Nationalsozialisten zum Anlaß genommen, eine Propaganda- und Verfolgungsaktion gegen
KPD und SPD auszuführen. Von kommunistischer Seite wurde
die Nazi-Herrschaft ihrerseits der Brandstiftung verdächtigt,
die Geschichtswissenschaft neigt aber eher zu der Meinung,
der 1933 verurteilte und hingerichtete Holländer Marinus van
der Lübbe sei allein für die Brandstiftung verantwortlich gewesen (vgl. Ulrich von Hehl, Die Kontroverse um den Reichstagsbrand. In: Vierteljahrshefte für Zeitgeschichte 36, 1988, 2,
S. 259–280).

350 *Artur Gobineau … »blonden Bestie«* – Arthur de Gobineau legte mit seinem »Essai sur l'inégalité des races humaines« (1853–1855) einen Grundstein des völkischen Denkens. Vgl. auch dritte Anm. zu S. 278.

353 *habent sua fata libelli* – Terentianus Maurus, Carmen heroicum, Vers 258.

von einem Jüngling … gestohlen – Zweig hielt Fritz Bernsteins Buch »Der Antisemitismus als Gruppenerscheinung. Versuch einer Soziologie des Judenhasses« (Berlin 1926) für plagiatsverdächtig.

Schiedsgericht des Verbandes Deutscher Schriftsteller in Berlin – Nach den Angaben in der letzten Fassung des Vorworts (vgl. S. 356) zu urteilen, müßte es sich bei diesem Schiedsgericht um Max Brod und Felix Weltsch gehandelt haben.

354 *der Diktatur geistiger Gesinnungen … widersprach* – Vgl. S. 326.

Entstehung und Wirkung

Das Buch »Caliban oder Politik und Leidenschaft. Versuch über die menschlichen Gruppenleidenschaften dargetan am Antisemitismus« erschien im Mai 1927 im Gustav Kiepenheuer Verlag, Potsdam. Es bildet für den Zeitraum der Weimarer Republik die umfassendste Dokumentation sowohl der Lebenserfahrung Arnold Zweigs als auch seiner geistigen und politischen Orientierung nach dem Ersten Weltkrieg.

Das Thema Antisemitismus hatte Zweig schon seit über zehn Jahren beschäftigt. 1913 hatte er in seiner Erzählung »Episode« ein Pogrom in Rußland geschildert; sein ebenfalls 1913 niedergeschriebenes Drama »Ritualmord in Ungarn«, behandelte die Umstände eines berüchtigten antisemitischen Vorfalls in Tisza Eszlar Anfang der 1880er Jahre. Wenn sich der Antisemitismus im Deutschland der Vorkriegszeit auch in weniger drastischen Formen äußerte als in Rußland und Ungarn – Zweig schreibt an einer Stelle in »Caliban«, der Antisemitismus habe damals in Deutschland als ein »beklagenswerter Atavismus« gegolten –, so war er mit diesen Äußerungsformen doch durchaus vertraut. Am 8. April 1915, kurz vor seiner Einberufung als Armierungssoldat im deutschen Heer am 24. April 1915, schrieb er an seine Studienfreundin Helene Weyl: »vor allem entmutigt mich der Antisemitismus im Heere, auch im Felde, davon ich zahlreiche Proben höre; jetzt geht diese Saat der Dummheit in ihren schönsten Folgen erst recht auf; ich plane ein Buch über ›Deutschenhass und Antisemitismus‹ (den andern Völkern wirkt der Deutsche jetzt so wie dem Deutschen der Jude …), aber ich habe keine Heiterkeit dazu.«[1] Im gleichen Brief drückt Zweig auch seine Begeisterung für den Philosophen Max Scheler aus, dessen Schriften zu Psychologie und Ethik für seine Bemühungen um ein Verständnis des Phänomens Antisemitismus in der Nachkriegszeit vorerst von großer Bedeutung sein sollten.

Die persönliche Erfahrung des Kriegsdienstes hat Zweig offensichtlich in seinem Vorhaben bestärkt, das Thema Antisemitismus ausführlich zu erörtern. Von der Maasfront aus schreibt er am 15. Februar 1917 an Martin Buber: »Wenn es keinen Antisemitismus im Heere gäbe: die unerträgliche ›Dienstpflicht‹ wäre fast leicht. Aber: verächtlichen und elenden Kreaturen untergeben zu sein! Ich bezeichne mich vor mir selbst als Zivilgefangenen und staatenlosen Ausländer.«[2] Aber vor allem die politische Entwicklung der Kriegszeit war für die Entstehung des Buches »Caliban« entscheidend. Der Alldeutsche Verband, der während des Krieges großen politischen Einfluß gewann und sich bei jeder Gelegenheit für expansionistische Kriegsziele einsetzte, war unter der Führung von Heinrich Claß seit 1908 eindeutig antisemitisch eingestellt. Das geheime Treffen führender Antisemiten, auf das Zweig in »Caliban« hinweist und das mitten im Krieg eine Verleumdungskampagne gegen die Juden Deutschlands lancieren sollte, fand 1915 tatsächlich statt, obwohl die Nachricht davon erst 1917 in die Tagespresse gelangte. Die antisemitische Agitation brachte es bis 1916 so weit, daß das preußische Kriegsministerium im Oktober jenes Jahres eine Überprüfung der Anzahl von Juden in den verschiedenen Dienstbereichen des Heeres anordnete. Auf diese sogenannte »Judenzählung«, die von vielen deutschen Juden als eine offenkundige Schmach und als ein durchsichtiger Versuch empfunden wurde, die Juden insgesamt als »Drückeberger« zu brandmarken, reagierte Arnold Zweig sofort mit einer zornigen Satire, die sich sinn- und stilgemäß durchaus Brechts »Legende vom toten Soldaten« (1918) an die Seite stellen ließe. In Zweigs kurzem Prosastück, das unter dem Titel »Judenzählung vor Verdun« sowohl in der jüdischen Presse als auch in »Die Schaubühne« veröffentlicht wurde[3], träumt der Erzähler, der Todesengel Azrael habe ihn zu einer Zählung antreten lassen, deren Zweck von einem Schreiber mit folgenden Worten umrissen wird: »Die Statistik fragt, wieviel von euch Juden sich vom fernern Krieg gedrückt ins Grab.«

Nachdem Martin Buber 1916 die Zeitschrift »Der Jude« gegründet hatte, zählte Arnold Zweig zu deren regelmäßigen Mitarbeitern und nahm zwischen 1916 und dem Erscheinen von »Caliban« im Jahre 1927 dort und in anderen Organen zur Situation der Juden, zu jüdischer Identität und zu jüdischer kultureller Erneuerung vielfach Stellung. 1917 brachten die »Preußischen Jahrbücher« z.B. einen Artikel, in dem die zionistische Bewegung als die spezifisch jüdische Erscheinungsform des aktuellen Nationalismus dargestellt wurde, die in der Praxis auf dasselbe Ziel hin arbeite wie die Antisemiten: Ausscheidung des Judentums aus der »Kulturgemeinschaft« Europas[4]; auf diese Behauptung, die er offenbar als Provokation empfand, antwortete Zweig in »Der Jude«, indem er gegen die groben und von mangelnder Sachkenntnis zeugenden Einmischungen in innerjüdische Angelegenheiten protestierte, die politischen Ziele des Zionismus als Mittel zur Erfüllung hoher geistiger Zwecke und zur Verwirklichung jüdischer Eigenart darstellte, gleichzeitig aber auch auf die tiefe Verbundenheit der Juden Deutschlands mit der »Kontinuität des deutschen Geistes« hinwies.[5] Nachdem er sich 1919 mit seiner Frau in Starnberg niedergelassen hatte, erlebte Zweig aus nächster Nähe die Umtriebe bayrischer Antisemiten, zu denen neben den Nationalsozialisten auch die Pamphletisten aus dem Umkreis der Zeitschrift »Deutschlands Erneuerung« gehörten, auf die er in »Caliban« Bezug nimmt. Bereits im April 1919 ließ er außerdem einen größeren Aufsatz in »Die Weltbühne« erscheinen, in dem seine Auffassung des anschwellenden Antisemitismus der Nachkriegszeit in Umrissen schon feststeht.[6] Dort spricht Zweig das Proletariat vom Antisemitismus frei – im übernationalen Solidaritätsgefühl der Arbeiterklasse erblickt er eine Gewähr gegen rassistische Ressentiments –, bezeichnet aber das deutsche Kleinbürgertum als eine für Gefühle des Zurückgebliebenseins und der Entwertung gegenüber der Kapitalistenklasse besonders anfällige Gesellschaftsgruppe, die im Juden einen wehrlosen Feind entdeckt habe, den sie für alle ihr bedrohlichen Erscheinungen – für die Macht des Kapitals wie für den revolutionären Sozialismus, für Presse und »zersetzende« Literatur – verantwortlich mache.

Den Sommer 1920 widmete Zweig der systematischen Ausarbeitung der diversen Dimensionen, die das Thema Antisemitismus in seinen Augen hatte, und legte seine Ergebnisse in der Aufsatzserie »Der heutige deutsche Antisemitismus« vor, die 1920/21 in »Der Jude« erschien.[7] Da ganze Abschnitte dieser Aufsatzserie in »Caliban« aufgenommen bzw. zur Aufnahme im Buch umgearbeitet wurden, kann sie als erste Stufe zu Teilen des »Caliban«-Textes gelten; einzelne Aspekte der Umarbeitung sind aber auch für die genaue Art der intellektuellen Umorientierung aufschlußreich, die Zweig zwischen 1920 und 1927 durchmachte.

Im ersten Hauptteil dieser Arbeit, »Antisemitismus als deutsche Angelegenheit«[8], der im Wortlaut dem 1. Buch von »Caliban« weitgehend entspricht, untersuchte Zweig die politischen und psychischen Beweggründe, aus denen der Antisemit sowohl die Fehlschläge des deutschen Militarismus als auch die wirtschaftlichen Mißstände der Nachkriegszeit dem Juden zur Last lege. Anhand von rechtsradikalen Pamphleten zeigte er, wie die antisemitische Agitation den Zweck verfolge, die Mitschuld des deutschen Nationalismus am Ausgang des Weltkriegs abzuleugnen und eine grotesk-verlogene Vorstellung des Judentums als vermeintliche Weltmacht zu verbreiten und dabei die Verantwortung für die Katastrophe auf die Juden zu projizieren. Zweig deutete dieses Verhalten rechtsextremer Nationalisten als symptomatisch für die aktuelle »empirische« Erscheinung des Deutschen und stellte sie dem »metaphysischen« Deutschen gegenüber, wie er sich in seinen Volkserzählungen und seinen kulturellen Traditionen zu erkennen gebe. So gelangte er zu der Ansicht, daß der Antisemitismus – als pathologische Erscheinung – für Ansehen und Wohlergehen der Deutschen eine größere Gefahr bedeute als für die Juden.

Der zweite Hauptteil, der später zum 2. und 3. Buch von »Caliban« umgearbeitet wurde, erstreckte sich über sieben Monatshefte von »Der Jude«[9] und trug den Titel »Antisemitismus als jüdische Angelegenheit«. Hier legte Zweig jene These dar, die er im nachhinein für seine originellste Leistung im Bereich der politischen Psychologie hielt. Er behauptete, daß man mit individualpsychologischen Vorstellungen wie »Haß« und »Verachtung«, die durchaus berechtigte Bestandteile im psychischen Leben des Einzelmenschen sein mochten, dem Antisemitismus nicht beikomme; daß dieser vielmehr aus der abstoßenden Wirkung eines (biologisch bedingten) »Differenzaffekts« von Gruppe zu Gruppe zu verstehen sei. Dieser Spekulation zur Motivierung des politischen Verhaltens legte er den Gedanken zugrunde, daß die Gruppe als »das biologische Individuum« zu sehen sei, das sich um die Ausbreitung der eigenen Art bemühe. Zweig berief sich dabei zwar auf kontemporäre, von Hans Driesch und Wilhelm Fließ unternommene Versuche, Gesetzmäßigkeiten im biologischen Bereich zu erkennen; der Sinn seiner Spekulation läßt sich aber eher aus der Vorstellung Nietzsches von der Versittlichung des Menschen als der Höherzüchtung einer Tierart erklären, auf die Zweig in diesem Teil der Aufsatzserie mehrmals anspielt und die er mit dem Nietzschewort, das er später als Motto für das 6. Buch von »Caliban« wählte, bekräftigte. In dieser Betonung der biologischen Grundlage des Antisemitismus läßt sich sowohl in der Aufsatzserie von 1920/21 als auch im Text von 1927 ein Doppelzweck erkennen: einerseits will Zweig gerade im Hinblick auf die Juden Deutschlands die Auslebung der Eigenart legitimieren, andererseits will er durch die Parallelisierung von Individuum und Gruppeneinheit die Aussicht auf eine therapeutische Lenkung und »Fruchtbarmachung« von Gruppenaffekten offenhalten. Dem Nietzscheschen Gedankengut wurde gleichsam ein aufklärerisches Prinzip aufgepfropft: genau so wie der Einzelmensch vernünftiger Einsicht und eines geordneten Verhältnisses zu seiner Umwelt fähig sei, so sollten am Ende auch die biologischen Gruppen (als Massenindividuen) zu rationalem Verhalten und friedlichem Zusammenleben gebracht werden.

Schon in der Aufsatzserie von 1920/21 nahm Zweig, wenn auch vorwiegend in Anspielungen, auf die historische Dimension der Beziehungen zwischen den Juden und ihrer Umwelt Bezug, und berief sich dabei u. a. auf die groß angelegte Antisemitismus-Studie von Hermann Graf Coudenhove-Kalergi »Das Wesen des Antisemitismus« (1901). Ein Vergleich zwischen diesem Werk und Zweigs Ausführungen zeigt jedoch, wie sehr sich die Perspektiven in Zweigs Behandlung des Themas von denen der Vorkriegszeit unterscheiden. Coudenhove-Kalergi hatte es um die Jahrhundertwende mit einem Antisemitismus zu tun, der sich gerade von einer auf religiösen Differenzen basierenden und mitunter gewalttätig auftretenden Erscheinung zu einer rassistisch orientierten intellektuellen Richtung gewandelt hatte. Er konnte noch hoffen, diesen Rassenantisemitismus dadurch zu entkräften, daß er mit sorgfältig konstruierten Argumenten die pseudowissenschaftliche Begründung von dessen Vorurteilen als illusionär entlarvte. Zweig sah sich 1920 hingegen mit einem massenpolitischen Phänomen konfrontiert, das offenbar aus den aufgereizten Feindseligkeiten der Kriegsjahre hervorgegangen war. Der Krieg, so Zweig, hatte ein »Rudel von Affekten« losgelassen, für die sich jedes Volk anfällig gezeigt habe, die im tierischen Grundwesen des Menschen angelegt seien, und die es langfristig zu zähmen gelte. Er verband diese Diagnose aber mit einer Darstellung der aktuellen Wirklichkeit jüdischen Lebens, die häufig zu einer passionierten, an die Juden selbst gerichteten Polemik geriet. Seine schärfste Kritik gilt einer gesellschaftlichen und politischen Situation, in der die Juden weder als Volk anerkannt wurden noch sich selber als Volk erkannten. Seinem Zorn über die fehlende nationale Solidarität unter Juden – besonders im Hinblick auf die massive Bedrohung der osteuropäischen Juden seit Kriegsende – gibt er genauso unverblümt Ausdruck wie seiner Entrüstung über die Diffamierung des Judentums durch deutsche Nationalisten. In solchen Passagen, so ließe sich sagen, lief der zionistische Eiferer Arnold Zweig dem sozialpsychologischen Analytiker davon. Auch der italienische Literaturwissenschaftler Claudio Magris, der in seiner grundlegenden Studie zur jüdischen Kultur Mitteleuropas im frühen 20. Jahrhundert, »Weit von wo« (1974), auf die im entsprechenden Teil von »Caliban« enthaltene Schilderung der unaufgelösten Widersprüche in Situation und Mentalität der assimilierten Juden lobend hinweist, spricht anschließend seine Bedenken darüber aus, daß der Verfasser »eine zweideutige Verschmelzung ethnischer und geistiger Elemente als gegeben anzunehmen« scheine, was den Eindruck einer jüdischen Essenz »als unveränderliches Faktum und nicht als wandelbare geschichtliche Realität« eher stärke als schwäche.[10]

Ende August 1920 gestand Zweig in einem Brief an Martin Buber, wie unzufrieden er damit sei, daß seine Ausführungen inzwischen übermäßig weitläufig geworden waren, fügte aber hinzu: »ich fand nichts Gedrucktes vor das mir diese Grundlegung in populärer Eindeutigkeit abgenommen hätte. Will ich nun der Anstrengung dieses Sommers einen Sinn geben, damit er nicht vertan sei, muss ich alles, bis aufs letzte, aussprechen was ich zum Thema zu sagen habe. Verlasse ich dabei die ›wissenschaftliche‹ Haltung, so werde ich ihr nicht nachtrauern. Ich will aber diese ganze Aufgabe unbedingt bis Herbstanfang hinter mir haben, um mich dann auf den Roman zu stürzen der mich vom Kriegskomplex befreien soll.«[11] Am 8. September 1920 fragte Zweig über Bubers Assistenten Siegfried Bernfeld an, ob Buber mit dem Ende des zweiten Hauptteils die Publikation abbrechen wolle, »oder ob Sie die wesentlich kürzeren Teile, Antis[emitismus] als jugendliche (III) und als menschliche Angelegenheit (IV) überhaupt noch haben wollen, weil das Opus so unvorhersehbare Dimensionen angenommen hat«[12]. Mit dem hier angekündigten Teil III, der 1921 unter dem Titel »Der Antisemitismus und die deutsche Jugend« veröffentlicht und später zum abschließenden 8. Buch von »Caliban« umgearbeitet wurde, wurde die Aufsatzreihe von 1920/21 tatsächlich abgeschlossen.[13]

In diesem dritten Hauptteil setzte sich Zweig vor allem mit den Ansichten Hans Blühers, des führenden Mitglieds der Jugendbewegung, auseinander, der in seinen Schriften der Nachkriegszeit nationalistische und mitunter eindeutig antisemitische Positionen bezogen hatte. Der antisozialistischen Polemik Blühers stellte er dabei die Vision einer unaufhaltsamen historischen Entwicklung entgegen, die nach und nach die Emanzipation aller benachteiligten Bevölkerungsgruppen der Welt mit sich bringen sollte, die aber von marxistischen Vorstellungen des Weltlaufs deutlich abgegrenzt war.

Bei der Ausarbeitung und Ergänzung des Textes 1926 hat Zweig alle wesentlichen Aspekte seiner Thematik ausführlicher behandelt. In den neu hinzugefügten Abschnitten 4 und 5 im 2. Buch, sowie im 6. Buch von »Caliban« hat er seine Theorie der Gruppenaffekte deutlicher zu begründen versucht; im 4. und 5. Buch ging er sowohl auf die psychologischen als auch auf die historischen Dimensionen des antijüdischen Verhaltens näher ein und entwickelte seine Gedanken über den Zionismus als jüdische Renaissance sowie über die Psychoanalyse als Instrument der Selbstheilung für das zerspaltene und an Minderwertigkeitsgefühlen leidende Judentum. Vor allem im umfangreichen 7. Buch läßt sich die größere Distanz zu seiner Thematik erkennen, die Zweig seit 1920 gewonnen hatte.

In der Aufsatzserie von 1920/21 waren Zweigs politische Vorstellungen noch sehr stark am utopischen Sozialismus Gustav Landauers und Martin Bubers orientiert: er glaubte damals an die Möglichkeit, auf der Basis genossenschaftlicher Siedlungen in Palästina ein sozialistisches Ideal zu verwirklichen, nach dem die einzelnen Mitglieder einer solchen Gemeinschaft – im Wortlaut der Grundsatzerklärung von Landauers Sozialistischem Bund (1912)[14] – »ihren Austritt aus der kapitalistischen Wirtschaft« aufgrund freier Entscheidung erklären sollten. 1926 stellte Zweig dieses Ideal in einen breiteren weltpolitischen Rahmen. Er weitete in »Caliban« sowohl die historischen als auch die politischen Perspektiven seiner Abhandlung aus, indem er den Antisemitismus als eine bestimmte Abart des politischen Differenzaffekts, genauer: des Nationalismus besprach. Dabei wies er einerseits auf den äußerst destruktiven Charakter hin, den der Nationalismus in seiner imperialistischen, kriegerischen Form angenommen hatte, und baute andererseits – unter Hinweis auf die noch zu erfüllende Arbeit des Völkerbunds – sein an Grundmotiven der Aufklärung orientiertes Argument über die notwendige Erziehung des »Gruppen-Ichs« zu Vernunft und Demokratie weiter aus. So wie die Überwindung von Konflikten und Differenzen zwischen ein-

zelnen Stämmen eine unabdingbare Voraussetzung für die Heraus-
bildung von Nationalstaaten sei, so müßten auch die gegenwärtig
zwischen Nationen wütenden Differenzaffekte unter der Perspektive eines umfassenden Menschheitsprinzips allmählich beigelegt
werden. Es ist bezeichnend für Zweigs politisches Weltbild um 1926,
daß er auf diesem Wege seine Überlegungen zur jüdischen Situation
mit der angestrebten Emanzipation auch anderer Völker- und Ge-
sellschaftsgruppen in Zusammenhang brachte; den jüdischen Nationalismus, wie er sich damals in der zionistischen Kolonisierung Palästinas verkörperte, bezeichnete er in »Caliban« als eine Normalisierung
der jüdischen Situation in der Welt, und gleichzeitig wies er ausdrücklich auf die Notwendigkeit hin, die Bedürfnisse der arabischen Bevölkerung zu berücksichtigen und die Beziehungen zwischen Juden und
Arabern sorgfältig zu pflegen. Wo es ihm aber darum zu tun war,
etwa am Anfang des 7. Buches, den Grundcharakter der Gruppenidentität zu beschreiben, blieb er noch 1926 den biologischen Kategorien verhaftet, die auch für die Aufsatzserie von 1920/21 charakteristisch waren: Zweig schildert das Verhältnis zwischen ethnischen
Gruppen dort als einen »Kampf ums Leben« von derselben Art, in der
auch »große Bäume [...] gegen jedes Pflanzenwesen kämpfen, das sich
in ihrer Nähe ansiedeln will«, und beläßt dadurch implizit dem nationalistischen Denken an sich seine (biologische) Berechtigung.

Die Aufsatzserie von 1920/21 enthält u. a. viele Hinweise auf Quellen bzw. Texte, die Zweig bei der Ausführung seiner Argumente offenbar als anregend empfunden hatte, und diese Hinweise sind, wo
sie zum Verständnis des Textes von »Caliban« beitragen, in die Anmerkungen dieses Bandes aufgenommen worden. An dieser Stelle
soll nur in groben Umrissen angedeutet werden, in welchem Sinne
sich die intellektuelle Orientierung des Textes zwischen 1920 und
1926 geändert hatte. In der Aufsatzserie von 1920/21 weist Zweig
ausdrücklich auf Max Schelers Schriften »Der Formalismus in der
Ethik und die materiale Wertethik« (Halle 1912) und »Abhandlungen und Aufsätze« (Leipzig 1915) hin als Texte, ohne die »diese Arbeit nicht hätte geschrieben werden können«[15]. Bis 1926 hatte sich
Zweig jedoch in solchem Maße von Scheler distanziert, daß er fast
alle positiven Hinweise auf dessen Werk aus dem Text von »Caliban«
tilgte. Das gleiche gilt für Werner Sombarts Buch »Die Juden und
das Wirtschaftsleben« (Leipzig 1911), das für Zweig un 1920 offensicht-

lich eine wertvolle Informationsquelle auch dort darstellte, wo er sich mit Sombarts Ansichten über das Judentum kritisch auseinandersetzte.[16] Ein Grund, warum Zweig sich in »Caliban« weder mit Scheler noch mit Sombart identifizieren wollte, mag in der eindeutig nationalistischen Position liegen, die beide Autoren während des Ersten Weltkriegs bezogen hatten, wie Zweig bereits in der Aufsatzserie von 1920/21 anmerkt.[17] Zweigs psychologische Überlegungen sowohl zum Thema Antisemitismus als auch zur persönlichen Erfahrung hatten indessen auch dazu geführt, daß er Mitte der 1920er Jahre in der Freudschen Psychoanalyse eher als in den Schriften Schelers den Schlüssel zu einem allgemeinen Verständnis des menschlichen Verhaltens sah, wie die ausdrücklichen Hinweise auf Freud in »Caliban« zu erkennen geben.

Mit dem Brief vom 3. März 1927, in dem Zweig Sigmund Freud um die Erlaubnis bittet, ihm das Buch »Caliban« widmen zu dürfen, fing der umfangreiche Briefwechsel an, in dem Zweig bis zu Freuds Tod 1939 für seine späteren Werke wichtige Gedanken mit ihm erörterte.[18] Für die in »Caliban« ausgeführten psychologischen Ansichten bleiben aber eher die Schriften Friedrich Nietzsches von maßgeblicher Bedeutung – mit denen Zweig seit seiner Jugend vertraut gewesen war und auf die Scheler in seinen ethischen und psychologischen Aufsätzen vielfach Bezug genommen hatte. Vor allem die Abschnitte 3 und 6 des 2. Buches von »Caliban«, in denen Zweig zwischen Judenhaß und Antisemitismus unterscheidet, letzteren als eine Maskierung des ersteren darstellt und dabei den Haß als eine »edle Empfindung« betrachtet, zeigen, wie sehr seine psychologischen Vorstellungen noch den Kategorien verpflichtet waren, die er in Nietzsches Schriften »Jenseits von Gut und Böse« und »Zur Genealogie der Moral« vorgefunden hatte. Auch wo sich Zweig in »Caliban« des Begriffes »Verdrängung« bedient, ist das weniger im technischen Sinne der Psychoanalyse zu verstehen als vielmehr in Beziehung zu Schelers Entwicklung von psychologischen Einsichten Nietzsches zu setzen.

Zum Verständnis der eigentümlichen gruppenpsychologischen Ansichten, die Zweig in »Caliban« darlegt, sollte ferner klargestellt werden, daß diese mit Freuds Ausführungen zum Thema Massenpsychologie wenig zu tun haben. In der Einleitung zu »Massenpsychologie und Ich-Analyse« (1921) wendet sich Freud ausdrücklich gegen die Vorstellung eines ursprünglichen und unzerlegbaren sozialen Triebes, die in der englischen Fachliteratur als »herd instinct« oder »group mind« bekannt war, und behauptet im Gegenzug: »Die Massenpsychologie behandelt also den einzelnen Menschen als Mitglied eines Stammes, eines Volkes, einer Kaste, eines Standes, einer Institution oder als Bestandteil eines Menschenhaufens, der sich zu einer gewissen Zeit für einen bestimmten Zweck zur Masse organisiert.«[19] Freuds Interesse bei der Deutung des Gruppenverhaltens gilt in erster Linie der Disposition der im Einzelmenschen vorhandenen psychischen Energien, aus der sich unter bestimmten Umständen eine gleichgerichtete emotionelle Einstellung innerhalb der Gruppe ergebe. Zweig hingegen weist der Gruppenidentität – gerade an den (1926 entstandenen) Stellen des Textes, wo er sich ausdrücklich auf die Psychoanalyse beruft – eine eigene »Gattungszone« im Aufbau der menschlichen Psyche zu, die zwischen der höheren »Individualseele« und der tiefsten Quelle der Inspirationen und der erotischen Lebenskraft gelagert sei. Wenn Zweig in diesem Zusammenhang behauptet, daß aus der tiefsten Zone auch die göttliche Offenbarung stamme, so erinnert das Argument eher an die Rede »Monismus als Band zwischen Religion und Wissenschaft«, in der Ernst Haeckel 1892 die Gottesvorstellung mit einer streng wissenschaftlichen Auffassung der Naturwelt zu verbinden versucht hatte, als an Ausführungen Freuds. Bei seinen Bemühungen an anderen Stellen des Textes, seine kulturellen und ethischen Wertvorstellungen mit dem biologischen Denken in Einklang zu bringen, ließ sich Zweig zum Teil auch durch den »Entelechie«-Begriff von Hans Driesch leiten, nach dem nicht nur das physische und psychische, sondern auch das soziale Verhalten des Menschen durch angeborene vitale Kräfte gelenkt sei. Obwohl sich Zweig schon seit 1910 für psychoanalytische Argumente empfänglich gezeigt hatte, scheint er sich am ehesten für diejenigen Schriften Freuds interessiert zu haben, die sich mit der Sexualtheorie, der Neurose und der Psychologie des Künstlers befaßten. An der Stelle in »Caliban«, wo er das Werk Freuds als ein Mittel der Selbstheilung für das Judentum preist, weisen die von Zweig aufgelisteten Aspekte von Freuds Leistung auf dessen Vorkriegsschriften bis hin zu »Totem und Tabu« hin, nicht aber auf Freuds Thesen zur Massenpsychologie. Noch im Dezember 1932 drückt Zweig in einem Brief an Freud das Vorhaben aus, vor der Arbeit an einer Neuauflage von »Caliban« »Massenpsychologie und Ich-Analyse« zu lesen[20], und scheint damit eine Kenntnislücke zuzugeben.

Was die praktische Vorbereitung der Buchpublikation von »Caliban«
betrifft, so ist Folgendes zu berichten: Zweig hatte sich in den frühen
zwanziger Jahren wiederholt vorgenommen, seinen Antisemitismus-
Essay auszubauen; der Titel »Caliban« bzw. »Kaliban« stand schon seit
Ende 1921 fest.[21] Im Oktober 1925 drückte er in einem Brief an René
Schickele seine Zuversicht aus, daß »Caliban« im folgenden Frühling
erscheinen würde.[22] Um diese Zeit hatte Zweig mit dem I. M. Spaeth
Verlag, Berlin, einen Vertrag abgeschlossen, nach dem er das Manuskript bis Ende Januar 1926 abliefern sollte[23]; der Verlag zog sich jedoch zurück, als der Autor den vereinbarten Termin nicht einhalten
konnte.[24] Seinem Taschenkalender für 1926 zufolge hat Zweig die
Umarbeitung und Ergänzung des »Caliban«-Textes zwischen dem
11. Januar und dem 13. Juli bewerkstelligt. Am 18. August 1926 no-
tiert er, daß das Manuskript sowohl vom Kurt Wolff Verlag in Leipzig als auch vom Albert Langen Verlag in München abgelehnt worden sei.[25] Im September findet man aber den ersten Hinweis auf Beziehungen zum Gustav Kiepenheuer Verlag, bei dem auch der 1926
diktierte Roman »Der Streit um den Sergeanten Grischa« erscheinen sollte. Der am 14. Mai 1927 von Zweig unterzeichnete Vertrag
mit Kiepenheuer für »Caliban« sieht eine Erstauflage von »mindestens
3 000 Exemplaren« vor.[26]

In der Zeit, als er nach einem Verleger für »Caliban« suchte, war es
für Zweig offenbar beunruhigend, daß das Buch des holländischen
Zionisten Fritz Bernstein, »Der Antisemitismus als Gruppenerscheinung«, im Jüdischen Verlag, Berlin, erschien.[27] Als Bernstein im Februar 1928 nach Berlin reiste und seine Thesen zum Antisemitismus
dort vortrug, wurde er auf das Prioritätsverhältnis zwischen seinem
Werk und Zweigs »Caliban« hin befragt und konnte sich mit dem
Argument wehren, daß auch sein Manuskript auf die Zeit um 1920
zurückgehe.[28] In einem Leserbrief an die »Jüdische Rundschau« fügte
Bernstein Anfang März hinzu: »Ich glaube übrigens, daß beide Bücher inhaltlich in jeder Beziehung grundverschieden sind, so daß
eigentlich die Prioritätsfrage schon deswegen unwesentlich ist.«[29] In
der Tat unterscheidet sich Bernsteins Darstellung der Gruppenpsy-
chologie wesentlich von der gleichsam organischen Vorstellung Arnold Zweigs, denn er behandelt die Gruppe ausdrücklich als eine
»funktionelle Einheit«, die in dem Sinne als eine »Erweiterung des
Individuums« erscheint, daß sich »unter den Notwendigkeiten des
menschlichen Zusammenlebens die der Liebe bedürftigen und Haß

produzierenden Individuen zu neuen, kollektiven und kollektiv-ego-
istischen Individualitäten« zusammenschließen würden.[30] Bernsteins
Argumentation ist mit anderen Worten deutlich individualpsycholo-
gisch orientiert, während Zweig die politische Identität der Gruppe
geradezu als eine biologische Erscheinung betrachtet. Das hinderte
Zweig allerdings nicht daran, die Publikation von Bernstein als in
hohem Maße plagiatsverdächtig in Erinnerung zu behalten. Noch
1956 schrieb er an den befreundeten Nahum Goldmann: »Daß mein
Buch *Caliban* oder *Politik und Leidenschaft* von einem Journalisten namens Bernstein durch eine Publikation überrundet wurde, der ganz
offenbar meine elf Essays zugrundelagen, die ich über Antisemitismus als Gruppenleidenschaft in Martin Bubers ›Juden‹ 1922/23 [sic!]
veröffentlicht hatte, legte ich damals einem Schiedsspruch von [Max]
Brod und Felix Weltsch vor, die aber behaupteten, es sei ihnen nicht
möglich, Herrn Bernstein die Benutzung meines Materials nachzuweisen.«[31] Noch in den Vorwortsentwürfen aus dem Jahre 1965 erinnert sich Zweig verbittert an diesen Zwischenfall (vgl S. 353 u.
356). Bernsteins Buch scheint allerdings nicht so tief in das öffentliche Bewußtsein eingedrungen zu sein, als daß es eine wirkliche Konkurrenz für Zweig darstellte: in den 1927 und 1928 veröffentlichten
Rezensionen zu »Caliban« wird nur ein einziges Mal – von Felix
Weltsch in der »Jüdischen Rundschau« –, und auch dann nur flüchtig,
auf Bernsteins Beitrag zur Antisemitismus-Diskussion hingewiesen.

Die Rezensionen zu »Caliban« zeugen allgemein von Achtung vor
dem Versuch, den aktuellen deutschen Antisemitismus und dessen
Auswirkungen auf das Leben der Juden zu charakterisieren, teilweise
auch vor Zweigs gruppenpsychologischen Einsichten, melden aber
andererseits oft starke Bedenken gegenüber Stil und Argumentations-
weise des Buches an. Die feineren Unterschiede in der Beurteilung
des Werkes gewähren dabei Einblick in die Vielfalt an politischen
und gesellschaftlichen Einstellungen zum Thema, die gerade unter
jüdischen Intellektuellen der Weimarer Zeit zu finden war.[32]

Am positivsten wurde »Caliban« von Autoren besprochen, die sich
wie Zweig selber für zionistisches Engagement in einer weltbürgerli-
chen Perspektive eingesetzt hatten. Das waren in erster Linie Felix
Weltsch und Max Brod, auf deren politische Schriften Zweig in »Caliban« gleichfalls lobend hinweist. Weltsch, dessen Rezension bereits
Anfang Juni in der »Jüdischen Rundschau«[33] erschien, hob den
»überschäumenden Reichtum an Erkenntnissen«, den das Buch ent-

halte, sowie den Wert der Grundeinsicht in das Wesen des Differenzaffekts hervor, die es Zweig ermöglicht habe, »alle Varianten des Antisemitismus und das Schicksal des jüdischen Volkes neu und schlagend zu beleuchten«. Er fuhr fort: »Alle unsere schmerzhaften jüdischen Probleme erscheinen uns in neuer Klarheit [...]. Die ganze
Tragik des jüdischen Volkes steht neu vor uns auf, mit dichterischem
Auge gesehen. Und das ist wohl das Wichtigste. Nicht was Arnold
Zweig den Antisemiten sagt, sondern was er den Juden sagt, und
nicht was er über den Antisemitismus sagt, sondern was er über das
Judentum sagt, macht die große Bedeutung dieses Werkes aus.« Max
Brod, dessen Rezension im »Prager Tagblatt« vom 10. Juli 1927 er-
schien und 1928 in zwei jüdischen Regionalzeitungen nachgedruckt
wurde[34], wies ebenfalls besonders auf die in »Caliban« ausgeführte
Kritik der aktuellen Situation der Juden hin: »Der wahre Nationalis-
mus ist nie Selbstanbetung, sondern scharfe Kritik wider die eigenen
Volksgenossen, wie Dante sie gegen seine Italiener, Nietzsche, Höl-
derlin, Goethe und alle wahrhaft Deutschen sie gegen die Deutschen, die jüdischen Propheten in heftiger Leidenschaft gegen die
Juden übten.« Er stimmte der Ansicht Arnold Zweigs zu, daß Antisemitismus »nicht so sehr an sich bedeutsam« sei und eher »als ein
Zeichen kulturellen Tiefstands« Beachtung verdiene. Ähnlich wie
Weltsch lobte Brod vor allem die »dichterische Gestaltenfülle« des
Buches, sowie die Darstellung der »tragischen Verstrickungen«, die
das Leben in Mitteleuropa für die Juden mitgebracht habe. Vor allem
als dichterische Leistung wertete auch Frank Warschauer Zweigs
Buch Anfang Oktober 1927 in »Die Weltbühne«.[35] Er sprach von der
an »Freud, Nietzsche, den großen Franzosen« geschulten psychologischen »Geschmeidigkeit« des Werkes und meinte damit die nuan-
cierte Darstellung des Schicksals der Juden in Wechselbeziehung mit
einer judenfeindlichen Umwelt über zwei Jahrtausende. »Dies« – so
Warschauer – »ist alles gefühlt, geschaut und mit so nachtastendem
Sinn wiedergegeben, als sei es eine Studie zu einem ungeheuren, weit-
räumigen Roman mit unzähligen Gestalten, mit Begebenheiten, in allen Nuancen tragischer Färbung und Komödienhaftem nicht minder:
dem Roman des jüdischen Volkes«.

Kämpferischere Töne schlug der Rezensent der »Bayerischen Israelitischen Gemeindezeitung«, Eugen Schmidt, an.[36] An Zweigs Darstellung des jüdischen Lebens fand er die Determinierung durch »Feindschaftstendenzen der Umwelt« überbetont und merkte an: »Indem

Zweig auf die durch den Antisemitismus verengerte Wirkungsmöglichkeit des deutschen Juden hinweist, legt er den Finger auf eine offene Wunde. Nicht nur, daß viele Wirtschaftsgebiete verschlossen sind, jede kulturelle Aufgabe ist dadurch, daß Juden für sie eintreten, in den Augen eines gewissen Publikums sofort eine jüdische Sache und damit eine schlechte Sache geworden.« Als Gegenmittel bejahte er vollends Zweigs Ruf nach »tätige[m] Bekennen jüdischen Volkstums«, zu dem die deutschen Juden im allgemeinen zu wenig geneigt seien.

Dem Rezensenten der »Jüdisch-liberalen Zeitung«, Dr. Siegfried Braun-Köln[37], gefiel besonders die in »Caliban« bezeugte »Weite des geistigen Horizontes«. Er wies auf die scharfen Worte hin, mit denen sich Zweig gegen die Überheblichkeit sowohl der Zionisten als auch des übertriebenen Assimilantentums gewendet habe, und bejahte das am Ende des Buches als Aufgabe der Juden verkündete Ideal: »ihr Leben so einzurichten, daß eine Synthese vollzogen werde zwischen herzhaft bejahter, aber doch überwundener Assimilation und einem edlen, urgegebenen jüdisches Wesen treu bewahrenden Nationalismus, der ein in sich ruhendes Darleben seiner selbst sicher stellt.« Dabei schien ihm Zweigs historische Darstellung des jüdischen Lebens auf deutschem Boden »reizvoller« und »bedeutungsvoller« als seine Analyse der antisemitischen Affekte, so »feinsinnig und ertragreich« diese auch sein mochte; und Zweigs Behauptung, daß nur die bedrängte Gemeinschaft der Juden das Phänomen des Antisemitismus in seiner Ganzheit sehe, nannte er eine »gewiß nicht zutreffende Meinung«, die wohl selber »der Zone des Differenzaffektes« entstamme.

Der Theaterkritiker und Schriftsteller Fritz Gottfurcht zeigte in »Die Literarische Welt«[38] Anerkennung für Zweigs Charakterisierung des Antisemitismus und für die »Lehren fürs Leben und Geißelhiebe für seine Schwächen«, die er dem jüdischen Volke austeile, fand aber die am Ende des Buches heraufbeschworenen Zukunftsvorstellungen etwas vag. Auch in seinen Bemerkungen zur Schreibweise des Buches schlägt Gottfurcht Töne an, die für eine weitere Gruppe von Rezensenten charakteristisch war, die den Argumenten Arnold Zweigs weniger Sympathie entgegenbrachten. Das Wissenschaftliche des Themas verleite den Autor – so Gottfurcht – dazu, »vor lauter Beweisen nicht zum Bilde zu kommen. [...] Das Hymnische ist ihm wiederum im Wege beim Fluge in die Weite des Gedankens. Er kommt predigend von seinem Thema, das eigentlich das Thema seines Untertitels ist – ›dargetan am Antisemitismus‹ – nicht los. Man verliert nicht die Vorstellung, daß ein Mensch so lange auf einen Punkt einer geistigen Landschaft schaute, bis alles ringsum sich Hals über Kopf in diesen Punkt stürzte. Darunter leidet die Klarheit des Ausdrucks.«

Siegfried Kracauer, dessen Rezension bereits am 29. Mai 1927 – und somit als erste von allen »Caliban«-Rezensionen – in der »Frankfurter Zeitung« erschienen war[39], nannte es »ein anständiges Buch, das es sich schwer macht«. Er sprach von der »wohltuende[n] Unbefangenheit«, mit der Zweig den Antisemitismus kennzeichne, und bejahte die Darstellung der »Deformationen, die der deutsche Jude durch den Antisemitismus erleiden muß«. Auch für die psychoanalytische Orientierung des Buches zeigte Kracauer Sympathie: »Eine Art von analytischer Aufklärung schwebt [dem Autor] vor, und sie ist auch vermutlich das einzige Mittel, das auf die Dauer hilft, vorausgesetzt, daß sie mit einer vernünftigen Regelung des Gesellschaftslebens Hand in Hand geht.« Andererseits bezeichnete er die »Betrachtungen, die Zweig den Parteiungen der deutschen Juden widmet« als »von geringem Interesse«, und zum Stil des Buches merkte er an: »Der Unbeholfenheiten in dem Zweigschen Buch sind viele, auch verrät die häufig zu gespreizte Rhetorik die Anwesenheit romantischer Bestände, die manche Zugänge zur blanken Realität verbauen.« Nach dem Erscheinen dieser Rezension schrieb Walter Benjamin an Kracauer: »Mit Interesse sah ich Ihre Anzeige von Zweigs Buch. In letzter Zeit habe ich diesen Mann öfter reden hören. Ich estimiere Ihre Einwände gegen ihn sehr; ja er ist mir etwas suspekter als dies vielleicht interessante und redliche Buch es sein mag.«[40] Zweig für seinen Teil stellte in einem Brief an Martin Buber vom 12. Juli 1927 die Vermutung auf, daß die von Kracauer geäußerten Bedenken zu »Caliban« mit dessen Kontroverse mit Buber zusammenhingen[41]; vermutlich bezieht er sich dabei auf die Kritik, die Kracauer 1926 in der »Frankfurter Zeitung« an der Bibel-Übersetzung von Buber und Franz Rosenzweig geübt hatte[42], deren erklärtes Ziel es war, durch eine dem hebräischen Text rhythmisch angenäherte Übertragung den ganzen Menschen oder die religiöse Gemeinschaft anzusprechen. Die Aspekte von »Caliban«, die Kracauer als »romantische Bestände« monierte, stießen – ungeachtet der positiven Hinweise auf Ernst Haeckels Monismuskonzeption, die das Buch enthält – auch beim Rezensenten der »Monistischen Monatshefte«,

Dr. Fritz Schiff, auf Ablehnung: der religiöse Zionismus, den Zweig verkündete, war in seinen Augen der monistischen Weltanschauung entgegengesetzt und außerdem mit unüberwundenen »Zentralitätsaffekten« behaftet.[43]

Stefan Zweig besprach »Caliban« Mitte Juli 1927 in »Das Tagebuch« im ganzen wohlwollend.[44] Er lobte die Klarstellung des Problems und das hohe Niveau der Diskussion, aber er äußerte sich skeptisch gegenüber den positiven Erwartungen, die das Buch an die therapeutische Wirkung der Psychoanalyse stellte: »Man könnte vielleicht einer so kühn menschheitsvertrauenden Auffassung entgegenhalten, das Problem dürfe insolange nicht als völlig gelöst gelten, als es nicht auch angibt, wohin die überschüssigen, die durch sittliche Erkenntnis freiwerdenden Affekte abgeleitet werden sollen (vielleicht könnte man sie wie den Teufel in die Säue, heute in den Sport, in die ungefährlicheren, unblutigeren Rivalitäten der Spiele treiben) – denn zweifellos läßt sich die absolute Affektsumme, der wahrscheinlich immer gleichbleibende Leidenschaftsverbrauch der Menschheit nicht ändern, ohne die Spezies Menschheit selbst zu verändern.« Auch hier wird angedeutet, daß der Autor der thematischen Fülle seines Stoffes nicht ganz Herr geworden war: es ist von einem »in viele Richtungen zugleich und immer mit gleicher geistiger Intensität vorstoßenden Buch« die Rede, »das mit Denkstoff so gefüllt ist, daß es die Form oftmals ausbuchtet«.

Am schärfsten ging Moritz Goldstein mit der Schreibweise Arnold Zweigs ins Gericht, als er im November 1927 »Caliban« neben Georg Hermanns Broschüre »Der doppelte Spiegel« in der »Vossischen Zeitung« rezensierte.[45] Er nannte schon den Titel »gespreizt«, fand »das stilistische Gehabe und Feintuerei« unerträglich und bezeichnete die oft periphrastische Formulierungsart als einen »Eiertanz auf Stelzen«. Goldstein zeigte von allen Rezensenten auch die größte Skepsis, was Zweigs Hoffnung betraf, der Antisemitismus würde sich am Ende mit den Mitteln einer begrifflichen Analyse überwinden lassen: »Unter Anwendung psychoanalytischer Einsichten (oder Schlagworte?) wird der Antisemitismus genauer bestimmt als ein Fall von Differenzaffekt. Wir wollen nicht streiten: sei es immerhin der Differenzaffekt. Was weiter? Judenhaß hört darum nicht auf, Judenhaß zu sein, die deutsche Seite zu schänden und die jüdische Seite ungerechtermaßen zu schädigen.« An »Caliban« schätzte Goldstein eher das »Menschenantlitz in Erregung und Empörung« und die »Echt-

heit und Unbeherrschtheit seines Zornes« als kämpferischer Ausdruck der jüdischen Situation: »Wie der Jude durch die bewußte und
unbewußte Einwirkung des Judenhasses geformt und umgeformt
wird, wie vor allem das jüdische Kind, das in einer judenfeindlichen
oder mindestens judenfremden Umgebung aufwachsen muß, in seinem Selbstgefühl leidet und um die Sicherheit des Lebens und Atmens
gebracht wird, das ist überzeugender und eindrucksvoller ausgesprochen als irgendwo sonst, und es zeigt sich in diesen Abschnitten, daß
der Verfasser nicht ein Gelehrter ist, der Forschungen anstellt, sondern ein Dichter, der sich in Seelen einzufühlen vermag.«

Solch schroffe Ablehnung von Zweigs theoretischem Ansatz war
allerdings eine Ausnahme. Für Felix Weltsch in der »Jüdischen
Rundschau« hatte Zweig auf der Grundlage des »Differenzaffekts«
sowohl den Charakter des Antisemitismus als auch das Schicksal der
Juden »neu und schlagend« beleuchtet, auch wenn er diese Zen-
tralthese selbst nicht weiter ausgebaut hatte; Eugen Schmidt in der
»Bayerischen Israelitischen Gemeindezeitung« fand die These an
sich nicht neu – er verwies dabei auf verwandte Gedanken bei Alfred
Adler und Georg Simmel –, lobte aber die Erkennung des Wertes
dieser Überlegung, die es Zweig ermöglicht habe, den Antisemitismus als »eine besondere Nuance allgemeiner Kräfte« darzustellen,
wie sie nicht nur die Juden, sondern alle Menschengruppen zu ertragen hätten. Die mit »E. Hz.« gezeichnete Rezension im »Israelitischen Wochenblatt für die Schweiz« brachte ·»Caliban« sowohl zu
Heinrich Graf Coudenhove-Kalergis »Das Wesen des Antisemitismus« als auch zu Michael Müller-Claudius' (d. i. Franz Ludwig Müller) Buch »Deutsche Rassenangst. Eine Biologie des deutschen Antisemitismus« (Berlin 1927) in Beziehung – letzteres handelte vom
»Symboleffekt«, der den Antisemiten allem Jüdischen einen Negativ-
wert beilegen lasse, statt vom Differenzaffekt – und stimmte Zweigs
Unterscheidung zwischen (individuellem) Haß und Antisemitismus
als kollektivem Phänomen vollends zu.[46] Gerade im Hinblick auf
seine Darstellung der schädlichen Wirkung einer feindlichen Umgebung auf die Jugend stieß Zweigs theoretischer Ansatz sogar in einigen Fachjournalen auf Interesse. In Magnus Hirschfelds »Zeitschrift
für Sexualwissenschaft« begrüßte Dr. Herta Götz »Caliban« als Beitrag zur Erweiterung der Psychoanalyse auf das Gebiet der Gruppenleidenschaften und hob dabei sowohl die Wirkung des Differenzaffekts auf die Umwelt des wachsenden Kindes als auch Zweigs Ver-

trauen auf die Reinigung von Affekten durch Erziehung und Abreaktion hervor.[47] In den »Kölner Vierteljahrsheften für Soziologie«
zeichnete die auf Beziehungslehre spezialisierte Rezensentin Hanna
Meuter den sozialpsychologischen Teil des Buches als eine gelun-
gene Darstellung der eigentümlichen Wirkung der Gruppenaffekte
aus und nannte es das Verdienst des Buches, »als erstes den Antisemitismus denkenswert gemacht zu haben«[48].

Diese fachwissenschaftliche Kenntnisnahme ist offenbar nicht zuletzt dem Einfluß des Soziologie-Professors Leopold von Wiese zu
verdanken, der u. a. als Redakteur der »Kölner Vierteljahrshefte«
zeichnete und »Caliban« selber im August 1927 in der Zeitung des liberalen Central-Vereins deutscher Staatsbürger jüdischen Glaubens
besprochen hatte. Da seine Rezension sowohl an Lob für die in »Caliban« entwickelten theoretischen Einsichten als auch an Schärfe der
Kritik alle anderen Rezensionen übertrifft, verdient sie hier besondere Aufmerksamkeit. Sie beginnt so: »Wie schwer ist es, ein Buch
mit Kritik anzuzeigen, das im Leser so sehr den Eindruck der Zwiespältigkeit hinterläßt wie dieses hervorragende Werk. Wieder ist mir
klar geworden, daß gerade unter den geistig und sittlich hervorra-
gendsten Persönlichkeiten der Gegenwart sehr viele unharmonische,
zerrissene und widerspruchsvolle Menschen sind. In diesem Buche
stehen Sätze, bei denen man dankbar und erleichtert aufatmet, daß
sie gesagt und daß sie so gesagt werden. Reife, Weisheit, Lebens-
und Menschenkenntnis, dabei Menschenliebe und ethischer Wille
geben sich in ergreifender Weise kund. Dann aber muß man erleben – es ist ein schmerzliches Erlebnis! –, daß sich derselbe Schriftsteller, der so sehr die Hemmungslosigkeit der Affekte tadelt, ganz hinreißen läßt zu Fehlern, die er vorher ausrotten möchte. Er erscheint
dann ganz undiszipliniert, geschwätzig und unlogisch – derselbe Mann,
der einige Seiten vorher in wenigen Worten einen wundervoll klaren
und reinen Ausdruck für eine letzte, reife Erkenntnis gefunden hat.«[49]

Der Hauptfehler Zweigs – den von Wiese mit gut gewählten Beispielen belegt – liege darin, daß er die zwei Grundfragen, die er in seinem Buch erörtern möchte und von denen er nur die eine program-
matisch ausspreche, nicht auseinander halte. Bei seiner Analyse der
Gruppenleidenschaften, die er allerdings entgegen seiner eigenen Behauptung nicht als erster entdeckt habe, gebe Zweig »eine sehr anschauliche, überzeugende und überwältigende Aufweisung der Entstehung und Betätigung« einer pathologischen Erscheinung, die von

Wiese »die eigentliche Krankheit der europäischen Gegenwart« nennt. Ebenso richtig werde der Antisemitismus auf dieser Basis erklärt: »Was hier an Fülle der Beispiele gegeben wird, was vor allem über die allmählichen Heilungsmöglichkeiten durch religiösen Ernst im Gruppenleben, durch Hingabe an die Idee der Menschheit gesagt wird, ist wahr, tief und doch auch lebensnah.« Neben seiner Eigenschaft als sachliche Untersuchung sei das Buch aber auch »ein Dokument des jüdischen Nationalismus, und der Verfasser entpuppt sich als ein Treitschke des Judentums!« Besonders in seinen Beschwörungen der jüdischen Volkseinheit und der »gestaltenden Kraft« des Landes weist ihm von Wiese diese fanatisch nationalistische Einstellung nach. »Zweig, der liebende und verstehende Mensch, wird nun zum kräftigsten Hasser, der Kosmopolit und Menschheitsdiener wird völkisch, sieht nur blendende, eigene Gruppenvorzüge und alles Unrecht auf der anderen Seite.« Daran liege es, daß das Buch über lange Strecken sowohl weitschweifig als auch widerspruchsvoll wirke. Die Zwiespältigkeit des Inhalts schade der einen Sache wie der anderen: »Aus den fast 400 Seiten hätten zwei packende Schriften von je 50 Seiten werden müssen, eine wissenschaftliche Abhandlung und – meinetwegen – eine politische Kampfbroschüre: aber um Gottes willen: getrennt voneinander!« Ganz am Ende seiner Rezension fügt von Wiese außerdem noch die sachliche Kritik hinzu, »daß der Verfasser bei einer weniger psychologischen und psychoanalytischen, dafür mehr soziologischen Betrachtungsweise vielleicht zu noch klareren Ergebnissen gelangt wäre«.

Das starke Interesse, das von Wiese für das Buch zeigte, hing damit zusammen, daß sich Arnold Zweigs Ansichten über die Gruppenaffekte in wesentlichen Punkten mit den Ergebnissen seiner eigenen Forschungen überschnitten. In seiner Rezension in der »C. V. – Zeitung« merkt von Wiese an, daß er an gewissen Stellen von »Caliban« – es handelt sich um die Abschnitte 3 bis 6 des 2. Buches (»Antisemitismus als Gegenstand«) und die ersten sechs Abschnitte des 7. Buches (»Differenzaffekt als Nationalismus«) – genau das gesagt fände, was er im zweiten Band seines »Systems der Allgemeinen Soziologie« auszusprechen sich vorgenommen hatte. In diesem zweiten Band, der erstmals 1928 erschien und 1933 in eine zweite, überarbeitete Auflage des vollendeten Werkes aufgenommen wurde, würdigt von Wiese denn auch in seinem Kapitel über »Die Gruppe« den Beitrag Arnold Zweigs zur Theorie der Gruppenaffekte. Im Haupttext führt er Zweigs Charakterisierung von Differenz- und Zentralitätsaffekt – für die er selber die Bezeichnungen »Unterscheidungssucht« und »Mittelpunktswahn« wählt – als eine treffende Beschreibung des gesteigerten Gruppengefühls an, und in den Erläuterungen am Ende des Kapitels zitiert er ausführlich aus dem 2. Buch von »Caliban«, um folgende Überlegungen zu erhärten: daß die »Antigefühle« einer größeren Gruppe sich hemmungsloser melden als beim Einzelmenschen; daß die eigentümlichen Gruppenaffekte in den diversesten Lebenslagen und sozialen Beziehungsgebilden zu beobachten sind; daß die Aufwertung der Gruppe generell zur Abwertung der Nichtgruppe führt; und daß sich der Gebrauch der Vernunft zur Schlichtung von sozialen Konflikten erst langsam und mühevoll gegen die Wirkung der ihrem Wesen nach irrationalen Gruppenaffekte wird durchsetzen müssen.[50]

Im Hinblick auf das Interesse, das Zweigs Bezugnahme auf die Psychoanalye bei mehreren Rezensenten erweckt hatte, ist es immerhin bemerkenswert, daß sich Sigmund Freud selbst jeder öffentlichen Stellungnahme zu »Caliban« enthielt. Nachdem Zweig am 18. März 1927 den ersten brieflichen Kontakt zu ihm aufgenommen und Freud den Empfang des Buches am 2. Juni bestätigt hatte, schrieb Freud erst am 2. Dezember wieder an Zweig, um sich für die Zusendung des Romans »Der Streit um den Sergeanten Grischa« zu bedanken. Er erklärte im selben Brief, daß er »Caliban« in den Sommerferien »mit großer Teilnahme, Alternativen von warmer Zustimmung und kritischem Stillhalten«[51] gelesen hatte. Welchen Teilen von »Caliban« Freuds kritisches Stillhalten galt, ist nicht dokumentiert. Im Brief ist eher von seiner allgemeinen Abneigung gegenüber dem Thema die Rede. Freud spricht von seinem Stolz auf die Stelle, die Zweig ihm gewidmet hatte, und von seinem Ärger darüber, daß er auch noch Karl Kraus mit freundlichen Worten bedacht hätte, und fährt dann fort: »Im ganzen lag das, was mich an dem Buche gestört hat, gewiß an mir. In der Frage des Antisemitismus habe ich wenig Lust, Erklärungen zu suchen, verspüre eine starke Neigung, mich meinen Affekten zu überlassen, und fühle mich in der ganzen unwissenschaftlichen Einstellung bestärkt, daß die Menschen so durchschnittlich und im großen ganzen doch elendes Gesindel sind.« Auf die Punkte, in denen Zweigs Auffassung der Gruppenleidenschaften von der Freudschen Massenpsychologie abweicht, wurde indessen oben schon hingewiesen.[52]

In Zusammenarbeit mit seiner damaligen Sekretärin Lily Offenstadt hat sich Zweig vor allem im Frühjahr 1929 und wieder 1932 und 1933 mit der Umarbeitung des Textes beschäftigt.[53] In diesem Zeitraum war die Aussicht auf eine Neuauflage von »Caliban« anscheinend reell: sie wurde in einem Brief Gustav Kiepenheuers an Arnold Zweig vom 2. Dezember 1929 bestätigt, in dem der Verleger außerdem die Voraushonorierung von 2 000 Exemplaren der neuen Auflage anbot.[54] Angestachelt von den kritischen Bemerkungen zum Stil des Buches in den Rezensionen und bemüht um breitere öffentliche Wirkung, machte es sich Zweig zur Aufgabe, den Text »aus dem Gelehrten ins Deutsche« zu übersetzen, wie er sich einmal Freud gegenüber ausdrückte.[55] Im Arnold-Zweig-Archiv ist eine Neufassung des 1. Buches von »Caliban« als Typoskript erhalten[56], in dem der Satzbau um einiges vereinfacht, die Fülle an Anspielungen gestrafft und der passionierte Ton der Erstausgabe etwas gedämpft wurde. Ein als Bearbeitungsgrundlage verwendetes Druckexemplar der Erstausgabe[57] trägt außerdem viele handschriftliche Eintragungen und Einschübe, aus denen sich die Hauptrichtung der zwischen 1929 und 1933 durchgeführten Korrektur rekonstruieren läßt. An einigen Stellen wurde die Linie des Arguments sorgfältiger ausgearbeitet: bei der Besprechung der »Modi« des Antisemitismus im 2. Buch wurden z. B. die religiösen Vorstellungen zu römischen Zeiten sowie das Verhältnis des modernen Judentums zu seiner Umwelt in einigen Punkten klargestellt. Komplexe syntaktische Strukturen wurden generell vereinfacht. Am konsequentesten aber wurden bildungssprachliche Vokabeln eingedeutscht. Das gilt sowohl für psychologische Fachausdrücke als auch für allgemeinere Begriffe, obwohl die zentralen Termini »Differenz-« und »Zentralitätsaffekt« unangetastet blieben: so wurde »Abwehrkomplex« durch »Abwehrdrang« und »affekttoll« durch »triebtoll«, aber auch »Phänomen« durch »Erscheinung« und »Intensität« bzw. »Radikalität« durch »Heftigkeit«, ja sogar »Variation« durch »Abwandlung« und »Pazifismus« durch »Friedensbewegung« ersetzt. Aus dem Standpunkt von 1965 blickte Zweig allerdings auf diese stilistische Umarbeitung als eine »Marotte der Fremdwortvermeidung« zurück.[58]

Noch im April 1933, ja sogar noch nach der Bücherverbrennung vom 10. Mai arbeitete Lily Offenstadt in Berlin an dieser Abschrift des redigierten Textes von »Caliban«, offenbar in der Hoffnung, daß der Kiepenheuer Verlag die Neuauflage, die seit 1930 im Inseratenteil von Zweigs Büchern angekündigt war, doch noch bringen würde und das Buch dann auch in englischer Übersetzung erscheinen könnte.[59] Schon bald nach der Veröffentlichung von »Caliban« hatte sich Zweig im November 1927 an den amerikanischen Verleger Benjamin W. Huebsch gewandt, der mittlerweile den Roman »Der Streit um den Sergeanten Grischa« in englischer Übersetzung herausgebracht hatte.[60] Die geplante Neuauflage von »Caliban« bei Kiepenheuer kam aber nie zustande, und auch alle Bemühungen Zweigs, während der Nazizeit im Ausland das Buch neu herauszubringen, blieben vergeblich. Einem Brief von Lily Offenstadt zufolge wurde »Caliban« im April 1933 vom englischen Verlag Saxton abgelehnt.[61] Auszüge aus dem Buch erschienen 1935 in englischer Sprache in der von Ludwig Lewisohn herausgegebenen Anthologie »Rebirth. A book of modern Jewish thought«.[62]

Anläßlich des Erscheinens von Sol Liptzins Buch »Germany's Stepchildren«[63], in dem Arnold Zweig neben anderen deutsch-jüdischen Schriftstellern unter ausdrücklichem Hinweis auf »Caliban« porträtiert wurde, erörterte Zweig 1945 die Möglichkeit, mit der Jewish Publication Society of America den Kontakt aufzunehmen.[64] Im Oktober 1945 besprach er auch mit Robert Neumann, der inzwischen eine einflußreiche Stelle beim englischen Verlag Hutchinson besetzte, die Möglichkeit, »Caliban« dort erscheinen zu lassen; er zeigte sich bis zu diesem Zeitpunkt aber angesichts der durch die Ereignisse des Zweiten Weltkriegs geänderten Umstände wenig hoffnungsvoll: »ich halte dieses Thema jetzt für vertagt zwischen uns«.[65] Über seinen Studienfreund, den Literaturwissenschaftler Walter A. Berendsohn versuchte Zweig noch 1947 einen schwedischen Verlag für »Caliban« zu interessieren, der nach anfänglichem Interesse das Buch jedoch ablehnte.[66]

Einem Brief Louis Fürnbergs zufolge hatte »Caliban« im Mai 1945 beim Leiter des englischsprachigen Radios in Palästina Interesse erweckt.[67] Ansonsten ist außer den bereits erwähnten amerikanischen Publikationen für die Rezeption von »Caliban« außerhalb Deutschlands zwischen 1933 und 1945 nur ein einziger Beleg bekannt. Es handelt sich um einen Aufsatz des linken holländischen Schriftstellers Coenraad van Emde Boas, der auf der Grundlage der Freudschen Theorie die Beziehungen zwischen sexueller Unterdrückung und der Bereitschaft zur Kriegführung bespricht und in diesem Zusammenhang auf Zweigs Theorie der Gruppenaffekte hinweist als einen bahnbrechenden Beitrag zum Verständnis dessen, was der Holländer »Gruppennarzißmus« nennt.[68] Innerhalb Nazi-Deutschlands wurde »Caliban« insofern rezipiert, als das Buch 1935 vom nationalsozialistischen »Institut zum Studium der Judenfrage« als Grundlage zu einer Schilderung Arnold Zweigs in dem Band »Die Juden in Deutschland« genommen wurde.[69] Das Institut stellte Zweig als einen besonders »unerfreulichen« Typus deutscher Jude dar, warf ihm »Überheblichkeit gegenüber der Kultur des deutschen Volkes« vor und bezeichnete »Caliban« als ein Dokument des jüdischen Lebens in Deutschland im Zeitalter der Emanzipation – das seit 1933 eben abgeschlossen sei.

Für Zweig selber bildeten die in »Caliban« entwickelten Gedanken einen wichtigen Bezugspunkt bei der Interpretation der historischen Kräfte, die hinter der nationalsozialistischen Machtübernahme lagen. Schon am 8. März 1933 schrieb er an Freud, um ihm von seinem Weiterleben in Berlin nach dem Reichstagsbrand zu berichten, und bemerkte aus diesem Anlaß: »Jedenfalls bestätigt sich zweierlei: die beruhigende Macht der Analyse und die Tragweite meiner Caliban-Erkenntnisse.«[70] Expliziter drückte er sich anläßlich des Bürgerkriegs in Spanien in einem Brief an den in Jerusalem lebenden befreundeten Psychoanalytiker Max Eitingon vom Januar 1937 aus: »Immer klarer bestätigt sich meine schon in ›Caliban 1921‹ niedergelegte Überzeugung, daß erst durch die eklatante Niederlage der Reaktion die jüdische Sache in der Welt wieder eine aufwärtsstrebende Kurve darstellen wird. Damals gab es das Wort Faschismus noch nicht, und ich schrieb gegen die Offiziersreaktion. Jetzt ist daraus ein Fenris-Wolf geworden, und der arabische Faschismus wird sich unbedingt erheben, wenn Franco in Spanien siegt.«[71] Als er 1938 mit dem Gedanken spielte, in die USA zu übersiedeln, sah er in »Caliban« eine mögliche Grundlage für die soziologischen Vorlesungen, die er dort zu halten hoffte.[72] In Briefen an Walter A. Berendsohn besprach er 1947 auch die Möglichkeit einer Vortragsreise nach Schweden, bei der »Caliban« wieder die Grundlage abgeben sollte, gab dabei aber auch zu bedenken, daß sich nicht nur die Zeitumstände, sondern auch die intellektuelle Orientierung des Autors Arnold Zweig während seines Aufenthalts in Palästina geändert hatte: »Ich habe die Welt meines *Caliban* noch ein oder zwei Stockwerke tiefer zu den Müttern herabgetrieben und kann auch denjenigen Neues sagen, die mein Buch kennen.«[73] Hier deuten sich schon jene Vorbehalte gegenüber der Textfassung von 1927 an, die in den Vorwortsentwürfen der 1960er Jahre formuliert werden: »So möge man in diesem Buche ›Caliban‹ trotz der scharfsinnigen Fehlanalysen seines Verfassers die Infusorien und Keime studieren, die unter dem Mikroskop unserer Erfahrungen sich seit dem Ende des zweiten Weltkrieges enthüllten. Was alles daran falsch ist, wird sich dem Leser von 1960 im Verlauf seiner Lektüre selber erhellen.« (vgl. S. 347)

Es gibt dennoch Anzeichen dafür, daß »Caliban« im Nachkriegsdeutschland öffentliches Interesse zu erwecken begann. 1949 wurde Zweig um die Erlaubnis gebeten, bei einer für den August bzw. September vorgesehenen Diskussion über Antisemitismus im Südwestfunk aus »Caliban« zitieren zu dürfen.[74] Im Laufe der dadurch entstandenen Korrespondenz weist Zweig u. a. auf die Möglichkeit einer Neuauflage des Buches im Verlag Rütten und Loening (Potsdam) hin.[75] (Der Verlag wurde 1951 dem Verlag Volk und Welt, Berlin, angeschlossen, ohne daß »Caliban« erschienen war[76]; nach der Neugründung veröffentlichte er im Laufe der fünfziger Jahre einige andere Prosawerke von Arnold Zweig.)

Einige Aspekte der veränderten Publikationsbedingungen, denen Zweigs Bemühungen um eine Neuausgabe des Werkes in der DDR unterlagen, erhellen indessen aus einer unveröffentlichten Stellungnahme zu »Caliban«, die er sich 1953 vom ehemaligen Präsidenten des Verbandes der Internationalen Proletarischen Freidenker Bohdan Hartwig in Brno erbat.[77] In seinem ersten Antwortschreiben auf diese Bitte[78] erweist sich Hartwig als ein sowohl im Marxismus als auch in der Psychoanalyse bewanderter Mann, der sich selbst auch um Verbindungen zwischen den beiden Denksystemen bemüht hatte. Die auf sieben enggetippten Seiten dargelegten »kritische[n] Bemerkungen« zu »Caliban«[79], die er Zweig am 28. Mai 1953 zuschickte, basieren auf einer orthodox marxistischen Auffassung der historischen Entwicklung: das 19. Jahrhundert wird als Niedergangsepoche des Kapitalismus bezeichnet, der Nationalsozialismus wird als »Knüppelgarde« der Schwerindustrie gesehen, und die Entfesselung von Kriegen im 20. Jahrhundert wird als bewußt kalkuliertes Mittel der imperialistischen Machtpolitik interpretiert. Im Hinblick auf die in »Caliban« vertretene politische Psychologie stellt Hartwig kategorisch fest: »Es ist durchaus abwegig, anzunehmen, daß der Calibanismus die eigentlich treibende Kraft in der Politik darstellt. Primär sind vielmehr die ökonomischen Umlagerungen; aus ihnen erwachsen die

Leidenschaften, die in den Dienst der großen Politik gestellt werden.« Wie viele der Rezensenten von 1927 und 1928 räumt auch Hartwig ein, daß »Caliban« ein »in mitreißendem Schwung« geschriebenes Kunstwerk sei, das eben als Kunstwerk geschätzt zu werden verdiene. Die im Text vertretene Idee eines Judenstaates als Abwehrmittel gegen den Antisemitismus zweifelt er jedoch unter Hinweis auf die machtpolitischen Interessen an, die bei der Ausführung des britischen Mandats in Palästina im Spiel gewesen seien, und er befindet auch, daß mit der Wahl der Gestalt Calibans als Bild für den »sturen« Antisemiten »ein biologisches Moment in die Geschichtsbetrachtung hineingetragen« werde. Hartwig empfiehlt ferner, jeden Hinweis auf Gott sowie auf die Vorstellung einer »metaphysischen Seele« aus dem Text zu entfernen, und schlägt vor, aus taktischen Gründen die Hinweise im Schlußkapitel auf Rassendiskriminierung und koloniale Unterdrückung in anderen Weltteilen als Europa expliziter auszubauen.

Im Deckbrief zu seiner Kritik spricht Hartwig seine Bereitwilligkeit aus, Arnold Zweig »marxistisch zu beraten«, warnt ihn aber gleichzeitig vor dem unter Marxisten verbreiteten Eifer, »die Reinheit der orthodoxen Lehre« zu erhalten, und vor deren »leidige[r] Gewohnheit, zu beweisen, daß man ein besserer Marxist sei als die ›Konkurrenz‹, ja womöglich marxistischer als K[arl] Marx selbst«. Er rät ihm deshalb zu, in der Neuausgabe von »Caliban« zumindest auf Marx' Schrift »Zur Judenfrage« zu verweisen und jeden Hinweis auf die Metaphysik zu unterlassen; besonders Zweigs Behauptung, daß der erkennende Mensch dazu neige, »sein empirisches zu seinem metaphysischen Wesen emporzusteigern« (vgl. S. 121), beanstandet er, weil diese Formulierung einem Bekenntnis zur Metaphysik gleichkomme, die dem Marxismus zuwiderlaufe und daher für den Autor gefährlich sein könnte. Hartwig legt ihm auch dringend nahe, das Zitat von Oscar Wilde – »Die Wut des neunzehnten Jahrhunderts ist die Wut Calibans, der sein Antlitz im Spiegel erblickt« – als Motto des Buches aus dem Grund zu streichen, weil »der spezifisch faschistische Calibanismus ja erst durch die Krisenanfälligkeit des Kapitalismus in seiner Niedergangsepoche geweckt« worden sei und empfiehlt außerdem das Wort »Caliban« aus dem Titel wegzulassen, denn als Titel genüge: »Politik und Leidenschaft«.

Auf eine so tiefgreifende Revision des nunmehr bald dreißig Jahre alten Textes wollte sich Arnold Zweig offenbar nicht einlassen. 1954 berichtete er seiner Schwägerin Marie Zweig von dem Vorhaben, »Caliban« in der Fassung von 1927 mit einer neuen Vorrede herauszubringen.[80] 1959 schrieb er in ähnlicher Absicht an den Universitas Verlag in Westberlin, bei dem gerade sein Roman »Die Zeit ist reif« erschienen war: er fragte, ob der Verlag sich angesichts der Wiedererstarkung des Antisemitismus in der BRD – »in Hamburg und anderswo« – für »Caliban« interessiere, zu dem er ein neues Vorwort schnell würde schreiben können.[81] Im Januar 1959 hatte das Landgericht Hamburg den Holzkaufmann Friedrich Nieland, der eine antisemitische Broschüre an verschiedene Politiker verschickt hatte, vom Vorwurf der Staatsgefährdung und Beleidigung mit fadenscheinigen Argumenten freigesprochen.[82]

Um diese Zeit neigte Zweig dazu, die Regierung der BRD mit revanchistischen Absichten und starken Verbindungen zum Nationalsozialismus zu assoziieren, wie u. a. sein Vorwort-Entwurf vom August 1960 zeigt (vgl. S. 344). Ende Juli 1960 hatte das SED-Politbüro seine Kampagne gegen den Staatssekretär des Bundeskanzleramts, Hans Globke, lanciert, der in den dreißiger Jahren als Beamter des Reichsinnenministeriums einen offiziellen Kommentar zu den Rassengesetzen der Nationalsozialisten verfaßt hatte. Unter ausdrücklichem Hinweis auf diese Kampagne drückte Zweig in einem Brief an Berendsohn vom 4. August 1960 die Hoffnung aus, ein bundesdeutscher Verleger möge sich angesichts der Aktualität der Thematik für »Caliban« und »Das ostjüdische Antlitz« interessieren.[83] Daß solche Erwartungen nicht grundlos waren, ist durch einen Brief bestätigt, den Achim von Börries, der Verlagslektor beim Joseph Melzer Verlag, Köln, am 14. August 1960 an Arnold Zweig sandte.[84] Gerade die Bemühungen des Melzer Verlags um eine Neuausgabe von »Caliban« gewähren jedoch einen Einblick in die Arbeitssituation Arnold Zweigs im letzten Jahrzehnt seines Lebens, der für das traurige Schicksal sowohl des Textes als auch des Verlags aufschlußreich ist.

Als der Melzer Verlag sich im Mai 1960 nach der Möglichkeit einer Neuausgabe erkundigte[85], antwortete Zweig zunächst in zurückhaltenden Tönen: »Die vierzehn Jahre meines Aufenthaltes in Palästina haben freilich bewirkt, daß ich jüdische und zionistische Dinge heute durchdringender sehe und gründlicher erfahren habe als zu den Zeiten der Niederschrift.« Er wollte keine Änderungen am Text vornehmen, bat aber um Zeit, jene Teile zu identifizieren, auf die er »in einem Nachwort korrigierend eingehen müßte«[86]. In einem wei-

teren Brief willigt er ein in die fotomechanische Reproduktion des
Textes von 1927, spricht aber gleichzeitig von der Notwendigkeit,
diesen Text gegenüber seinen inzwischen erworbenen Überzeugungen zu überprüfen: »Schwierigkeiten [...] sehe ich freilich am
Horizont aufdämmern, wenn ich erwäge, daß ich nach meinen Erfahrungen in Palästina bestimmten Facetten des Staates Israel durchaus kritisch gegenüber stehe und die politisch-geographische Situation dieses Staates den Ansprüchen der Vereinigten Arabischen Republik gegenüber mit Bedauern betrachte. Dennoch darf das Buch
nicht einen antijüdischen und antizionistischen Stempel bekommen.«[87] Die Vorwortsentwürfe aus dem Jahr 1960 sind auf der
Grundlage einer solchen Überprüfung des Textes entstanden; im Juli
1960 erwog Zweig auch die Möglichkeit, die »Kritischen Bemerkungen« des inzwischen verstorbenen Bohdan Hartwig in einem
Anhang zu veröffentlichen.[88]

Der Melzer Verlag hatte das Buch ursprünglich noch vor Ende
1960 herausbringen wollen. Nach Abschluß der Arbeit am Roman
»Traum ist teuer« im August jenes Jahres verschob Zweig jedoch die
Arbeit an »Caliban« – nicht zuletzt aus Rücksichten auf den Bücher-
markt – auf das folgende Frühjahr.[89] Der Verlagslektor Achim von
Börries hatte Zweig zu überreden versucht, an dem angekündigten
Erscheinungsdatum im Herbst 1960 festzuhalten, u. a. mit dem Hinweis auf die Gefahr, daß ein Aufschub von der denunziatorischen
westlichen Propaganda gegen die DDR ausgenützt würde.[90] Inzwischen hatte sich der Verlag bei der Druckerei vertraglich gebunden;
bis zum 8. September war der fotomechanische Nachdruck auch erfolgt.[91] Zweig beharrte auf dem Standpunkt, daß er »einen unbear-
beiteten ›Caliban‹ nicht wieder erscheinen lassen« könne, und erörterte mit dem Verlag die Frage, ob nicht »Bilanz der deutschen Judenheit« vor »Caliban« erscheinen könnte.[92] Nachdem der Verlag
am 23. September schon das »Caliban«-Vorwort in der 1. Fassung
(vgl. S. 344) erhalten hatte, eröffnete Zweig Achim von Börries Anfang Oktober das Vorhaben, einen neubearbeiteten »Caliban« in der
DDR beim CDU-orientierten Union-Verlag, Berlin, erscheinen zu
lassen. Unter diesen Umständen sah sich der Melzer Verlag gezwungen, auf den bereits fertiggestellten Nachdruck der alten Fassung zu
verzichten, um die westdeutschen Rechte für die neue Version von
»Caliban« zu bitten, und mittlerweile mit dem Nachdruck von
»Bilanz der deutschen Judenheit« vorliebzunehmen.[93] (Dabei be-

stätigte der Union-Verlag sein Interesse für eine Neufassung von
»Caliban« brieflich erst im Januar 1961.[94]) Nachdem »Bilanz der deutschen Judenheit« tatsächlich bei Melzer erschienen war, zog Joseph
Melzer im September 1961 für sich eine traurige Bilanz: von den
3 000 mittlerweile gedruckten Exemplaren von »Bilanz der deutschen Judenheit« seien bis Ende August nur 482 verkauft worden,
und das Nichterscheinen von »Caliban« habe den Verlag mit Kosten
von mehr als DM 14 000 belastet.[95] Angesichts dieser Situation ver-
zichtete Zweig auf ein Honorar[96], der Verlag meldete aber bald darauf Konkurs an.

Joseph Melzer blieb trotzdem an Zweigs Werken interessiert. 1964
schrieb ihm Zweig, daß die Neubearbeitung von »Caliban« sich weiterhin wegen seiner Bemühungen um den Weltkriegszyklus ver-
schiebe.[97] 1968 legte Melzer den Mißerfolg von »Bilanz der deutschen Judenheit« den »restaurativen Tendenzen der Adenauer-Ära«
zu Lasten und erkundigte sich nach Zweigs Essay »Baruch Spinoza«,
von dem er im selben Jahr eine Nachauflage des 1962 in der Insel
Bücherei erschienenen Bändchens herausgab.[98] Inzwischen hatte
Zweig auch mit dem Agenten Hein Kohn vom holländischen Inter-
nationaal Literatuur Bureau, mit dem er seit einigen Jahren in Kontakt stand, die Frage einer Neuausgabe bzw. holländischen Übersetzung von »Caliban« erörtert – allerdings mit ausdrücklichen Vorbehalten gegenüber dem Gebrauch von »Begriffen wie Rasse etc. für
die Juden« im Text, die er nicht mehr für berechtigt halte.[99] Kohn
gelang es 1965, den Deutschen Taschenbuchverlag (dtv) vorerst für
»Caliban« zu interessieren, und Zweig willigte auch diesmal in den
Nachdruck des »außer gelegentlichen Korrekturen« unveränderten
Textes ein.[100] Zu einer Veröffentlichung bei dtv kam es aber ebensowenig wie bei Rowohlt, an den sich Kohn anschließend wandte.[101]
Noch im Jahr von Zweigs Tod konnte Kohn eine Neuausgabe in
Aussicht stellen, aber diesmal mußte ihm Zweigs Frau Beatrice im
April 1968 mitteilen, daß ihr Mann gesundheitlich nicht in der Lage
sei, die mit einer solchen Neuherausgabe verbundenen Korrekturen vorzunehmen, und bat ihn, von einer Vergabe des »Caliban« an
die Bibliothek Literarischer Neudrucke abzusehen.[102] Zu einer Umarbeitung des Textes kam es nach 1945 also nicht; erst mit der Ausgabe im Aufbau Taschenbuch Verlag 1993 erschien »Caliban« überhaupt zum zweiten Mal. Die starken Bedenken, die der Autor in der
Zeit nach 1945 gegenüber der politischen und geistigen Orientie-

rung seines Textes äußerte, führten zu keiner Neufassung des Textes selbst.

Gerade als historisches Dokument bleibt der Text von 1927 jedoch eine anregende Lektüre. In seiner Vielschichtigkeit belegt er nicht nur die geistige Wandlung Arnold Zweigs in der Zeit nach dem Ersten Weltkrieg, sondern auch einen Übergang in der intellektuellen Wahrnehmung des Antisemitismus in Deutschland, für den die politischen Entwicklungen um die Zeit des Ersten Weltkriegs von einschneidender Bedeutung waren. Er beschreibt einen Antisemitismus, der nicht mehr, wie in der Vorkriegszeit, als eine pseudowissenschaftliche intellektuelle Richtung auftritt, sondern als ein massenpolitisches Phänomen, das vor Gewalttaten nicht zurückscheut. Er zeugt von dem Versuch, adäquate Mittel zur Ergründung solchen Gruppenverhaltens zu finden, wobei die von Arnold Zweig angewandten psychologischen und biologischen Konzepte – die an Nietzsche, an Scheler, am Vitalismus, an der Psychoanalyse orientierten Ansätze – auf eine geisteskulturelle Grundlage hinweisen, die sich in den 1920er Jahren selber im Umbruch befindet. In »Caliban« wird ein aufklärerisches Ideal aufrechterhalten, sowohl was das Verständnis des menschlichen Verhaltens als auch was die erhoffte Beilegung politischer Konflikte betrifft. Vor allem legt das Buch aber ein beredtes Zeugnis für die zwiespältige Lebenssituation der Juden in der deutschsprachigen Welt des frühen 20. Jahrhunderts ab, und wo Kritiker einen zwiespältigen Aspekt am Text selber feststellen, liegt das vielleicht nicht zuletzt am Facettenreichtum der in »Caliban« behandelten Frage: wie denn eine spezifisch-jüdische kulturelle Identität bei gleichzeitig tiefer Verwurzelung in der deutschen Kultur unter den gegebenen historischen Verhältnissen am besten zu bewahren wäre.

Cambridge, im Herbst 1999 David R. Midgley

Anmerkungen

1 AZ an H. Weyl, 8.4.1915. In: Zweig / Weyl, Komm ..., S. 98 f.

2 AZ an M. Buber, 15.2.1917; Jewish National and University Library, Jerusalem, Martin-Buber-Archiv.

3 AZ, Judenzählung vor Verdun. In: Jüdische Rundschau. Berlin 21 (22.12.1916) 51, S. 424–425; Die jüdische Presse. Berlin 48 (1917) 2, S. 24; Die Schaubühne. Charlottenburg 13 (1917) 5, S. 115–117.

4 Max Hildebert Boehm, Judentum. Geistiger Zionismus und jüdische Assimilation. In: Preußische Jahrbücher. Berlin 167 (Januar 1917) S. 319 bis 324.

5 AZ, Jude und Europäer. Entgegnung an Max Hildebert Boehm. In: Der Jude. Berlin 2 (1917/18) 1/2, S. 21–28; Juden und Deutsche. Ein Nachwort an Max Hildebert Boehm. In: Der Jude. Berlin 2 (1917/18) 3, S. 204–207.

6 AZ, Die antisemitische Welle. In: Die Weltbühne. Charlottenburg 15 (1919) 15, S. 381–385; 16, S. 417–420; 17, S. 442–446.

7 Zweigs Aufsatzserie »Der heutige deutsche Antisemitismus« wird in der Abteilung Publizistik der »Berliner Ausgabe« nachgedruckt.

8 Der Jude 5 (1920/21) 2, S. 65–76.

9 Der Jude 5 (1920/21) 3, S. 129–139; 4, S. 193–204; 5/6, S. 264–280; 7, S. 373–388; 8/9, S. 451–459; 10, 557–565; 11, S. 621–633.

10 Claudio Magris, Weit von wo. Verlorene Welt des Ostjudentums. Wien 1974, S. 80 f.

11 AZ an M. Buber, 27.8.1920; Jewish National and University Library, Jerusalem, Martin-Buber-Archiv.

12 AZ an S. Bernfeld, 8.9.1920, Postkarte; Jewish National and University Library, Jerusalem.

13 Der Jude 6 (1921/22) 3, S. 137–150. – Der Artikel erschien separat außerhalb der Artikelserie und ist mit einer redaktionellen Notiz versehen: »Diese Ausführungen ergänzen die Aufsatzreihe über den gegenwärtigen deutschen Antisemitismus, die wir im vorigen Jahrgang veröffentlicht haben.«

14 Gustav Landauer, Aufruf zum Sozialismus. Hg. von H.-J. Heydorn. Frankfurt a. M. 1967, S. 143.

15 Der Jude 5 (1920/21) 5/6, S. 277.

16 Der Jude 5 (1920/21) 4, S. 202.

17 Der Jude 5 (1920/21) 5/6, S. 277–278; vgl. auch die Anmerkungen zu S. 97 in diesem Band.

18 Sigmund Freud. Arnold Zweig. Briefwechsel. Hg. v. Ernst L. Freud, Frankfurt a. M. 1968.

19 Sigmund Freud, Studienausgabe, Bd. IX. Frankfurt a. M. 1974, S. 66.

20 AZ an S. Freud, 11.–14.12.1932 und 30.12.1932. In: Freud – Zweig – Briefwechsel, S. 63–64.

21 AZ an H. Weyl, 30.12.1921. In: Zweig / Weyl, Komm ..., S. 233; AZ an Marie Zweig, 19.1.1922.

22 AZ an René Schickele, 22.10.1925; Deutsches Literaturarchiv, Marbach a. N.

23 AZ an Bianka und Ruth Zweig, 25.12.1925.

24 AZ an H. Weyl, 21.9.1926. In: Zweig / Weyl, Komm ..., S. 300. – Zu den darauf folgenden Rechtshandlungen zwischen Zweig und dem Verlag I. M. Spaeth, die zugunsten Zweigs ausgingen, siehe Kalender 1926, Eintragungen unter 11.10. und 18.12.1926, AZA 2613.

25 Kalender 1926, Eintragung unter 18.8.1926, AZA 2613.

26 AZA Dokumente, Verlagsvertrag Nr. 139.

27 Fritz Bernstein, Der Antisemitismus als Gruppenerscheinung. Versuch einer Soziologie des Judenhasses. Berlin 1926.

28 Vgl.: Jüdische Rundschau. Berlin 33 (24.2.1928) 16, S. 115.

29 Jüdische Rundschau. Berlin 33 (2.3.1928) 18, S. 129.

30 F. Bernstein, Der Antisemitismus als Gruppenerscheinung, S. 78–80.

31 AZ an N. Goldmann, 3.9.1956 (t).

32 Neben den hier referierten Rezensionen erschienen Kurznotizen zudem u. a. in: Buch und Bühne. Berlin (Oktober 1927) S. 12; Zeitschrift für Bücherfreunde. Leipzig N. F. 20 (Mai/Juni 1928) 3, Sp. 141f.; Neue Bücher. Ein Bücherblatt für Volksbibliothekare. Bonn 5 (1928) 3/4, S. 45; Wirtschaftskorrespondenz für Polen. Katowice 4 (15.6.1927) 48/49, Beilage: Buch- und Kunstrevue, S. 1; Biochemische Monatsblätter. Leipzig 4 (1927) 11, S. 264.

33 Felix Weltsch, Der enthüllte Antisemitismus. In: Jüdische Rundschau. Berlin 32 (3.6.1927) 44, S. 313–314.

34 Max Brod, Der Antisemitismus durchschaut. In: Prager Tagblatt. Prag 52 (10.7.1927) 163, S. 5. Nachgedruckt in: Jüdische Wochenzeitung für Kassel, Hessen und Waldeck. Kassel 5 (1928) 5, S. 1–3; Jüdische Wochenzeitung für Wiesbaden und Umgebung. Wiesbaden 2 (1928) 5, S. 1–2.

35 Frank Warschauer, Juden und ihre Feinde. In: Die Weltbühne. Charlottenburg 23 (4.10.1927) 4, S. 527–530.

36 Bayerische Israelitische Gemeindezeitung. München (1928) 8, S. 121–122.

37 Siegfried Braun, Zu Arnold Zweigs »Caliban«. In: Jüdisch-liberale Zeitung. Berlin 7 (2.9.1927) 35, S. 3.

38 Die literarische Welt. Berlin 3 (26.8.1927) 34, S. 5.

39 Frankfurter Zeitung und Handelsblatt. Frankfurt a. M. 71 (29.5.1927) 393. Literaturblatt, S. 9.

40 W. Benjamin an S. Kracauer, 5.6.1927. In: Walter Benjamin, Gesammelte Briefe III (1925–1930). Hg. v. Christoph Gödde und Henri Lonitz. Frankfurt a. M. 1997, S. 264.

41 AZ an M. Buber, 12.7.1927; Jewish National and University Library, Jerusalem, Martin-Buber-Archiv.

42 Vgl. Siegfried Kracauer, Das Ornament der Masse. Frankfurt a. M. 1963, S. 173–186.

43 Fritz Schiff, Miscellanea. In: Monistische Monatshefte. Monatsschrift für wissenschaftliche Weltanschauung und Lebensgestaltung. Hamburg 12 (September 1927) S. 349f.

44 Stefan Zweig, Arnold Zweigs »Caliban«. In: Das Tagebuch. Berlin 8 (16.7.1927) 29, S. 1157–1159.

45 Moritz Goldstein, Die Ohnmacht der Vernunft: Georg Hermann, Arnold Zweig. In: Vossische Zeitung. Morgen-Ausgabe. Beilage: Lit. Umschau. Berlin 29 (6.11.1927) 45, S. 3–4.

46 E. Hz., Caliban: Arnold Zweigs Betrachtungen über den Antisemitis-
    mus. In: Israelitisches Wochenblatt für die Schweiz. Zürich 28 (28.4.1928)
    17, S. 3–4.

47 Herta Götz: »Caliban«. In: Zeitschrift für Sexualwissenschaft. Berlin
    14 (Oktober 1927) 7, S. 278–288.

48 Kölner Vierteljahrshefte für Soziologie. München, Leipzig 7 (1928/29)
    2, S. 224–225.

49 Leopold v. Wiese, Politik und Leidenschaft. Arnold Zweigs »Caliban«.
    In: C. V. -Zeitung. Blätter für Deutschtum und Judentum. Berlin 6
    (1927) 34, S. 492–493.

50 Leopold v. Wiese, System der Allgemeinen Soziologie als Lehre von
    den sozialen Prozessen und den sozialen Gebilden der Menschen (Be-
    ziehungslehre). München und Leipzig 1933, S. 486–487; 504–506.

51 S. Freud an AZ, 2.12.1927. In: Freud – Zweig – Briefwechsel, S. 11.

52 Vgl. auch David R. Midgley, Arnold Zweig. Zu Werk und Wandlung.
    Königstein/Ts. 1980, S. 16–19.

53 Vgl. AZ an Beatrice Zweig, Palermo 13. 5. 1929; AZ an M. Buber,
    1.7. 1932, Jewish National and University Library, Jerusalem, Martin-
    Buber-Archiv.

54 Kiepenheuer Verlag / G. Kiepenheuer an AZ, 2.12.1929; vgl. auch
    AZA Dokumente, Verlagsvertrag Nr. 142 (16.12.1929).

55 AZ an S. Freud, 11.12.1931. In: Freud – Zweig – Briefwechsel, S. 43.

56 AZA 938.

57 AZA 931.

58 AZ an Susanne Hanslick, 23.10.1965.

59 L. Offenstadt an AZ, 26.4. und 12.5.1933. – Einem Brief Lily Offen-
    stadts an AZ vom 30.10.1960 liegen Auszüge aus ihrem Tagebuch bei,
    nach denen sie 1933 noch bis in den Juli hinein an der Abschrift der
    »Caliban«-Korrekturen arbeitete.

60 AZ an The Viking Press / B. W. Huebsch, 15.11.1927; Library of
    Congress, Washington D. C.

61 L. Offenstadt an AZ, 26.4.1933.

62 Rebirth. A book of modern Jewish thought. Hg. von Ludwig Lewi-
    sohn. New York 1935, S. 150–165.

63 Germany's Stepchildren. Hg. von Sol Liptzin. Philadelphia 1944.

64 AZ an N. Goldmann, 8.2.1945 (t).

65 AZ an Robert Neumann, 29.10.1945 (t).

66 W. A. Berendsohn an AZ, 9.3.1947.

67 Vgl.: Der Briefwechsel zwischen Louis Fürnberg und Arnold Zweig.
    Dokumente einer Freundschaft. Berlin und Weimar 1978, S. 126.

68 C. van Emde Boas, Eros en Agressie. Enkele groeps-psychologische
    Beschouwingen over oorlog en pacifisme. In: Het Fundament. Am-
    sterdam 4 (1937) 4, S. 9–26.

69 Die Juden in Deutschland. Hg. vom Institut zum Studium der Juden-
    frage. München 1935, S. 14–18.

70 AZ an S. Freud, 8.3.1933; ÖNB Wien, nicht gedruckt in Freud – Zweig – Briefwechsel; vgl. auch AZ an H. Weyl, 11.8.1933. In: Zweig/ Weyl, Komm ..., S. 353f.

71 AZ an Max Eitingon, 10.1.1937.

72 Vgl.: AZ an H. Weyl, 1.5.1938. In: Zweig/Weyl, Komm ..., S. 365.

73 AZ an W. A. Berendsohn, 25.8.1947; DB Frankfurt/M., Exilarchiv.

74 B. Kempner an AZ, 18.5., 14.6., 5.7.1949.

75 AZ an B. Kempner, 24.6.1949 (t).

76 Carsten Wurm, 150 Jahre Rütten & Loening. Berlin 1994, S. 238.

77 AZ an B. Hartwig, 18.4.1953 (t). – Ein von Arnold Zweig verfaßter Nachruf auf den 1958 verstorbenen Hartwig erschien unter dem Titel »Der Wahrheitssucher Theodor Hartwig. Ein Gedenkblatt«. In: Freidenker. Monatsschrift der Freigeistigen Vereinigung der Schweiz. Aarau 45 (November 1962) 11, S. 81. (Das Typoskript, AZA 1528, ist datiert »16.12.1959«.)

78 B. Hartwig an AZ, 5.5.1953.

79 B. Hartwig, Kritische Bemerkungen. (Anlage zu: B. Hartwig an AZ, 28.5.1953).

80 AZ an Marie Zweig, 26.10.1954.

81 AZ an Universitas Verlag, 9.1.1959 (t).

82 Vgl.: Antisemitismus in Deutschland. Zur Aktualität eines Vorurteils. Hg. v. Wolfgang Benz. München 1995, S. 74f.

83 AZ an W. A. Berendsohn, 4.8.1960; DB Frankfurt/M., Exilarchiv.

84 Melzer-Verlag / A. v. Börries an AZ, 14.8.1960.

85 Melzer-Verlag / J. Melzer-Verlag an AZ, 30.5.1960.

86 AZ an Melzer-Verlag/J. Melzer, 7.6.1960 (t).

87 Ebd., 29.6.1960 (t).

88 Ebd., 19.7.1960 (t).

89 Ebd., 11.8.1960 (t).

90 Melzer-Verlag / A. v. Börries an AZ, 14.8.1960.

91 Ebd., 8.9.1960.

92 AZ an Melzer-Verlag / A. v. Börries, 6.9.1960 (t).

93 Melzer-Verlag / A. v. Börries an IL/AZ, 9.10.1960.

94 Union-Verlag an IL, 16.1.1961.

95 Melzer-Verlag / J. Melzer an AZ, 10.9.1961.

96 AZ an Melzer-Verlag / J. Melzer, 15.9.1961 (t).

97 Ebd., 7.2.1964 (t).

98 Melzer-Verlag/J. Melzer an AZ, 4.6.1968. – AZ, Baruch Spinoza. Porträt eines freien Geistes 1632–1677. Leipzig 1962 (dass.: Darmstadt 1968).

99 AZ an Literaturagenten / H. Kohn, 9.8.1962 (t).

100 Ebd., 6.11.1965 (t); vgl. auch AZ an Susanne Hanslick, 23.10.1965.

101 Literaturagenten / H. Kohn an AZ, 3.2.1967.

102 B. Zweig an Literaturagenten / H. Kohn, 5.4.1968 (t).

Editorische Notiz

Die Berliner Ausgabe »Arnold Zweig. Werke« basiert auf den zu Lebzeiten Zweigs publizierten Texten und stützt sich auf den Nachlaß im Arnold-Zweig-Archiv der Stiftung Archiv der Akademie der Künste, Berlin.

Die edierten Texte folgen in diplomatisch getreuer Wiedergabe in der Regel den Erstdrucken der Texte.

Sämtliche Texte sind an Hand der Erstausgaben, anderer Drucke und des Materials im Nachlaß überprüft worden. Eindeutige Druckfehler wurden stillschweigend korrigiert. Hervorhebungen, außer Sperrungen, werden kursiv wiedergegeben. Alle Zusätze und Texteingriffe des Editors erscheinen in eckigen Klammern.

Innerhalb der Gruppierung in Gattungen sind die Texte ihrer Entstehung nach chronologisch angeordnet.

Im Anhang jedes Bandes kommen wichtige Veränderungen, Fassungen, nicht aufgenommene Werkteile und zum Werk gehörige Texte des Autors zum Abdruck.

Im Kommentar folgen Anmerkungen sowie Ausführungen zur Textgrundlage, zur Entstehungs-, Text- und Wirkungsgeschichte. Die Bände der Essays und der Publizistik erhalten kommentierte Personenregister. Die Ausgabe schließt mit einem Gesamtregister.

Textgrundlage der vorliegenden Ausgabe: Arnold Zweig, Caliban oder Politik und Leidenschaft. Versuch über die menschlichen Gruppenleidenschaften dargetan am Antisemitismus. Potsdam, Gustav Kiepenheuer Verlag, 1927.

Textkorrektur: 33 vom göttlichen, gewollten Ich > vom Göttlichen gewollten Ich; ihn weist > ihm weist; 47 Stock) > Stock),; 51 Mittemächte > Mittelmächte; 83 vom oberstem Bischof > von oberstem Bischof; 98 des von ihn > des von ihnen; 114 die Sitte > die Sitte,; 123 ihn aber: Wie > ihn aber: »Wie; 124 Machtvolk > Machtvolk,; 127 Jacobi > Jacoby; 130 Wirkung die > Wirkung des; 134 Hartnäckigkeit, der > Hartnäckigkeit, die; 146 Judentum (Weltverlag > Judentum, Weltverlag; 148 Wer, zum beliebigen > Wer zum beliebigen; 155 um sich schließlich > und sich schließlich; 156 [Andere … Sphäre.] > (Andere … Sphäre.); 177 Minimum von dem > Minimum, von dem; 175 Kretzschmer > Kretschmer; 183 Sakrifizium intellektu > Sakrifizium intellektus; 199 Dänen) > Dänen),; 200 an gerade an > an gerade; 205 Mythras > Mithras; 217 ein Volk das > ein Volk, das; 220 »unser Vater« > ›unser Vater‹; 221 würden sie dadurch > würde sie dadurch; 253 gruppenbildende > gruppenbildende,; 257 sub speciae humanitati > sub specie humanitatis; 259 Rolle spielen > Rolle spielen); 275 nieder-trächtige > niederträchtige; 277 Eigenschaften der Deutschen > Eigenschaften der Deutschen,; 283 Mittemächte > Mittelmächte; 291 sub speciae > sub specie; 324 nicht daran man > man nicht daran; 337 ihm, dem Sohne > ihn, den Sohn.

Fehlerhafte Abschnittsnumerierungen wurden stillschweigend korrigiert.

Die lebenden Kolumnentitel der Erstausgabe stammen aller Wahrscheinlichkeit nach nicht von Arnold Zweig und wurden in dieser Ausgabe nicht berücksichtigt.

Zitierte Briefe, Manuskripte und andere Dokumente, deren Provenienz nicht näher angegeben ist, entstammen dem Nachlaß und den Sammlungen im Arnold-Zweig-Archiv in der Stiftung Archiv der Akademie der Künste, Berlin. Allen Archiven, die Kopien von Briefen und anderen Dokumenten Arnold Zweigs zur Verfügung stellten, sei an dieser Stelle gedankt: Deutsche Bibliothek, Frankfurt a. M., Exilarchiv; Deutsches Literaturarchiv, Marbach a. N.; Jewish National and University Library, Jerusalem; Library of Congress, Washington, D. C.; Österreichische Nationalbibliothek, Wien.

Im vorliegenden Band wurden folgende Abkürzungen verwendet:

Anm.	Anmerkung
AZ	Arnold Zweig
AZA	Arnold-Zweig-Archiv der Stiftung Archiv der Akademie der Künste, Berlin,
DB Frankfurt/M.	Deutsche Bibliothek, Frankfurt a. M.
Freud – Zweig – Briefwechsel	Sigmund Freud. Arnold Zweig, Briefwechsel. Frankfurt a. M. 1968.
H	Handschrift

hs.	handschriftlich
IL	Ilse Lange (1948–1968 Zweigs Mitarbeiterin)
Korr. v. fr. Hd.	Korrekturen von fremder Hand
ÖNB, Wien	Österreichische Nationalbibliothek, Wien
T	Typoskript
t	Typoskript-Durchschlag
TG	Textgrundlage
Zweig/Weyl, Komm …	Arnold Zweig/Beatrice Zweig/Helene Weyl, Komm her, wir lieben dich. Briefe einer ungewöhnlichen Freundschaft zu dritt. Berlin 1996.

D. M.

Register

Das Register verzeichnet die in Arnold Zweigs Texten genannten Personen und Werke. Die kursiv gesetzten Seitenzahlen verweisen auf Namen und Werke, die in den Anmerkungen erklärt werden.

Inhalt

Anhang

474

Bandeinteilung

Arnold Zweig

Berliner Ausgabe

Bilanz der deutschen Judenheit 1933

Ein Versuch

Band III/3.2

Herausgegeben von der Humboldt-Universität zu Berlin
und der Akademie der Künste, Berlin
Wissenschaftliche Leitung: Frank Hörnigk in
Zusammenarbeit mit Thomas Taterka
Bandbearbeitung: Thomas Taterka

441 Seiten. Gebunden
ISBN 3-351-03423-7

Dieser als »Kampfschrift« angelegte Text, der nach dem Erscheinen im Amsterdamer Querido Verlag 1934 weitgehend unbeachtet geblieben ist, gehört zu den wichtigsten und bedeutendsten Essays Arnold Zweigs. Überaus materialreich beschäftigt er sich mit jüdischen Leistungen in Deutschland: von Moses Mendelssohn, Marx und Heine bis Einstein, Freud oder Kafka. Es ist eine Bilanz der deutsch-jüdischen Beziehungsgeschichte, die sich dem Autor angesichts der aktuellen Judenverfolgung als beendet darstellte.

Aufbau-Verlag

Arnold Zweig
Berliner Ausgabe
Dialektik der Alpen

Emigrationsbericht oder Warum wir
nach Palästina gingen

Band III/4
Herausgegeben von der Humboldt-Universität zu Berlin
und der Akademie der Künste, Berlin
Wissenschaftliche Leitung: Frank Hörnigk in
Zusammenarbeit mit Julia Bernhard
Bandbearbeitung: Julia Bernhard

516 Seiten. Gebunden
ISBN 3-351-03424-5

Erstmals aus dem Nachlaß: Zwei Essays von Arnold Zweig,
die nichts von ihrer Aktualität eingebüßt haben. Das »Al-
penbuch« ist ein großangelegter Versuch, die Ursprünge der
Demokratie und den Zuwachs an Gesittung der Menschheit,
an »Weltgesittung«, nachzuweisen. Das Buch, auf Anregung
eines US-amerikanischen Sach- und Schulbuch-Verlages im
Oktober 1939 für das dortige Studentenpublikum begonnen,
wurde weder in seiner englischen Übersetzung während des
Krieges noch im Ost- oder Westdeutschland der Nachkriegsjahre veröffentlicht.
Ähnlich großen Verlegerambitionen entsprang der Auftrag,
einen »Abriß der Geschichte Palästinas und des Volkes Israel
darin« zu verfassen. Auch dieser Text stellt einen sehr persönlichen Rückblick auf viertausend Jahre Geschichte dar,
nicht zuletzt – mit der Vorgeschichte des Staates Israel – auch
auf Spannungen im Nahen Osten, die sich bis heute auswirken.

Aufbau-Verlag

Arnold Zweig
Berliner Ausgabe
Freundschaft mit Freud

Ein Bericht

Band III/5
Herausgegeben von der Humboldt-Universität zu Berlin
und der Akademie der Künste, Berlin
Wissenschaftliche Leitung: Frank Hörnigk in
Zusammenarbeit mit Julia Bernhard
Bandbearbeitung: Julia Bernhard

392 Seiten. Gebunden
ISBN 3-351-03425-3

Zum ersten Mal veröffentlicht: Arnold Zweigs autobiographischer Bericht über seine Freundschaft mit Sigmund Freud. Die Erinnerungen an Begegnungen und Gespräche zwischen 1927 und 1939, gestützt auf den umfangreichen Briefwechsel mit Freud, entwerfen einen kulturhistorischen Abriß dieser Zeit, der aktuelle politische Ereignisse ebenso berührt wie Probleme des Judentums und Fragen der Psychoanalyse. Sigmund Freuds Tochter Anna schrieb dem Autor nach ihrer Lektüre des Manuskriptes: »Ich finde das Ganze ganz besonders schön, eigentlich aufregend schön. Die Art, wie Sie das Bild langsam entwickeln, durch Ihre eigene Person hindurch gesehen, verbunden mit dem Bild der ganzen Zeit, ist so, wie es eben kein Biograph kann, nur ein Dichter und Schriftsteller.«

Aufbau-Verlag

Arnold Zweig
Berliner Ausgabe
De Vriendt kehrt heim

Roman
Band I/4
Herausgegeben von der Humboldt-Universität zu Berlin
und der Akademie der Künste, Berlin
Wissenschaftliche Leitung: Frank Hörnigk in
Zusammenarbeit mit Julia Bernhard
Bandbearbeitung: Julia Bernhard

303 Seiten. Gebunden
ISBN 3-351-03404-0

Ein politischer Mord ist Drehpunkt dieses ersten historischen Romans über das Land Palästina/Israel: Das Attentat auf den jüdischen Politiker de Vriendt vor einem explosiven politischen Hintergrund, der die Anfänge heutiger Konflikte im Nahen Osten aufzeigt.

»Das Modell der Hauptgestalt meines Buches war der unglückliche Dichter, unselige Politiker J.I. de Haan, der 1924 in Jerusalem ermordet wurde. Seit jenen Monaten, fast acht Jahre lang, beschäftigte diese Gestalt meine Phantasie, obwohl ich von ihr nur wußte, und zwar bis zum Betreten Palästinas in diesem Frühjahr, was in den Spalten dieser Zeitung über sie zu lesen gewesen. Er war die große Figur des Gegenspielers. Ich wußte, er würde mich in die Tiefe unserer Problematik hineintragen; nur ahnte ich nicht, wie tief.«

Arnold Zweig 1932
in der »Jüdischen Rundschau«

Aufbau-Verlag